संन्यासी

इलाचन्द्र जोशी

जन्म : 13 दिसम्बर, 1902 ई. में अल्मोड़ा में एक प्रतिष्ठित मध्यवर्गीय परिवार में हुआ। अल्मोड़ा जैसे प्राकृतिक रमणीय स्थान ने इनके व्यक्तित्व पर असर डाला है।

गतिविधियाँ : सन् 1921 में शरद बाबू से इनकी भेंट। 'चाँद' के सहयोगी सम्पादक। सन् 1929 में 'सुधा' का सम्पादन। पहला उपन्यास जो 1927 ई. में लिखा गया था सन् 1929 में प्रकाशित हुआ। सन् 1931 में साप्ताहिक 'विश्वमित्र' का सम्पादन। 'धर्मयुग' तथा 'साहित्यकार' का भी सम्पादन किया।

प्रमुख रचनाएँ

उपन्यास : लज्जा, संन्यासी, पर्दे की रानी, प्रेत और छाया, निर्वासित, मुक्तिपथ, सुबह के भूले, जिप्सी, जहाज का पंछी, ऋतुचक्र, भूत का भविष्य, कवि की प्रेयसी।

कहानी : धूपरेखा, दीवाली और होली, रोमाण्टिक छाया, आहुति, खँडहर की आत्माएँ, डायरी के नीरस पृष्ठ, कँटीले फूल लजीले काँटे।

समालोचना तथा निबन्ध : साहित्य सर्जना, विवेचना, विश्लेषण, साहित्य चिन्तन, शरत्चन्द्र-व्यक्ति और कलाकार, विश्वकवि रवीन्द्रनाथ ठाकुर, देखा-परखा।

पुरस्कार : उत्तर प्रदेश शासन द्वारा 'ऋतुचक्र' उपन्यास पर प्रेमचन्द पुरस्कार 1969-70 ई., राज्य साहित्यिक पुरस्कार उत्तर प्रदेश शासन द्वारा 1974-75 ई., विशिष्ट पुरस्कार उत्तर प्रदेश शासन द्वारा 1976-77, साहित्य वाचस्पति की उपाधि 1979 ई.।

निधन : सन् 1982 ई.।

संन्यासी

इलाचन्द्र जोशी

लोकभारती पेपरबैक्स

लोकभारती पेपरबैक्स में
पहला संस्करण : 2015
तीसरा संस्करण : 2026

लोकभारती पेपरबैक्स : उत्कृष्ट साहित्य के लोकप्रिय संस्करण

लोकभारती प्रकाशन
पहली मंजिल, दरबारी बिल्डिंग, महात्मा गांधी मार्ग
प्रयागराज-211 001
द्वारा प्रकाशित

शाखाएँ : 1-बी, नेताजी सुभाष मार्ग, दरियागंज, नई दिल्ली-110 002
अशोक राजपथ, साइंस कॉलेज के सामने, पटना-800 006
1, अनमोल सोराबजी सन्तुक लेन, धोबी तलाव, मरीन लाइंस, मुम्बई-400 002
वेबसाइट : www.lokbhartiprakashan.com
ई-मेल : info@lokbhartiprakashan.com

बी.के. ऑफसेट
नवीन शाहदरा, दिल्ली-110 032
द्वारा मुद्रित

मूल्य : ₹399

SANYASI
Novel by Ila chandra Joshi

ISBN : 978-93-5221-014-5

‘संन्यासी’ अपने पाठकों के हाथ में देते हुए हमें हर्ष हो रहा है। श्री इलाचन्द्र जी जोशी की इस कृति का कुछ अंश जब ‘विश्वमित्र’ के पहले वर्ष के अंकों में धारावाहिक रूप से निकला था, तभी साधारण पाठकों से लेकर साहित्यिक जन तक समान रूप से इस पर मुग्ध हो चुके थे। इसकी अच्छी चर्चा रही और इसके सम्पूर्ण प्रकाशित होने की बाट देखी जाती थी। किन्तु इसका अवसर आज आया है। इसका कारण केवल यह रहा है कि जोशी जी अपनी इस कृति के सम्बन्ध में अधिक सावधान रहना चाहते थे। फलतः पाठक देखेंगे कि जोशी जी ने समय और अपनी साधना से इस कृति को कथा-साहित्य में अपूर्व बना दिया है।

जोशी जी प्रथम श्रेणी के साहित्यकारों में अपना विशिष्ट स्थान रखते हैं। वह बहु-भाषा-विद्, मननशील और साधनारत साहित्यिक हैं। उनकी कृति के सम्बन्ध में सीधी एक दृष्टि डाल कर कुछ कह देना, धोखे की बात हो सकती है। हमें विश्वास है, पारखी आलोचक अपनी कसौटी पर इसे ले आयेंगे और इसके स्थान की घोषणा करेंगे। हम तो इतना ही कह सकते हैं कि हिन्दी में आज दिन भी जहाँ अच्छे उपन्यासों की गिनती दो-एक उँगलियों में ही की जा सकती है, वहाँ निश्चय ही जोशी जी ने उस संस्था में अपनी इस कृति द्वारा वृद्धि की है।

हमें विश्वास है, हमारे प्रकाशन के प्रेमी पाठक ‘संन्यासी’ का हृदय से स्वागत करेंगे।

प्रथम संस्करण से

—प्रकाशक

साल-भर जेल की सजा भुगतकर अभी लौटा हूँ। मेरे साथ के जो-जो देशसेवी कारामुक्त होकर वापस आये हैं, उन सब ने बन्धनावस्था में भी दलित, दुःखित देश की ही चिन्ता की है और बाहर आकर अपने संस्मरण साप्ताहिक अथवा मासिक पत्रों में छपाये हैं। पर मैं पापी सदा आलस्यमय जीवन बिताने के बाद अन्त को जब भाग्य की विडम्बना से अकस्मात् संन्यासी बन बैठा और देश-माता के वीर पुत्रों की प्रेरणा से लहर में आकर एक जोशीली वक्तृता देने के कारण जेल के अन्दर ठूँस दिया गया, तो उस परास्त अवस्था में किसकी व्याकुल आत्मा का हाहाकार चट्टानों पर पछाड़ खाती हुई तरंगिणी के गर्जित क्रन्दन के समान मेरे हृदय को हिलाने लगा? किसकी निपट निस्सहायावस्था की कल्पना से मैं रह-रहकर पागलों की तरह छटपटाने लगा?

मैंने संन्यासी का वेश धारण किया है, सन्देह नहीं। पर संन्यासी मैं न कभी था और न हूँ। तब दुनिया को और अपने आपको क्यों मैंने ठगा है? जीवन के अनेक कड़वे अनुभव भी हुए, देश-सेवा भी की और जेल भी गया। पर फिर भी इस सूखे हृदय में इस समय भी जब दो-चार बूँदें आँसू की किसी समय पड़ जाती हैं, तो इसमें तत्काल हरियाली छाने लग जाती है। यह क्यों? मैं चाहता हूँ कि शुष्क बालू की तरह इस हृदय का कण-कण, जर्रा-जर्रा निखिल शून्य में बिखर जाय, राख की तरह यह जड़ और निर्जीव बन जाय; पर—उफ़! अनन्तकाल तक सुख-दुःख की अनुभूति का यह निष्ठुर चक्र मेरा पीछा नहीं छोड़ने का।

आज एक-एक करके अपने जीवन की सभी पुरानी बातें याद आ रही हैं। बनारस हिन्दू यूनिवर्सिटी में मैं एम.ए. प्रीवियस में पढ़ता था। मेरा प्रिय विषय था संस्कृत। प्राचीन साहित्य के अगाध सागर में डुबकियाँ लगा रहा था। अँगरेजी-विभाग के विद्यार्थियों से मेरी बनती न थी, इसलिए फोर्थ हॉस्टल में संस्कृत-विभाग के विद्यार्थियों के साथ रहता था। जिस कमरे में मैं रहता था, उसमें तीन विद्यार्थी और भी थे। हम चारों काव्य-शास्त्र-विनोद में अपने दिन बड़े आनन्द से बिताया करते थे। महाभारत से हम लोग नये-नये तथ्यों की खोज़ का प्रयत्न करते, जिन पर आज तक किसी प्राच्यतत्त्ववेत्ता की दृष्टि न गयी हो। महाभारत में उल्लिखित रमण लोग रोमन थे या नहीं, वाह्लीक देश काबुल था या बल्ख, कायस्थ लोग स्काइथियन थे या नहीं, कारूप देश वर्तमान रूस से कहाँ तक सम्बन्धित है, इत्यादि बातों की चर्चा में समय बेमालूम बीत जाता था। कभी-कभी तो सारी रात इसी प्रकार की बहसों में कट जाती थी। वैदिक विषयों पर भी कुछ कम मन्त्रणा नहीं होती थी। हमारे सहवासियों में से एक छात्र,

जिसका नाम उमापति था, साहित्य-शास्त्राचार्य की परीक्षा देनेवाला था। पर उसने निजी रूप से अपनी परीक्षा के बाहर की बहुत बातों का अध्ययन भली-भाँति किया था। अँगरेजी भी वह मुझसे थोड़ी-बहुत सीख चुका था। आधुनिक यूरोपियन दार्शनिकों तथा कवियों के सम्बन्ध में मेरी बातें सुन-सुनकर वह बात-बात में अधिकारपूर्वक उनका उल्लेख करने लगा था। लोगों के लिए इस बात पर सन्देह करने का कोई कारण नहीं रह जाता था कि उसने उन मनीषियों के ग्रन्थों का अच्छा अध्ययन किया है। अँगरेजी-विभाग के अध्यापक भी उसे उपेक्षा की दृष्टि से नहीं देखते थे। बल्कि उससे कुछ डरते थे, क्योंकि वह बड़ा मुँहफट और निर्द्वन्द्व था। खरी-खरी बातें सुनाने में किसी से नहीं डरता था। कुछ भी हो, वह मेरा प्रिय संगी बन गया था। उसकी रगों में भी नया रक्त तरंगित हो रहा था और मेरा भी यही हाल था। नित्य अरुणोदय के पूर्व ही उठकर हम दोनों निकटतम घाट पर जाकर स्नान करते और अक्सर उल्लासपूर्वक गंगा जी में तैरा करते। नहा-धोकर तिलक लगाकर बहुत देर तक आसन मारे आँखें मूँदे बैठे रहते। इसके बाद जब सूर्योदय होता, तो दोनों उसकी ओर मुँह करके उच्च कण्ठ से, सामगान के स्वर से, वैदिक मन्त्रों का उच्चारण करते। इसके बाद हृदय में तथा शरीर में परम स्फूर्ति और मुखों में चरम उद्दीप्ति लेकर हम दोनों हॉस्टल को लौटते और वहाँ जाकर अध्ययन करते। हम चार व्यक्ति अपनी रसोई अलग बनाया करते थे। खाना बारी-बारी से बनाया जाता था। एक दिन एक ने बनाया तो दूसरे दिन कोई दूसरा बनाता। मैं पाक-कला में बिलकुल अनाड़ी था, इसलिए 'ड्यूटी' से 'इग्ज़ेम्प्ट' कर दिया गया था। पर फिर भी यथाशक्ति इस सम्बन्ध में मैं उन लोगों को अपनी योग्यतानुसार सहायता दे दिया करता था। छुट्टी के दिन तो चारों साथ ही मिलकर रन्धन का प्रबन्ध करते थे।

शाम को कभी महल के इस पार गंगा के पुलिन पर सैर करने जाते और सीप के असंख्य टुकड़ों से चमकती हुई रेत के ऊपर बैठकर निस्तब्ध नीरवता में अनन्त शान्ति का अनुभव करते। कभी दशाश्वमेध घाट पर कल-कोलाहलमय संसार की चंचल तरंगों का आनन्द लूटते। श्मशानचारी भोलानाथ जी की इस निवास-भूमि में स्थित उक्त घाट पर श्मशान की तो कोई कल्पना ही मन में नहीं उठती थी। बल्कि अनेक नर-नारियों के आनन्दपूर्ण सम्मिलन से एक अनिर्वचनीय उल्लास का भाव हृदय में नाचने लगता था। विपुल जीवन की एक रंग-रसमय कल्पना का हर्षोन्माद सारी आत्मा में लहराने लगता था। कभी किसी साधू की धूनी के पास बैठते और सकौतुक उसकी भभूत मस्तक में धारण करते, कभी बंगाली कथकों का व्याख्यान और कीर्त्तन सुनते, कभी पण्डों की बकवास में शरीक हो जाते। प्रत्येक विषय में मुझे रस मिलता था। ऐसा भास होता जैसे अल्फ़ लैला में वर्णित किसी जादू की माया से आच्छन्न स्थान में आ गया होऊँ, जहाँ प्रतिदिन के वास्तविक जगत् के नियम लागू नहीं होते—वहाँ 'जिन' लोगों को वश में करके अपनी इच्छा की रास मनमाने तौर से ढीली की जा सकती है। गरज यह कि

एक अप्राकृतिक, अव्यावहारिक आनन्दमय संसार में मेरी मनोनौका निर्मुक्त, निर्द्वन्द्व होकर बिहर रही थी। दुःख-दारिद्र्य, रोग-शोक, जरा-मृत्यु—जिन्हें अब मैं जगत् में एकमात्र सत्य समझने लगा हूँ—तब मेरे लिये अस्तित्वहीन थे।

•••

क्रिसमस की छुट्‌टी हुई। उमापति ने प्रस्ताव किया कि वापसी टिकट लेकर कहीं 'ट्रिप' को चलना चाहिए। इस बात पर विचार होने लगा कि कौन-सा स्थान ठीक रहेगा। किसी ने लखनऊ, किसी ने दिल्ली, किसी ने मेरठ का प्रस्ताव किया। मुझे न जाने अचानक क्या सूझी, मैंने कहा कि आगरा चलेंगे। ताजमहल अब तक हममें से किसी ने नहीं देखा था। यह एक आश्चर्य की ही बात थी, सन्देह नहीं, पर थी सच। सब को मेरी बात जँच गयी। पर वहाँ जाकर कहाँ रहना होगा, इसका निश्चय भी करना था। धर्मशालों में क्रिसमस के अवसर पर अवश्य भीड़ रहेगी। दो-चार दिन कहीं आराम से न रहे, तो यात्रा का मज़ा ही क्या रहा! बहुत सोचने पर मुझे याद आया कि प्रोफेसर कृष्णकुमार मिश्र वहाँ रहते हैं। वह भैया के 'लँगोटिया यार' थे। एक बार मैं गरमियों में भैया से मिलने शिमले गया था। प्रोफेसर साहब वहीं आकर टिके हुए थे, इस कारण मेरा भी परिचय उनसे हो गया था। सोचा, वहीं जाकर ठहरेंगे। यदि उपेक्षा का भाव दिखलावेंगे तो फिर देखी जायगी।

रात को हम तीन आदमी यथासमय स्टेशन पर आ पहुँचे—मैं, उमापति और विश्वनाथ। हमारा चौथा सहवासी किसी कारण से हमारा साथ न दे सका।

दूसरे दिन सवेरे जब आगरे के स्टेशन पर पहुँचे, तो मेरा उत्साह कुछ ढीला पड़ने लगा। अपने दो साथियों को लेकर प्रोफेसर साहब के मकान में धावा बोलने का साहस नहीं होता था। न जाने वह मन में क्या सोचेंगे! वह चाहे कुछ ख्याल न करें, पर उनके घर की स्त्रियों का दृष्टिकोण न जाने कैसा है! उमापति एक ताँगेवाले के पास जाकर गन्तव्य स्थान तक का भाड़ा तय करने में लगा था। पर संकोच के कारण मेरे पैर आगे को नहीं बढ़ते थे। आखिर मन मारकर ताँगे पर बैठा।

मेरे दोनों मित्र प्रसन्न थे। विश्वनाथ ने भैरवी में एक तान छेड़ दी, जिसे सुनकर ताँगे का घोड़ा हिनहिनाने लगा और ताँगेवाला उमंग में आकर बोला—"बहुत अच्छे! वाह बाबू साहब! खूब!"

उमापति ने जब देखा कि विश्वनाथ को बड़े सस्ते में वाहवाही मिल गयी, तो वह भी न रह सका और अस्नात अवस्था में ही गंगालहरी के श्लोक सुर के साथ उच्चारित करने लगा।

मुझे गुस्सा आ रहा था और हँसी भी आती थी। इस बात पर दुःख हो रहा था कि इन दो उत्तरदायित्वहीन व्यक्तियों को लेकर मैं एक अपरिचित गृह में जा रहा हूँ।

कुछ भी हो, किसी तरह ताँगा उस गली पर पहुँचा, जहाँ हमें जाना था। अब नम्बर की खोज हुई। इससे पूछा, उससे पूछा, देखा-भाला; पर सहज में पता न लगा। प्रोफेसर साहब का नाम ले-लेकर पथिकों से पूछने लगे। मुझे यह भय हो रहा था, कहीं प्रोफेसर साहब पास ही अपने कोठे पर से अपने नाम के सम्बन्ध में सड़क के बीच हम लोगों का कोलाहल सुन बैठें, तो बड़े अन्याय और लज्जा की बात होगी।

आखिर तमाखू की एक दुकान में एक दाढ़ीवाले मियाँ ने बतलाया कि पास ही जो नीले रंग का मकान दिखायी देता है, वहीं प्रोफेसर कृष्णकुमार रहते हैं। बहुत सम्भव है, प्रोफेसर साहब इन्हीं मियाँ के यहाँ से तमाखू खरीदते होंगे। हम तीनों में उमापति सबसे अधिक ढीठ था। मैंने उससे इस बात का पता लगाने के लिए कहा कि वास्तव में वह मकान प्रोफेसर साहब का है या नहीं। वह मकान की तरफ जाना ही चाहता था कि कुछ सोचकर मैंने उसे रोक लिया और तीनों ने मिलकर साथ ही चलने का विचार किया। भाड़ा चुकाकर मैंने ताँगेवाले को बिदा किया और ससंकोच निर्दिष्ट मकान की ओर बढ़ा। भीतर जाकर जो पूछा तो पता चला कि मकान तो वह ठीक ही है, पर मालिक घर पर नहीं हैं—बड़े दिनों की छुट्टियों में कलकत्ते गये हुए हैं। मेरी स्थिति बड़ी विकट हो उठी। वैसे ही संकुचित हो रहा था, अब और भी अधिक घबड़ाया। खिसियाकर उलटे पाँव लौट चलना भी अपमानजनक था, इस कारण झेंप मिटाने के लिए नौकर से प्रश्न के बतौर दो-चार बातें कर लेना मैंने उचित समझा। पूछा—"घर में और कौन-कौन हैं?"

"बहू जी हैं, उनकी सौतेली लड़की लल्ली हैं, और दो छोटे बच्चे हैं।"

"मर्द कोई नहीं?"

"जी नहीं।"

मैंने परम धैर्य का भाव जताते हुए कहा—"तब तो हम लोगों से बड़ा अन्याय हुआ जो बिना जाने भीतर घुस पड़े!"

नौकर यथेष्ट सुसभ्य जान पड़ता था। मेरी बात सुनकर संकोचजनित मुस्कान से अस्पष्ट स्वर में बोला—"नहीं बाबू जी, अन्याय कैसा!"

उमापति को लक्ष्य करके मैंने कहा—"चलो भाई। कहीं दूसरी जगह ठिकाने का बन्दोबस्त करें।"

उमापति ने अनिच्छा के स्वर में कहा—"चलो।"

हम लोग जाना ही चाहते थे कि अकस्मात् भीतर का पर्दा हटा और मैंने भ्रान्त होकर देखा, सामने एक देवकन्या खड़ी है। मैं ठिठककर यथास्थित रह गया; जैसे किसी ने मेरे पाँव जकड़ लिये हों। वैसा मोहन रूप मैंने उसके पहले कभी नहीं देखा था। स्तम्भित, विभ्रान्त होकर काठ की मूर्ति की तरह उसकी ओर देखता रह गया। सुतीक्ष्ण,

पर विनम्र और सुरीले शब्द में मुझे लक्ष्य करके वह बाला बोली—"आप लोग वापस कहाँ को जाते हैं? बैठिये, चाय तैयार है; पीकर आराम कीजिये।"

मुझसे कुछ कहते न बन पड़ा। काठ के उल्लू की तरह उमापति का मुँह ताकने लगा। रेल के सफर से उमापति स्पष्ट ही विशेष थकित जान पड़ता था। वह तो बिना कहे वहीं धरना देना चाहता था, फिर अब तो मौका ही मिल गया। बोला—"मुँह क्या ताकते हो? वह ठीक ही तो कहती हैं! किसी के घर आकर यों ही वापस चले जाना शिष्टाचार के भी विरुद्ध है। आओ विश्वनाथ, जरा बैठकर आराम तो करें। खड़े-खड़े कब तक सजा भुगतोगे? नन्दकिशोर यदि कहीं जाना चाहे, तो खुशी से जा सकता है" यह कहकर वह जूते उतारकर पास ही एक कौच पर जाकर लेट ही तो गया। विश्वनाथ भी एक कुर्सी पर दुबककर बैठ गया। उमापति की बेहयाई देखकर यद्यपि मैं कुछ वित्रस्त-सा हुआ, तथापि इस बात से मुझे सन्तोष हुआ कि मेरी जटिल स्थिति उसने बहुत-कुछ सुलझा दी। क्योंकि अब मेरी भी इच्छा वहाँ से हटने की नहीं रह गयी थी, किन्तु पुरुष-शून्य गृह में केवल एक लड़की के अनुरोध से टिकने की बात भी मुझे शिष्टाचाररहित जान पड़ती थी; पर उमापति की हठकारिता के कारण अब मैं सारा दोष उसके सिर पर मढ़कर वहाँ ठहर सकता था। उस किशोरी की ओर दुबारा ताकने का साहस मुझे नहीं होता था—आँखें चौंधियाँ जाती थीं। इसके अतिरिक्त एक अननुभूत, अप्रत्याशित संकोच की प्रबलता ने मुझे अचानक इस तरह धर दबाया था कि मैं हौलदिल-सा हो गया। इसलिए किशोरी की बात का कुछ उत्तर न देकर, उसकी ओर बिना देखे ही केवल उसके अस्तित्व की अनुभूति हृदय में लेकर मैं अपनी इस दुरवस्था से त्राण पाने के लिए उमापति के पास चला गया और लज्जित मुस्कान से उसकी पीठ ठोंकता हुआ बोला—"धन्य है। तुम्हारी निर्लज्जता को!"

वह पूर्ववत् ढीठ स्वर में बोला—"निर्लज्जता कैसी! किसी के घर आकर उलटे पाँव लौट चलना, यह कहाँ का कायदा है?"

●●●

उमापति के साथ कौच में बैठने पर मुझे कुछ साहस हुआ। एक तिरछी निगाह से भीतर की ओर देखा। किशोरी चली गयी थी। अपनी अशिष्टता के कारण मुझे अपने ऊपर अत्यन्त क्रोध होता था। उसने मुझे लक्ष्य करके ठहरने का अनुरोध किया था, और मैं ऐसा गधा निकला कि दो बातें भी उससे न कर पाया! यहाँ तक कि उसकी

ओर आँख उठाकर देखने का साहस भी मुझे नहीं हुआ! मेरी यह बर्बरता देखकर वह परम बुद्धिमती बालिका (मुहूर्त्त के दर्शनमात्र से मुझे उसकी बुद्धिमत्ता पर विश्वास हो गया था) मन में न मालूम क्या सोच रही होगी! सुतीव्र पश्चात्ताप से मेरे सिर में झनझनाहट और शरीर में सुरसुराहट हो रही थी। मन-ही-मन प्रतिज्ञा की कि अब की जब उसे देखूँगा तो अवश्य दो-एक बातें करूँगा।

थोड़ी देर बाद एक 'ट्रे' में तीन प्याले चाय के रखकर नौकर आया और उसके साथ ही पीछे से वही मोहिनी किशोरी रकाबियों में मेवे, मिठाइयाँ और फल लेकर अर्द्ध-संकोच की मर्मभेदी दृष्टि से हमारे सामने आ उपस्थित हुई और अत्यन्त शील तथा सुघड़पन से उसने उन्हें मेज पर रख दिया। मेरा हृदय बड़े जोरों से धड़कने लगा, जैसे दम घुटा ही चाहता हो। एक शब्द मुँह से नहीं निकलता था, जैसे किसी ने गला पकड़ लिया हो। पर इस बार जी-भरकर मैंने उसकी रूप-सुधा का पान कर लिया।

अचानक एक विकट समस्या खड़ी हो उठी, जिस पर हम लोगों ने पहले ध्यान नहीं दिया था। हम लोग स्टेशन से केवल हाथ-मुँह धोकर आये हुए थे। अभी तक न तो स्नान किया था, न प्रातः सन्ध्या। हमारा नियम था कि सन्ध्या किये बिना कभी खाने की कोई चीज नहीं छूते थे। और चाय के तो आदी ही नहीं थे, यद्यपि परहेज नहीं था। सोचने लगा कि ऐसी स्थिति में क्या किया जाय? इन्कार करने से घोर रूढ़ता सिद्ध होगी, यह भी जानता था। इसके पहले यथेष्ट अशिष्टता हो चुकी थी। मिनट-भर विचार करके निश्चय किया कि धर्म-भ्रष्ट चाहे भले ही हो जाऊँ, इस नवीना किशोरी का अधिक अपमान अब नहीं कर सकता।

दुष्ट उमापति ने व्यंग्य के हास्य से मुझसे पूछा—"कहो, क्या विचार है?"

मैंने दृढ़तापूर्वक कहा—"विचार के लिए अब समय नहीं है।" यह कहकर एक टुकड़ा मिठाई का लेकर मुँह में डाल ही तो लिया।

उमापति बोला—"बिना सन्ध्या किये ही? खूब! एक ही दिन में वर्षों का नियमाचार बह चला?"

"आपद्धर्म है, भाई! समझे नहीं? सफर का मामला है।"

वह ठहाका मारकर हँस पड़ा। मैंने किशोरी की ओर देखा। वह भी सलज्ज हास से मन्द-मन्द मुस्करा रही थी। उसका वह संयत हास से उज्ज्वल मुख देखकर मेरे हृदय का सारा क्षोभ जाता रहा। मेरा साहस बढ़ता जाता था। मैं जानता था कि यदि तत्काल ही उस नवीना को बातों में न लगा दिया जाय, तो वह बिना विलम्ब के भीतर चली जायगी—क्योंकि अपरिचित युवकों के सम्मुख उसका बिना कारण खड़े रहना हिन्दू शिष्टाचार के अनुसार अशोभन था। साहस बटोरकर मैंने पूछा—"मिश्र जी कब वापस आवेंगे?"

यह अनावश्यक प्रश्न था, सन्देह नहीं, पर जल्दी में कोई दूसरा प्रश्न मुझे न सूझा।

मुझे प्रश्न करते देखकर वह एकदम गम्भीर हो गयी और उसकी दृष्टि का माधुर्य तीव्रता में परिणत हो गया। मैं भयभीत हो उठा और अपनी निर्बुद्धिता पर पछताने लगा।

उसने मुँह फिराकर, तिरछी, अर्द्धव्यक्त दृष्टि से मुझे देखकर रुखाई से उत्तर दिया—"पहली तारीख तक चले आवेंगे।" यह कहकर धीर, सुसंयत गमन से वह भीतर को चली गयी। मेरी ग्लानि की सीमा न रही। मन-ही-मन अपने को कोसने लगा कि उसके सरल, मधुर स्वभाव का अनुचित लाभ उठाकर मैं प्रारम्भ से ही उससे घनिष्ठता का सम्बन्ध स्थापित करने की चेष्टा क्यों करने लगा। इसमें सन्देह नहीं कि उसने ही पहले हम लोगों को सम्बोधित किया था। पर बाध्य होकर ही उसने ऐसा किया था, क्योंकि अतिथियों का निरादर करना वह नहीं चाहती थी, और घर में कोई पुरुष नहीं था, जो हमसे ठहरने का अनुरोध करता। उसने केवल अपना कर्त्तव्य निभाया था। किन्तु मुझे क्या अधिकार था कि किसी अनावश्यक प्रश्न की चर्चा उससे करूँ?

उमापति और विश्वनाथ भी मेरे देखा-देखी मेवे-मिठाई उड़ाने लगे थे। पर मुझे अब मिठाई भी कड़वी लगने लगी! उससे हाथ समेटकर मैंने दो घूँटें चाय की पीं।

जब तीनों चाय से निबट चुके तो नौकर ने आकर हाथ धुलाया। इसके बाद अब क्या करना चाहिए, कहाँ जाना चाहिए, इस बात पर विचार हुआ। उमापति ने कहा—"चाहे मिठाई खा चुके, चाय भी पी चुके, पर नहाना तो जरूर पड़ेगा।"

बनारस की अपेक्षा आगरे की सर्दी ज्यादा तेज थी। चाय पीकर बड़ी मुश्किल से बदन में कुछ गरमी मालूम होने लगी थी। इसलिए नहाने का प्रस्ताव कुछ रुचिकर प्रतीत नहीं हुआ। अपने जीवन में आज प्रथम बार स्नान के प्रति मेरे मन में विराग उत्पन्न हुआ था। यह शुभ चिह्न था या अशुभ? कौन कह सकता है!

विश्वनाथ बोला, "काशी में तो नित्य गंगा-स्नान होते हैं, यहाँ आकर जमुना जी में क्यों न नहाया जाय? ऐसा अच्छा अवसर फिर कब मिलेगा?"

जमुना का मुझे अब तक खयाल ही न था। अत्यन्त प्रसन्न होकर इस बात पर राजी हो गया। बैग से तौलिये और धोतियाँ निकालकर हम लोग जाने को तैयार हो गये।

फिर एक बार भीतर की तरफ का पर्दा खुला। उसी रूप-राशि की बिजली फिर एक बार कौंध उठी।

मेरी ओर स्थिर दृष्टि से देखकर वह मोहिनी बोली—"आप लोग कै बजे लौटेंगे? खाना थोड़ी देर में तैयार हो जावेगा।"

मैंने अपने बायें हाथ में बँधी हुई घड़ी देखी। दस बज चुके थे। कहा—"कम-से-कम एक घण्टा तो लग ही जायगा। क्यों उमा, तुम्हारा क्या खयाल है? दस बज चुके हैं, ग्यारह बजे लौट आवेंगे।"

उस विद्युत्-दृष्टि की मर्मभेदी तीक्ष्णता से अपने को बचाने के लिए मैं उमापति की ओर ताकने लगा।

उमापति बोला—"हाँ, मेरा भी अन्दाज ऐसा ही है।"

मौका पाकर मैंने फिर एक बार अपनी मूर्खता व्यक्त करने का दुस्साहस किया।

उस विद्युल्लता की ओर दृष्टि करके पूछा—"जमुना जी यहाँ से कितनी दूर पर हैं? मेरे खयाल से पास ही होंगी।"

फिर वही संकोच! फिर वही रुखाई! संक्षिप्त उत्तर मिला—"जी हाँ!" आश्चर्य मुझे इस बात पर अधिक होता था कि यह मायावती जब स्वयं कर्त्तव्य की प्रेरणा से कोई प्रश्न हमसे (अर्थात् मुझसे—क्योंकि मैं इस बात पर गौर कर रहा था कि प्रत्येक बार मुझी को लक्ष्य करके वह बोली थी) करती, तो निस्संकोच भाव उसके चेहरे से व्यक्त होता था, पर मैं जब कोई बात पूछता तो एकदम सिकुड़ जाती।

•••

बाहर जाकर ताँगा किया और तीनों उस पर चढ़ बैठे। उमापति सामने की तरफ, ताँगेवाले के साथ जाकर बैठा और विश्वनाथ तथा मैं पीछे की ओर बैठे।

उमापति ने कहा—"लड़की है तो बड़ी समझदार, होशियार! और देखने में भी—"

विश्वनाथ बोला—"उम्र क्या होगी? कुछ अन्दाज लगाया?"

मैं चुप था। उमापति ने उत्तर दिया—"सोलह-सत्रह से कम की तो क्या होगी! स्वास्थ्य भी खूब अच्छा है। अभी तक बेपर्दा रहती है। विवाह नहीं हुआ होगा।"

"डीलडौल में भी काफी बड़ी मालूम होती है। जब वह हमारे सामने आकर खड़ी होती थी, तो मुझे बड़ा संकोच होता था। प्रोफेसर साहब समाज-सुधार के पक्षपाती जान पड़ते हैं।"

मैं अन्यमनस्क होकर ये सब बातें सुन रहा था। हृदय के प्रत्येक रक्तकण में एक मीठी उदासी समा गयी थी। एक अपूर्व परिचित जीवन के रंगमंच का पर्दा आज अचानक मेरे लिये उद्‌घाटित हुआ था। एक अनोखी अनुभूति, एक व्याकुल चेतना मेरी रगों में संचारित हो रही थी। पर साथ ही बीच-बीच में पत्थर की तरह स्तब्ध एक मोहक जड़ता क्यों मेरी आत्मा को दबाती जाती थी? ऐसा प्रतीत होता था कि जमुना में जाकर नहाना, ताजमहल की शोभा देखना, इस नूतन परिचित शहर की सैर करना सब निरर्थक और मिथ्या है; परम सत्य जो कुछ है, उसे छोड़कर व्यर्थ ही हम लोग बाहर आकर भटक रहे हैं।

मैं निपट अबोध बालक नहीं था। कोई युवती, किशोरी अथवा बालिका आज तक मैंने कहीं न देखी हो, यह बात भी नहीं। स्त्री-पुरुष के पारस्परिक आकर्षण की बात से मैं बिलकुल अनभिज्ञ होऊँ, ऐसा भी नहीं। पर इस सम्बन्ध में उदासीनता के कारण

हो, अथवा इस कारण से कि आज तक मैं किताबी दुनिया में ही विचरण किया करता था और व्यावहारिक जगत् से अपरिचित था, मुझे आज का यह अनुभव बिलकुल नया और निराला जान पड़ता था। अरक्षित अवस्था में अप्रत्याशित रूप से आज मेरा चिर-मुक्त हृदय बन्धन-ग्रस्त हो पड़ा था। कोई उपाय उससे छुटकारा पाने का मुझे नहीं सूझता था।

जमुना-तट पर जब पहुँचे, तो उसका गाढ़ नील जल देखकर हृदय हरा हो गया। सब अवसाद, समस्त दैन्य पल में किसी मायामन्त्र से काफूर हो गया। बनारस की गंगा के गँदले रेतीले पानी में और इसमें कितना अन्तर था! इस नीलवर्ण, रहस्यमयी सरिता का गम्भीर प्रवाह देखकर बरबस राधाकृष्ण की अनन्त प्रेमलीला स्मरण हो जाती थी। कुछ देर तक मैं मग्नावस्था में आत्म-विस्मृत-सा होकर खड़ा रहा। मेरे मस्तिष्क में अनेक युगों की अस्पष्ट छाया-रेखाएँ बारी-बारी से चलचित्र की तरह भासमान होने लगीं। सोचने लगा, जमुना की धीर मन्थर गति, उसका अनुपम रूप-रंग, चंचल रोदन-क्रन्दन, तरल-अविरल हास कृष्ण के युग में भी वैसा ही था, जब गोपियाँ शंकित वक्ष से, कम्पित पगों से, हृदय में मूर्च्छा-मधुर वेदना लेकर उसमें जल भरने आती होंगी; इसके बाद अनेक युगों के अनेक हिन्दू राजाओं ने उसे परम प्रेम से अपनाया होगा, उसके बाद मुगल बादशाहों के युग में हरम की अलबेली बेगमों के विनोद के लिए उसका जल नहर के रूप में रंगमहल के भीतर जाकर फव्वारे के रूप में स्फुरित होता होगा, और रँगीली राजकुमारियाँ नाना प्रकार के तरंगित कलहास्य से एक-दूसरे पर उस चिर-रहस्यमय जल की फुहारें बरसा कर उच्छल क्रीड़ा करती होंगी। उसके बाद आज भी एक समय है, जब सारे शहर की धूल अपने सिर पर लेकर, ब्रिटिश युग में निवास करनेवाला मैं बी.ए. का एक छात्र उसके चिरपवित्र तट पर स्नान करने आया हूँ। आज कहाँ उसकी वह प्राचीन महिमा है, कहाँ पुराणों तथा इतिहासों में वर्णित उसका वह वैभव है! क्या उसका महत्त्व वास्तव में विलीन हो गया है? अथवा इस काव्यहीन, कठिन वास्तविक युग में निवास करनेवाले जो हम जीव हैं, हम ही तेजहीन तथा रसहीन हो गये हैं? मनुष्य का हृदय तो अब भी वैसा ही है। आज जिस अभिनव विकलता से मैं विह्वल हुआ हूँ, किसी प्राचीन युग में मेरे ही समान अनोखी वेदना से पीड़ित कोई सहृदय व्यक्ति चित्त की शान्ति के लिए अवश्य ही इसी तट पर आया होगा। पर तब शायद आगरा शहर की धूल उसके सिर पर नहीं पड़ती होगी। जमुना जी के दोनों निर्जन तट हरे-भरे कुंजों से लहलहाया करते होंगे। ऐसे प्रशान्त, स्निग्ध, नीरव वायु-मण्डल में अवश्य ही उसे बहुत-कुछ सान्त्वना प्राप्त होती होगी। पर मैं तो विंश शताब्दी का नवाविष्कृत सोमरस--चाय--पीकर, इक्कों और ताँगों की खड़खड़ाहट सुनकर, खोनचेवालों के शोर से हौलदिल होकर, परम श्रद्धेय पण्डा जी के पास आकर बैठा हुआ था। मेरे युग की बात ही कुछ दूसरी थी। फिर भी कल्पना की उड़ान को मैं बहुत दूर तक ले गया।

कपड़े उतारकर पण्डा जी को सौंपे और जमुना-जल में डुबकियाँ लगाने लगे। नहा-धोकर बालू के ऊपर ही आसन मारकर सन्ध्या करने लगे। पर आज ओंकार अथवा

गायत्री का ध्यान मेरे मन में ठीक नहीं जमता था। लाख चेष्टा करने पर भी जिस तड़ित्रूप की तीव्र ज्योति-रेखा मेरे मानस-नेत्रों को बरबस चौंधियाकर मुझे ध्यान से विचलित कर रही थी, उसी को गायत्री के बतौर मानने के सिवा मेरे लिये और कोई चारा नहीं था। फलतः सम्पूर्ण हृदय, समस्त आत्मा से परम भक्तिपूर्वक उसी का ध्यान करने लगा। एक अलौकिक रोमांच की बिजली मेरे ब्रह्मरन्ध्र से पदतल तक दौड़ने लगी। बहुत देर तक ऊर्ध्वाकाश की ओर मुख करके अर्द्धनिमीलित नेत्रों से उसी मग्नावस्था में बैठा रहा। अपने जीवन में ध्यान का ऐसा आनन्द मुझे पहले कभी प्राप्त नहीं हुआ था। अर्द्धचैतन्यावस्था में घूमकर प्रायः अचेत होना ही चाहता था कि उमापति के कर्कश कण्ठस्वर से ध्यान भंग हो गया। वह बोला—"कब तक आँख मूँदे रहोगे? दो घण्टे हो गये, कुछ खबर भी है? उठो, कपड़े पहनो।"

लाचार होकर उठना पड़ा।

●●●

बाह्यान्तर से शुद्ध और चन्दन से चर्चित होकर जब डेरे पर लौटे, तो देखा कि उस किशोरी बाला के अतिरिक्त एक प्रौढ़ा युवती तथा दो बच्चे बाहर मर्दाने में विराजमान हैं। उन बच्चों में से एक प्रायः छह साल का लड़का था और दूसरा उससे छोटा था। मोहिनी किशोरी कौच में बैठी हुई एक कपड़े के टुकड़े में सुई से बेल-बूटे बना रही थी और प्रौढ़ा दीवार में टँगी हुई एक तस्वीर बच्चों को दिखा रही थी। हमें देखते ही दोनों सिटपिटा-सी गयीं। प्रौढ़ा ने सिर के ऊपर की साड़ी जरा आगे को खींच ली और एक सरसरी नजर हम लोगों की ओर फेरकर मुस्कराती हुई भीतर को चली गयी, और वह मायावती अत्यन्त धीरता से उठकर, एक हाथ में तागे की पिण्डी और दूसरे हाथ में सुई तथा कपड़े का टुकड़ा लेकर अत्यन्त विश्वासपूर्वक, हंसगति से भीतर को जाने लगी। जाते वक्त उसने भी सरसरी निगाह से एक बार हमारी ओर देखा और प्रौढ़ा युवती की तरह वह भी मुस्करायी। चन्दन से पूर्णतः विलेपित हम तीनों के मस्तक अवश्य ही हास्योद्रेक के योग्य होंगे, इसमें आश्चर्य की कोई बात नहीं थी। दोनों को मुस्कराते देखकर मैं मन-ही-मन अच्छा कौतुक अनुभव कर रहा था। बच्चे भी उसके साथ भीतर जाने लगे थे, पर मैंने बड़े लड़के का हाथ पकड़ लिया। वह छटपटाने लगा, पर मैंने उसे चुहल की बातों से फुसलाने की चेष्टा की। बोला—"मिश्र जी महाराज, बैठिये न! भागने की ऐसी जल्दी क्या पड़ी है! हम आपके मेहमान बनकर आये हैं और आप मुँह चुराते हैं! भला यह भी कोई बात है!" बड़ी मुश्किल से उसे काबू में किया। कौच में

अपने साथ उसे बिठाकर पूछा—"तुम्हारा नाम क्या है?" वह हाथ-पाँव हिलाकर बोला—"कमल।"

"पढ़ना जानते हो?"

उसने सिर हिलाकर बतलाया कि नहीं जानता।

मैंने फिर पूछा—"जो तुम्हें अभी तस्वीर दिखा रही थीं वह तुम्हारी क्या होती हैं?"

"अम्माँ।"

"और जो कौच पर बैठी बेल-बूटे काढ़ रही थीं?"

"जीजी।"

मैंने अपना कण्ठस्वर कुछ धीमा करके, ताकि भीतर कोई सुन न सके, पूछा—"तुम्हारी जीजी का नाम क्या है?"

उसने अपने स्वाभाविक तीक्ष्ण स्वर में उत्तर दिया—"जैन्ती।"

मैंने ठीक समझा नहीं। पर यथार्थ नाम जानने की बड़ी उत्सुकता थी, और केवल इस लड़के से ही वह बिना किसी अशिष्टता के जाना जा सकता था। कहा—"जानती? यह कैसा नाम है! ठीक नाम बतलाओ!"

वह प्रत्येक अक्षर पर जोर देकर स्पष्टतया सुपरिस्फुट स्वर में बोला—" 'ज' 'य' 'न' 'ती'—जैन्ती।"

उसका शब्द-विश्लेषण और समन्वय पूरा भी न होने पाया था कि जयन्ती स्वयं आ उपस्थित हुई। मार्मिक लज्जा से उस समय मेरे चेहरे की रंगत अवश्य ही बदल गयी होगी।

"खाना तैयार है। यहीं भिजवा दूँ?"

यह प्रश्न एकदम अप्रत्याशित और रूढ़-सा प्रतीत हुआ। चाय पीने के समय सन्ध्या के सम्बन्ध में हम लोगों का विवाद सुनने और इस समय मस्तक में चन्दन का बाहुल्य देखने पर भी जो यह प्रश्न किया गया, वह जान-बूझकर व्यंग्य के बतौर किया गया अथवा अपने सुभीते के खयाल से? क्योंकि इस प्रश्न से एक दूसरी बात का अनुमान मुझे हो रहा था, जिस पर पहले हम लोगों ने ध्यान नहीं दिया था। वह यह कि किसी पुरुष की अनुपस्थिति में भीतर चौके में हम लोगों का प्रवेश करना महिलाओं के लिए अवश्य ही असुविधाजनक था। पर बाहर टेबिल पर खाना भी एक प्रकार से असम्भव ही था। पक्की रसोई भी कभी इस तरह नहीं खायी थी, फिर कच्ची के सम्बन्ध में तो कहना ही क्या था।

मैंने घबराकर उमापति की ओर ताका। उसका चेहरा अस्वाभाविक रूप से गम्भीर हो गया था। दृढ़तापूर्वक वह बोला—"नहीं, चौका छोड़कर और कहीं हम लोग नहीं खा सकते।"

उमापति के गम्भीर कठिन स्वर से त्रस्त-सी होकर जयन्ती भीतर चली गयी। थोड़ी देर में नौकर ने आकर अत्यन्त नम्रतापूर्वक निवेदन किया—"बाबू जी, चले आइये।"

कपड़े उतारकर हम लोग भीतर की तरफ गये। पर्दा हटाकर जब आगे बढ़े तो देखा की बायीं तरफ दो कमरों में दो चिकें पड़ी हैं। चूड़ियों की हलकी-सी खनक भीतर से सुनायी दी। हम लोग नौकर का अनुसरण करके सीधे आगे को बढ़े।

सोचा था कि पाचक कोई ब्राह्मण महाराज होंगे। पर यहाँ एक दूसरी मूर्ति दिखायी दी। प्रायः चालीस वर्ष की एक स्त्री एक हलका-सा घूँघट काढ़े परोसा लगा रही थी। उसके हाव-भाव और चेष्टाओं से स्पष्ट ही झलक रहा था कि वह एक साधारण ब्राह्मणी है। धर्म के लिहाज से ब्राह्मणी के हाथ का पकाया खाने में कोई दोष नहीं था। पर बिना कारण ही इस स्त्री को देखकर एक प्रकार की अश्रद्धा और अरुचि से मेरा सर्वाङ्ग जर्जरित हो उठा। एक अनोखी, अनजान दुनिया से मैं आज परिचित हो रहा था, इसमें सन्देह का कोई कारण नहीं रह गया था। यहाँ के सब जीव, यहाँ की सभी बातें, मुझे निराली प्रतीत होती थीं।

जयन्ती अचार, मुरब्बे ला-लाकर हमारे पत्तलों पर रखती जाती थी। प्रतिबार उसके अंचल के वायु के स्पर्श से मेरा शरीर रह-रहकर कण्टकित हो रहा था। जिस एक अविजानित हर्ष (अथवा विषाद) की भावना से मेरा मन-प्राण भर गया था, उसके कारण शारीरिक क्षुधा बिल्कुल शेष नहीं रह गयी थी। किसी तरह दो कौर मुँह में डालकर मैंने हाथ समेट लिये। मेरे अन्य दो साथी बड़ी तृप्ति से भोजन करने में दत्तचित्त थे। मैं उनके लिए टिका रहा। मेरी यह हालत देखकर जयन्ती पहले तो कुछ न बोली, पर कुछ देर बाद कुछ दबी जबान से उसने कहा—"आप तो कुछ खाते नहीं! क्या खाना पसन्द नहीं आया?" मैंने स्पष्ट ही अनुभव किया कि प्रश्न करते समय उसका गला काँप रहा था। वह कुछ घबड़ायी-सी जान पड़ती थी, यद्यपि कोई प्रत्यक्ष कारण इसके लिए नहीं दिखायी देता था।

मैंने अत्यन्त धैर्यपूर्वक मुस्कराकर उत्तर दिया—"नहीं, पसन्द की बात नहीं है। असल बात यह है कि सुबह चाय पीने के कारण मेरा पेट भरा हुआ है। मैं चाय का आदी नहीं हूँ।"

एक तीक्ष्ण, पर किंचित् म्लान दृष्टि से उसने मेरी ओर ताका, फिर नीचे चली गयी।

तीनों खा-पीकर जब मर्दाने में आकर बैठे, तो थोड़ी देर बाद जयन्ती एक तश्तरी में अत्यन्त निपुणता से पान के पत्ते सजाकर ले आयी। नागकन्या के समान उसकी गति थी, संकोच से अथवा अज्ञात निर्दोष विभ्रम से उसकी सुगठित कमर कुछ लचक रही थी और गर्दन कुछ झुकी-सी थी। सिर पर से साड़ी कुछ नीचे को सरक गयी थी, जिसके कारण सुन्दर सुसज्जित बालों पर जड़े हुए सोने के क्लिप झलझला उठते थे।

तश्तरी की परिधि में पान के पत्ते चारों तरफ से सजाकर रखे हुए थे और बीच में काँच के तीन छोटे-छोटे कटोरों में मसाले पड़े थे। पान के पत्तों में किसी के अधर-पल्लवों का रंग जैसे रँग दिया गया हो। उमापति तथा विश्वनाथ ने दो-दो पत्ते उठाकर और उनमें मसाले छोड़कर मुँह में डाल लिये। मैं यहाँ पर भी लाचार था।

इस बार जयन्ती की व्याकुल, विस्मित दृष्टि में धीरे-धीरे व्यंग्य की एक हास्य-रेखा परिस्फुट हो उठी। साहस करके बोली—"चाय के कारण क्या पान से भी अरुचि हो गयी? पान न सही, डली, लौंग, इलायची, कुछ तो लीजिये!"

इस अनुनय-वाणी को टालने की शक्ति ब्रह्मा में भी शायद न होगी, फिर मैं तो मनुष्यमात्र था। ससंकोच हृदय से एक बार उसी की तरह निष्कपट रूप से मुस्कराने की चेष्टा करके मैंने क्षण-भर के लिए उसकी ओर देखा और जरा-सी सौंफ, और एक इलायची लेकर मुँह में डाल ली। वह फिर एक बार मन्द-मधुर रूप से मुस्करायी और सिर का अंचल ऊपर को खींचने के बहाने अपने लहराते हुए केशों की पूरी बहार एक बार दिखाकर स्वाभाविक मन्थर गति से भीतर को चली गयी।

●●●

कुछ देर आराम करने के बाद शहर की सैर करने का विचार हुआ। ताजमहल देखना था। पर मेरे लिये सब झूठा हो गया था। संसार के सप्त आश्चर्यों में से इस अन्यतम आश्चर्य के प्रति मेरे मन में अब कुछ भी कौतूहल नहीं रह गया था। कुछ भी हो, मित्रों का साथ देना था। अपने हृदय का यह आकस्मिक भाव-परिवर्तन उनके आगे प्रकट करके उनके व्यंग्य और विद्रूप का पात्र मैं नहीं बनना चाहता था। इसलिए उनके साथ चलना पड़ा।

घण्टे के हिसाब से एक ताँगा किराये पर तय करके हम लोग दिनभर शहर की खाक छानते रहे। ताजमहल भी देखा। शहर की धूल और लोगों की भीड़ के बीच में उसकी कला की परख ठीक से न कर सका। मैं तो थोड़ी ही देर में सैर से उकता गया था। पर मित्र लोग हर गली में, हर दुकान में, हर बात में बड़ी दिलचस्पी ले रहे थे। उनके आग्रह से बीच-बीच में उन्हें हलवाइयों की दूकानों में बैठकर मिठाई और दालमोठ खिलानी पड़ती थी। जब शाम होने को आयी, तब मैंने लौट चलने का प्रस्ताव किया। पर वे लोग राजी न हुए। मैं किराये के रुपयों से दो-तीन रुपये और अधिक उमापति के हाथ में दाबकर अकेला वापस चला आया। भगवान् की कृपा से रुपये-पैसे का कोई घाटा नहीं था। भैया शिमले के सेक्रेटरियट में एक बड़े ओहदे पर नौकर थे और एक हजार के करीब वेतन पाते थे। डेढ़ सौ रुपये मेरे लिये हर महीने भेज दिया करते थे और जब कभी आवश्यकता होती, तो इसके अतिरिक्त सौ-सवा सौ और भी भेज देते थे। जैसी सादगी से हम लोग जीवन व्यतीत करते थे, उस स्थिति में मासिक पचास-साठ से अधिक खर्च होना असम्भव था, इसलिए मैं बाकी रुपये बैंक में जमा करता जाता था।

कुछ भी हो, जब लौटकर डेरे पर आया तो बाहर के कमरे में बिलकुल स्तब्धता छायी थी। केवल घर का नौकर सुक्खू एक कोने में बैठकर बीड़ी पी रहा था। मुझे देखते ही बीड़ी छिपाकर उठ बैठा। भीतर से छोटे बच्चे के रोने की हलकी आवाज आ रही थी। जयन्ती का भी मृदु-मन्द कण्ठस्वर सुनायी देता था, वह बालक को पुचकारकर चुप कराने की चेष्टा कर रही थी। प्रौढ़ा महिला का गम्भीर शब्द भी बीच-बीच में सुनायी पड़ता था। वह झिड़ककर उसे भयभीत कर रही थीं।

सुक्खू भीतर गया। मैं थका हुआ था; कौच पर जाकर लम्बा हो गया। दिनभर की दौड़-धूप से सिर भिन्ना रहा था।

हलके हाथ से भीतर का पर्दा हटाकर जयन्ती ने दरवाजे पर खड़े-खड़े पूछा–"अपने साथियों को आप कहाँ छोड़ आये?"

मैं उठ बैठा। बोला–"उन लोगों का अभी जी नहीं भरा। नौ-दस बजे रात तक आवेंगे।"

अँगरेजी में जिसे 'आर्टिस्टिक पोज' कहते हैं, जयन्ती में वह स्वभावसिद्ध जान पड़ता था। उसके कद की अपेक्षाकृत लम्बाई से इसमें विशेष सुविधा उसे प्राप्त हो गयी थी। दरवाजे पर दीवार के सहारे इस तरह खड़ी थी, मानो फोटो खिंचवाने के लिए इरादतन उस विशेष भंगिमा को उसने पसन्द किया हो। पर उसके लिए यह स्वाभाविक था। केवल अंगों की प्रगति ही नहीं, मुझे उसका प्रत्येक व्यवहार आर्टिस्टिक मालूम होता था।

मुग्ध तथा व्यथित हृदय से मैं उसकी ओर उदास दृष्टि से देख रहा था। उसकी आँखों से ऐसा भाव टपक रहा था, जैसे वह कोई विशेष बात मुझसे पूछना चाहती हो। पर कुछ न कहकर वह चली गयी।

पाँच मिनट बाद फिर वापस आयी। इस बार उसके हाथ में एक बड़ी रकाबी थी, जिसमें मिठाई, मेवे और फल रखे थे।

घबराकर मैंने कहा–"इतना कौन खायगा? दिनभर बाजार में मिठाई खायी है। अब पेट में जगह नहीं है।"

जयन्ती का चेहरा क्षोभ तथा अपमान की लज्जा से एकदम म्लान हो गया। बड़े चाव से वह मेरे लिये मिठाइयाँ लायी थी। घर में नौकर होने पर भी वह स्वयं अपने हाथ से अतिथि-सेवा करने के लिए उत्सुक थी। ऐसी हालत में मेरी अस्वीकृति से उसका क्षुब्ध होना स्वाभाविक ही था।

मैंने कहा–"लाइये, फल दीजिये। मुझे मिठाई से फल ज्यादा पसन्द हैं।"

उसने रकाबी आगे को बढ़ा दी। मैंने सेब, सन्तरे और केले निकाल लिये।

उसे सम्बोधित करने के लिए क्रिया का कौन-सा रूप काम में लाया जाय, इस सम्बन्ध में बुद्धि चकरा रही थी। इसलिए यथासम्भव परोक्ष रूप से बातें करने की चेष्टा कर रहा था। पर इस बार जब मैंने 'लाइये' कहा, तो बाद को अकारण लज्जा से स्वयं संकुचित हो उठा। उसे 'आप' कहके पुकारना भी अनुचित जँचता था और 'तुम' कहने में भी झिझक मालूम होती थी।

तीन-चार मिनट तक वह चुपचाप खड़ी रही। मैं जब जेब से चाकू निकालकर सेब छीलने लगा तो वह मिठाई की रकाबी लेकर चलने लगी। जाते वक्त एक बार अपनी अर्द्ध संकुचित पर तीखी दृष्टि में एक अभिनव आवेश झलकाती हुई मेरी ओर क्षण-भर के लिए घूर गयी। मेरा रोयाँ-रोयाँ विकल हो उठा। मैं विमूढ़ भाव से उसकी ओर ताकता रह गया। वह पर्दे के भीतर अन्तर्धान हो गयी। मैं स्तब्ध हृदय से सन्न होकर बैठा रहा। सेब छीलने का उत्साह जाता रहा।

अस्तोन्मुख सूर्य के प्रकाश से सारा कमरा आलोकित हो रहा था। हेमन्त-सन्ध्या की सुनहरी धूप बड़ी सुहावनी लगती थी। उसे देखकर हृदय में बरबस एक मीठी बेकली छा जाती थी। मैं अलसभाव से कौच पर लेट गया। अपने जीवन में अनेक सन्ध्याएँ मैंने देखी थीं और उनकी शान्त नीरवता का यथेष्ट अनुभव भी समय-समय पर किया था। पर आज की बात ही कुछ दूसरी थी। आज का पिंगल सूर्य-लोक अपनी स्निग्ध करुणा से मेरी बद्ध आत्मा को मुक्त करके एक अज्ञात उच्छ्‌वास के वेग से उसे कम्पित कर रहा था। इच्छा होती थी कि किसी की अत्यन्त सुकुमार, कमल-कोमल, लम्बी-लम्बी, पतली-पतली हस्तांगुलियाँ पकड़कर नतनयन से मधुर मूर्च्छा में मग्न हो जाऊँ।

धीरे-धीरे सर्वत्र शान्ति व्याप्त होती जाती थी। बीच-बीच में इक्का-दुक्का एक्का झनझनाता हुआ चला जाता था। सूरज छिपना ही चाहता था। भीतर से हलके, पर स्पष्ट तथा मीठे स्वर में आवाज आती थी—"बिरजू, आओ लल्ला, मेरी गोदी में बैठ जाओ। रोओ मत। यह देखो, हम तुम्हारे लिये स्वेटर बुन रही हैं।"

"जीजी, क्या हमारे लिये नहीं बुनोगी?" यह स्पष्ट ही बिरजू के बड़े भाई की नालिश थी।

"सुक्खू, क्या-क्या तरकारियाँ लाया?"

"कुछ नहीं मिलतीं, लल्ली, क्या करूँ! यह देखो! दस आने सेर मटर, छह आने सेर भाँटा लाया हूँ; ऐसी महँगी में—"

"चुप बेईमान!"—यह प्रौढ़ा स्त्री का कण्ठ था—"आज 'वह' घर में नहीं हैं, तुम चोट्टों की बन पड़ी है। आजकल के दिन दस आने सेर मटर!"

"आह, छोटी अम्माँ, जाने भी दो न! बाहर हल्ला सुनायी देगा। जा सुक्खू, मिसरानी जी क्या कहती हैं, जरा सुन तो आ!"

इस कथा-वार्त्ता से गार्हस्थ्य-जीवन के धन्धों की एक निराली ही अनुभूति मेरे कानों द्वारा प्राणों में संचरित हो रही थी। आज की इस एकान्त सन्ध्या की यह अनुभूति एकदम नयी थी, पर बड़ी मधुर, बड़ी प्रिय थी। अपने बचपन के जीवन की याद आयी, अपनी भाभी की और भैया की प्रिय स्मृति मन में उदित हुई, अपने प्रिय ग्राम तथा घर का चित्र उज्ज्वल रेखाओं से हृदय में अंकित होने लगा। यूनिवर्सिटी की सूखी पोथियों के बेंगन अत्यन्त तुच्छ, अतिशय हेय जान पड़ने लगे। एक पुलक-प्रकम्पित हाहाकार का मृदु-मृदु उच्छ्‌वास भीतर-ही-भीतर तरंगित होने लगा। जीवन! जीवन! मैं वास्तविक

जीवन के सुख-दुःखों में सारे संसार के साथ सम्मिलित होने के लिए लालायित हो उठा। एक अजीब स्फूर्ति, एक अपूर्व चैतन्य का अनुभव करने लगा।

अँधेरा हो गया था। मैं अपने मस्तिष्क की गरमी से उत्पन्न अनेक जाल-जंजालमय माया-स्वप्नों से ऐसा आच्छन्न हो रहा था कि बाह्य जगत् की सुधि ही नहीं थी। अचानक चौंक उठा। जयन्ती हाथ में लालटेन लिये खड़ी थी। बोली–''माफ कीजिये, आपकी नींद में विघ्न हुआ। बत्ती जलाने आयी हूँ।'' जिस समय की बात मैं लिख रहा हूँ, तब मिश्र जी के मकान में बिजली नहीं थी।

•••

पास ही टेबिल पर रखे हुए लैम्प का नीलवर्ण 'शेड' उतारकर, चिमनी निकालकर जयन्ती एक झाड़न से उसे साफ करने लगी। मैं नीरव, स्तब्ध बैठा था; वह भी चुप थी। केरोसिन तेल की जी मतलानेवाली गन्ध कमरे में धीरे-धीरे फैलने लगी थी! पर इसके अतिरिक्त एक अत्यन्त मधुर, भीनी-भीनी सुवास बीच-बीच में रह-रहकर महक उठती थी और चित्त को आकुल कर रही थी। स्पष्ट ही अनुमान होता था कि वह साड़ी और ब्लाउज में ताजा इत्र मलकर आयी है। मेरा सिर इन दोनों प्रकार की गन्धों की प्रतिक्रिया से घूमने लगा। जिस स्थान पर मैं बैठा था, वहाँ पर से केवल उसका बायाँ कपोल और बायीं आँख की तिरछी चितवन दिखायी देती थी। लालटेन के प्रकाश में उसके मुख की सुनहरी रंगत और भी अधिक पीली मालूम होती थी। दायें कान के ऊपर चूर्ण-कुन्तल लहरा रहे थे और उसके सिरे में लोलक झलक रहा था। इस निराली सन्ध्या में इस एकान्त कमरे में केवल वह और मैं, हम दो परस्पर अपरिचित अथवा नूतन-परिचित प्राणी वर्तमान थे। कैसी उन्मादक भावनाएँ मेरे मन में हिलारें मार रही थीं। जब बनारस से रवाना हुआ था तो इस अप्रत्याशित मिलन के लिए तैयार नहीं था। इसलिए असावधानी के कारण जिस अगम, अतल गह्वर की ओर मैं पैर आगे को बढ़ाने लगा था, उससे मैं घबरा उठा।

चिमनी साफ करके जयन्ती ने बत्ती जलायी और चिमनी उसमें 'फिट' करके ऊपर से 'शेड' डाल दिया। इसके बाद एक बार अर्द्ध-अवनत दृष्टि से मेरी ओर मुख फिराया। इस बार संकोच के स्थान में संकोच का भान ही अधिक था, जो उसकी व्रीड़ा-विभ्रम मन्द मुस्कान से स्पष्ट व्यंजित हो रहा था। लालटेन पकड़कर बिना कुछ बोले वह सर्प-गति से चली गयी। मैं अत्यन्त व्याकुल होकर सच्चे हृदय से मन-ही-मन प्रार्थना करने लगा–''मुझे बचाओ, हे मेरे भगवान्! इस मायाजाल से मेरी निष्कलंक आत्मा की रक्षा करो! मैं निर्दोष हूँ।''

प्रायः साढ़े आठ बजे के करीब उमापति और विश्वनाथ वापस आये, आते ही लगे गुल मचाने। दोनों आज की सैर से अत्यन्त प्रसन्न जान पड़ते थे। स्पष्ट ही उन्होंने 'ट्रिप' का पूरा आनन्द उपभोग किया था। बात-बात में ठठाकर हँस रहे थे, जैसे मेरी निर्बुद्धिता पर हँस रहे हों।

उमापति ने कहा—"अगर इसी तरह लेटे रहना था, तो बनारस में भी तो तख्त रखा था। यहाँ आने की जरूरत ही क्या थी!"

विश्वनाथ बोला—"मुगल-युग की कई ऐतिहासिक इमारतें देखीं। कारीगरों की प्रशंसा किये बिना नहीं रहा जाता। शायद आगरे के कारीगरों की प्रसिद्धि बाबर के आने के पहले से ही देश में फैली हुई थी। इसीलिए उसने यह स्थान पसन्द किया था। 'तुजुके बाबरी' के हिन्दी अनुवाद में एक बार इसी प्रकार की बात मैंने पढ़ी थी। इसके बाद अकबर से लेकर शाहजहाँ तक सबने इसे अपना विलासक्षेत्र बनाया।" उमापति ने उसके 'ऐतिहासिक विवेचन' का समर्थन किया और कहा—"शाहजहाँ ने तो ताजमहल के रूप में एक ऐसी इमारत खड़ी कर दी जो खूबसूरती में दुनिया भर में अपना सानी नहीं रखती।"

बनारस में इसी प्रकार की तुच्छ बातों पर घण्टों बहस हो जाया करती थी और मैं उमंग से उसमें शरीक होता था। पर आज इस प्रकार की बातें मुझे अत्यन्त नीरस और निरर्थक जान पड़ती थीं। मैं अच्छी तरह जानता था कि विश्वनाथ ने कभी 'तुजुके बाबरी' नहीं पढ़ी थी, किसी से उस पुस्तक का नाम सुन भर रखा था और उमापति भी रात-दिन की सुनी बात को दुहरा रहा था। उमापति की प्रामाणिकता के ढोंग से भरी बात सुनकर मैं जल उठा। रह न सका। बोला—"तुम कौन ऐसे संसार-यात्री हो जो ताजमहल को संसार की सब इमारतों से सुन्दर बताने का साहस करते हो? दुनिया की कौन-कौन-सी इमारतें तुमने देखी हैं, पहले यह तो बताओ! अभी तो आप युक्तप्रान्त की चहारदीवारी से ही बाहर नहीं गये, भाई साहब! दिल्ली की कुतुबमीनार तक अभी नहीं देख पाये। अभी से दुनिया-भर की इमारतों का ठेका लेने लगे!"

जिन लोगों को बहस का मर्ज़ है, वे जानते हैं कि इसकी मादकता किसी भी मादक द्रव्य से कम नहीं होती। बल्कि उससे भी बढ़कर। क्योंकि मादक पदार्थ का नशा सेवन के कुछ समय बाद चढ़ने लगता है, पर बहस का विष तत्काल असर कर जाता है। मेरी बात से उमापति का चेहरा अपमान और क्रोध से तमतमा आया। तीव्र कण्ठ से, आहत सर्प की तरह फुफकारता हुआ बोला—"तो तुम्हीं कौन ऐसे बड़े घुमक्कड़ हो! दो-एक बार शिमला हो आये, तो क्या जग जीत लिया! शिमले की रूखी पहाड़ियों में धरा ही क्या है! सिर्फ इसीलिए कि बड़े लाट वहाँ गरमियों में आराम करते हैं, तुम्हारे लिये शिमला सातवें स्वर्ग से भी बढ़कर हो गया!"

मैंने इस बात का खूब अनुभव किया है कि तर्क की रगड़ से जब मनुष्य का मस्तिष्क गरम हो उठता है तो उचित-अनुचित का विचार जाता रहता है। प्रतिपक्षी के

डंक की चोट से यह हालत होती है कि आपका जो यथार्थ सिद्धान्त है, उसे छिपाकर आप जिद के कारण उलटी बात पर अड़ने लगते हैं। उमापति की बात से मेरा भी पारा चढ़ गया। झल्लाकर बोला—"दरअसल बात तो ऐसी ही है। मैं तो बड़े लाट को किसी स्वर्ग के देवता से कुछ कम नहीं समझता। देवता की तरह ही वह महान् ऐश्वर्य का भोग कर रहे हैं, देवता की तरह ही वह दलित, दुर्बल मनुष्यों के दुःखों के प्रति उदासीन हैं, और ठीक ग्रीक देवताओं के निवास-स्थान आलिम्पुस के अनुरूप उन्होंने अपना सिंहासन समतल भूमि के बहुत ऊपर एक अधित्यका में प्रतिष्ठित किया है।"

कटु-व्यंग्य के साथ उमापति ने कहा—"क्यों न हो, तुम्हारे भाई साहब को भी प्रतिमास देव-सभा से खासा प्रसाद मिलता है न! सौ रुपया पाकर ही लोग देव-गुण गाने लगते हैं, फिर वे तो एक हजार पाते हैं।"

किस विषय की चर्चा से किस विषय पर हम लोग आ गये थे! गलती मेरी ही थी, मैं मानता हूँ! मैंने ही पहले व्यर्थ के विवाद का सूत्रपात किया था। पर उमापति की नीचता देखकर मैं दंग था। मेरे ही रुपयों से वह आगरे आया था और यहाँ भी मेरे ही रुपये उड़ा रहा था। बनारस में समय-समय पर मैं उसे आर्थिक सहायता दिया करता था, जिसके लिए कभी उसने कृतज्ञता प्रकट नहीं की थी, और मुझे इस बात का दुःख भी नहीं था। पर मौखिक शिष्टाचार को भी तिलांजलि देकर मेरे मुँह पर भैया के सम्बन्ध में ऐसा घृणित व्यंग्य करने का साहस उसने कैसे किया, यह सोचकर मेरी बुद्धि कुछ काम नहीं करती थी। यदि कोई सच्चा असहयोगवादी ऐसा कहता, तो प्रकाश्य में संकुचित होने पर भी उसके प्रति मेरे मन में श्रद्धा उत्पन्न होती, यह बात मैं दृढ़तापूर्वक कह सकता हूँ। पर उमापति की बात ही दूसरी थी। वह तो यह जानते हुए भी कि भैया—जो एक गवर्नमेण्ट-सर्वेण्ट हैं—मुझे रुपये भेजते हैं, मुझसे रुपये लेने में नहीं हिचकिचाता था। उसने ऐसी अनोखी, अप्रत्याशित बात कही थी कि उस पर लज्जित होऊँ, क्रोध करूँ, हँसूँ या चुप रहूँ, कुछ समझ में न आता था।

कुछ भी हो, झेंप मिटाने के लिए मैंने अत्यन्त नम्र स्वर में कहा—"बात तो ऐसी ही है! जिसका खाना उसका गाना। यह तो स्वाभाविक है।"

मेरी नम्रता से वह और भी अधिक जल उठा। कण्ठस्वर सप्तम में चढ़ाकर प्रत्येक अक्षर पर जोर देते हुए बोला—"लानत है ऐसे खाने पर!" यह कहकर अपनी बात पर अधिक जोर देने के लिए उसने अपना दायाँ हाथ झटकाया। वह टेबिल के पास बैठा था। असावधानी के कारण लैम्प के शेड पर उसका कुहना लगा। शेड खड़खड़ा उठा। भाग्य से लैम्प उलटने से बच गया। भीतर के दरवाजे पर पर्दे की ओट में चूड़ियाँ खनक उठीं। पर्दा कुछ हटा और चार कुतूहली आँखें हमारी ओर देखने लगीं। मैं अचानक ठठाकर हँस पड़ा। ऐसा हँसा कि आँखों से आँसू निकल आये। मेरा अट्टहास देखकर दोनों महिलाएँ घबराकर फिर परदे के भीतर छिप गयीं। मैं क्यों हँसा, इसका कारण कुछ नहीं बतला सकता। कोई प्रकट कारण था भी नहीं। उमापति ने तो ऐसी बात कही थी कि सम्भव है, कोई दूसरा आदमी होता, तो वहीं पर उसका गला दबोचकर काम

तमाम कर डालता। मेरे मन में भी ऐसी हालत में किसी से कुछ कम क्षोभ होने की सम्भावना नहीं थी और वास्तव में मुझे क्षोभ हुआ भी। तब क्यों हँसा? क्या चूड़ियों की खनक और चन्द्रमुखों की झलक से इसका कुछ सम्बन्ध था? सम्भव है; पर मेरा तो यह अनुमान है कि केवल प्रसन्नता के कारण ही हँसी आना कुछ आवश्यक नहीं है, चरम दुःख या निदारुण लज्जा के अवसरों पर भी लोगों को अट्टहास करते देखा गया है।

मेरे हास्य के कारण उमापति भी स्तब्ध रह गया। बन्दरों की-सी सूरत बनाकर, खिसियाकर कभी विश्वनाथ की ओर ताकने लगा, कभी मेरी ओर। तैश में आकर उलटी-सीधी, उचित-अनुचित अनेक बातें कह गया था। अब शायद मन-ही-मन पछता रहा था। कुछ भी हो, तर्क में मेरी ही जीत हुई थी। विजयोल्लास से मेरे मुख में प्रसन्नता नहीं समाती थी। आनन्दातिरेक के कारण आँखें छलक रही थीं।

विश्वनाथ हम दोनों की बातों से घबराया हुआ था और चुप बैठा था। अब स्थिति को सुधरते देखकर उसके चेहरे में भी मुस्कराहट झलकने लगी।

•••

जब खा-पी चुके तो जयन्ती ने आकर बैठक के कमरे से ही लगा हुआ एक कमरा, जिस पर अब तक मेरी दृष्टि नहीं गयी थी, खोला। कमरा साफ-सुथरा था और उसमें एक स्प्रिंगवाली चारपाई लगी थी। एक धुली हुई चिट्टी-सी चादर लाकर जयन्ती ने उसके ऊपर बिछा दी। पैताने में एक पर्शियन रंग, और एक कश्मीरी पश्मीना ओढ़ने के लिए रख दिये। बाहर जो चौड़ा तख्त रखा था, सुक्खू ने आकर उसके ऊपर दो बड़े-बड़े मोटे और मुलायम गद्दे बिछा दिये और उन पर एक चादर बिछाकर ऊपर से दो झालरदार तकिये रख दिये। दो लिहाफ भी ओढ़ने के लिए रख दिये। अपनी स्वाभाविक कोमल, नम्र, संकुचित भाषा में जयन्ती ने मुझे लक्ष्य करके कहा—"आप भीतर इस कमरे में सो जाइये, और आपके दो साथी बाहर इस तख्त पर सोवेंगे।"

मैंने मन-ही-मन उससे पूछा—"मेरे ऊपर यह खास मेहरबानी क्यों?" प्रकट में बोला—"नहीं, उमापति भीतर सोवेगा। विश्वनाथ और मैं बाहर सो रहेंगे।" यह कहकर उमापति की ओर ताकने लगा। मेरे प्रति इस विशेष पक्षपात से उमापति अवश्य ही भीतर-ही-भीतर जलेगा, यह बात मैं भली-भाँति जानता था। कुछ ही देर पहले जो गरमागरम बहस हो गयी थी, उसकी गरमी उसके मस्तिष्क से अभी पूरी तरह नहीं उतरी होगी, यह भय भी मुझे था। उसके उजड्ड स्वभाव से मैं भली-भाँति परिचित था। जयन्ती

के सामने कहीं कुछ बेतुकी बात न कह बैठे, यह धड़का मेरे मन में लगा था। पर भगवान् की कृपा से इस समय उसका मिजाज बिलकुल शान्त जान पड़ा। बड़ी नम्रता से शान्तिपूर्वक बोला—"नहीं, नहीं, मैं बाहर बड़े आराम से सोऊँगा। हम दोनों दिनभर के थके हैं, घोड़े बेचकर सोवेंगे। तुम बिना तकल्लुफ़ भीतर सोओ।"

इस सम्बन्ध में अधिक तर्क करना मैंने अनुचित समझा। एक बार अर्थहीन दृष्टि से जयन्ती की ओर ताककर भीतर चला गया। जयन्ती भी वापस चली गयी।

कमरे में बत्ती जल रही थी। दीवार के ऊपर तीन-चार चित्र टँगे थे। दो में राधा-कृष्ण की अनिवार्य मूर्तियाँ अंकित थीं। तीसरे में प्रोफेसर साहब स्वयं विराजमान थे। चौथे में ताजमहल का दृश्य था। नीचे एक कोने में हारमोनियम और तबले की जोड़ी रखी थी। मन में एक लालसा उत्पन्न हुई। मेरा संगीत-ज्ञान यद्यपि नहीं के बराबर था, तथापि, जब कभी हॉस्टल में गजलें गाता, तो सभी परिचित छात्र मेरे गले की 'खूबी' पर तारीफ के पुल बाँध देते थे। हारमोनियम के पर्दों को झंकृत करने के लिए उँगलियाँ खुजलाने लगीं। पर सबके सोने का समय हो चला था। गृह-व्यापी सन्नाटे को वाद्यझंकार से मुखरित करने का साहस नहीं होता था। फिर भी रह न सका। उमापति लम्बी तान चुका था। मैं भीतर से बोला—"अरे भाई, क्या अभी से सोने की तैयारी करने लगे? ज़रा भीतर तो आओ! हारमोनियम रखा है, तबले की जोड़ी भी है। एक-आध गत हो ले!"

उमापति ने लेटे-लेटे उत्तर दिया—"तुम भी अजीब आदमी हो, भाई। आधी रात के समय बाजा बजाने की एक ही सूझी! घरवाले क्या कहेंगे? या बावले हुए हो?"

सुक्खू ने आकर पूछा—"आप लोगों को रात में क्या पानी की जरूरत पड़ेगी?"

मैंने कहा—"नहीं भाई, पानी-वानी किसी को नहीं चाहिए। पर एक काम तो करो। भीतर जाकर पूछो कि अगर हम लोग कुछ देर बाजा बजावें तो कुछ हर्ज तो न होगा? किसी को इस पर एतराज तो नहीं है?"

सुक्खू मुस्कराता हुआ भीतर गया। थोड़ी देर में लौटकर बोला—"बहू जी कहती हैं—आप शौक से गाइये-बजाइये, हमें कोई एतराज नहीं।"

अब क्या था? मेरी बाछें खिल गयीं। उमापति का हाथ पकड़कर खींचने लगा। बोला—"अब तो उठो! आज्ञा मिल गयी है।"

"अजब सिड़ी आदमी से पाला पड़ा है", कहकर स्नेहपूर्वक हँसता हुआ उमापति उठ खड़ा हुआ। विश्वनाथ भी उठ बैठा। भीतर जाकर तीनों फर्श पर बैठ गये। मैं हारमोनियम लेकर सुर देने लगा और उमापति तबला ठीक से मिलाने लगा। इसके बाद मैंने एक गत बजायी। उमापति भी स्वर से मस्त हो गया और एकान्त मन से तबला बजाने लगा। विश्वनाथ बेताल तालियों-द्वारा ताल देने लगा। थोड़ी ही देर में चण्डाल-चौकड़ी अच्छी जम गयी। मैंने दो-एक गजलें गायीं। मेरा कण्ठस्वर वास्तव में अच्छा था, आत्म-प्रशंसा का दोषी होने पर भी यह सूचित करना मैं आवश्यक समझता

हूँ। नैशनीरवता को विदीर्ण करके मेरी सुरीली तान ने सारे मुहल्ले को विकम्पित कर दिया। गजल में एक खूबी मैंने यह देखी है कि संगीत की वास्तविक प्रौढ़ता चाहे उसमें कुछ भी न हो, पर अलाप की बहार उसमें ऐसी रहती है कि साधारण-से-साधारण पुरुष का हृदय भी उसकी मूर्च्छना से विमोहित हो जाता है। मेरे गाने के बाद उमापति ने एक ठुमरी गायी। अन्त को विश्वनाथ की बारी आने पर उसने अनोखे सुर से रामायण की चौपाइयाँ गानी शुरू कर दीं। मैं बलपूर्वक हँसी दबाने की चेष्टा कर रहा था और उमापति का भी यही हाल था। पर भीतर से महिलाओं के हास्य की स्पष्ट लहर सुनायी देती थी। विश्वनाथ का कण्ठस्वर जन्तु-विशेष को भी मात कर रहा था, तिस पर एक अनोखे तर्ज में वह चौपाइयाँ गा रहा था। अन्त को उमापति न रह सका और तबला बजाना बन्द करके हँसी के वेग से फर्श पर लोट-पोट हो गया। विश्वनाथ बेचारे की अजीब हालत थी। बड़ा भोला-सा सीधा-सादा लड़का था। किसी बात पर क्रोध करना जानता ही न था। उमापति के इस अदम्य हास्य का कारण भी वह कुछ न समझा। हक्का-बक्का होकर मेरी ओर ताकने लगा। मैंने दिलासा दिया। कहा कि उमापति की हँसी का खयाल न करो, वह ऐसा ही सिड़ी है, तुम गाते ही चले जाओ। पर उसका सारा उत्साह जाता रहा।

•••

रात को बहुत देर तक नींद न आयी, इसलिए सुबह बहुत देर तक सोता रहा। जब आँख खुली तो देखा कि दिन बहुत ऊपर चढ़ चुका है। उमापति और विश्वनाथ अभी तक खर्राटे ले रहे थे। बेशर्मी की हद हो गयी थी। घरवालों की सुविधा-असुविधा का खयाल न करके दोपहर तक इस प्रकार घोड़े बेचकर सोना, इससे अधिक लज्जा की बात और क्या हो सकती है। दोनों के नाम ले-लेकर पुकारने लगा। पर वह भौतिक निद्रा क्या यों ही भंग होनेवाली थी! सुक्खू दो-तीन बार बाहर आकर देख गया, जयन्ती भी एक-आध बार आयी; और मेरे जगाने से पहले न मालूम उन लोगों ने कितने बार चक्कर लगाये होंगे। दोनों बैठकर हाथ से आँखें रगड़ने लगे और जम्हाइयाँ तथा अँगड़ाइयाँ लेने लगे। बनारस में पौ फटने के पहले ही हम लोग स्नान कर लिया करते थे। यहाँ एक दिन में यह हाल हो गया। यह क्या आगरे की जलवायु की विशेषता थी?

जयन्ती ने आकर पूछा—"चाय लाऊँ"

उमापति और मैं एक-दूसरे का मुँह ताकने लगे। अपनी बेहयाई पर भी और बेबसी पर भी हँसी आती थी। कल जब चाय पी थी तो हाथ-मुँह तो कम-से-कम धो चुके थे। पर आज तो अभी बिस्तर पर ही थे। उमापति अचानक ठठाकर हँस पड़ा।

मैंने हँसी रोककर नम्रता से समझाकर कहा–"चाय के लिए कोई चिन्ता न कीजिये। इस चीज के तो हम लोग आदी ही नहीं हैं। फिर अभी तो उठकर हाथ-मुँह भी नहीं धो पाये हैं। आज रहने दीजिये। हम लोगों की बेशर्मी के कारण आप लोगों को व्यर्थ का कष्ट उठाना पड़ रहा है। इसके लिए माफी चाहता हूँ।"

कुछ उत्तर न देकर जयन्ती घबरायी-सी चली गयी। इस प्रकार का व्याख्यान सुनने का अवसर शायद उसे पहले नहीं मिला था।

स्नान-सन्ध्या समापन करके खा-पीकर जब आराम करने की तैयारी करने लगे तो सुक्खू ने आकर मुझसे कहा–"बाबू जी, आपको बहू जी भीतर बुलाती हैं।"

यह एक नया आश्चर्य था। विश्वास नहीं हुआ। बोला–"किसको? मुझे? तुम गलती करते हो। कुछ-का-कुछ समझे हो। ठीक-ठीक पूछ आओ।"

सलज्ज भाव से सिर झुकाकर सुक्खू भीतर गया और थोड़ी ही देर में लौटकर बोला–"आप ही को बुलाती हैं।"

घबराता हुआ उठा और शंकित, कम्पित पगों से भीतर की ओर गया। चिक हटाकर सुक्खू ने मुझे एक अँधेरे-से कमरे में प्रवेश कराया। मेरा कलेजा धड़क रहा था। चूड़ियाँ खनकीं।

एक महिला-कण्ठ से आवाज़ आयी–बैठिये!" स्लीपर उतारकर दीवार से लगे हुए तकिये के सहारे एक मुलायम कालीन पर बैठ गया। बाहर के प्रदीप्त प्रकाश से इस अन्धकार में आया था, इसलिए ठीक-ठीक कुछ भी नहीं दिखायी देता था। कहाँ आया हूँ, क्यों बुलाया गया हूँ, कुछ भी मालूम न होने के कारण मन-ही-मन कहने लगा–"यह अच्छे तिलस्माती चक्कर में फँसा!"

"शिमले में सब कुशल तो है?"

मैं चौंका। क्षण-भर के लिए स्तम्भित रहकर बोला–"आपकी बात मैं समझा नहीं।"

"मैं पूछती हूँ कि शिमले में आपके भैया, भाभी जी, बाल-बच्चे सब कुशल से तो हैं?"

आश्चर्य और भी बढ़ा। मैंने कहा–"माफ़ कीजिये, आपको शिमले की बातें कैसे मालूम हुईं, क्या मैं यह पूछने की गुस्ताखी कर सकता हूँ?"

मेरी आँखों से धीरे-धीरे अन्धकार हट रहा था और सामने बैठी हुई महिला का मुख स्पष्ट दिखायी देने लगा था। वह मेरी चकितावस्था देखकर कौतुकपूर्वक मुस्करा रही थीं। उनके दोनों कन्धों के सहारे दोनों बच्चे घुटने टेककर बैठे थे और कौतूहलपूर्वक मुझे देख रहे थे। महिला की पीठ की ओर एक कोने में जयन्ती दीवार के सहारे खड़ी थी। महिला ने कहा–"आपको तो मालूम होना चाहिए हम लोग जब शिमले गये थे

तो आपके भाई साहब के ही यहाँ ठहरे थे। आपको मैंने पहले वहीं देखा था। मेरी तन्दुरुस्ती ठीक नहीं रहती, इसलिए हवा-बदली के लिए गयी थी।"

मुझे याद आया कि जब प्रोफेसर साहब को मैंने शिमले में देखा था तो उस समय एक अपरिचित महिला भी भाभी जी के साथ अन्तःपुर में रहती थीं। पर वह कौन थीं, इस सम्बन्ध में न भाभी जी ने मुझसे कभी कुछ कहा और न तब मेरे मन में ही कुछ उत्सुकता थी। भैया के यहाँ अतिथियों का आना-जाना नित्य लगा ही रहता था, इसलिए किसी अपरिचित स्त्री का उनके यहाँ रहना कोई नयी बात नहीं थी। पर आज यह बात सुनकर कि प्रोफ़ेसर साहब सपत्नीक शिमले गये थे, मुझे आश्चर्य हुआ। यदि बच्चे उनके साथ होते तो मैं समझ जाता कि श्रीमती जी भी गयी थीं, पर बच्चों को मैंने नहीं देखा था। मैंने कहा—"प्रोफ़ेसर साहब को तो मैंने अवश्य देखा था और उनसे अच्छा हेल-मेल भी हो गया था। उसी जान-पहचान के भरोसे यहाँ ठहरने का साहस भी हुआ। पर आपकी खबर मुझे नहीं थी। बच्चों को भी मैंने वहाँ नहीं देखा।"

पूर्ववत् मन्द-मन्द मुस्कराकर वह बोलीं—"बच्चे लल्ली को छोड़कर मेरे साथ चलने को राजी नहीं हुए, इसलिए इन्हें न ला सकी।" यह कहकर उन्होंने स्नेहपूर्वक पहले छोटे लड़के की ओर एक बार देखा फिर बड़े लड़के की ओर। छोटा लड़का ढीठ था। वह स्थिर दृष्टि से मेरी ओर ताक रहा था। पर बड़े लड़के के साथ यद्यपि एक बार मेरी बातें हो चुकी थीं, तथापि वह सकुचाता था। जब उसकी माँ ने उसका उल्लेख करते हुए उसकी ओर देखा तो वह लज्जा से आँखें नीची करके उनके गले से लिपट गया।

इस बीच मिश्राणी जी (मैं सुभीते के लिए इसी नाम से प्रोफ़ेसर साहब की स्त्री का उल्लेख करूँगा, क्योंकि उनका नाम मुझे अब तक मालूम नहीं है) की आँख बचाकर क्षण-भर के लिए मैंने एक बार जयन्ती की ओर दृष्टि फेर ली। वह भी इस प्रायान्धकार कमरे में अवसर पाकर एकान्त दृष्टि से मुझे देख रही थी।

मिश्राणी जी ने पूछा—"आज क्या आप घर से आते हैं?"

"जी नहीं। मैं बनारस में पढ़ता हूँ। बड़े दिनों की छुट्टियों में सैर के लिए हम लोग यहाँ आये हैं।"

"आपके दो साथी कौन हैं? आपके कोई सम्बन्धी होते हैं?"

"जी नहीं! बनारस में हम तीनों एक ही हॉस्टल में साथ ही रहते हैं। ये हमारे मित्र हैं।"

"कल रात तो बड़ी गरम बहस आप लोगों के बीच हो गयी। हम तो डर गयीं कि कहीं हाथापाई की नौबत न आ जाय।"

मैं ठठाकर हँस पड़ा। मिश्राणी जी भी खिलखिला उठीं। उनकी खुशमिजाजी मनमोहक थी। मैंने कहा—"चिन्ता की कोई बात नहीं थी। इस प्रकार का झगड़ा तो रोज लगा ही रहता है। बहस खतम होते ही हम लोग फिर गले मिल लेते हैं।"

उन्होंने कहा—"मैं तो आपको पहली ही बार देखने से पहचान गयी थी, पर कुछ सन्देह रह गया था। लेकिन रात को जब शिमले की चर्चा चली तो मेरा सन्देह जाता रहा।"

अचानक उन्हें न मालूम क्या याद आया, उठकर एक अलमारी से पानों की तश्तरी निकाल लायीं और मेरे सामने रखकर बोलीं—"मैं तो बातों में भूल ही गयी। लीजिये, पान खाइये।"

मैंने लज्जित मुस्कान से, हाथ जोड़ते हुए कहा—"माफ कीजिये। मैं खाता नहीं।"

उन्हें आश्चर्य हुआ। बोलीं—"क्यों? इसमें क्या कोई दोष है? आपके भैया तो खूब खाते हैं। और आपकी भाभी जी के होंठ तो चौबीसों घण्टे पान से रँगे ही रहते हैं; जब देखो एक गिलौरी मुँह में धरे ही रहती हैं।"

मैं भाभी जी की इस आदत से परिचित था। इसलिए केवल मुस्करा दिया। एक इलायची उठायी और तोड़कर मुँह में डाल ली।

मिश्राणी जी ने पूछा—"बनारस की पढ़ाई कब पूरी होगी? उसके बाद क्या कीजियेगा?"

इन दोनों प्रश्नों के उत्तर विधाता ही दे सकते थे। क्योंकि मैं स्वयं नहीं जानता था कि पढ़ाई कब समाप्त होगी और उसके बाद क्या करूँगा। यही बात मैंने मिश्राणी जी से भी कही। इस अद्भुत उत्तर से वह सकौतुक हँसने लगीं। समझ गयीं कि जिस व्यक्ति के साथ उनकी बातें हो रही हैं, उसकी प्रकृति रात-दिन के परिचित साधारण पुरुषों से कुछ निराली है। इस उत्तर का परिणाम यह भी हुआ कि जो प्रश्न शायद अब तक उनके गले में अटक रहा था, पर जिसे संकोच के कारण बाहर नहीं निकाल पाती थीं, अब स्वाभाविक रूप से उसे व्यक्त करने में समर्थ हुईं। बोलीं—"आपका ब्याह क्या हो चुका है?" प्रश्न करते समय उनकी मुस्कराहट में दुष्टता की झलक थी। उत्तर देने के पहले एक अज्ञात संस्कार की प्रेरणा से मैंने एक बार जयन्ती की ओर देखा। एक अदम्य कौतूहल मन में उदित हुआ कि इस प्रश्न से उसके मन में क्या भाव जागरित हुआ है। इस समय सोच रहा हूँ कि इस कौतूहल की आवश्यकता क्या थी? क्यों मनुष्य का मन इतना कौतूहली होता है? क्यों दूसरे के मन को चीरकर उसके भीतर छिपी हुई प्रत्येक गुप्त वार्त्ता को खण्ड-खण्ड रूप से देखने के लिए व्याकुल रहता है? क्या यह सामर्थ्य उसमें है? यदि सामर्थ्य नहीं तो यह प्रबल लालसा क्यों?

उत्तर में मैंने सरलतापूर्वक कहा—"जी नहीं। अभी तक तो स्वाधीन हूँ।"

"पराधीन होने का कब इरादा है?"

"आपकी राय में क्या पराधीन होना जरूरी है?"

"मजबूरी है—संसार का यह पुराना धर्म सबको मानना ही पड़ता है।"

जयन्ती इस चर्चा से स्पष्ट ही असन्तुष्ट जान पड़ती थी। उसने दीवाल की ओर मुख फिरा लिया था। उसका संकोच देखकर मैं भी संकुचित हो उठा। इस चर्चा को वहीं पर समाप्त करने के विचार से बात बदलकर बोला—"प्रोफ़ेसर साहब से भेंट न हो सकी, इसके लिए बड़ा दुःखित हूँ।"

मिश्राणी जी के व्यंग्यप्रिय होने पर भी उनके स्वभाव में गम्भीर्य की कमी नहीं थी। तत्काल मुख का भाव बदलकर सहज, स्वाभाविक स्वर में बोलीं—"अभी तो आपने

पहली बार पधारने की कृपा की है। अब आपसे हम लोगों की जान-पहचान हो गयी है, इसलिए यह आशा की जाती है कि अब से आपका आना-जाना बराबर जारी रहेगा।''

बाहर से उमापति के रुक्ष कण्ठ का चीत्कार सुनायी दिया—''नन्दकिशोर! वाह भाई, खूब! तुम भीतर क्या गये, एकदम हत्या ही दे दी! चलोगे भी या नहीं?''

फलतः उठना पड़ा।

•••

तीन-चार दिन इसी तरह बिताकर वापस चलने का विचार किया। पूरी छुट्टियाँ वहीं बिताता, पर इस घर के प्रति एक जबर्दस्त मोह का भाव मन को जकड़ता जाता था, और उसे छोड़कर कहीं जाने को किसी तरह जी नहीं चाह रहा था। विशेष करके इस कारण से ही मैं यथाशीघ्र उसकी माया त्यागकर चल देना चाहता था। संस्कारवश अन्तस्तल में यह अनुभव कर रहा था कि यदि तत्काल इस माया-बन्धन को न काट सका तो चिर-जीवन फिर इससे मुक्ति पाना असम्भव हो जायगा। उमापति और विश्वनाथ अभी कुछ दिन रहना चाहते थे। मैंने उन लोगों से कहा कि वे रहना चाहें तो रहें, पर मैं तो अब एक दिन नहीं ठहर सकता। अतएव अनिच्छा से उन लोगों को मेरे प्रस्ताव पर राजी होना पड़ा।

रात की गाड़ी से जाने का विचार था। शाम को प्रोफ़ेसर साहब के छोटे लड़के बिरजू को मीठी-मीठी बातों से फुसलाकर, चुमकारकर पकड़ लाया और उसे अपने घुटनों पर बिठाकर सुख-दुःख की बहुत-सी बातें उसके साथ कीं। अन्त को जेब से दस-दस रुपये के दो नोट और पाँच रुपये नकद निकालकर चुपके से उसके हाथ में दाब दिये और कहा—''ये तुम्हारे हैं। इनसे खेलना।'' कागजों की चित्राकृति देखकर और चाँदी के चन्द्रोपम गोल-गोल टुकड़ों को पाकर बिरजू कुछ अप्रसन्न नहीं हुआ और उन्हें लेकर भीतर चला गया। बाहर मर्दाने से ही मैंने भीतर उसे कहते सुना—''भैया! यह देखो, ये हमारे हैं, हम तुम्हें नहीं देंगे।'' ईर्ष्यालु कमल को दबी हुई जबान से उसकी शिकायत करते सुना गया—''देखो जीजी, यह भिखमंगा बाहर से रुपये माँग लाया है।'' इसके बाद गुनगुनाने की आवाज आयी। मेरे दुस्साहस का क्या परिणाम होता है, इस उत्सुकता से मैं कुछ बेकल-सा हो रहा था। थोड़ी देर बाद बिरजू रोनी-सी सूरत लेकर आया। उसके हाथ मेरे दिये वही नोट और रुपये थे। मुझे वापस देते हुए बोला—''लीजिये, हमें नहीं चाहिए।'' अपमान की वेदना से मेरा हृदय धड़कने लगा था, पर प्रकाश्यतः मैंने

हँसी का भाव दिखलाते हुए परिहास के स्वर में कहा—"क्यों भाई, नाराज हो गये!" वह आँखें नीची करके चुप खड़ा रहा। मैंने स्नेहपूर्वक उसके दोनों हाथ पकड़कर अत्यन्त विश्वासपूर्वक गुप्त रूप से उसके कान में पूछा—"किसने मना किया, चुपचाप मेरे कान में कह दो न भाई!"

मेरे गोपन प्रश्न से वह मुस्करा दिया। स्पष्ट स्वर में बोला—"जीजी गुस्सा होती हैं।"

मैंने परम धैर्य का भाव दिखलाते हुए कहा—"तब तो ठीक है। यह देखो, हम तुम्हें बतलाते हैं, कागज के इन टुकड़ों से किस तरह खेलते हैं।" खेल की बात सुनकर वह उत्सुकतापूर्वक मेरी ओर देखने लगा। मैंने दोनों नोटों को दो हाथों से पकड़कर, चीरकर, उनके टुकड़े-टुकड़े कर दिये, फिर उन टुकड़ों के भी टुकड़े किये और सबको लेकर पाँवों तले कुचल दिया। बिरजू आश्चर्य से एकटक देख रहा था। कमल भी दरवाजे पर आकर खड़ा था। वह भी कम आश्चर्यान्वित नहीं था। अपमान की जो वेदना मेरे सिर में झनझना रही थी, वह इस 'खेल' से बहुत-कुछ शान्त हो गयी। इसके बाद मैंने स्नेह से बिरजू के गालों पर हाथ फेरकर उसे चुमकारा। यह इसलिए कि अभी सिर पर भूत की-सी सनक सवार होने के कारण जो अद्भुत काण्ड मैंने किया था, वह वास्तव में एक साधारण-सा खेल है, मैं यह भाव जताना चाहता था। क्योंकि मैं अच्छी तरह जानता था कि इस नूतन-परिचित कुटुम्ब में किसी के ऊपर मान-अभिमान करने का अधिकार मुझे नहीं हो सकता।

रात को सुक्खू एक ताँगा ले आया। मैंने भीतर जाकर मिश्राणी जी को प्रणाम किया। बच्चों को चुमकारकर, उनके सिर पर हाथ फेरकर मन-ही-मन आशीर्वाद दिया। जयन्ती की ओर देखकर भी नहीं देखा। उसकी ओर बिना मुख किये, केवल कनखियों से जितना सम्भव था, उसकी हरकतें देख रहा था। जाने के पहले पलक-भर उसकी ओर घूमकर तेजी से बाहर को चला आया। लैम्प की रोशनी में निमेष के दृष्टिपात से उसकी चकित मूर्ति का तीक्ष्ण प्रतिबिम्ब पल में बिजली की तरह हृदय के एक प्रान्त से दूसरे प्रान्त तक झलक गया। बिजली की तरह ही वह अस्पष्ट था, और उसी की तरह मर्मभेदी।

बाहर आकर हम तीनों ताँगे में बैठे। अपमानित होने पर भी मैं अपना सिर मानी लोगों की तरह उन्नत किये था। यद्यपि इस रात्रि के समय आगरे की एक क्षीणालोकित निर्जन गली में ताँगे पर सवार होकर अपने शरीर और मन की यह गर्वित अवस्था किसी को दिखाने की आवश्यकता नहीं थी, तथापि चित्त में एक प्रकार के बड़प्पन का अनुभव करके मैं सन्तुष्ट था। उमापति और विश्वनाथ जाड़े से थरथरा रहे थे, पर मेरी नाड़ियों में गरम रक्त तरंगित हो रहा था। ताँगेवाले ने घोड़े को चाबुक मारा। मैंने झट से पाँच रुपये का एक नोट जेब से निकालकर सुक्खू के हाथ में दाब दिया। घोड़े ने छलाँग मारी। ताँगा चल दिया।

गाड़ी में विशेष भीड़ नहीं थी। क्रिसमस का मध्यकाल था, इसलिए लोगों का आना-जाना अपेक्षाकृत कम हो गया था। इण्टर क्लास के एक डिब्बे में तीनों को लम्बी

तानने के लिए यथेष्ट स्थान मिल गया था। मेरे दोनों साथी कुछ देर गपशप करने के बाद खुर्राटे लेने लग गये पर मुझे किसी तरह नींद नहीं आती थी। जो साधारण घटना आज सन्ध्या के समय हो गयी थी, वह ऊपर से देखने में अत्यन्त तुच्छ होने पर भी मेरी इस विशेष मानसिक अवस्था में बहुत उग्र रूप धारण किये थी और उसकी स्मृति कुन्द छुरी की तरह मेरा कलेजा रेत रही थी। गलती मेरी थी, सन्देह नहीं। मैं अनधिकारपूर्वक घनिष्ठता का सूत्र बहुत आगे बढ़ाने की चेष्टा करने लगा था। मुझे उचित फल ही मिला था। पर ठीक इसी कारण से मेरा क्षोभ अधिक बढ़ गया था। जिस किशोरी में इतनी श्री, इतना सौष्ठव, ऐसा सौन्दर्य, इतना संकोच, ऐसी विनम्रता, ऐसा सुघड़पन वर्तमान हो, उसमें बिच्छू की तरह ऐसा जबर्दस्त डंक मारने की भी शक्ति छिपी रह सकती है, यह बात मेरी कल्पना के अतीत थी।

बार-बार एक ही प्रकार के प्रश्न मेरे मन में जागरित होते थे—जयन्ती मुझे किस दृष्टि से देखती है? तीन-चार दिन उसके निकट रहा, इस बीच मेरे सम्बन्ध में उसकी क्या धारणा हुई? क्या विचार उसके मन में उत्पन्न हुए? किस दृष्टिकोण से उसने मुझे देखा? और देखकर क्या अनुमान किया? एक भी प्रश्न का कुछ भी ठीक उत्तर मुझे नहीं मिलता था। इसी कारण से जानने की लालसा और भी अदम्य होती जाती थी। आकाश फाड़कर, पृथ्वीतल खोदकर भी यदि इन प्रश्नों के समाधान की कुछ भी सम्भावना होती, तो शायद इसके लिए भी चेष्टा करता। सोचने लगा कि करोड़ों, अरबों मील दूर स्थित चन्द्र-सूर्य-तारकाओं के सम्बन्ध में मनुष्य इतनी जानकारी रखता है, पर एक निकटतम और क्षुद्रतम प्राणी के मन में प्रतिक्षण क्या-क्या विचार तरंगित होते रहते हैं, इस विषय में वह घोर अन्धकार में गोते खाता रहता है! सोलह वर्ष की एक साधारण किशोरी बालिका, जो मेरे अत्यन्त सन्निकट आकर मुझसे दो-एक बातें भी कर चुकी है, अपना मोहन रूप झलकाकर रहस्यमय आँखों की विद्युत्-दृष्टि भी कई बार चमका गयी है, उसके छोटे-से मन में क्या-क्या भावनाएँ समायी हुई हैं, इस सम्बन्ध में मैं निपट अपरिचित ही रह गया! कभी ढीठ होकर उसने मुझे सम्बोधित किया है, कभी संकोच से त्रस्त हुई है और कभी विभ्रम से मुस्करा दिया है। कभी रुखाई से पेश आयी है और कभी ऐसा डंक मार गयी है कि अभी तक यन्त्रणा है। इस छोटी अवस्था में ही सारी गृहस्थी का भार स्वेच्छा से अपने ऊपर लिये है, अपनी सौतेली माँ पर अधिकारपूर्वक शासन करती है और छोटे-छोटे सौतेले भाइयों पर उसका ऐसा स्नेहाधिकार है कि वे उसके इशारों पर नाचते हैं, और उसे छोड़कर अपनी अम्माँ के पास भी नहीं जाना चाहते। अनन्त काल के महाविस्तार की तुलना में सोलह वर्ष की अवस्था कितनी नगण्य है! पर इसी बीच में यह मायाविनी, अज्ञान शैशवावस्था से परिपक्वावस्था में पहुँच गयी है और अपना एक निराला संसार रचकर विश्व संसार को अवज्ञा की दृष्टि से देख रही है। वह कौन है? उससे मेरा क्या सम्बन्ध है? तीन-चार दिन के ही बीच में उसके जीवन से सम्बन्ध रखनेवाली बातों के प्रति मैं क्यों उत्सुक हुआ हूँ? यदि उत्सुक हुआ हूँ, तो अपनेपन की जिस चहारदीवारी से उसने अपने को

घेरकर बाह्य जगत् से अलग कर रखा है, उसे लाँघकर भीतरी प्रवेश करने की शक्ति मुझमें क्यों नहीं है? क्या उसके निराले संसार में एक क्षुद्रतम स्थान पाने का भी अधिकारी मैं नहीं हूँ?

रातभर इसी प्रकार की भावनाओं से मेरा मस्तिष्क चक्कर खाता रहा। बीच में कभी झपकी आ जाती, तो तन्द्रा में भी यही बेकली स्पष्ट रूप से मुझे आन्दोलित करती।

•••

दूसरे दिन जब बनारस पहुँचे तो रात की उन्निद्रा के कारण शरीर यथेष्ट थकित होने पर भी मन में एक प्रकार की अपूर्व शान्ति का अनुभव कर रहा था। ऐसा मालूम होता था, जैसे वर्षों से जो एक भयंकर पाषाण अज्ञात रूप से मेरी छाती पर पड़ा हुआ निर्ममता से उसे दबा रहा था, वह उतर गया है। अपने मन में ऐसा आराम मैंने अपने जीवन में पहले कभी अनुभव नहीं किया था। ऐसा जान पड़ता था, जैसे अनन्त अवकाश मेरे आगे है और हड़बड़ी का अब कोई कारण नहीं रह गया। बनारस में आकर हॉस्टल में पहुँचते ही क्यों ऐसी अभूतपूर्व भावना अचानक मन में उदित हो गयी, इसका कारण पहले तो मेरी समझ में कुछ भी न आया। पर जब 'रैक' पर रखी हुई कोर्स की बड़ी-बड़ी, मोटी-मोटी किताबों पर नजर पड़ी तो समझ गया कि बात क्या है। कोर्स की एक भी किताब मैंने अब तक नहीं पढ़ी थी, क्योंकि बाहरी विषयों के अध्ययन से इसके लिए अवकाश ही मुझको अभी तक नहीं मिला था। ऐसी स्थिति में परीक्षा में उत्तीर्ण होने की बहुत ही कम सम्भावना थी और यह धड़का बहुत दिन से अनजान में मेरे मन में लगा था। पर आगरे में तीन ही दिन में जीवनचक्र के प्रबल घूर्णन से मेरी भावनाओं में जब मूलगत परिवर्तन हो गया, तो आज यूनिवर्सिटी का भारी-भरकम स्वरूप मुझे अत्यन्त महत्त्वहीन और तुच्छ जान पड़ने लगा। जिसे अज्ञात में जीवन का गम्भीरतम ध्येय समझे बैठा था, वह आज एक मनोरंजक क्रीड़ा के बतौर मेरी दृष्टि में भासमान होने लगा। छुट्टी! छुट्टी! दीर्घकाल की नौकरी के बाद जब एक उच्च सरकारी कर्मचारी कार्य से अवसर ग्रहण करने से पहले पूरी तनख्वाह में लम्बी 'फर्लो' का उपभोग करता है, उसे उस समय जिस विश्रान्ति के आनन्द का अनुभव होता है, मुझे भी उसी स्निग्ध अनुभूति का आभास प्राप्त हो रहा था। बिना किसी चेष्टा के, सहज स्वाभाविक संस्कार की प्रेरणा से, मेरे मन ने निश्चय कर लिया था कि अब यूनिवर्सिटी का अध्ययन व्यर्थ है। उसे झुककर प्रणाम करके यहीं पर समाप्त करना होगा। अपने मन के इस निश्चय की पक्की सूचना जब मुझे मिल गयी, तो मेरे हर्ष का पारावार न रहा।

अनन्त अवकाश सीमाहीन गगन की तरह मेरी मानसिक आँखों के आगे नाच रहा था। चार दिन पहले तक का जीवन, जो आज तक मेरा परम प्रिय साथी था, आज मुझसे चिर दिन के लिए बिछुड़ गया था। मन-ही-मन एक बार उसके लिए रोने की इच्छा होती थी। पर जो दूसरा जीवन—मेरा नया संगी—अपना आवेश-विह्वल, यौवन-चंचल, मनमोहन रूप लेकर मेरे लिये अपना हाथ बढ़ा रहा था, उसका सौन्दर्य भी मुझे हर्षोन्मत्त कर रहा था।

हमारे चौथे साथी ने, जिसे हम लोग बनारस ही छोड़ गये थे, हमारे भोजन का प्रबन्ध किया। खा-पीकर हम लोग सो रहे। प्रायः तीन बजे के करीब मेरी आँखें खुलीं। बगलवाले कमरे में एक फोर्थ इयर का छात्र जोर से चिल्ला-चिल्लाकर कोर्स की कोई किताब रट रहा था। इसके अतिरिक्त सर्वत्र सन्नाटा था; केवल झिल्लियों की अविश्रान्त झनकार किसी विधवा के चिर-जीवन-व्यापी अविरत विलाप की तरह कानों में गूँज रही थी। हृदय का अणु-अणु एक विषाद के रस में भींग गया था। तख्त से उठने की इच्छा नहीं होती थी और नींद भी उचाट हो गयी थी। मेरे साथी अभी तक निद्रामग्न थे। सारे शरीर में थकावट और आलस्य मालूम हो रहा था। न पास में कोई काम था न कोई पुस्तक पढ़ने की ही इच्छा थी, न लेटा रह सकता था और न उठने की ही ताकत थी। अजीब हालत हो रही थी। आज प्रथम बार मुझे इस प्रकार की बेचैनी का अनुभव हुआ। किसी मनोरंजक विषय पर गप लड़ाने अथवा तर्क-वितर्क करने का यही उपयुक्त अवसर था। इस समय उमापति की मुझे परम आवश्यकता थी, पर यह परिपूर्ण भोजन से तृप्त गिद्ध की तरह अचेत पड़ा था। एक-एक मिनट काटना मेरे लिये दूभर हो रहा था। राम-राम करके पाँच बजे, और बगलवाले कमरे के किसी छात्र की घड़ी में गलती से रखा हुआ अलार्म अत्यन्त कर्कश शब्द से बज उठा। उमापति और विश्वनाथ दोनों चौंकते हुए जाग उठे। मैं ठठाकर हँस पड़ा।

क्रिसमस के कारण हॉस्टलों के अधिकांश छात्र बाहर गये हुए थे। जितने बाकी रह गये थे, उनमें से कुछ बाहर मैदान में गुल मचा रहे थे, कुछ बरामदे में चक्कर काटते हुए किसी ताजे राजनीतिक समाचार पर तर्क कर रहे थे। फिर भी हॉस्टल सूना जान पड़ता था। मैं बड़ी उदासी मालूम कर रहा था। सुबह जिस हर्षोन्माद का अनुभव हुआ था, उसका कारण इस समय खोजने पर भी नहीं मिलता था। हाथ-मुँह धोकर हम लोग बाहर टहलने निकले। पर आज वह पिछले दिनों की-सी उमंग कहाँ!

पाँच-सात दिन इसी प्रकार अलस अवसाद में बीत गये। इसके बाद एक दिन एक ऐसी घटना घटी, जिसने मेरे जीवन का चक्र ही बदल दिया!

कृष्ण-पक्ष का समय था। सूर्य डूब चुका था और अँधेरा होना ही चाहता था। मेरा हृदयव्यापी अतल विषाद इस भावी अन्धकार की आशंका से और भी अधिक आतंकित हो उठा। आज अधिक पैदल चलने की शक्ति भी नहीं थी और नगवे की सुनसानी में रहने को जी भी नहीं चाहता था। एक खाली गाड़ी जाती थी। हम लोग उस पर चढ़ बैठे। चौक की तरफ चलने को कहा और किराया गाड़ीवाले की मर्जी पर छोड़ दिया।

एक बात यह भी मेरे मन में रह-रहकर उत्पन्न हो रही थी कि आज तक प्रतिमास भैया के भेजे हुए जो इतने रुपये कृपण की तरह बैंक में जमा करता आया हूँ, उनका कुछ भी उपयोग अब तक न कर सका। आज प्रथम बार खुले दिल से उनका उपयोग—चाहे दुरुपयोग ही क्यों न हो—करने की प्रबल इच्छा हो रही थी।

घोड़ा तन्दुरुस्त और तेज था। वायु-वेग से दौड़ने लगा। बहुत जल्द हम लोग चौक के पास पहुँच गये। गाड़ीवाले का किराया चुकाकर इधर-उधर अकारण चक्कर काटने लगे। नगवे की निर्जनता से कुछ काल के लिए मुक्ति पाकर इस जनाकीर्ण, आनन्देच्छु नर-नारियों के कल-कोलाहलमय गुंजन से मुखरित, सान्ध्य-दीपालोकित स्थान से आकर हृदय में एक बार फिर से उमंग जाग पड़ी। पास ही पान की एक दूकान में बड़ी तेज रोशनी हो रही थी। दो कोनों में दो बल्ब जल रहे थे जो काफी पावर के थे, और दो बड़े-बड़े शीशों में उनका प्रकाश प्रतिबिम्बित होकर और भी अधिक तीव्रता से विकीरित हो रहा था। असंख्य छोटे-छोटे पतंग उन विद्युत्-दीपों के उज्ज्वल आलोक से पुलकित होकर उनके चारों ओर घन रूप से संकुलित हो रहे थे। दूकान पर काफी भीड़ थी। पुरुष-पतंगों के लिए भी आकर्षण का कारण था। एक प्रायः 35 वर्ष की अवस्थावाली 'अलबेली छैल-छबीली' पानवाली अपने मोटे होंठों को पान के गाढ़े पीक से रंजित करके मधुर मुस्कान के साथ अतिरिक्त मात्रा में पानों के चर्वण से, गलित दन्तपंक्ति प्रदर्शित करते हुए अपने ग्राहकों के ऊपर 'रूप-सुधा' की वर्षा करके कृपा-कटाक्ष कर रही थी। बिजली के आलोक और रमणी के रूप के इस डबल आकर्षण का प्रभाव उमापति पर भी पड़ गया। उससे रहा न गया। बोला—"चलो यार, जाकर पान तो खा लें।" हम लोग जिस स्थान पर खड़े थे, वह गली बनारस की जगत् प्रसिद्ध गलियों में से एक थी। पान की उल्लिखित दूकान उसी गली के एक सिरे में चौराहे पर स्थित थी। इस प्रस्ताव से मैं संकुचित-सा होने लगा। एक तुच्छ पानवाली के निकट संकोच का अनुभव होना घोर मूर्खता और कायरता का परिचायक था, सन्देह नहीं। इसके पहले इस प्रकार की स्थिति में मुझे कभी संकोच हुआ भी नहीं। पर आज स्त्री-मात्र पर दृष्टि पड़ने से एक प्रकार की ग्लानि का भाव मन में उदित हो जाता था। विशेषकर रँगे होंठोंवाली 'छैल-छबीली' रमणी को देखकर।

मैंने कहा—"तुम लोग जाकर पान लगवाओ और खाओ, मैं यहीं खड़ा हूँ।"

उमापति मेरा हाथ पकड़कर बोला—"अरे भाई, चलोगे भी कि नखरे दिखाओगे!" यह कहकर वह जबर्दस्ती कुछ दूर घसीटकर मुझे ले गया। पर मैं फिर भी दूकान से कुछ अलग हटकर ही खड़ा रहा। उमापति ने पानवाली के आमने-सामने खड़े होकर कहा—"आठ पत्ते लगाना।"

विसालपूर्वक मुस्कराकर और एक बार कनखियों से मेरी ओर झाँककर वह 'अलबेली' अत्यन्त धैर्य से पान लगाने लगी। जब लगा चुकी, तो मेरे तीनों साथियों ने दो-दो पत्ते खाये। बाकी दो पत्ते उमापति मुझे देने लगा। उमापति जानता था कि मैं नहीं खाता। वह बोला—"आज तो बिना खिलाये नहीं छोड़ूँगा। कुछ विष तो है

नहीं।" यह कहकर वह जबर्दस्ती मेरे मुँह में ठूँसने लगा। एकाएक पीछे से मीठी हँसी की एक लहर सुनायी दी। मुँह फेरकर जो देखा तो अकल दंग रह गयी। भद्र वेश में सज्जित दो नवयुवतियाँ सामने एक कपड़े की दुकान पर आकर खड़ी थीं और मेरी दुर्दशा देखकर अच्छा कौतुक अनुभव कर रही थीं। अधिक हास्य का पात्र बनने का साहस मुझे नहीं हुआ और एक गिलौरी लेकर मुँह में डाल ही तो ली। उमापति ठहाका मारकर हँस पड़ा। इधर मेरी यह हालत थी कि पान चबाने की चेष्टा में मुँह से फिचकुर निकलता था। रूमाल लेकर जो पोंछने लगा, तो रूमाल में तमाम दाग लग गये। मैं कनखियों से महिलाओं की ओर देख रहा था। दोनों वास्तव में सुन्दरी थीं अथवा वेश-भूषा तथा पाउडर के कारण दूकान के प्रकाश में सुन्दरी दिखायी देती थीं, यह मैं उस समय निश्चित न कर पाया। एक बैंजनी रंग की जरीदार साड़ी पहने थी और दूसरी स्वच्छ, श्वेत खद्दर की फूलदार। बड़ी महिला के मुख पर हास्य की एक तीव्र रेखा वर्तमान थी, पर छोटी के मुँह पर संयत और स्निग्ध-मधुर भाव झलक रहा था। उमापति भी उनमें दिलचस्पी लेने लगा और किसी मिस से कुछ देर वहाँ पर ठहरने के लिए उसने कैंची सिगरेट के एक पाकेट का आर्डर दे दिया। वह सिगरेट पीने का आदी नहीं था, पर कभी जब कोई साथी 'आफ़र' करता, तो दो-एक दम लगा लिया करता था। पान चबाते-चबाते जब ज्यादा कड़वापन मालूम होने लगा, तो मैंने थूक दिया। बड़ी महिला फिर एक बार खिलखिला उठीं और छोटी के मुख पर भी कौतुक का भाव अधिक परिस्फुट हो उठा। मैं बड़ा परेशान था। सारी भीड़ उन्हें अतृप्त नेत्रों से घूर रही थी और वे मेरे प्रति दृष्टि किये थीं। इसलिए और लोग भी मेरी ओर ताकने लगे। अँगरेजी में जिसे 'लाफ़िंगस्टाक' कहते हैं, इस समय मेरी वही स्थिति थी। रूमाल लेकर मैंने अपना मुँह पोंछा। भीतर से हालत बड़ी खराब होने पर भी बाहर से अत्यन्त धैर्य का भाव दिखलाने की चेष्टा कर रहा था। उमापति ने एक सिगरेट लेकर जलायी और एक-एक हम सबको दी। मैंने भी सोचा कि तमाशा तो हो ही रहा है, चलो यह भी सही—आज धूम्रपान का भी स्वाद लिया जाय। सकौतुक सिगरेट जलाकर धुआँ निकालने लगा। प्रारम्भ में कुछ खाँसी-सी आने लगी, पर मैंने बलपूर्वक उसे दबाया और भीतर की ओर न खींचकर बाहर-ही-बाहर धुआँ निकालने लगा।

दोनों महिलाएँ कपड़ा खरीदने के बाद चलने लगीं। उनमें जो अपेक्षाकृत छोटी थी और खद्दर की साड़ी पहने थी, वह चलते-चलते बीच-बीच में पीछे की ओर मुँह फिराकर सलज्ज, सविभ्रम मुझे घूर रही थी। नजर लड़ते ही संकोच के कारण मैं दृष्टि नीचे की ओर झुका लेता था और वह भी। उमापति ने मुझे इंगितपूर्वक हलका-सा धक्का देकर मेरे कान में कहा—"तुम्हें घूर रही है। चलो, इसके पीछे हो लें।"

मैंने घबराकर कहा—"चुप! पागल हुए हो! किसी भद्र महिला का पीछा करने को कहते हो!"

वह दुष्टतापूर्वक हँसा—"भद्र महिला! खूब! अच्छे जानकार हो भाई!"

पानवाली के पैसे चुकाकर हम लोग चलने लगे। दोनों रमणियाँ कुछ दूर आगे बढ़कर बायीं तरफ की गली को मुड़ीं और मुड़ते ही वही खद्दरधारिणी फिर एक बार मुझे घूर गयी। मेरा तो सिर चकराने लगा। इसका कुछ अर्थ न समझा। उमापति उसी ओर हमें घसीटने लगा। मैं भी नीमराजी-सा होकर अनिश्चित पदों से उसके साथ हो लिया। पर कलेजा धड़क रहा था। अपने को अत्यन्त पतित, बाजारू आदमियों से भी बदतर समझ रहा था। कुछ दिनों से जिस घोर अवसाद का भाव मेरी छाती को जकड़े था, उसकी प्रतिक्रिया प्रारम्भ हो गयी थी। मतवाले आदमियों की तरह मैं अपने आपे में नहीं था। इस समय चाहे जो कोई व्यक्ति मुझे जिस ओर चाहता, ले जा सकता था; जैसा कुछ चाहता, करवा सकता था। हिप्नोटिज्म के विशेषज्ञ अपनी मोहनविद्या के आशु प्रभाव के लिए अपने पात्र को ऐसी ही अवस्था की प्रतीक्षा किया करते हैं।

•••

मैं शराबी की तरह धक्के खा रहा था। पाँव लड़खड़ा रहे थे। सिर चकरा रहा था और कोई बात ठीक तरह से सोचने की शक्ति मुझमें नहीं रह गयी थी। इच्छा होती थी कि पास ही कहीं सोने की जगह मिल जाय तो चारों खाने चित लेट जाऊँ। उमापति अत्यन्त एकाग्रता से इस प्रकार दोनों महिलाओं के पीछे दृष्टि निविष्ट किये था, जैसे कोई बिल्ली अपने शिकार के पीछे अपनी समस्त इन्द्रियों को केन्द्रित करके अत्यन्त सावधानी से दबे पाँव कदम रखती चली जाती है कि अवसर मिलते ही झपट पड़े। पर मैं बिलकुल अन्यमनस्क, निर्विकार गति से, एक हाथ विश्वनाथ के कन्धे पर और दूसरा उमापति के कन्धे पर रखकर चल रहा था।

दोनों ललनाएँ एक दूसरी गली के भीतर ओझल हो गयीं। ओझल होने के पहले फिर एक बार खद्दरधारिणी युवती रहस्यमयी दृष्टि से मेरी ओर घूर गयी। उमापति ने देखा कि 'शिकार' यों ही हाथ से चला जाता है। हड़बड़ाकर हमें घसीटता हुआ बोला—"यह चींटी की चाल क्या चल रहे हो! तेजी से कदम बढ़ाओ!" उसकी यह उतावली ऐसे बेहूदा थी कि मेरे होश ठिकाने लग गये! मैंने झटके से अपना हाथ छुड़ाया और दोनों हाथों से विश्वनाथ को जकड़ लिया, ताकि गिरने न पाऊँ, क्योंकि पैर अभी तक काँप रहे थे और बिना किसी सहारे के खड़े होने की ताकत मुझमें नहीं थी। पर उमापति तो तैश में था। आगे-पीछे कुछ भी न देखकर हमारे चौथे साथी ब्रजनन्दन को साथ लेकर उस गली की ओर दौड़ पड़ा, जिधर दोनों युवतियाँ अन्तर्धान हुई थीं। मेरे रोम-रोम में उमापति के प्रति घृणा उमड़ उठी। निष्फल क्रोध के कारण मेरी आँखों के

आगे अँधेरा छा गया। इच्छा होती थी कि उसे पकड़ पाऊँ तो तड़ से मुँह पर दो तमाचे जड़ दूँ। मेमने के बाह्य रूप के आवरण में छिपे हुए इस भेड़िये का आज वास्तविक रूप देखा। जिसे इतने दिनों तक परमार्थान्वेषी भावुक समझे था, वह व्यालाहारी गिद्ध निकला! आज क्या अज्ञात में मेरी दुर्बलता से परिचित होकर उसे अपनी वास्तविक प्रकृति के उद्घाटन का साहस हुआ था?

एक ताँगा किया और विश्वनाथ को लेकर हॉस्टल की ओर लौट चला। रास्ते में अनेक परस्पर-विरोधी भावनाएँ मन में तरंगित होने लगीं। असम्बद्ध, संगतिहीन चलचित्रों की तरह नाना खण्ड विचार तथा काल्पनिक दृश्य विद्युत्‌गति से मानस-पट पर झलक जाते और तत्काल विलीन हो जाते थे। कभी जयन्ती की अस्पष्ट छाया एक असम्भव, अवास्तविक स्वप्न के समान, किसी पूर्व-जन्म की अस्फुट स्मृति की तरह आन्दोलित होती थी, और अपनी कारणहीन करुणा से मुझे रोने के लिए प्रेरित करती; कभी आज की दो युवतियों की मूर्तियाँ उदित होकर किसी इन्द्रजाल की माया से शासित, अपरिचित लोक में मुझे ले जाती थीं और एक अनोखे भय से मेरे हृदय को स्तब्ध कर देती थीं; कभी अपने गाँव का छायामय चित्र मेरे सामने भासमान होता और मेरे बाल्यकाल का स्निग्ध, सरस, सौन्दर्यमय जीवन पुलक-स्पन्दन से मृदु-मृदु लहराने लगता। ऐसा मालूम होता था, जैसे अपने चिर-प्रिय जन्मस्थान—सहज-स्वाभाविक जीवन के मन्द-मन्द वेग से निस्पन्दित उस निराले ग्राम्य-खण्ड को छोड़े हुए मुझे सहस्रों वर्ष हो गये हैं। धीर, मन्थर लहरों से अठखेलियाँ करती हुई गोमती नदी के उस चिर-परिचित प्यारे तट पर कम्पित वेत्रकुंजों तथा सरस, सिक्त शरवन की झाड़ियों में जो निर्द्वन्द्व, कलोल्लास से पूर्ण जीवन कभी बिताया था, वह किसी विस्मृत लोक की माया की तरह दूर—बहुत दूर—से अनेकानेक शताब्दियों के बाद किसी तारे के तरलालोक की तरह मेरी आँखों में भासित हो रहा था। पूज्य पिता जी की पुण्य-स्मृति मेरे मन में आलोड़ित होने लगी, जिन्होंने मुझे केवल पितृस्नेह ही प्रदान नहीं किया था, बल्कि अपने हृदय की मधुर ममता से मेरे जीवन में माता के सरस स्नेह के अभाव की भी पूर्ति की थी। डिप्टी कलक्टरी से अवसर ग्रहण करके वह गाँव में आकर बस गये थे और प्राकृतिक जीवन बिताकर मुझे भी इसी रंग में रँगने लगे थे। उनका प्रकृति-प्रेम आश्चर्यजनक था। बाग में जाकर अपने हाथ से काम करते और विभिन्न प्रकार के पेड़-पौदों और फूलों की विशेषताओं के अध्ययन में तल्लीन रहते। जिन बालक-बालिकाओं के साथ मेरे बचपन के दिन बीते थे, उनकी छवि एक-एक करके स्मृति में जागरित होने लगी। सोचने लगा—आज वे सब कहाँ हैं? बालकों में से कोई यूनिवर्सिटी की परीक्षा की मार के कारण नीरस पुस्तकों से शुष्क ज्ञान आहरण करने में लगे होंगे, कोई अभी से जीवन के कठिन चक्र से परिचित होकर जीविकोपार्जन की चिन्ता में व्याकुल हो गये होंगे। बालिकाओं में से प्रायः सभी अपने सुखद शैशव-जीवन की सखी-सहेलियों से सदा के लिए बिछुड़कर जीवन के एक निराले ही लोक में प्रवेश करके एक अभिनव, थरथर-कम्पित, हिल्लोलित अनुभूति का रसास्वादन कर रही होंगी। अथवा—कौन

जानता है!—यह भी बहुत सम्भव है कि इसी बीच में कई अपने जीवन से ही उकताकर महामृत्यु की नीरव प्रतीक्षा में गिरस्ती के निर्मम, निर्दय चक्र को किसी प्रकार ठेलती चली जाती होंगी। रह-रहकर एक विशेष बालिका की हास्योज्ज्वल, तथापि स्निग्धकरण मूर्ति मेरे स्मृतिपट में स्पष्ट-से-स्पष्टतर होती जाती थी। उसका नाम मनोरमा था। लोग उसे मुनिया कहकर पुकारते थे। वह हमारे पुरोहित पण्डित हृदयराम की लड़की थी। उनका घर हमारे घर से काफी दूर था। पर वह नित्य नियमित रूप से हमारे साथ खेलने को आ जाया करती थी। बड़ी हँसमुख और चंचल थी। पर बाहोश ऐसी थी कि उम्र में उससे एक-आध साल का बड़ा होने पर भी मैं अपने को उसके सामने बिलकुल नादान मालूम करता था। वह हमारे सब साथियों पर अधिकारपूर्वक शासन करती थी, और सब खेलों में कैप्टेन के बतौर अपना अनुशासन कायम रखती थी। पर अक्सर बीच में ही खेल से मुझे बुलाकर, अन्यान्य बालक-बालिकाओं की आँखों में धूल झोंककर सन्ध्या के समय नदी-तट के ऐसे गुप्त रहस्यमय कुंजों के बीच मुझे ले जाती कि उस नीरव विजनता में उसके साथ बैठकर एक अपूर्व सम्भ्रम के भाव से मेरा हृदय स्तब्ध रह जाता! घर में उनकी अम्माँ लाड़ से जो खास-खास चीजें उसे खाने को देती थी, उन्हें अपने अंचल की गाँठ में बाँधकर, छिपाकर लाती थी, और उस एकान्त स्थान में मुझे खिलाती थी, आप भी खाती थी। वह सिर को नंगा करके, पेड़ के सहारे सर्पगति से लेट जाती थी और अद्भुत दृष्टि से कभी मेरी ओर ताकती और कभी चंचल चक्षु-तारकाओं को निरन्तर घूर्णित करके नदी की लोल लहरियों का इठलाना देखती। मैं लज्जित, पुलकित, भय-चकित होकर कनखियों से उसे देखता। क्योंकि उसके हाव-भाव में एक ऐसा अनोखापन मुझे दिखायी देता, जो मेरे समान मूर्ख बालक के लिए रहस्यजाल-सा जटिल था। इसलिए स्थिर दृष्टि से उसकी ओर ताकने का साहस मुझे नहीं होता था। ऐसे अवसरों पर बहुत कम बातें हम दोनों में होती थीं। आज केवल बाल्यकाल की वे विस्मृत सन्ध्याएँ मेरे जीवन के उन पुलकाकुल क्षणों की साक्षी हैं। वह शैतान भी एक थी। कभी कोई नाव जब हमारे सामने से होकर गुजरती, तो चिल्ला-चिल्लाकर नाववाले को पुकारती। वह नाववाला अक्सर उसकी पहचान का निकलता। वह उससे कुछ दूर तक साथ में ले चलने की प्रार्थना करती और मुझे साथ लेकर उसमें चढ़ बैठती। एक दिन एक राजकुमार, जिनका इलाका हमारे गाँव से केवल पाँच-सात कोस दूर पर था, अपने कुछ मित्रों तथा एक फैशनेबल महिला (जो, जैसा कि मुझे बाद को मालूम हुआ था, एक वारवनिता थी) के साथ एक सुसज्जित बजरे में जा रहे थे। मुनिया ने किनारे से ताली बजाकर उनका ध्यान अपनी ओर आकर्षित किया। फिर मन्द-मधुर मुस्कान से उँगली से इशारा करके उसने यह भाव जतलाया कि वह भी बजरे में आना चाहती है। उसकी सरस चंचलता ने राजकुमार के मन पर असर कर लिया। बजरा किनारे पर आ लगा। मेरा हाथ पकड़कर वह उस पर चढ़ ही तो बैठी! राजकुमार की अवस्था उस समय बिलकुल नयी थी—बीस वर्ष से अधिक नहीं होगी। उनके स्वभाव से यथेष्ट सम्भ्रान्त भाव टपकता था। बड़ी प्यारी आवाज में, अत्यन्त

मधुरता से उन्होंने हमसे पूछा कि हम लोग कहाँ रहते हैं। हमने अपने गाँव का नाम बतलाया। बोले—"कहाँ जाओगे?" मैं चुप रहा, क्योंकि मुझे कुछ मालूम नहीं था कि कहाँ जाना होगा। पर मुनिया ने तत्काल उत्तर दिया—"जहाँ आप लोग जावेंगे।" "अच्छी बात है"—कहकर राजकुमार कौतुकपूर्वक मुस्कराने लगे। मेरे हृदय में भयमिश्रित हर्ष का संचार होने लगा था। जब सूरज डूब गया और बजरा काफी दूर तक आगे बढ़ गया, तो मुनिया भी घबरायी। कातर कण्ठ से बोली—"हमें घर की ओर लौटा दीजिये। हम आपके साथ नहीं जावेंगे।" राजकुमार ने अपने स्वाभाविक मीठे स्वर में दिलासा देते हुए कहा—"हमारे साथ चलने में तुम्हें डर किस बात का है? आज रात तुम दोनों हमारे यहाँ रहोगे, कल तुम्हें तुम्हारे घर वापस पहुँचा देंगे।" मुनिया और भी घबरायी। न जाने क्यों, मैं अनजान में राजकुमार के प्रति आकर्षित हो गया था। केवल आकर्षित ही नहीं, उनका मधुर स्वभाव और रूप-रंग देखकर मैं उन पर जी-जान से फिदा हो गया था। जब उन्होंने हमें अपने घर ले चलने का प्रस्ताव किया, तो मैं मन-ही-मन खुशी के मारे फूला न समाया। पर मुनिया की व्याकुलता देखकर मैं भी घबरा गया। उसकी आँखें भर-भर आती थीं। शायद उसे अपनी अम्माँ का खयाल हो आता था, जिससे वह एक दिन के लिए भी कभी नहीं बिछुड़ी थी। एक अनजान देश की भयंकर रात्रि की विभीषिका उसकी आँखों के आगे शायद प्रेत-रूप में नाच रही थी। वह गिड़गिड़ाकर बोली—"नहीं, हमें अभी घर पहुँचा दीजिये! आपके पैरों पड़ती हूँ!" यह कहकर उसने वास्तव में उनके पैरों पर सिर रख दिया। बजरे के अन्यान्य व्यक्ति इस अद्भुत लड़की की हालत पर बड़ी दिलचस्पी ले रहे थे। राजकुमार ने उसका हाथ पकड़कर उसे ऊपर उठाया और बोले—"तुम घबराती काहे को हो! मैं तो हँसी कर रहा था! चलो, तुम्हें तुम्हारे घर पहुँचा देता हूँ।" बजरा लौटाया गया। जब यथास्थान बजरा लगा तो राजकुमार ने अपने हाथ से हम दोनों के हाथ पकड़कर हमें किनारे पर उतार दिया। मुनिया का चेहरा खिल उठा। पर मैंने एक उदास दृष्टि से राजकुमार को देखा और जब तक नाव आँखों से ओझल न हो गयी, तब तक उसी की ओर टकटकी लगाये रहा। इसके बाद राजकुमार से मेरी मुलाकात अनेक बार हुई और वह मुझे अपने घनिष्ठतम मित्र के बतौर मानने लगे थे। पर पहली मुलाकात इसी रूप में हुई थी। मुनिया के कारण गाँव के किसान बड़े परेशान रहते थे। मुझे साथ लेकर कभी वह गन्ने के खेतों में जाकर अपने दृढ़ हाथों से कई पौदों को तोड़कर नष्ट कर देती थी और दो-एक हम दोनों के चूसने के लिए ले जाती थीं। उन्हें छील-छालकर गँडेरियाँ बनाकर सयानी स्त्रियों की तरह मुझे चूसने को देती, आप कम लेती थी। कभी आम के मौसम में ईंटों से कच्चे आमों को तोड़-तोड़कर वृथा नष्ट कर डालती थी। कभी अरहर के खेत में पौधों को निरर्थक कुचलकर भाग निकलती थी। कभी मटर की फलियों को तोड़कर खाती थी और इसके बाद मटर के पौदों को उखाड़कर इधर-उधर फेंक देती थी। मेरे पसन्द यह बात बिलकुल नहीं आती थी, पर वह तो मुझे बिलकुल नादान समझती थी,—मेरा निषेध क्यों सुनती? मैं कभी-कभी उसका साथ छोड़कर छुटकारा पाने की चेष्टा

करता, पर वह भरसक मुझे नहीं छोड़ती थी। इसी प्रकार वह बड़ी होती चली गयी। चंचलता और सांसारिक विषयों की समुचित बुद्धि की गम्भीरता, ये दोनों गुण समानान्तर रेखाओं में उसके भीतर विकसित होते चले गये। अन्त को एक दिन आया, जब उसे अपने बाल्य सुहृदों से बिदा होकर एक अपरिचित जीवन में प्रवेश करने के लिए बाध्य होना पड़ा। उसके विवाह के बाद मैंने उसे नहीं देखा। एक चिट्ठी से मालूम हुआ था कि वह एक बार मायके आयी थी और बहुत थकी हुई थी। डॉक्टरों ने उसे राजयक्ष्मा बता दिया था। भाभी जी ने पत्र में यह लिखा था कि उसके एक लड़का भी हुआ है—वह भी बहुत सुस्त है। मेरे लिये यह समस्या अत्यन्त रहस्यमय हो गयी कि मुनिया का वह जीवन सत्य था, जिससे मेरा बाल्य-जीवन जड़ित है, या वह जीवन जिससे मैं व्यक्तिगत रूप से परिचित नहीं, पर जिसकी विभीषिका का अनुमान भाभी जी के पत्र से लगा रहा हूँ! इन दोनों में किसे वास्तविक समझूँ?

और जयन्ती?....

"बाबू जी, उतरिये!" चौंककर देखा कि हॉस्टल के पास आ गया हूँ। अपनी स्वप्नमयी कल्पना में ऐसा निमग्न था कि इतनी दूर का रास्ता तय हो गया, पर मैं इसी धारणा में था कि अभी चौक से कुछ ही दूर आगे बढ़ा हूँ।

•••

जब कमरा खोलने के लिए चाबी ढूँढ़ने लगे तो मालूम हुआ कि हम दोनों में से किसी के पास चाबी नहीं है। वह या तो उमापति के पास रह गयी है, या हमारे चौथे साथी के पास। बड़े असमंजस में पड़ गये। मैं बड़ी थकान मालूम कर रहा था और बिस्तर पर चारों खाने चित लेट जाना चाहता था। कोई उपाय न देखकर, लाचार होकर बगलवाले छात्र के कमरे में चले गये। वह एकान्त मन से पाठ में निमग्न था। यह छात्र इसी वर्ष विश्वविद्यालय में आया था। बड़ी लजीली प्रकृति का लड़का था। स्त्रियों का-सा उसका स्वभाव था और उसका सुकुमार सौन्दर्य भी किशोरी-कुमारियों का-सा था। जाति में वह श्रोत्रिय था। सब लड़के उसे 'सोती' कहकर पुकारा करते थे। इस शब्द में श्लेष होने के कारण कुछ लड़के उसे खिझाते भी थे। मैं उसके कमरे में कभी नहीं जाता था, पर उमापति की उससे खूब घुटती थी। वह अक्सर मेरे साथ बातें करने के लिए इच्छुक रहता था—उसके हाव-भाव तथा उसकी आँखों से उसकी उत्सुकता स्पष्ट झलकती थी। शायद इसका मुख्य कारण यही था कि मैं उसके प्रति उदासीन था। कुछ भी हो, आज जब अचानक उसने मुझे अपने कमरे में प्रवेश करते देखा, तो पहले तो

वह विस्मित हुआ, फिर लज्जा से वित्रस्त होकर हड़बड़ाकर उठा और कुर्सी छोड़कर बिस्तर पर ज़ा बैठा।

मैंने कहा—"कहिये सीता जी, पढ़ाई का क्या हाल है?"

अपरिसीम लज्जा से उसका मुँह रँगा हुआ था। नीचे की ओर मुँह करके, जनानी अदा से वह कुछ गुनगुनाया। मैं टेबिल के पास कुर्सी पर बैठ गया और विश्वनाथ उसके साथ ही बिस्तर पर। ऐसे संकोची लड़कों से किस प्रकार बात करनी चाहिए मैं इस कला से अनभिज्ञ था, इसलिए एक किताब उठाकर उसके पन्ने उलटने लगा।

विश्वनाथ ने कहा—"सोती जी इतना पढ़ते हैं कि रातभर जागते रहते हैं।"

मुझे भी मजाक सूझा। बोला—"सोती जी जागते रहें, यह कैसा 'पैरेडाक्स' है!"

विश्वनाथ ठठाकर हँस पड़ा। बेचारा सोती बहुत घबराया। विश्वनाथ अधिक समय तक बैठा न रह सका। कोमल शय्या की गरमी का उस पर ऐसा असर हुआ कि वह वहीं पर लम्बा हो गया। 'बेतकल्लुफ़' होकर बोला—"भाई सोती जी, चाय पिलाइये! बड़ी थकावट मालूम होती है।"

सोती हड़बड़ाकर उठा और स्टोव जलाने लगा। मेज पर 'राइटिंग पैड' देखकर मुझे चिट्ठी लिखने की सूझी। आज सुबह से ही मेरा विचार भैया को पत्र लिखने का था। असमंजस में था कि क्या लिखूँ, किस प्रकार अपने यूनिवर्सिटी छोड़ने का निश्चय उनके आगे व्यक्त करूँ। मेरे इस अद्‌भुत विचार से परिचित होने पर वह क्या सोचेंगे, मेरी खामखयाली देखकर क्या धारणा उनके मन में होगी। इसी कारण कुछ लिखने का साहस नहीं होता था। पर मैं बहुत जल्द बनारस छोड़ना चाहता था। शीघ्रातिशीघ्र घर पहुँचने की लालसा मेरे मन में अदमनीय रूप से उठ खड़ी हुई थी। इसलिए इसी समय पत्र लिखने का निश्चय किया और एकान्त मन से लिखने लगा।

मैंने लिखा कि "मेरा मानसिक स्वास्थ्य बनारस में ठीक नहीं रहता। कुछ हौलदिली-सा अनुभव करने लगा हूँ। इसलिए यूनिवर्सिटी की पढ़ाई अब मुझसे नहीं हो सकती। मैं यथाशीघ्र घर को वापस चला जाना चाहता हूँ। इसके पहले एक बार आपकी आज्ञा लेना आवश्यक समझता हूँ। यद्यपि मुझे आशा नहीं है कि आप मेरे यूनिवर्सिटी छोड़ने की बात से सहमत होंगे, तथापि आपको सूचित करना मेरा कर्त्तव्य है। यदि आपकी अनुमति होगी तो घर चला जाऊँगा, और यदि आप विरोध करेंगे तो कहीं लापता हो जाऊँगा। किसी भी हालत में अब मैं आगे नहीं पढ़ सकता। कृपया यथाशीघ्र पत्रोत्तर दीजियेगा।"

पत्र मैंने ठीक इसी ढंग से लिखा हो, यह बात नहीं। पर आशय इसी प्रकार का था। पत्र लिखकर एक लिफाफे पर पता लिखा और उसके भीतर पत्र बन्द करके रख दिया। सोती की चाय तैयार हो चुकी थी। काँपते हुए हाथों से उसने चाय का एक प्याला मेरे पास लाकर रखा और एक विश्वनाथ को दिया। उसके मुख की लाजभरी मुस्कान, सुकुमार झलक चित्त में बरबस एक स्नेहस्निग्ध अनुभूति जागरित कर देती थी। मैं एकटक उसके चेहरे की ओर ताक रहा था। उसके आतिथ्य-सत्कार से एक

ऐसा भाव टपक रहा था जिससे किसी के सादृश्य की याद मुझे आती थी। उसके चाँद से सुन्दर, गोरे मुखड़े में एक ऐसी कमनीयता थी जो साधारणतः किसी पुरुष छात्र में नहीं पायी जा सकती। शायद ही कोई ऐसा पुरुष अथवा ऐसी स्त्री हो जिसे वह कमनीय सुकुमारता प्यारी न लगे। अत्यन्त तृप्ति से मैं उसके हाथ की तैयार की हुई चाय पीने लगा। चाय पीते हुए मैं इस बात पर गौर कर रहा था कि कमरे की सब चीजें तरतीब से, सुसज्जित अवस्था में रखी हुई हैं। एक आलपिन, एक निब, एक दियासलाई का टुकड़ा तक अपने नियमित स्थान से विच्युत नहीं हुआ था। जैसे किसी सुशिक्षिता गृहिणी की देख-भाल में यह कमरा रहता हो। मेरे कमरे की अस्त-व्यस्त हालत से इसकी कोई तुलना हो ही नहीं सकती थी। मेरे मन में स्वभावतः यह प्रश्न उदित हो रहा था कि सोती जैसे स्त्री-स्वभाव लड़कों को सृष्टिकर्त्ता पुरुष बनाकर क्यों पैदा करता है? उनके पुरुष होने की उपयोगिता ही क्या है? और जो विशेष-विशेष स्त्रियाँ ढिठाई में पुरुषों के भी कान काटती हैं वे पुरुष-रूप में ही क्यों उत्पन्न नहीं होतीं?

बहुत देर तक उमापति का इन्तजार करते रहे। पर वह न आया। सोती बेचारा हमारी वजह से नाहक परेशान था। न कुछ पढ़ ही पाता था, न आराम से बैठ ही सकता था।

"अख्खाह, आप सोती जी के कमरे में धरना दिये बैठे हैं!"

फिरकर जो देखा तो अचानक उमापति को दरवाजे पर हाजिर पाया। उसके चेहरे पर दुष्टता की हँसी झलक रही थी। चेहरा तमतमा रहा था। बड़ा ही प्रफुल्लित जान पड़ता था। मैंने इरादा कर रखा था कि उमापति लौटकर आवेगा तो उससे बोलूँगा नहीं। पर उसकी प्रसन्नता का असर छूत की बीमारी की तरह मुझ पर भी हो गया। फिर भी मैंने कृत्रिम क्रोध जताकर कहा—"बड़े बेशरम हो जी! कमरे की चाबी अपने पास छिपाकर इस वक्त तक हम लोगों को परेशान किया!"

इस बात के उत्तर में उमापति केवल ठहाका मारकर हँसा। मुझे बड़ी उत्सुकता हो रही थी कि उसके 'एडवेंचर' का आखिर क्या परिणाम रहा। पर उससे इस सम्बन्ध में कोई प्रश्न मैं नहीं कर सकता था। क्योंकि इससे मेरी प्रकृति के हलकेपन की पोल खुल जाती। कमरे में जाकर मैं तख्त पर लेट गया, और आँखें बन्द करके सोने की चेष्टा करने लगा।

उमापति ने कहा—"क्या भूखे ही सोओगे?" खाना बनाने का समय अब नहीं था, क्योंकि काफी देर हो चुकी थी। इसलिए उमापति चौक से ही सबके लिए मिठाई ले आया था। भूख काफी लग रही थी। पर आलस्य के कारण अब उठने को जी नहीं चाहता था। इसलिए पेट के दर्द का बहाना बताकर मैं लेटा ही रहा।

●●●

दूसरे दिन उमापति बोला—"मैं तो उन्हें कुछ और ही समझे था! वे तो वास्तव में भले घराने की स्त्रियाँ निकलीं। दोनों आर्यसमाज द्वारा परिचालित किसी बालिका विद्यालय की अध्यापिकाएँ हैं। जब वे एक मकान के दरवाजे से होकर भीतर चली गयीं, तो मैंने वहीं पर एक दुकानदार से पता लगाया कि वे कौन हैं, क्या करती हैं और दोनों के नाम क्या हैं। पहले तो दुकानदार को कुछ सन्देह-सा हुआ, पर पीछे उसने सब बातें ठीक-ठीक बतला दीं। मैं तो प्रण करके गया था कि बिना उनसे मिले वापस न आऊँगा। तत्काल एक बहाना मुझे सूझ गया। उनके भीतर जाने के कुछ देर बाद हम लोग भी भीतर घुस पड़े। श्रीमतियों में से एक का नाम लेकर नौकर से कहा कि हम उनसे किसी जरूरी काम के लिए मिलना चाहते हैं। नौकर ने जाकर इत्तिला दी। दोनों महिलाओं ने भीतर दरवाजे से ही उत्सुकतापूर्वक हमें झाँका। मैंने अत्यन्त सभ्यतापूर्वक प्रणाम करके कहा—'क्षमा कीजियेगा, एक बात के लिए आपको कष्ट देने आया हूँ।' मेरे सभ्य व्यवहार का उन पर अच्छा प्रभाव पड़ा। मुझे डर था कि कहीं दरवाजे पर से ही न दुतकार दिया जाऊँ। पर उन्होंने बड़े आदर से हमें भीतर बुलाया और बैठक के कमरे में ले गयीं। कमरा खूब सजा हुआ और साफ-सुथरा था। एक पुराने, पर साफ कालीन के ऊपर एक आराम-कुर्सी पड़ी थी; दो कुर्सियाँ लोहे की थीं और एक बेंत की। दीवारों पर तरह-तरह के चित्र टँगे थे। बड़ी महिला ने, जिनका नाम कमलकुमारी है, हमसे बैठने के लिए कहा। मैंने एक लोहे की कुर्सी पकड़ ली, पर उन्होंने आराम-कुर्सी पर बैठने की जिद की। काफी तकल्लुफ के बाद मुझे लाचार होकर आराम-कुर्सी पर ही बैठना पड़ा। ब्रजनन्दन बेंत की कुर्सी पर बैठ गया। कमलकुमारी भी लोहे की कुर्सी पर बैठ गयीं। पर जो देवी खद्दर पहने थीं (उनका नाम मुझे शान्तिदेवी बतलाया गया है) वह खड़ी ही रहीं। मैंने कहा—'मेरे एक मित्र अपनी सात साल की लड़की को आपकी पाठशाला में भरती कराना चाहते हैं। आपके विद्यालय की उन्होंने बड़ी प्रशंसा सुनी है। पर किसी ने उनके मन में यह सन्देह पैदा कर दिया है कि आप लोग अपनी छात्राओं के दिमाग में आर्य-धर्म के संस्कार जमाने की चेष्टा करती हैं। मेरे मित्र कट्टर सनातनी हैं। क्या आप यह बतलाने की कृपा करेंगी कि उनका सन्देह कहाँ तक ठीक है?' मैंने ऐसी गम्भीरता और स्वाभाविकता से यह बात कही कि देवी जी को उस पर तनिक सन्देह नहीं हुआ। वह केवल मेरे 'मित्र' की आशंका की बात सुनकर मुस्करायीं। बोलीं—'हमारे विद्यालय में तो सभी प्रकार की लड़कियाँ पढ़ती हैं—समाजी, सनातनी, जैन, यहाँ तक कि दो-एक सिख लड़कियाँ भी हैं। आपके मित्र महाशय का सन्देह निर्मूल है। इसमें शक नहीं कि वेद की कुछ विशेष ऋचाएँ हम अपनी छात्राओं को याद कराती हैं। पर इसके यह मानी नहीं कि केवल समाजियों का ही उनसे विशेष सम्बन्ध हो। सनातनी ब्राह्मण जिस गायत्रीमन्त्र का जप दिन-रात करते हैं, वह भी हमारे यहाँ की लड़कियों को रटाया जाता है।' मैंने कृत्रिम आश्चर्य का भाव जताकर कहा—'ऐं! आप क्या कहती हैं? गायत्री का पवित्र मन्त्र क्या आप कुमारी लड़कियों को सिखाती हैं! यह तो सनातन-धर्म की दृष्टि में अनर्थ की बात हुई! हमारे यहाँ तो

गायत्री का मन्त्र इतना गूढ़ और गुप्त माना जाता है कि जनेऊ होने के समय जब गुरु पहले-पहल अपने शिष्य को द्विज-धर्म में दीक्षित करता है तो उसके कान में फुसफुसाकर यह मन्त्र उच्चारित करता है। यहाँ तक कि हमारे पूर्वज इस मन्त्र को किसी पुस्तक में छापना पाप समझते थे। तब तो मेरे मित्र का सन्देह ठीक ही है। व्यक्तिगत रूप से मैं इस बात पर विश्वास नहीं करता, पर सामाजिक प्रथाओं का खयाल करना ही पड़ता है।' इस बात पर दोनों महिलाओं ने स्पष्ट ही अपने को अपमानित समझा। खद्दरधारिणी महिला, शान्ति देवी, कुछ बिगड़कर बोलीं–'बड़े खेद की बात है, महाशय जी, इस जमाने में भी आप लोगों के ऐसे संकीर्ण विचार हैं!' उनकी आवाज बहुत पतली थी और उसमें कुछ लोच भी था। मुझे उनकी बात पर बिलकुल क्रोध नहीं हुआ, बल्कि यह देखकर प्रसन्नता ही हुई कि आर्य और सनातन धर्म के विरोध का प्रश्न खड़ा करके मैं उन्हें भी वाद-विवाद के चक्कर में घसीट लाया हूँ। मैंने बड़ी नरमी से उन्हें उत्तर दिया–'आपकी बात बिलकुल सही है। मुझे स्वयं इस बात का बड़ा दुःख है कि हमारे समाज में अभी तक तुच्छ धार्मिक विषयों के कारण भाई-भाइयों में वैमनस्य जारी है। मैं तो आर्य-धर्म को मूल हिन्दू-धर्म मानता हूँ। बल्कि यह कहना ठीक होगा कि मैं उसी को असली सनातन-धर्म समझता हूँ। सनातन-धर्म के मानी हैं वह धर्म जो चिरकाल से चला आया हो। वेदों को मैं अनादि, अनन्त समझता हूँ, और आर्य-धर्म वेदों के आधार पर ही प्रतिष्ठित है; इसलिए वही सनातन है। आजकल जो धर्म सनातन-धर्म के नाम से प्रचलित है उसे लोभी, पाखण्डी, धर्मध्वजी ब्राह्मणों ने अपने सुभीते के लिए अशिक्षित, असंस्कृत जनता में फैला रखा है। मैं यद्यपि स्वयं ब्राह्मण हूँ, फिर भी पाखण्ड से चिढ़ता हूँ।''

उमापति की बात सुनकर हम लोग कौतुकपूर्वक मुस्कराने लगे। पर उसका वर्णन बड़ा मनोरंजक था। इसलिए किसी की इच्छा नहीं थी कि उसकी बात किसी तर्क या व्यंग्योक्ति द्वारा काटकर उसके धाराप्रवाह में कोई विघ्न डाला जाय।

वह कहता चला गया–''मेरी बात सुनकर दोनों महिलाओं के चेहरे खिलने लगे थे। मैंने कहा–'पाखण्ड से कितना ही चिढ़ूँ, पर समाज का विरोध करने का साहस तब तक मुझे नहीं हो सकता जब तक कोई विशेष प्रेरणा मुझे नहीं मिलती।' इस पर शान्ति देवी ने पूछा–'प्रेरणा से आपका मतलब क्या है! आप कैसी प्रेरणा चाहते हैं?' मैंने उत्तर दिया–'जब तक कोई स्त्री या पुरुष अपने भावुक हृदय के अदम्य वेग से मुझे मेरे रात-दिन के अभ्यस्त जीवन से मुक्त करके अपने साथ बहा न ले जाय, तब तक मैं कूप-मण्डूक की तरह अपने बद्ध जीवन में सड़ता ही रहूँगा। किसी की आत्मा के महत् प्रेम या महान् त्याग के उदाहरण के प्रभाव का मुझे जब तक प्रत्यक्ष अनुभव नहीं होता तब तक मैं इस दशा से मुक्त नहीं हो सकता।' दोनों ललनाएँ मेरा गम्भीर व्याख्यान सुनकर केवल मुस्करा दीं। शायद ठीक समझीं नहीं। शान्ति देवी भी अब कुर्सी पर बैठ गयीं और मेरी बात पर खासी दिलचस्पी लेने लगीं। बोलीं–'आप स्वामी दयानन्द की जीवनी क्यों नहीं पढ़ते? सत्यार्थ-प्रकाश का एक बार अध्ययन कीजिये

तो आपको मालूमं हो जायगा कि आर्य-धर्म का क्या महत्त्व है।' मैं सत्यार्थ-प्रकाश कई बार पढ़ चुका हूँ और स्वामी दयानन्द की जीवनी से भी भली-भाँति परिचित हूँ; पर उन युवतियों को खुश करने के लिए ऐसा भाव दिखाया, जैसे मैं इस सम्बन्ध में अनाड़ी होऊँ। मैंने कहा—'क्या आपके पास सत्यार्थ-प्रकाश है? बड़ी कृपा होगी, अगर आप दो दिन के लिए मुझे पढ़ने को दें। पीछे वापस कर दूँगा।' शान्ति देवी आलमारी से पुस्तक निकाल लायीं। मैंने उन्हें धन्यवाद दिया। कमलकुमारी ने मेरे सम्बन्ध की प्रायः सभी बातें पूछीं—मैं क्या करता हूँ, कहीं पढ़ता हूँ या नौकरी करता हूँ, आगे क्या इरादा है, इत्यादि-इत्यादि। इसके बाद उन्होंने पूछा—'आप ही क्या...गली पर पानवाली की दुकान पर अभी कुछ देर पहले खड़े थे?' मैंने कहा—'जी हाँ! 'आपके जिन साथी ने पान चबाकर थूक दिया था, वह क्या करते हैं? वह आप ही के साथ पढ़ते हैं न?' यह कहकर वह व्यंग्यपूर्वक मन्द-मन्द मुस्कराने लगीं। शान्ति देवी बड़ी उत्सुकता से मेरे उत्तर की प्रतीक्षा कर रही थीं, यद्यपि सकुचाती भी थीं। मैं बड़े गौर से दोनों के हाव-भाव पर ध्यान दे रहा था। मैंने कहा—'जी हाँ, वह मेरा ही साथी है। उसका नाम नन्दकिशोर है।' मैंने तुम्हारा पूरा परिचय उन्हें दिया। जब लौटने लगा तो कमलकुमारी जी बोलीं—'आपसे परिचय होने पर बड़ी प्रसन्नता हुई। कभी-कभी बीच-बीच में दर्शन दिया कीजिये।' यह कहकर उन्होंने 'नमस्ते' कहा। हम लोग भी दोनों से 'नमस्ते' कहकर वापस चले आये। बस, यही कल रात का किस्सा है।''

हम लोग सब स्तब्ध भाव से उमापति की लम्बी दास्तान सुनते रहे। पहले तो मुझे उसकी बात पर विश्वास नहीं हुआ। पर बाद को जब ब्रजनन्दन से एकान्त में पूछा तो मालूम हुआ कि उमापति ने सारा बयान ज्यों-का-त्यों वर्णित किया है। मन में एक चंचलता-सी उत्पन्न होने लगी। मैं कल्पना करने लगा—''दो अपरिचित महिलाएँ हैं। उमापति की बात ठीक है तो उनके विवाहित होने की सम्भावना बहुत कम है। बेपर्दा रहती हैं। विद्यालय में अध्यापिकाएँ हैं, इसलिए अवश्य ही सुशिक्षिता होंगी। ऐसी जो ये देवियाँ हैं, उनके रात-दिन के सुख-दुःख, हास्य-क्रन्दन की धारा किस गति में, किस रूप से बहती होगी? अपने को छोड़कर संसार के किन-किन अन्य जीवों के जीवन-चक्र से उनका जीवन जड़ित है?''

उस दिन सन्ध्या को उमापति ने कहा—''नन्दकिशोर, चलोगे? दोनों तुमसे मिलने के लिए विशेष उत्सुक जान पड़ती थीं। चलो, आज तुम्हारा भी परिचय उनसे करा दें।''

मैंने आगे-पीछे कुछ भी न देखकर कहा—''चलो!''

•••

क्यों मैं उमापति के साथ चलने को राजी हो गया? यह कौतूहल था, उत्सुकता थी, अथवा आकांक्षा? इसका मैं आप लोगों को क्या उत्तर दूँ, यह मेरी समझ में नहीं आता। उन देवियों से मिलना क्या आवश्यक था? अथवा क्या यह उचित था? इसका विचार मैं आप लोगों के ऊपर ही छोड़ता हूँ। केवल इतना ही निश्चित रूप से कह सकता हूँ कि यदि आगरा जाने के पहले कभी कोई इस प्रकार का प्रस्ताव करता तो मैं इसे घोर अपमानजनक समझता। पर आगरा जाने पर इतने थोड़े समय में ऐसा बड़ा परिवर्तन मुझमें आ गया था कि इस समय उसका अन्दाज लगाना स्वयं मेरे लिये कठिन हो गया है, तब दूसरे को क्या समझा सकता हूँ! किसी नवीना किशोरी के दर्शन-मात्र से हृदय की ऐसी कायापलट हो सकती है, इससे पहले मुझे कभी इसका अनुभव नहीं था। कितने ही युगों से रुद्ध मेरी व्याकुल वासना का बाँध ही बिलकुल टूट पड़ा था। जिधर को गति पाता था, उसी ओर विस्फूर्जित उद्दाम वेग से बहने लग जाता था।

सन्ध्या को उमापति और मैं जब गन्तव्य स्थान पर पहुँचे तो सूरज अभी नहीं छिपा था। मैं नव-वधू की तरह संकोच-सन्त्रस्त होकर काँप रहा था। पर उमापति अत्यन्त प्रफुल्ल था, और उत्साह के कारण उसके शरीर की गति तथा मुख के भाव से यथेष्ट स्फूर्ति व्यक्त हो रही थी। जब अन्धकारपूर्ण सीढ़ियों से होकर हम भीतर गये तो उमापति ने बाहर का दरवाजा खटखटाया। मुझे उसका खटखटाना ऐसा जान पड़ता था जैसे वह मेरे हृदय पर चोट मार रहा हो। मुझे प्रतिक्षण यही आशंका होती थी कि कहीं कोई आकर सचमुच किवाड़ खोल न बैठे! जैसे मैं अचानक, अनजान में इस अपूर्व-परिचित घर में आ गया हूँ! इसके पहले अपने जीवन में कभी किसी शिक्षिता स्त्री से बातें करने का सौभाग्य या दुर्भाग्य मुझे प्राप्त नहीं हुआ था, इसीलिए ऐसी जड़ता तथा संकोच का अनुभव कर रहा था। क्या मेरी प्रकृति में ही स्त्रैण भाव वर्तमान था, या स्त्री-संसर्ग-मात्र को कलुषित करार देनेवाले हमारे समाज के प्रबल शासन के भय से मेरा स्वभाव ऐसा हो गया था?

आखिर मेरी कठिन परीक्षा का वह चरम क्षण आ ही पहुँचा। वास्तव में एक देवी जी ने आकर किवाड़ खोला। उमापति के मुँह से जो विस्तृत विवरण सुना था, उससे अन्दाज लगाया कि यही शान्ति देवी होंगी। आज जब निकट से उन्हें देखा तो उनकी आयु अठारह-उन्नीस वर्ष से अधिक नहीं जान पड़ी। मैं उमापति के पीछे, ओट में खड़ा था। पर देवी जी ने मुझे अच्छी तरह देख लिया था और मैंने भी प्रबल चेष्टा से अपने मुख़ में यथेष्ट धृष्टता का भाव लाने का प्रयत्न किया, यद्यपि पाँव अभी तक काँप रहे थे। उमापति ने निर्लज्ज साहस से उच्चस्वर में कहा—"नमस्ते!" देवी जी ने मधुर लाज-भरी मुस्कान से उसके अभिवादन का उत्तर दिया और मेरी ओर भी हाथ जोड़े। क्षण-भर के बाद ही मेरा साहस बढ़ गया था और अब मैं निडर होकर स्थिर नेत्रों से उनकी दृष्टि का सामना करने को तैयार था।

देवी जी ने उमापति को लक्ष्य करके कहा—"आपने बड़ी कृपा की जो अपने मित्र को साथ लेकर यहाँ पधारे। आइये, भीतर चलिये!" यह कहकर एक बार अपनी मार्मिक दृष्टि से उन्होंने मुझे घूरा।

उमापति के वर्णन से मैंने उनके बैठक के कमरे की जैसी कल्पना कर रखी थी वह यथार्थ ही निकली। वह एक साधारण कमरा था, जिसे देखकर तत्काल यह अनुभव होने लगता कि यहाँ तकल्लुफ की कोई आवश्यकता नहीं है। तीनों जब बैठ गये तो शान्ति देवी ने उमापति से पूछा—"आपने सत्यार्थ-प्रकाश देखा था? उसे पढ़कर आपकी क्या धारणा हुई?"

उमापति ने कहा—"अभी तो मैंने पूरा नहीं पढ़ा। हाँ, जितना पढ़ा है उससे मालूम होता है कि स्वामी जी के विचार बड़े गम्भीर और मनन योग्य हैं।"

देवी जी की आँखें बड़ी चंचल थीं। उनकी सुन्दर पुतलियाँ अत्यन्त अस्थिर तथा गतिशील थीं। कभी वह उमापति की ओर देखती थीं, कभी मेरी ओर दृष्टि फेरती थीं, कभी बाहर को झाँकने लगतीं, कभी भीतर की ओर। उनकी यह चंचलता देखकर मेरे हृदय में घृणा का-सा उद्रेक हो जाता था, पर उनके स्निग्ध, सुन्दर, मधुर हास में मेरे लिये वैसा ही प्रबल आकर्षण भी वर्तमान था!

मुझसे बोलीं—"आपने भी कभी सत्यार्थ-प्रकाश देखा है?"

मैंने कहा—"कई बार।"

"कैसा लगा?"

"कुछ जँचा नहीं। इस सम्बन्ध में आज तक किसी ने मुझसे कोई प्रश्न नहीं किया, इसलिए किसी के आगे अपना मत प्रकट करने का अवसर कभी नहीं आया। पर चूँकि आप जानना चाहती हैं, इसलिए सच बात आपसे कह देना चाहता हूँ, धृष्टता क्षमा करें।"

देवी जी स्तम्भित रह गयीं। उनका चेहरा एकदम उतर गया। जैसे किसी ने उनके सम्बन्ध में कोई घोर कलंक की बात कह दी हो। एक सामान्य बात से उन्हें ऐसा गहरा धक्का पहुँचेगा। इसकी कल्पना मुझे नहीं थी। कोई मुसलमान किसी हिन्दू-मन्दिर में प्रवेश करके यदि मूर्ति तोड़ने लगे, तो वह दृश्य देखकर पुजारी को उतना कष्ट शायद नहीं होगा जितना शान्ति देवी को मेरी बात सुनकर हुआ। कुछ क्षण तक वह स्तब्ध बैठी रहीं। फिर त्रस्त और संकुचित होकर काँपती हुई आवाज में उन्होंने पूछा—"उसमें आपने क्या त्रुटि पायी?"

मैंने सहज, स्वाभाविक कण्ठ से (इस समय तक मैं यथेष्ट साहस बटोर चुका था) उत्तर दिया—"राष्ट्रीय दृष्टि से भले ही उसका महत्त्व हो, पर ज्ञान की दृष्टि से तो उसमें कुछ है नहीं। क्षमा करें।"

शान्ति देवी सिटपिटा-सी गयी थीं। शायद उनकी समझ में यह बात नहीं आ रही थी कि मुझसे किस ढंग से बात की जानी चाहिए। इतने में दूसरी देवी, जो शान्ति देवी

से बड़ी थीं और जिनका नाम उमापति ने कमलकुमारी बताया था, भीतर से मन्द-मन्द मुस्कराती हुई हम लोगों के पास आ पहुँचीं। उमापति उठ खड़ा हुआ और हाथ जोड़कर उसने उनसे नमस्ते कहा। मैं भी उमापति की देखा-देखी धीरे से खड़ा हो गया। पर मैंने हाथ नहीं जोड़े। उमापति ने मेरा परिचय देते हुए कहा—"यह मेरा मित्र नन्दकिशोर है, कल जिसके बारे में आप पूछ रही थीं।" उमापति की बेहूदगी के कारण देवी जी का चेहरा लाल हो आया; पर उमापति दुष्टतापूर्वक मुस्कराने लगा। कुछ भी हो, देवी जी ने शिष्टाचारपूर्वक मेरे प्रति हाथ जोड़े और मैंने भी प्रत्यभिवादन किया।

देवी जी बोलीं—"आप खड़े क्यों हो गये! विराजिये न!"

हम दोनों बैठ गये। कमलकुमारी ने भी एक कुर्सी पकड़ ली।

शान्ति देवी ने मुझे लक्ष्य करके कमलकुमारी से कहा—"सुनती हो दीदी! आपकी राय में सत्यार्थ-प्रकाश में कुछ नहीं है।"

कमलकुमारी ने एक बार अपनी मधुर दृष्टि से मेरी ओर देखा। उन्होंने कहा—"ठीक ही तो कहते हैं। सच पूछा जाय तो उसमें वास्तव में कुछ नहीं है।"

एक नादान, दुलारी लड़की की तरह शान्ति देवी ने जड़ित स्वर में, स्नेहजनित उपालम्भ के साथ कहा—"जाओ दीदी, तुम भी उन्हीं के पक्ष की बात कहने लगीं!" यह कहकर वह सलाज, सविभ्रम, सस्नेह मेरी ओर देखने लगीं।

केवल इस एक साधारण उक्ति से शान्ति देवी की सारी प्रकृति मेरे सामने दर्पण की तरह स्पष्ट प्रतिभात हो गयी। मैंने देखा कि यह नवीना युवती प्रेम की वास्तविक अधिकारिणी है—केवल प्रेम पाने के लिए ही इसका जन्म हुआ था; पर उसने अपने माता-पिता अथवा भाई-बहन से भी कभी सच्चा स्नेह पाया या नहीं, इस सम्बन्ध में मुझे सन्देह होने लगा। उसके प्रत्येक अंग की प्रत्येक गति में, उसके हाव-भाव में, उसकी आँखों में, उसके कण्ठस्वर में अतृप्त प्रेम की उत्कट क्षुधा रह-रहकर व्यक्त हो रही थी। मेरे मन में एक चोट-सी लगी और एक टीस-सी पैदा हुई। अपने दर्पस्फीत मुख का व्यंग्यात्मक भाव त्यागकर मैं अब स्नेहपूर्वक अत्यन्त सरल, स्वाभाविक भाव से उसकी ओर देखने लगा।

मैंने कहा—" 'सत्यार्थ-प्रकाश' पर आपकी इतनी श्रद्धा क्यों है? यह वेद की तरह ही समाजियों का धर्म-ग्रन्थ है, सन्देह नहीं। पर आपकी यह कट्टरता उचित नहीं कि उसके सम्बन्ध में किसी का मतभेद आप सहन न कर सकें। यदि आप अपनी इस कट्टरता को उचित समझती हैं तो कट्टर सनातनियों को किसी बात पर दोष देने का आपको कोई अधिकार नहीं होना चाहिए। जब कोई व्यक्ति किसी विषय में अपना स्वतन्त्र मत रखता है तो उसे इसके लिए दोष देना क्या अन्याय नहीं है?"

दोनों देवियाँ मेरी ओर एकटक देखकर अत्यन्त उत्सुकतापूर्वक मेरी बात सुन रही थीं। कुछ देर तक चुप रहकर कमलकुमारी जी ने पूछा—"आप क्या ब्राह्मण हैं?"

"जी हाँ।"

"यही बात है।" कहकर वह कौतुकपूर्वक मुस्कराने लगीं।

मैं उन्हें जैसा समझे था, वास्तव में वह वैसी सरल-स्वभाव नहीं थीं। यह व्यंग्योक्ति उसकी साक्षी थी।

"आप छुआछूत के पक्षपाती हैं?"

"हूँ भी और नहीं भी हूँ।"

इस अद्‌भुत उक्ति को सुनकर दोनों एक-दूसरे का मुँह ताकने लगीं।

नौकर ने एक तश्तरी में पान लाकर मेज पर रख दिये।

कमलकुमारी जी ने मुझी को लक्ष्य करके कहा—"लीजिये, खाइये।"

उमापति ठठाकर हँस पड़ा। शान्ति देवी मुँह फिराकर, अंचल से ओठ ढाँपकर हँसने लगीं। कमलकुमारी का भी यही हाल था। उस दिन रात को मेरे पान खाने का तमाशा दोनों ने देखा था।

मैंने हाथ जोड़कर कहा—"क्षमा कीजिये। मैं खाता नहीं।"

कमलकुमारी जी बोलीं—"क्यों, उस दिन दुकान पर तो आप खा रहे थे! आप ही तो थे?"

"जी हाँ, मैं ही था।" कहकर मैंने उदासीनता का भाव जतलाने की चेष्टा की।

मेरी उदासीनता देखकर किसी को इस सम्बन्ध में अधिक बातें करने का उत्साह न रहा। उमापति ने दो गिलौरियाँ लेकर मुँह में डाल लीं।

नौकर तश्तरी उठाकर भीतर जाने लगा। मुझे, न जाने क्यों, आज असमय प्यास मालूम हो रही थी। अब तक किसी प्रकार उसे दबाने की चेष्टा करता रहा, पर जब उन लोगों को पान खाते देखा तो मुझसे पानी के बिना न रहा गया। मैंने कमलकुमारी जी से यथेष्ट नम्रता के साथ आग्रहपूर्वक प्रार्थना की कि एक गिलास पानी मेरे लिये मँगा दें। उन्होंने हड़बड़ाकर भीतर की ओर मुह करके पुकारा—"शिवरतन, एक गिलास पानी लेते आना।" शान्ति देवी बोलीं—"पर आप क्या हमारे यहाँ का पानी पियेंगे? धर्म के बिगड़ जाने का डर तो नहीं? आपके मित्र यदि आपके इस अधर्म की चर्चा मित्र-मण्डली में कर बैठें तो आपको मुँह दिखाना कठिन हो जायगा! जरा सोच लीजिये!"

मैंने सोचा—शान्ति देवी भी तब क्या डंक मारने की कला से परिचित हैं!

बोला—"मेरा मित्र मेरे साथ है, और वह मित्र-मण्डली में इस बात की चर्चा करेगा, केवल इसी कारण से मैं पीना चाहता हूँ, वर्ना अगर अकेला होता तो शायद न भी पीता!"

पानी पीने के बाद उमापति से चलने को कहा। दोनों देवियाँ हमें नीचे तक पहुँचाने आयीं। कमलकुमारी जी ने मुझसे कहा—"मैं आशा करती हूँ, आप समय-समय पर दर्शन देने की कृपा करते रहेंगे।" शान्ति देवी उनकी ओट में चुप खड़ी थीं।

मैंने उत्तर में केवल नम्रतापूर्वक मुस्कराकर दोनों के प्रति हाथ जोड़ दिये।

किसी नव-युवती से आमने-सामने खुलकर बातें करने का यह पहला ही अवसर आज मुझे मिला था। शान्ति देवी के प्रत्येक अंग की चेष्टा, उसके मुख का प्रत्येक भाव

मेरे मन में स्पष्ट अंकित हो गया था। उसकी भोली तथापि दुष्टतापूर्ण आँखों की प्यारी मार्मिक चितवन का ध्यान करके उसके प्रत्येक कथन का स्मरण करते हुए मैं हॉस्टल जा पहुँचा।

•••

तब से मैं अक्सर उनके यहाँ आने-जाने लगा। धीरे-धीरे उन दोनों से ऐसा हिल-मिल गया कि बिना उमापति को साथ लिये ही निस्संकोच अकेला उनके पास वक्त-बेवक्त पहुँच जाया करता। कुछ दिनों बाद तो यह नियम हो गया कि नित्य नियमित रूप से उनके यहाँ उपस्थित हो जाता। शान्ति का आकर्षण मेरे अज्ञात में मेरे लिये ऐसा प्रबल हो उठा था कि यदि एक दिन भी उससे न मिल पाता तो ऐसा जान पड़ता जैसे एक महीना उसे बिना देखे बीत चुका है। एक बार दो-तीन दिन तक जुकाम तथा सिर-दर्द होने के कारण न जा सका। चौथे दिन जब पहुँचा तो शान्ति के मुख में उस दिन आन्तरिक आनन्द की जो दीप्ति देखी, वह अवर्णनीय थी। बोली—"तीन दिन तक आप नहीं आये, मेरे तो प्राण ही सूख गये थे।" वह इस तरह बोल रही थी जैसे हाँफ रही हो, जिससे उसके हृदय की आशंका का स्पष्ट अनुमान किया जा सकता था। जिस बात को वह इतने दिनों से छिपाने की चेष्टा कर रही थी, आज अनजान में असावधानी से उसे व्यक्त कर बैठी। मैं आज तक उसकी सरस चंचलता से ही परिचित था, आज उसके हृदय की करुणा ने उसकी आँखों में छलक कर मेरा अभिवादन किया।

उसने पूछा—तीन दिन तक कहाँ रहे?"

"यहीं था।"

"क्या जुकाम हुआ है? आवाज तो भारी मालूम पड़ती है।"

"हाँ, आज कई वर्षों के बाद मुझे यह शिकायत हुई है। मेरा स्वास्थ्य काफी अच्छा है, पर इधर कुछ दिनों से कुछ कमजोरी-सी मालूम करने लगा हूँ। इसलिए मौका पाकर आज जुकाम ने धर दबाया है।"

शान्ति देवी ने अपनी स्वाभाविक मुस्कान में सहज, सरस व्यंग्य की झलक दिखाते हुए कहा—"घबराने की कोई बात नहीं है, यह बीमारी ही ऐसी है; किसी को छोड़ती नहीं। कभो-कभी मेंढक को भी हो जाया करती है।"

इस रहस्यमयी को जब पहले दिन देखा था तो असलियत बिलकुल ही मालूम न कर पाया था।

मैंने कृत्रिम अपमान का भाव दिखाकर कहा—"आप क्या मेरी तुलना मेंढक से करती हैं?"

शान्ति खिलखिला पड़ी। फिर तत्काल अत्यन्त गम्भीर होकर बोली—"आग लगे मेरे इस निगोड़े स्वभाव पर! हँसने की बान छूटती नहीं। माफ़ कीजियेगा। आप कहीं सचमुच मेरी धृष्टता से नाराज़ न हो जायँ।"

आज कमलकुमारी दिखायी नहीं देती थीं। मैंने शान्ति से पूछा कि कहाँ गयी हैं। उसने कहा—"दीदी आज किसी से मिलने गयी हैं। रात तक लौटना सम्भव नहीं है। अकेले मेरा जी घबरा रहा था।"

मैंने कहा—"दिनदहाड़े क्या कोई भूत आकर उठा ले जाता?"

"हटो!" शान्ति के मुख पर रक्तिम लाज का एक हलका आवरण पड़ गया।

उपयुक्त अवसर पाने पर घनिष्ठता आकस्मिक रूप से बहुत जल्दी बढ़ जाती है, यह अनुभव-सिद्ध बात है। पर यह 'उपयुक्त अवसर' कब, कैसे, क्योंकर प्राप्त होता है, यही तो मालूम नहीं होता!

शान्ति के केवल इस "हटो।" शब्द की मधुरिमा ने मुझे तत्काल सूचित कर दिया कि हम लोग कितनी दूर आगे बढ़ गये हैं और कितनी जल्दी कदम रखते चले जाते हैं। मैं थोड़ा-थोड़ा करके स्वाद लेता हुआ इस शब्द के माधुर्य का रस पान करने लगा। उसकी मादकता का प्रभाव मेरे मस्तिष्क पर तत्काल होने लगा। सम्भवतः मेरी आँखें चमकने लगी थीं और चेहरा तमतमा आया था। मेरे मुख का वह उद्दीप्त भाव देखकर शान्ति और भी अधिक सकुचा गयी, जिससे उसके मुख की आकृति और खिल उठी। मैंने देखा कि हम दोनों के बीच का सारा वायुमण्डल लाज की रंगीन छाया के आवरण में बिलकुल ढक गया है; उसे यदि उसी दम हटाने की चेष्टा न की जायगी, तो बाद को उसका हटना कठिन हो जायगा।

बोला—"जोशाँदा पिलाइये तो जुकाम अभी काफ़ूर हो जाय।"

शान्ति की मोहाच्छन्न अवस्था उसी दम दूर हो गयी और वह सचेत होकर बैठ गयी। उत्कण्ठित होकर बोली—"क्या करूँ शिवरतन भी निगोड़ा आज घर पर नहीं है। जोशाँदा तो नहीं, पर दालचीनी जरूर है; कहिये तो बना दूँ।"

मैंने उत्साहित होकर कहा—"चलो, साथ ही मिलकर बनावें! स्टोव है?"

"हाँ। आइये, आप भी भीतर चले आइये।" हम दोनों परस्पर सम्बोधन करने में कभी आदरसूचक क्रिया का प्रयोग कर रहे थे और कभी 'तुम'—सम्बन्धी साधारण क्रिया का व्यवहार करने लगे थे।

बाहर की तरफ़ का दरवाजा भीतर से बन्द करके हम दोनों भीतर चले गये। शान्ति मुझे अपने कमरे में (अर्थात् शयन-गृह में) ले गयी। भीतर दो से अधिक कमरे नहीं थे। एक में सम्भवतः कमलकुमारी जी रहती थीं और दूसरे में शान्ति। इस निस्तब्ध, निर्जन गृह में केवल हम दो प्राणी वर्तमान थे। मेरे सिर से पैर तक एक कँपकँपी दौड़ गयी।

शान्ति ने स्टोव निकालकर मेरे सामने रख दिया। मैं स्पिरिट डालकर उसे जलाने की चेष्टा करने लगा। कुछ देर बाद जब पम्प करने लगा तो स्टोव बुझ गया। दियासलाई जलाकर फिर उसे जलाया, पर फिर बुझ गया।

शान्ति मेरी परेशानी देखकर हँसने लगी। बोली—"इसी बिरते पर आप अपने हाथ से चाय बनाने पर तुले थे! यह काम पहले कभी किया भी है या आज ही नया शौक चर्राया है?" यह कहकर उसने नये सिरे से स्टोव ठीक करना शुरू कर दिया। मैं वास्तव में इस कला में नौसिखिया था। इस बला से मैं सदा दूर रहने की चेष्टा किया करता था। अपने साथियों को जलाते देखकर जो कुछ अनुभव हुआ था, वह यहीं पर समाप्त हो चुका था। झेंपकर अलग हट गया और चुप बैठा रहा। स्टोव जलाकर शान्ति ने चाय की केतली चढ़ा दी।

कमरे में कोई कुर्सी नहीं थी; केवल एक पलँग था। हम दोनों नीचे फर्श पर ही बैठे थे। शान्ति ने कहा—"ऊपर पलँग पर क्यों नहीं बैठ जाते? नीचे कब तक बैठे रहोगे?"

मेरी तो रूह काँपने लगी। इस रहस्यमयी की धृष्टता देखकर मैं हैरान था। मुझे किसी प्रकार भी उसके पलँग पर बैठने का साहस नहीं हो सकता था। अत्यन्त संकुचित होकर मैंने कहा—"नहीं, नीचे आराम से हूँ।"

पर उसने ज़िद की—"नहीं, मैं नहीं मानूँगी। ऊपर बैठना ही होगा। नीचे आराम की एक ही कही! सील से सारा फ़र्श तर है। एक तो वैसे ही जुकाम हो रहा है, तिस पर...नहीं यह नहीं हो सकता! उठिये, ऊपर बैठिये!"

मेरी तो आफ़त में जान थी। बोला—"खामखा ज़िद कर रही हो, कह दिया कि मैं आराम से हूँ।"

"उठते हो कि मुझे हाथ पकड़कर बिठाना होगा!"

लाचार होकर उठा। पलँग पर जब बैठा तो एक हृदय-व्यापी ग्लानि के भाव से सारा शरीर जर्जरित हो गया। पर शान्ति दुष्टताजनित कौतुक से मन्द-मन्द मुस्करा रही थी।

रसोई के कमरे में जाकर शान्ति थोड़ी-सी सोंठ कूटकर ले आयी और थोड़ी-सी दालचीनी। पानी जब खौलने लगा तो दोनों को डाल दिया। कुछ देर तक पकाकर थोड़ी-सी चाय की पत्तियाँ उसमें डालकर केतली उतार ली। स्टोव बुझाकर दूध-चीनी डालकर दो गिलास चाय तैयार की। एक मुझे दिया और दूसरा आप लिया।

एक-एक घूँट जब हम पी चुके तो पूछा—"कहिये, कैसी बनी?"

चाय वास्तव में बड़ी स्वादिष्ट बनी थी। बोला—"आज पहली बार ऐसी अच्छी चाय पी रहा हूँ।"

"पूरा मसाला तो इसमें पड़ा नहीं, यह क्या खाक अच्छी बनी है! कुछ भी हो, एक दिन तबीयत की चाय पिलाऊँगी।"

"खाली चाय का न्योता भी भला कोई न्योता है?"

मेरी बात सुनकर वह हड़बड़ाकर बोली—"आज तो नौकर घर पर नहीं था, इसलिए। नहीं तो, मैं आज ही बाजार से मिठाई मँगाती।"

मैंने कहा—"बाजार की मिठाई क्या मैं स्वयं नहीं खा सकता!"

"तो क्या खाइयेगा?"

"घर की बनी कोई भी चीज़।"

शान्ति वास्तविक विस्मय से मेरी ओर कुछ क्षण तक ताकती रही। फिर बोली—"क्या सचमुच मेरे हाथ का पकाया खाओगे?"

"दोष क्या है!"

"जात नहीं जायगी?" फिर वही दुष्ट मुस्कराहट!

मैंने तनिक क्रोध का-सा भाव दिखाकर कहा—"तुम क्या बात करती हो, शान्ति? मुझे निरा पाखण्डी ही समझ लिया!"

अचानक, असावधानी से मेरे मुँह से शान्ति का नाम निकल पड़ा। शब्द के निकलते ही मैं स्वयं भय तथा विस्मय से सन्त्रस्त हो उठा। शान्ति का मुख आकर्ण अपरिसीम लज्जा से लाल हो आया।

मैंने मन-ही-मन अपने को सम्बोधित करते हुए कहा—"बहुत जल्दी! नन्दकिशोर, तुम बहुत जल्दी, बड़ी तेज़ी से आगे को बढ़ रहे हो!"

इतने में बाहर से दरवाजे पर किसी को धक्का देते हुए सुना गया! मैं अत्यन्त भयभीत हो उठा। हृदय जोरों से धड़कने लगा। अपनी मूर्खता से अथवा शान्ति की असावधानी से मैं जब इस जाल में फँसा था तो उस समय इस बात का खयाल हम दोनों में किसी ने भी नहीं किया था कि बाहर का दरवाजा बन्द करके इस निर्जन गृह में हम दोनों के भीतर बैठने से हमारे सम्बन्ध में क्या धारणा लोगों के मन में उत्पन्न होगी। धक्का देनेवाला या तो शिवरतन होगा या कमलकुमारी जी, इन दोनों के अतिरिक्त किसी तीसरे व्यक्ति के होने की सम्भावना बहुत कम थी। पर कोई भी हम दोनों की स्थिति इस समय सब प्रकार से अत्यन्त जटिल तथा भयावह हो गयी थी। मैं ऐसा मालूम कर रहा था जैसे कोई घोरतम दुष्कर्म करते हुए पकड़ा जा रहा होऊँ। भीतर से शान्ति का भी शायद यही हाल था। पर बाहर से उसने अत्यन्त धीरता का भाव जताया।

मैंने दबी हुई जबान से कहा—"तुमने कैसी मूर्खता की, जो बाहर का दरवाजा बन्द कर दिया! अब क्या होगा!" अपने ऊपर, अपने भाग्य पर तथा शान्ति पर मुझे क्रोध आ रहा था।

पर शान्ति ने अत्यन्त धीरता से सहज, स्वाभाविक कण्ठ में उत्तर दिया—"दरवाजा बन्द किया तो क्या हुआ? इसमें डर की क्या बात है? तुम यहाँ क्या कोई चोरी करने आये हो, जो डर रहे हो!"

बाहर दरवाजे पर धक्के पड़ रहे थे। शान्ति ने कहा—"चलो, दरवाजा खोलें।"

मैं अपराधी की तरह बाहर गया। शान्ति ने सिटकिनी खोल दी। देखा, कमलकुमारी खड़ी थीं। एक तो देर तक खड़े रहने से वह वैसे ही क्रोधित दिखायी देती थीं, तिस पर जब उन्होंने मुझे देखा तो उनका चेहरा भीषण रूप से तमतमा आया। अपराध न करते हुए भी मेरे मुख पर अपराध का भाव स्पष्ट झलक रहा है, इस बात का अनुमान मुझे भली-भाँति हो रहा था। मैंने सशंकित दृष्टि से उन्हें देखकर हाथ जोड़ दिये। उन्होंने मेरे अभिवादन का कोई उत्तर नहीं दिया, केवल एक बार विकट हिंसक दृष्टि से मुझे घूर गयीं। उस दृष्टि में जो उत्कट ज्वाला थी, उसने पलकमात्र में मेरा मर्म जला डाला। शान्ति को लक्ष्य करके झल्लाती हुई बोलीं—''इतनी देर तक मुझे बाहर खड़े रहना पड़ा, कानों में क्या सीसा डाले बैठी थीं! बड़ी शर्म की बात है!'' यह कहकर बिना कोई कैफियत सुने तेजी से भीतर चली गयीं। स्पष्ट ही उनके मन में कोई कुत्सित सन्देह उत्पन्न हो गया था। केवल सन्देह ही नहीं, सम्भवतः विश्वास ही हो गया था। कुछ देर तक शान्ति और मैं वज्र-स्तम्भित होकर वहीं पर काठ की मूर्ति की तरह स्थिर खड़े रहे। इसके बाद मैंने दबी तथा काँपती हुई जबान में कहा—''अच्छा, अब मैं जाता हूँ।''

शान्ति मानो स्वप्न से जाग पड़ी। चौंककर बोली—''जा रहे हो? अच्छा चलो, मैं नीचे तक पहुँचा आऊँ।'' उसका कण्ठ अत्यन्त दृढ़ था, और यथेष्ट ऊँचे स्वर में उसने यह बात कही थी, जिससे उसका उद्देश्य स्पष्ट ही यह जान पड़ा कि कमलकुमारी जी भी उसकी बात सुन लें। उसकी दृढ़ता तथा साहस देखकर मैं विमूढ़ था।

मैंने धीमी आवाज में कहा—''तुम नीचे क्या करोगी, यहीं रहो! व्यर्थ का कष्ट होगा।''

''चलो, चलो!'' कहकर मेरी बात तुच्छ करके वह मेरे साथ चलने लगी।

वह ऊपर खड़ी थी और मैं उससे एक सीढ़ी नीचे था। उस प्रायान्धकार में भी उसकी भावाविष्ट, रहस्यमय, कूट-स्वप्न से विभोर आँखों की अवर्णनीय ज्योति स्पष्ट झलक रही थी और तीव्रता से विद्युच्छटा की तरह विकीरित हो रही थी। बोली—''जा रहे हो? फिर कब आओगे?'' उसकी आवाज काँप रही थी, गला जैसे भर आया हो।

मैंने कहा—''इस हालत में अब कैसे आ सकता हूँ!''

वह कुछ देर तक वेदना-म्लान दृष्टि से मुझे एकटक घूरती रही। दुःख से अथवा विस्मयजनित खेद से उसका मुख विवर्ण-सा हो गया था।

''तुम कायर हो!'' उसकी आवाज में धिक्कार भरा था।

मैंने व्यतिव्यस्त होकर कहा—''तुम यह क्या कहती हो, शान्ति! जानती हो, तुम्हारी इस बात से मुझे कितनी चोट पहुँचती है? मैं क्या करूँ, तुम्हीं बतलाओ? मिथ्या कलंक का टीका लिये जा रहा हूँ, अब लौटकर कैसे आ सकता हूँ!''

''कलंक का भार क्या केवल अकेले तुम्हारे ही सिर पर पड़ा है? इस बात का खयाल क्यों नहीं करते कि दूसरा कैसे उसे सहन करेगा?''

''ओह शान्ति! तुम ऐसे कठोर शब्दों से मेरे दिल पर बड़ी कड़ी चोट मार रही हो! मैं कब इनकार करता हूँ कि तुम्हें घोर विपत्ति का सामना न करना पड़ेगा? पर क्या करूँ? तुम्हीं बताओ?''

शान्ति ने जिद्दी लड़की की तरह कहा—"मैं पूछती हूँ, फिर कब आओगे?"

मुझसे कोई उत्तर देते न बन पड़ा। घोर विकट समस्या मेरे सामने उपस्थित थी। इतने में शिवरतन बाहर से आया, और हम दोनों को इस तरह एकान्त में खड़े देखकर आश्चर्य से एक बार मेरी ओर देखने लगा, एक बार शान्ति की ओर। हमने अलग हटकर उसके लिए ऊपर जाने का रास्ता छोड़ दिया। वह चला गया। उसे देखकर मैं और भी अधिक भीत हो गया था। पर शान्ति तो अपने को इस लोक में समझ ही नहीं रही थी। वह जैसे किसी प्रेत-लोक से मेरे साथ बातें कर रही हो, जहाँ इस लोक के जीवों के संस्पर्श से कोई सम्बन्ध नहीं रहता। वह उसी तरह कहती चली गयी—"बोलो! मेरी बात का उत्तर दो!"

मैंने कहा—"तुम ज़िद करती हो तो जल्दी ही एक दिन आऊँगा।"

"सच बोलना! ज़रूर आओगे?"

"हाँ ज़रूर आऊँगा, सच कहता हूँ। इस वक्त जाता हूँ। तुम ऊपर चली जाओ, शिवरतन न मालूम क्या सोचता होगा।"

"अच्छा, तब जाओ।"

मैं जाने लगा।

"ज़रा सुनना!"—उसने पीछे से पुकारा।

मैंने फिरकर देखा। उसकी आँखें छलछला रही थीं और उस स्पष्ट प्रकाश में भी आँसू साफ झलक रहे थे। बोली—'ज़रूर आओगे? देखो, झूठ न बोलना।"

आतंक तथा विह्वलता मुझे एक साथ धर दबाते थे।

"कह तो दिया कि आऊँगा।"

"अच्छा, तब यहाँ आओ, मेरे सिर पर हाथ रखकर कसम खाओ।"

"हे भगवान्! यह स्त्री मुझे किस दुर्बोध रहस्य के जाल में लपेट रही है!"—यह सोचते हुए मैं दो-एक सीढ़ी ऊपर चढ़ गया। उसने मेरा हाथ अपने कुसुम-कोमल हाथ से पकड़कर अपने सिर पर रख लिया और कहा—"शपथ लो कि जरूर आओगे।"

उसके सिर पर जब मेरा हाथ पड़ा, तो मेरे हृदय में पुलक की अपेक्षा भीति का संचार अधिक हुआ।

मैंने अनन्यगति होकर कहा—"शपथ लेता हूँ, आऊँगा।"

"अच्छा, तब जाओ। देखो, शपथ लिया है, खयाल रखना!"

मैं—"हाँ, हाँ" कहकर चला आया। स्पष्ट अनुभव कर रहा था कि उसकी वेदना-व्याकुल दृष्टि मेरे पीछे लगी है।

●●●

प्रायान्धकार सीढ़ियों के माया-चक्र से किसी प्रकार छुटकारा पाकर जब बाहर मुक्तालोक में, जनाकीर्ण लोकालय में आया तो ऐसा मालूम पड़ने लगा, जैसे अर्द्धरात्रि के किसी अस्पष्ट, अर्थहीन तथा मर्मघाती स्वप्न से जाग पड़ा होऊँ। तथापि उस स्वप्न की जड़ता अभी तक मन में वैसी ही बनी थी। मोहाच्छन्न अवस्था में किसी प्रकार दशाश्वमेध घाट तक आया। एक नाववाले को पुकारकर राजमहल के उस पार ले चलने को कहा। उसने कहा—"बाबू जी, सवारी ले लूँ या अकेले ही चलोगे?"

मैंने कहा—"कोई सवारी नहीं लेनी होगी, अकेले चलेंगे। जल्दी चलो।"

"क्या मिलेगा हुजूर?"

"अरे भाई, चलोगे भी या नहीं? किराये की पीछे देखी जायगी; जैसा मुनासिब होगा, दिया जायगा।"

"बहुत अच्छा, हुजूर! जैसी मर्ज़ी चलिये।"

नाव पर चढ़ बैठा। आज बहुत दिनों बाद नाव पर चढ़ने का अवसर मिला था। वैसे ही सिर चकरा रहा था, इसलिए कुछ ही दूर आगे बढ़ा हूँगा कि जी मतलाने लगा।

जब राजमहल के उस पार पहुँचा तो उतर पड़ा। एक रुपया नाववाले के हवाले किया, पर वह राजी न हुआ। उसके साथ तर्क-वितर्क करने की शक्ति मुझमें शेष न रह गयी थी। इस कारण बिना अधिक विवाद के उसे और एक रुपया दे दिया। उसने अत्यन्त प्रसन्न होकर झुककर सलाम किया और नाव फिरा ली।

सूरज अभी-अभी अस्त हुआ था। पश्चिमाकाश की ओर खण्ड-मेघ अभी तक रंजित थे। गंगा के इस निस्तब्ध पुलिन पर सीप के असंख्य छोटे-छोटे कण मुक्तोज्ज्वल द्युति से चमक रहे थे। समस्त सैकत-भूमि ऐसी चिकनी और साफ-सुथरी हो रही थी जैसे देवबालाओं ने अपने सुन्दर सुकुमार हाथों में यह अनुपम शय्या बिछायी हो। यहीं पर लेट जाने को जी चाहता था; पर मेरे हॉस्टल के साथी कभी-कभी इस ओर हवा खाने आ जाया करते थे, और आज मुझे इस समय किसी के साथ कोई भी बात करने की न तो सामर्थ्य ही थी, न प्रवृत्ति। इसलिए सीधा आगे को बढ़ गया और बहुत दूर निकल गया। यहाँ किसी के आने का भय नहीं था। निखिल विजन-प्रकृति आत्ममग्न भाव से स्निग्ध शान्त होकर विराज रही थी। मैं वहीं पर चारों खाने चित लेट गया। गंगा की तरंगों के मृदु-मृदु कम्पन का कल-उच्छल शब्द कानों में आ रहा था। ऊपर नग्न नील गगन का अनन्त-विस्तृत निर्मल रूप लहरा रहा था, नीचे विशाल-पुलिन-नितम्बिनी सरिता का यौवन उछल रहा था। मैं एकटक आकाश की ओर निहार रहा था। बहुत-सी

बातें सोचना चाहता था, पर कुछ भी नहीं सोच पाता था। दिनभर के घूर्णन के बाद मस्तिष्क अत्यन्त श्रान्त हो गया था। इसलिए निर्निमेष, निरुद्देश्य दृष्टि से ऊपर को देख रहा था। अचानक बगुलों की एक त्रिकोणात्मक पाँति अपने पंखों की गति से वायु-मण्डल को सायँ-सायँ शब्द से चीरती हुई, पूर्व की ओर जाती हुई आकाश में दिखायी दी। कैसा सुन्दर, कैसा अनुपम वह दृश्य था? अपने जीवन में कई बार मैंने बगुलों को इस प्रकार पंक्ति बाँधकर उड़ते देखा था, पर इस निर्जन स्थान में तथा निस्तब्ध समय में नहीं! मेरे शरीर तथा आत्मा की सारी श्रान्ति पल-भर में जाती रही। जब तक वह हंस-माला आँखों से ओझल न हो गयी, मैं उसी ओर टकटकी लगाये रहा।

ज्यों-ज्यों अन्धकार बढ़ता चला गया, निर्मल नील-गगन में हीरकोपम तारकराजि उज्ज्वल-से-उज्ज्वलतर होती चली गयी। सीरियस अपने प्रखर, पर शीतल आलोक से झल-झल झलकता हुआ न मालूम किसी परी-लोक का सन्देश मुझे सुना रहा था। उधर मृग-शिर भी अपने विजय-गर्व से उद्दीप्त हो रहा था। उत्तर-पूर्व कोने में सप्तर्षिमण्डल का विराट् गाम्भीर्य अचल मालूम होता था। ध्रुव नक्षत्र को पहचानने में देर न लगी। वह अपनी चिर-स्थिर महिमा से महीयान था।

गंगा के वक्ष में निर्मल तारकाओं का शुभ्र हार झल-झल झलकने लगा। मैं जानता था कि आज कृष्ण-पक्ष की चतुर्थी अथवा पंचमी है। चाहे देर में ही निकले, पर चन्द्रमा अवश्य निकलेगा, इस सम्बन्ध में निश्चिन्त था। इसलिए वह शान्त सरिता-तट छोड़कर हॉस्टल जाने की तनिक भी इच्छा नहीं हुई। सर्दी अवश्य कुछ-कुछ मालूम होती थी, पर मेरा रक्त जिस अवर्णनीय मादकता से उत्तप्त था, उसके ज़ोर से यह शीत मुझ पर कुछ भी असर नहीं कर सकता था।

पास ही सियार जैसे रोने लगे। दो-एक मेरे पास भी आये; शायद मुझे उन्होंने जीवित मनुष्य नहीं समझा। जब मैंने हाथ हिलाया, तो भागे। बचपन में भूत-प्रेत की कल्पना से बहुत डरता था। आज भी इस विजन पुलिन पर, नीरव नैश अन्धकार में अनेक काल्पनिक अथवा वास्तविक शब्द सुनकर सम्भवतः डर जाता, यदि मेरे चित्त की स्थिति असाधारण रूप से भ्रमाच्छन्न तथा उचाट न हुई होती।

बहुत देर तक योगनिद्रा की-सी अवस्था में स्थिर, अचंचल बैठा रहा। आखिर पूर्व की ओर नवोदित चन्द्रमा का पिंगलालोक विभासित होता हुआ दिखायी दिया। ज्यों-ज्यों वह ऊपर चढ़ता गया, उसका प्रकाश भी रजतोज्ज्वल रूप धारण करने लगा। सारी सैकत भूमि निर्मल हास की शुभ्रच्छटा से पुलकित, अनिर्वचनीय आनन्द के अजस्र प्लावन से विगलित हो उठी। गंगा की लहरियों की उमंग भी अधिकाधिक तरंगित होती हुई मालूम पड़ने लगी, मानो वे व्याकुल उच्छ्वास से, समधिक वेग से हिलोरें मारने लगी हों। निखिलानन्द की यह लहरी-लीला देखकर मेरे रोम-रोम में एक अपूर्व उन्माद का हर्ष समा गया। जो समस्या इस समय मेरे लिये एक भयंकर पहाड़ का रूप धारण किये थी, वह पल में स्वच्छ, तरल जल की तरह सरल और स्पष्ट हो गयी। भय तथा संशय

की जो जड़िमा आज दिन से ही जोंक की तरह मेरी छाती जकड़े थी, वह निमेषमात्र में कपूर की तरह विलीन हो गयी। मेरे सर्वाङ्ग में, समस्त आत्मा में अनन्त यौवन तथा विपुल जीवन की उद्दाम आशा का प्रवेग उमड़ चला। मैं सोचने लगा—''इस बन्धनहीन विपुलाकांक्षा के आगे समाज का पीड़न तथा संसार का बन्धन कितना तुच्छ है! शान्ति मुझे प्यार करती है और मैं उसे चाहता हूँ, क्या इतना ही यथेष्ट नहीं है? तब क्यों निन्दकों तथा समालोचकों के झूठे भय से मैं उसे सदा के लिए त्याग करने को प्रवृत्त हुआ हूँ? स्वर्ग तथा मर्त्यव्यापी इस असीम आनन्द के स्पर्श से केवल एक बार आत्मा के पुलकित होने की देर है। जिसकी आत्मा इस पुलक-स्पर्श से एक बार पवित्र हो चुकी है, उसके लिए फिर किसी सांसारिक अथवा सामाजिक नियम का अस्तित्व ही नहीं रह सकता। इस चरम सत्य से आज जाह्नवी के इस पुण्य-तट पर परिचित होकर मैं कृतार्थ हो गया हूँ!''

बेचारी शान्ति! मेरे विदा होते समय कैसी आकुल, आर्त्त प्रार्थना से उसने मुझे विकल कर दिया था! और उसका वह असीम धैर्य तथा अपूर्व दृढ़ता! यदि उसका प्रेम केवल एक साधारण, अस्थायी उमंगमात्र होता, तो ऐसी दृढ़ता तथा आत्म-विश्वास का होना कभी सम्भव न होता। बाहर से चंचल-प्रकृति दिखायी देनेवाली इस रहस्यमयी के अन्तस्तल के किस कोने में ऐसी अद्भुत गम्भीरता तथा महत्ता छिपी थी? अभी मैं उसके जीवन के शतांश से भी परिचित न हो पाया था कि अचानक दोनों ऐसी जटिल स्थिति के फेर में पड़ गये। पर एक लाभ इस नयी स्थिति के कारण मुझे यह हुआ था कि जो प्रेम अर्द्धव्यक्त और केवल इंगित मात्र से ही व्यंजित हो रहा था, वह चरम परीक्षा के अवसर पर पूर्णतया परिस्फुट हो गया। मेरे प्रति शान्ति के मनोभाव के सम्बन्ध में अब संशय की गुंजाइश मेरे लिये नहीं रह गयी थी। पर मेरा अपना मनोभाव कैसा था? शान्ति ने मुझे कायर कहकर धिक्कारा था, और ऐसा कहने का उसे पूरा अधिकार था। कमलकुमारी जी का रुख देखने के बाद वास्तव में मेरा इरादा शान्ति से सदा के लिए विदा हो जाने का था। प्रेमजनित अन्तर्प्रेरणा से यह बात वह तत्काल ताड़ गयी थी। मेरे लिये उसे छोड़ने का प्रश्न उतना बड़ा नहीं था जितना उसके लिए मुझसे सदा के लिए बिछुड़ने की आशंका आतंकपूर्ण थी। मैं जब चाहूँ उससे अपनी सुविधानुसार मिल सकता हूँ, इस भरोसे के कारण मैं वर्षों तक बिना उसे देखे धीरज बाँध सकता हूँ। पर मेरे एक बार विलुप्त हो जाने से वह अबला इस विपुल विश्व में मुझे कहाँ खोजेगी? उसका मुझे प्राप्त कर सकना, न कर सकना पूर्णतः मुझ पर ही निर्भर है। मैं उसके पास जाऊँ तो वह मुझे देख सकती है, न जाऊँ तो उसके लिए कोई उपाय नहीं है। यही कारण था कि उसने मुझसे बार-बार फिर मिलने का वचन लिया था और शपथ लिवायी थी। पहले कुछ देर तक तो वह साहसपूर्वक दृढ़ तथा कठिन बनी रही, पर अन्त को अपने को न रोक सकी, बाँध टूट गया और आँसुओं की झड़ी लग गयी। हाय अबला नारी! अपने प्यारे को जकड़कर अपने साथ रखने के लिए तुम्हारे पास आँसुओं के तारों से बटे हुए सुकोमल पाश के अतिरिक्त और कोई साधन नहीं है। मदन के कुसुमपाश से भी वह कितना सुकुमार है! तथापि कितना दृढ़!

मुझे बार-बार विदा होने के समय शान्ति की अश्रु-छलछल, करुणाविह्वल मूर्ति की स्मृति विकल करती थी। सोचते-सोचते मेरी आँखें डबडबा आयीं और मैं अत्यन्त दुर्बलता का अनुभव करने लगा। बालू पर ही लेट गया। आँखें झपने लगीं और कुछ देर के लिए नींद भी आ गयी। जब आँखें खुलीं तो धूल झाड़कर उठ खड़ा हुआ। निखिल प्रकृति में छायी हुई इस अनन्त सौन्दर्य-राशि को छोड़कर जाने को जी नहीं चाहता था, पर एक ही स्थान पर स्थिर अवस्था में बैठे बहुत देर हो गयी थी, इसलिए चलने का ही विचार किया।

•••

जब हॉस्टल पहुँचा तो सर्वत्र भाँयँ-भाँयँ के अतिरिक्त और कहीं कोई शब्द नहीं सुनायी देता था; जैसे किसी परी-देश की राजकुमारी ने अपने मन्त्रबल से यूनिवर्सिटी के सब जीवों को प्रस्तर के रूप में परिणत कर दिया हो। अपने कमरे के पास पहुँचकर जब पाँच-सात बार दरवाजे पर जोर से धक्के दिये तब जाकर मेरे साथियों की नींद टूटी। चौंककर किसी ने निद्रा-जड़ित कण्ठ से पूछा—“कौन है?”

मैंने कहा—“खोलो!”

उमापति ने आकर किवाड़ खोला। बत्ती जलायी। इसके बाद अपने स्वाभाविक कटु व्यंग्य के स्वर में वह बोला—“इतनी देर! तब तो अवश्य ही विशेष कृपा के पात्र बन गये हो! बड़े भाग्यशाली हो भाई! मैं तुम्हें बधाई देता हूँ।”

वह स्पष्ट ही भाँप गया था कि मैं आजकल शान्ति के यहाँ नियमपूर्वक जा रहा हूँ। उसके साथ इस मार्मिक विषय पर विवाद करना मैंने घोर अपमानकर समझा; इसलिए चुप रहा। न मालूम क्यों, उसके प्रति मेरी घृणा दिन-दिन बढ़ती जाती थी। शायद मेरी अन्तःप्रवृत्ति ने उसे कभी मित्र के रूप में स्वीकार नहीं किया। उसके साथ मेरे हृदय का बाह्य सम्पर्क मात्र था। एक ही यूनिवर्सिटी में पढ़ने तथा साथ ही रहने के कारण मैं आज तक जबर्दस्ती अपने मन को इस धारणा से ठग रहा था कि वह मेरा परम प्रिय संगी है। पर अब जब यूनिवर्सिटी से मेरे हृदय ने बिलकुल सम्बन्ध त्याग दिया था तो साथियों से भी मेरा हृदय विमुख होने लगा था। इस बात का स्पष्ट अनुभव मुझे आज हुआ। मैं जानता हूँ कि पाठक मुझे अकृतज्ञ, घमण्डी और ओछी प्रकृति का व्यक्ति समझेंगे। यह जानते हुए भी मैं अपने स्वभाव के सम्बन्ध में स्पष्ट बात कह देना चाहता हूँ। असल बात यह थी कि सारी यूनिवर्सिटी के किसी भी छात्र अथवा

अध्यापक के साथ मेरी प्रकृति का आन्तरिक संयोग कभी नहीं रहा। मैंने वास्तव में आज तक कैसा एकाकी जीवन बिताया था, यह सोचकर मैं स्वयं स्तम्भित रह गया और मेरी रीढ़ से होकर एक आतंक की ठण्डी लहर दौड़ गयी। अपने बाह्य रूप में मैं बहुतों से मिला रहता था, पर मेरी अन्तःप्रकृति बिलकुल संगीहीन विजनवासी और निपट अकेली थी।

मेज पर मेरे नाम का एक पत्र रखा था। भैया के अक्षर दिखायी देते थे। मैं उन्हें प्रायः दो मास पहले पत्र लिख चुका था, पर उनका उत्तर आज आया। इससे स्पष्ट ही अनुमान किया जा सकता था कि मेरा यूनिवर्सिटी छोड़ने का प्रस्ताव उन्हें पसन्द नहीं आया। पत्र खोलकर पढ़ने की इच्छा नहीं होती थी। यदि उसमें कोई बात दिल को दुखानेवाली अथवा अपमानजनक होगी तो रातभर नींद न आयेगी, यह सोचकर मैं द्विविधा में पड़ गया। अन्त को कौतूहल की ही जीत हुई। खोला; पत्र अँगरेजी में था और खासा लम्बा था। शब्द-प्रति-शब्द पढ़ने का साहस नहीं हुआ, इसलिए सरसरी निगाह से मिनट भर में सारा पत्र पढ़ गया। दो-चार शब्द अवश्य बीच में नजर से छूट गये होंगे, पर पत्र का मर्म भली-भाँति समझ गया। मुझे अपरिपक्व-बुद्धि, भावुक, सनकी आदि विशेषणों से विभूषित करके भैया ने मुझे 'स्ट्रांगली एडवाइज' किया था कि मैं यूनिवर्सिटी में ही रहूँ, और लिखा था कि खर्चे की तंगी हो तो उसकी बिलकुल चिन्ता न करूँ, जिस तरह से आराम मिले, वैसा उपाय हो सकता है; पर पढ़ाई छोड़ना किसी प्रकार उचित नहीं; इत्यादि-इत्यादि।

मैंने मन-ही-मन भैया को लक्ष्य करके व्यंग्य के बतौर कहा—"प्रणाम! अब आप कृपा कीजिये। आपके ज्ञान-भरे उपदेशों की मुझे अब कोई आवश्यकता नहीं रही। मैं अपरिपक्व-बुद्धि ही सही, भावुक ही सही; पर आपकी परिपक्व-बुद्धि आप ही को मुबारक रहे। मैं बाज आया। आप भाग्यशाली हैं, अनुभवी हैं, आत्मसन्तुष्ट हैं। यह सब सही है, मैं मानता हूँ; पर भगवान् सभी को सांसारिक नियमों के पालन के लिए पैदा नहीं करते। इसलिए आपकी परिपक्व सांसारिक बुद्धि मेरी प्रकृति को समझने में असमर्थ है। अतएव पुनः प्रणाम। अब कोई पत्र आपको नहीं लिखूँगा।"

बत्ती बुझाकर कम्बल ओढ़कर जब बिस्तर पर लेटा तो भैया की सुन्दर, स्वस्थ और तमतमाती हुई सूरत मेरी आँखों के आगे फिरने लगी। भैया बड़े हँसमुख, मिलनसार तथा सरकारी समाज में लोकप्रिय व्यक्ति थे। वह मेरे सौतेले भाई थे, पर अपने स्नेहपूर्ण व्यवहार से उन्होंने कभी सौतेलेपन की कल्पना भी मेरे मन में उत्पन्न नहीं होने दी थी। उन्होंने पिता जी की तरह मुझे पाला था। उनके कारण पिता जी की मृत्यु के बाद उनके अभाव का अनुभव मुझे तनिक भी नहीं हुआ था। फिर भी अपनी एकान्त-प्रिय, भावुक प्रकृति से उनकी प्रकृति में मुझे इतना बड़ा अन्तर दिखायी देता था कि उनके प्रति मेरी श्रद्धा धीरे-धीरे अकारण ही घटती चली गयी। मैं सोचता था कि उनके प्रति मेरा यह मनोभाव मेरी अस्थिर प्रकृति की अस्थायी प्रवृत्ति-मात्र है। पर आज जब मेरे मानस की गति एक निराले ही पथ की ओर लहराने लगी तो मैंने स्पष्ट अनुभव किया कि

हम दोनों भाई-भाई होने पर भी दिन और रात की तरह बिलकुल ही परस्पर विपरीत लोक के निवासी हैं।

भैया सिर से पैर तक एकदम अँगरेजी ठाठ में रहते थे। अँगरेजी ऐसी अच्छी बोलते थे कि हिन्दी गलत बोलने लगे थे। अँगरेजी बोल-चाल का कोई भी ऐसा घरेलू या बाजारू शब्द न था जिसे वह न जानते हों, अथवा जिसका उपयोग बात-बात में न करते हों। विलायती 'एटीकेट' तथा फैशन के सम्बन्ध में अप-टु-डेट खबर रखते थे। सड़ियल अँगरेजी उपन्यासों तथा तुच्छ विनोद के सामयिक पत्रों से उनकी अलमारियाँ ठस रहती थीं। पर मजा यह था कि दुनिया का कोई भी विषय ऐसा न था जिस पर वह विवाद करने को प्रतिक्षण तत्पर न रहते हों, यहाँ तक कि मौका पड़ने पर फिलासफी पर भी घण्टों बहस कर लेते थे! यद्यपि अपने जीवन में व्यावहारिक रूप से वह तथाकथित 'एपिक्यूरियन फिलासफी' को ही अपना रहे थे (और इसी कारण चार्वाक के दो-चार बहु-प्रचलित श्लोक भी उन्होंने किसी से सुनकर याद कर लिये थे) तथापि तर्क के अवसर पर अक्सर गीता के अध्यात्मवाद का ही गुणगान करने लगते, और यह भाव दिखाते कि उनके समान गीता समझनेवाले व्यक्ति भारतवर्ष में बहुत कम हैं। मुझे याद है, एक दिन शिमले में जब वह इसी प्रकार अपनी मित्र-मण्डली के साथ बैठे हुए अपनी दाम्भिक उक्तियों से सबको चकित करने की चेष्टा कर रहे थे, और गीता के 'निगूढ़ तत्त्व' के प्रतिपादन से सबके मन में एक सम्भ्रमपूर्ण आतंक जगा रहे थे, तो अचानक मैंने उन्हें बीच ही में टोक दिया। मैंने कहा—"यह सब ठीक है। माना कि आप लोग सब गीता के मर्म में पैठ गये हैं और उसकी महत्ता के कायल हैं; पर आप लोगों के रात-दिन के व्यावहारिक जीवन से गीता का क्या सम्बन्ध है, मेरी तुच्छ बुद्धि में यह बात न आयी। इहलोक सम्बन्धी आमोद-प्रमोद के जिस विलासी जीवन को आप लोगों ने अपनाया है, उससे गीता-धर्म का कितना साम्य है, क्या मैं यह जान सकता हूँ? या आप लोगों की राय में तर्क ही चरम सत्य है और तर्क-क्षेत्र के बाहर गीता का कोई विशिष्ट स्थान नहीं है?"

मेरी गुस्ताखी भैया को बिलकुल पसन्द न आयी। बिगड़कर बोले—"गीता में यह कहाँ पर कहा गया है कि भोग से निरत रहो? उसका तात्पर्य यही है कि निस्संग होकर भोग करो। तुम यह कैसे समझ लेते हो कि बाहर से जो आदमी विलासिता में लिप्त है उसका अभ्यन्तर भी उसी में डूबा है? एक रूप में हम भोगवादी हैं, सन्देह नहीं; पर प्रत्येक व्यक्ति का दूसरा स्वरूप भी तो होता है!"

तर्क की दृष्टि से यह बात अकाट्य थी। भैया की तर्क-बुद्धि की तीक्ष्णता देखकर मैं वास्तव में परम प्रसन्न हो गया और आनन्द से खिलखिलाकर हँस पड़ा। वह समझे कि मैं उनकी बात पर विश्वास न करने के कारण हँस रहा हूँ। यह धारणा एक दृष्टि से गलत भी नहीं थी। वह बड़े झल्लाये। मैं रुख अच्छा न देखकर चुपचाप उठकर चल दिया।

भैया की पहली स्त्री जब निःसन्तान अवस्था में चल बसी तो उन्होंने दूसरा विवाह किया। नयी भाभी के लिए भैया ने एक देशी ईसाई महिला अँगरेजी पढ़ाने के लिए रखी थी। पर भाभी जी दो-चार प्रारम्भिक शब्द सीखकर ही उकता गयी थीं, इसलिए ईसाई महिला को छुट्टी देनी पड़ी। पर भैया की प्ररोचना से भाभी जी ने रहन-सहन में बहुत-कुछ नया फैशन अख्तियार कर लिया था, जो उनको नहीं सुहाता था। घर पर वह सादी-सी साड़ी पहनकर रहती थीं, इसलिए गृहलक्ष्मी-स्वरूप दिखायी देती थीं। पर बाहर जब भैया के साथ घूमने निकलतीं तो ऊँची एड़ी की जूती और फैशनेबुल साड़ी पहन के जातीं। भैया की खर्चीली प्रकृति तथा मनमौजी आदतों के सम्बन्ध में वह परिचित थीं, पर उनसे शायद ही इस सम्बन्ध में कभी कुछ कहती हों। एक दिन मैंने उनसे कहा–"देखो भाभी, भैया के रंग-ढंग क्या तुम्हें पसन्द हैं?"

"कैसे रंग-ढंग? तुम्हारी बात मैं समझी नहीं।" उन्हें मेरी बात सुनकर कुछ आश्चर्य-सा हो रहा था, अथवा आश्चर्य का बहाना कर रही थीं।

मैंने कहा–"भैया का रहन-सहन, खान-पान, राग-रंग, यह सब तो तुम देख रही हो न? क्या तुम्हें इस पर कोई एतराज नहीं है?"

भाभी जी अब समझीं। बोलीं–"मेरे एतराज से हो क्या सकता है! मैं हूँ कौन चीज!" बहुत दिनों से रुद्ध मन का आवेग उनके शब्दों से फूटा पड़ता था।

मैंने कहा–"तुम अगर उन्हें टोकतीं, समझातीं और जोरों से विरोध करतीं, तो मुझे पूरा विश्वास है, भैया अवश्य बहुत-कुछ सँभल जाते। पर तुम उल्टा हाँ-में-हाँ, मिलाती हो, बल्कि यह कहना ठीक होगा कि तुम उनका विलायतीपन देखकर गर्व का अनुभव करती हो और उनके सिखाने-पढ़ाने पर उनके चरित्र के दोषों को भी गुण के बतौर मानने लगी हो! और उनकी तुच्छ बात पर भी खिलखिला उठती हो!" मैं यद्यपि शान्तिपूर्वक समझाकर यह सब बातें कहना चाहता था, पर हृदयावेग रोकना मेरे लिये कठिन हो गया था। भाभी जी मेरी कटुता देखकर स्तम्भित-सी रह गयीं। कुछ देर तक विह्वल भाव से मेरी ओर देखती रहीं। फिर व्याकुल कण्ठ से बोलीं–"तुम भी ऐसा कहने लगे!" यह कहकर रो दीं। अत्यन्त दुःखित तथा लज्जित होकर मैंने क्षमा माँगी और आन्तरिक स्नेह से दिलासा देने लगा। असल बात यह थी कि मैं भैया तथा भाभी जी के पारस्परिक व्यवहार तथा भीतरी बातों से परिचित न था। भाभी जी सम्भवतः बहुत दिनों से किसी सहृदय व्यक्ति के आगे अपने हृदय के रुद्ध क्रन्दन का स्रोत मुक्त करना चाहती थीं; पर आज तक कोई ऐसा व्यक्ति उन्हें नहीं मिला था। मुझे वह भी शायद अपरिपक्व-बुद्धि समझती थीं। इसलिए इस सम्बन्ध में मुझसे कोई बात करना उचित नहीं समझती थीं। पर उस दिन मेरी बात सुनकर उन्हें मेरी बुद्धि के सम्बन्ध में अपनी भूल मालूम हुई। उन्होंने सभी भीतरी बातें मेरे आगे खोलकर रख दीं। उनकी बातों से मालूम हुआ कि भैया अपने सम्बन्ध की किसी 'पर्सनल' बात में किसी की दस्तन्दाजी सहन नहीं कर सकते। यदि भाभी जी उनकी 'प्राइवेट' बातों में हस्तक्षेप

करने की चेष्टा करें या किसी विशेष बात का विरोध करें अथवा कोई उपदेश दें, तो भैया पहले तो हँसी में उनकी बात उड़ा देने की चेष्टा करेंगे और यदि उन्होंने जिद की तो उनसे बोल-चाल बन्द कर देंगे। भाभी जी ने कहा–"तुम्हीं बतलाओ, इस हालत में मैं कर क्या सकती हूँ? मेरे लिये केवल यही एक रास्ता रह गया है कि वह जो कुछ करें, करने दूँ, उनकी हाँ-में-हाँ मिलाऊँ, और जिस प्रकार मुझसे प्रसन्न रहें वैसा उपाय करूँ। वह मुझसे रूठे रहें, यह मैं किसी तरह नहीं चाहती।"

भाभी जी को वास्तव में दोष नहीं दिया जा सकता था पर भैया के प्रति मेरे मन में आक्रोश का भाव प्रबल होता चला गया। किन्तु वह मुझे बहुत अधिक चाहते थे और अपने प्रति मेरी वास्तविक मनोवृत्ति से बिलकुल परिचित न थे। भैया से छोटी और मुझसे बड़ी हम लोगों की दो बहनें थीं। दोनों की मृत्यु हो चुकी थी, मैं भैया का एकमात्र भाई था, और उन्होंने मुझे पिता की तरह पाला था। मुझसे छोटी मेरी एक बहन और थी। दो वर्ष पहले उसका भी विवाह हो चुका था। भैया हम दोनों भाई-बहन के प्रति आन्तरिक स्नेह रखते थे। मेरे मन में भी उनके प्रति ममता की कमी नहीं थी; पर फिर भी मैं उनके व्यवहार से प्रसन्न नहीं था।

उनका उपदेशपूर्ण पत्र जब मेरे पास पहुँचा, तो मेरा क्षुब्ध होना स्वाभाविक था। वैसे उनको इस पत्र के लिए विशेष दोष नहीं दिया जा सकता। उन्होंने जो कुछ लिखा था, स्नेहवश ही लिखा था और कोई अनुचित बात भी नहीं लिखी थी। पर चूँकि उनके आदर्श से मेरा आदर्श बिलकुल भिन्न था और उनकी सांसारिक सफलता को मैं अपनी गर्वित प्रकृति के कारण अत्यन्त अवहेलना की दृष्टि से देखने लगा था, इसलिए उनके उपदेश को मैं मन-ही-मन ठीक उसी तरह तुच्छ गिनने लगा जिस तरह वह अपने 'पर्सनल' अथवा 'आफ़ीशियल' विषयों पर भाभी जी के मन्तव्यों की उपेक्षा करते होंगे। मैं अच्छी तरह जानता हूँ कि लोग मेरे स्वभाव के औद्धत्य से परिचित होकर मुझे मन-ही-मन तिरस्कृत करेंगे। पर मैं न तो इस सम्बन्ध में अपनी सफाई ही देना चाहता हूँ और न किसी के भ्रम का निराकरण करने की मेरी इच्छा ही है। मैं केवल अपनी वास्तविक प्रकृति सबके आगे यथारूप रख देना चाहता हूँ। इसके बाद–जाकी रही भावना जैसी...

जैसा कि पहले ही इंगित कर चुका हूँ, भाभी जी ने जिस दिन मुझे अपना अन्तःविश्वास स्थापित करने योग्य समझा उस दिन मेरे आनन्द की सीमा न रही। मुझे मालूम था कि मैं सनकी हूँ; पर जब भाभी जी ने मुझे आयु में अपरिपक्व देखकर भी मेरी बुद्धि पर आस्था प्रकट की, तो मैं समझ गया कि मैं निरा मूर्ख नहीं हूँ। तब से उन्हें मैं परम स्नेह तथा श्रद्धा की दृष्टि से देखने लगा, और वास्तव में वह श्रद्धा के योग्य थीं भी। उनकी सरस हास्योज्ज्वल, देव्योपम, कमनीय कान्ति, स्निग्ध-मधुर स्वभाव तथा तरल-शीतल वाणी मातृत्व की महत्ता की परिचायक थी।

उनके तीन लड़कियाँ थीं। तीनों लड़कियाँ भाभी जी की ही तरह सुन्दर थीं, और साथ ही खुशदिल और चंचल थीं। भाभी जी जैसी सुघड़ महिला की देख-रेख में रहने

से उनका शील-सौष्ठव भी बहुत सुन्दर बन गया था। पर भाभी जी उन्हें जी-जान से प्यार करने पर भी पुत्रहीन होने के कारण अपनी आत्मा में एक भयंकर अभाव का अनुभव करती थीं। इधर छह साल से उनके कोई सन्तान नहीं हुई थी, इसलिए उन्हें अब यह भय होने लगा था कि कहीं सदा के लिए उन्हें निराश न होना पड़े। क्योंकि उनके मन में अभी तक यह आशा बनी थी कि किसी दिन एक सुन्दर, दुलारे लड़के का प्यारा-प्यारा मुखड़ा वह देखेंगी ही।

बहुत देर तक भैया और भाभी जी के सम्बन्ध की कल्पनाओं में ही निमग्न रहा। सोचते-सोचते जब आँखें लग गयीं तो एक विकट स्वप्न दिखायी दिया। मैंने देखा कि भाभी जी अत्यन्त म्लानमुख होकर मेरे पास आयीं और बोलीं—"जयन्ती विधवा हो गयी है!" वज्राहत-सा होकर मैंने पूछा—"तुम जयन्ती को कैसे जानती हो?" उन्होंने उत्तर दिया—"मैं जयन्ती को भी भलीभाँति जानती हूँ और उसके पति को भी।" मैंने आश्चर्यचकित होकर अत्यन्त व्याकुलता से पूछा—"जयन्ती का क्या हाल है?"

"वह पागल हो गयी है!"

मैं असह्य व्यथा से कराहने लगा। अचानक मेरे कानों में आवाज आयी—"नन्दकिशोर! नन्दकिशोर!" नींद से चौंककर देखता क्या हूँ कि उमापति मुझे पुकार रहा है। स्वप्न की उत्कट विभीषिका से मेरा हृदय अभी तक जोरों से धड़क रहा था।

उमापति ने कहा—"क्या कोई भयावना सपना देखा? छाती पर हाथ तो नहीं पड़ गया?" वास्तव में छाती पर हाथ पड़ा था। मैंने लज्जित होकर हाथ हटा लिया। चुप रहा, कुछ बोला नहीं। उमापति ने यह सोचकर कि शायद अभी तक मैं स्वप्न की जड़िमा का ही अनुभव करता होऊँ, मुझे फिर पुकारा। मैंने केवल हुँकारी भरी। वह बोला—"अभी तक होश में आये या नहीं?"

मैंने कहा—"मैं बेहोश कब था?"

वह ज़ोर से ठठाकर हँस पड़ा। उसका हँसना अर्द्धरात्रि में भौतिक अट्टहास की तरह विकट जान पड़ा। सब लड़के चौंककर जाग पड़े।

आज अपने जीवन में प्रथम बार मैं इस प्रकार स्वप्नावस्था में चिल्लाया था। मैं सोचने लगा कि यह क्या मेरी शारीरिक अस्वस्थता का चिह्न है अथवा मेरी आत्मा ही दुर्बल हो गयी है? कुछ भी हो, जयन्ती के विधवा होने की बात अर्थहीन-सी मालूम हुई। जहाँ तक मेरा खयाल था, जयन्ती का विवाह अभी तक नहीं हुआ था, यद्यपि इस सम्बन्ध में निश्चित रूप से मैं कुछ नहीं जानता था। पर भाभी जी का कहना कि "मैं उसे जानती हूँ और उसके पति को भी जानती हूँ" एक अनोखी, बेमेल बात-सी लगी। मुझे विश्वास था कि सारा स्वप्न निरर्थक तप्त मस्तिष्क का विकारमात्र है। तथापि उसकी स्मृति बार-बार एक अज्ञात भीति के भार से छाती को दबा रही थी।

•••

गंगा-तट पर शान्ति के सम्बन्ध में जो उदार और पवित्र धारणा मेरे मन में उत्पन्न हुई थी उसका जोश स्थायी न रहा। एक अज्ञात भीति की भावना ने मेरे दुर्बल हृदय को एक भीषण पाषाण के दुःसह भार की तरह दबा लिया था, और वह किसी तरह हटना नहीं चाहता था। इसलिए शान्ति के अनुनय वचनों का स्मरण करके नित्य उसके पास जाने का इरादा करता, पर नित्य चौक तक जाकर निष्फल प्रयत्न के बाद बीच ही में लौट आता। कई दिन इस प्रकार बीत गये। मन में यह धड़का भी लगा था कि शान्ति की स्थिति न जाने कैसी विकट हो उठी है। क्योंकि उस दिन उसने कैसी ही उपेक्षा का भाव क्यों न दिखाया हो, कमलकुमारी जी के स्त्री-स्वभावोचित घृणा का प्रकोप वह अधिक दिन तक किसी प्रकार भी सहन न कर सकेगी, यह बात मैं भली-भाँति जानता था। मैं असमंजस में पड़कर बड़ी बेचैनी मालूम कर रहा था।

एक दिन प्रबल चेष्टा से साहस करके उस गली के उत्तरी सिरे पर टहलने लगा जहाँ शान्ति रहती थी। उन लोगों के मकान से काफी दूर हटकर किसी बहाने से इधर-उधर चक्कर लगाने लगा। उद्देश्य यह था कि अगर उनका नौकर दिखायी दे तो उससे एकान्त में यथार्थ स्थिति मालूम करूँ। दो पैसे की मूँगफली लेकर तोड़-तोड़कर खाने लगा और किसी तरह समय बिताने लगा। घण्टे-भर से ज्यादा हो गया, पर शिवरतन नहीं दिखायी दिया। बड़ा परेशान था। एक बार इच्छा हुई, स्वयं चला जाऊँ, पर लाख चेष्टा करने पर भी हिम्मत नहीं होती थी, कमलकुमारी जी की वही क्रोध-रक्तिम, घृणा-विकृत मूर्ति आँखों के आगे घूमने लगती। ज्यों ही मकान की ओर दो कदम पाँव बढ़ाता त्यों ही सिर चकराने लगता और पाँव ऐसे बेबस काँपने लगते जैसे वे मेरे अपने पाँव न हों। लाचार घाट की तरफ लौट चला। पर वहाँ भी किसी प्रकार मन नहीं लगता था। सोच रहा था कि जिस अज्ञात भौतिक अथवा मानसिक भय से, शान्ति के इतने निकट होने पर भी मैं उससे नहीं मिलने पाता, वह कैसा प्रचण्ड है! फिर एक बार उसी गली की ओर गया, फिर व्यर्थकाम होकर लौटा। बहुत देर तक यही स्थिति रही। अन्त को निद्रा-विचरण की-सी अवस्था में यूनिवर्सिटी को लौट चला। दूसरे दिन फिर आया, पर वही हाल रहा। जब तीसरे दिन भी चेष्टा सफल न हुई—न तो मकान के भीतर जाने का ही साहस कर सका, और न नौकर ही कहीं दिखायी दिया—तो अपनी कायरता पर विचार करके मैं आतंक से काँप उठा। सोचने लगा—'तब क्या सचमुच अब शान्ति के साथ मेरा मिलना कभी नहीं हो सकेगा? क्या कोई समाचार भी उसके सम्बन्ध में किसी तरह प्राप्त नहीं होगा?' आज तक यह खयाल था कि

असमंजस के कारण उससे नहीं मिल रहा हूँ, वर्ना जब चाहूँ, मिल सकता हूँ। इसलिए इस विश्वास के कारण मन में एक प्रकार का धैर्य था। पर अब जब अपनी दुर्बलात्मा की वास्तविक स्थिति का परिचय मुझे हुआ तो मैं बेतरह घबरा उठा। शान्ति का वही दृढ़ कण्ठस्वर कानों में गूँजने लगा—'तुम कायर हो!' मेरा हाथ अपने सिर पर रखकर उसने शपथ लिवायी थी, वह भी स्मरण हो आया; फिर अन्त में असहाय अवस्था में आँसुओं से छलछलाती हुई विह्वल आँखों की जिस करुणा-व्याकुल चितवन से उसने मुझे देखा था उसकी स्मृति रह-रहकर मेरे हृदय को आलोड़ित करने लगी। मैं ऐसा मालूम करने लगा जैसे उसकी बड़ी-बड़ी, स्निग्ध-सरस आर्द्र आँखें निरन्तर मेरा मर्म चीरकर देख रही हों। कितना ही उन्हें भुलाने की चेष्टा करता था, पर वे सहस्र रूप से जागरित होकर मुझे व्यतिव्यस्त कर रही थीं। कैसा क्लान्त, कमनीय, कातर भाव उनमें झलक रहा था। सोचते-सोचते मेरी आँखें आर्द्र हो आयीं और इच्छा होती थी कि कहीं एकान्त में बैठकर जी भरकर रोऊँ। मन में कहने लगा –'शान्ति! शान्ति! प्यारी शान्ति! अपनी प्रेममयी आत्मा से मुझमें बल संचारित करो कि समस्त विश्व का बन्धन तोड़कर तुमसे मिल सकूँ।' इच्छा होती थी कि धरती फाड़ूँ और आकाश चीर डालूँ। पर हाय रे, इस दुर्बल मानवात्मा की नीचता तथा अक्षमता का कुछ ठिकाना भी है! एक तरफ तो ऐसा प्रचण्ड आवेग मेरे भीतर प्रबल झंझा की तरह विस्फूर्जित हो रहा था, दूसरी ओर मुझे इतना साहस नहीं होता था कि सब सामाजिक तथा लौकिक बाधाओं को तुच्छ करके बेधड़क जाकर शान्ति से उसके मकान में मिलूँ।

इस प्रकार आकाश-पाताल की भावनाओं में निमग्न होने पर भी मेरा मस्तिष्क अत्यन्त सचेत होकर निरन्तर निराश होते हुए भी बिना उकताये, शान्ति के नौकर की तलाश में व्यस्त था। रास्ते में गुजरनेवाले प्रत्येक व्यक्ति को मैं गौर से देख रहा था। अँधेरा हो चला था। दुकानों में एक-एक करके बत्तियाँ जलने लगी थीं। अचानक इस अस्पष्ट प्रकाश में सामने की ओर शिवरतन की-सी शक्ल का एक आदमी आता हुआ दिखायी दिया। मैं पागल की तरह उस ओर दौड़ा। निकट आकर देखा—हाँ, वही था। मेरी आँखों ने मुझे धोखा नहीं दिया था। युगों के बिछोह के बाद प्रियजन के मिलने से शायद ऐसा हर्ष किसी को न होता होगा, जैसा इस समय मुझे इस नौकर के मिलने से हुआ। अपने को सँभालकर, संयत मुस्कान से मैंने उसे ठहराकर पूछा—"कहो भाई, क्या हाल है? घर में कुशल तो है?"

वह पहले तो मुझे देखकर कुछ चकराया। फिर सिर नवाकर बोला—"आप तो अच्छे हैं?"

"शान्ति देवी—" मेरा गला काँप रहा था, हृदय धड़क रहा था, इसलिए अधिक कुछ बोल न सका।

"जिस दिन आप आये थे, तब से दोनों में कुछ खटपट-सी हो गयी है। शान्ति देवी ने तब से स्कूल जाना छोड़ दिया है। कमलकुमारी जी किसी दूसरे मकान में जाने की बात सोच रही हैं; शान्ति देवी के साथ शायद नहीं रहना चाहतीं।"

मेरा यह हाल था कि जैसे कोई हथौड़े से मेरी छाती पर चोटें मार रहा हो। आँखों के आगे निपट अन्धकार छा गया। कुछ क्षण के लिए सन्न रहकर मैंने पूछा—"इस वक्त मकान पर कौन-कौन हैं?"

"शान्ति देवी अकेली बैठी हैं। कमलकुमारी जी आजकल तड़के मकान छोड़कर चली जाती हैं, रात को बहुत देर में आती हैं। दोनों में बोलचाल बिलकुल बन्द है।"

"जब कमलकुमारी जी दूसरे मकान में चली जायँगी, तो तुम किसके साथ रहने का विचार कर रहे हो?"

वह ज़रा मुस्कराया। फिर बोला—"हमारे लिये तो पेट का सवाल बड़ा है, बाबू जी। जो दो रोटी ज्यादा देगा, वहीं रहेंगे। शान्ति देवी तो अब नौकरी भी छोड़कर बैठ गयी हैं। इधर जब से दोनों में अनबन हुई है तब से उन्हें दो जून भरपेट खाना दूभर हो गया है। कभी-कभी तो भूखी रहती हैं। बनिये के यहाँ से चीजें उधार लाकर मैं उन्हें खिला रहा हूँ। पर अब वह भी पैसे माँगता है।

सिर से पैर तक मेरा रक्त उत्तप्त हो उठा। अपनी कापुरुषता को धिक्कारकर बिना अधिक विवाद के सीधा शान्ति के मकान की ओर चल दिया। मेरा सारा संकोच, सारी जड़ता पल में काफूर हो गयी थी। जब मकान के पास पहुँचा, तो बेखटके सीढ़ियों से होकर ऊपर गया, और दृढ़तापूर्वक दरवाजा खटखटाया। उसी दम किवाड़ खुल गये। मुझे देखकर शान्ति विस्मय-विह्वल होकर कुछ देर तक मेरी ओर ताकती रही।

•••

कमरे में लालटेन क्षीण प्रकाश से जल रही थी। शान्ति को विमूढ़ावस्था में देखकर मैंने कहा—"क्या पहचाना नहीं? तुम्हें तो जैसे काठ मार गया है!" कहते ही अपने वाक्य की रूढ़ता स्वयं मेरे कानों में खटकने लगी। इसलिए उस पर कोमलता का आवरण डालने के उद्देश्य से मैं यथासाध्य मुख में स्निग्ध भाव लाने की चेष्टा करके मुस्कराया।

पर शान्ति ने मेरे परिहास में सहयोग नहीं दिया। वेदना-व्याकुल कण्ठ से बोली—"इतने दिनों तक तुमने मुझे जैसा रुलाया है, इस सम्बन्ध में इस समय मैं कुछ नहीं कहना चाहती। जैसे भी हो, आज मेरे पास आ गये, यही अपना परम भाग्य मानती हूँ।" यह कहकर उसने अंचल से अपना मुँह ढाँप लिया। स्पष्ट ही वह रो रही थी।

अत्यन्त कातर होकर मैंने उसका हाथ पकड़ा। बोला—"मुझे क्षमा करो, शान्ति! मुझसे दोष अवश्य हुआ है, मैं स्वीकार करता हूँ; पर तुम नहीं जान सकतीं कि इस बीच मैं कैसे झंझटों में फँसा रहा हूँ।"

मैंने उसके मुँह से उसका अंचल हटाने की चेष्टा की; पर वह दृढ़तापूर्वक उसे हाथ से जकड़े रही। मैंने कहा—"छी-छी शान्ति! तुम नादान बच्चों की तरह रो रही हो! मुँह खोलो न! पहले मेरी बात सुनो, समझो; इसके बाद भी अगर उचित समझोगी तो रोना, मैं कुछ न बोलूँगा।"

मेरी बात सुनकर शान्ति ने धीरे-धीरे अंचल से आँखें पोंछकर मुँह खोला, पर आँखें नीचे की ओर किये रही।

उसका बायाँ हाथ पकड़कर मैंने उसे कुर्सी पर बिठाया और स्वयं भी बैठ गया। फिर बोला—"मैंने सुना है, तुमने स्कूल की नौकरी छोड़ दी है!"

वह उसी प्रकार नत-दृष्टि से चुप रही। मानिनी का मान-भंजन करने की यह मेरी पहली चेष्टा थी। अभी इस कला में मैं नौसिखिया था। इसलिए कुछ समझ में न आता था कि किस प्रकार उसे समझाया, मनाया जाय।

मैंने फिर कहा—"यहाँ तो तुम्हें रहने और खाने-पीने की असुविधा होगी? आगे क्या करने का विचार है?"

मेरे इस प्रश्न से उसका आहत अभिमान गर्जित हो उठा। तमककर बोली—"मैं कहीं जाऊँ, मरूँ, चाहे जीऊँ, किसी की बला से! मेरी किसे क्या गरज पड़ी है!"

"आह शान्ति! क्यों नाहक ऐसी कठोर बातों से दिल दुखाती हो। तुम्हें नहीं मालूम कि इतने दिनों तक तुम्हारी चिन्ता से मेरी भूख जाती रही है, नींद हराम हो गयी है। मैं रात-दिन इसी फिक्र में हूँ कि तुम्हारी समस्या किस प्रकार हल हो।"

मेरी अन्तिम बात सुनकर वह फिर एक बार झल्ला उठी। बोली—"मेरी समस्या हल करने की कोई जरूरत नहीं है! समस्या! मुझे क्या कोई अनाथाश्रम की स्त्री समझ लिया है, जो दयावश मेरे अन्न-वस्त्र के उपाय का प्रश्न आपके आगे उपस्थित हुआ है? यह दया आपको ही मुबारक रहे! मेरी समस्या थोड़ी ही दिनों में अपने-आप हल हो जायगी, फिर सब निश्चिन्त होकर रहें।" यह कहकर वह फिर मुँह ढाँपकर सिसक-सिसककर रोने लगी। अपनी मूर्खता का यह प्रलयंकर परिणाम देखकर मैं सन्न रह गया। वास्तव में मेरी अन्तिम उक्ति अत्यन्त अपमानकर तथा कटु थी। बात मुँह से निकलते ही मैं स्वयं चिन्तित हो पड़ा था; पर जब एक बार मुँह से निकल गयी तो फिर उसे लौटा लेने का कोई उपाय न था। अनजान में जो घोर अपमान उसका कर चुका था, उसका निराकरण कैसे करूँ, यह बात मेरी समझ में किसी तरह न आयी। अस्तव्यस्त होकर मैंने उसके पाँव पकड़ लिये और व्याकुल कण्ठ से बोला—"शान्ति! मुझे क्षमा करो! मेरा मतलब ऐसा बिलकुल नहीं है, जैसा तुमने समझा है। मुझे तुम पर दया करने का क्या अधिकार है! मैंने जो कुछ कहा है, वह अपनी गरज से! दया के योग्य तो मैं हूँ। कब से तुमसे दया की भिक्षा चाहता हूँ; पर तुम अत्यन्त निष्ठुरता से मेरे हृदय पर हथौड़े की चोट चला रही हो! देखो, मिन्नतें कर रहा हूँ, अब चुप करो, न रोओ! कोई आवेगा तो क्या सोचेगा!"

मेरी इस करुण प्रार्थना का उस पर यथेष्ट असर होता दिखायी दिया। उसने मेरी ओर मुँह किया और आँसू पोंछने लगी। हिचकियाँ अभी जारी थीं।

मैंने कहा–"मेरी बात का तुमने उलटा अर्थ लगाया है, इसके लिए मैं तुम्हें दोष नहीं देता। यह मेरी निर्बुद्धिता का ही दोष है। तुम्हारी समस्या से मेरा मतलब हम दोनों की समस्या से था। मैं बहुत दिनों से यह सोच रहा हूँ कि इस मकान में तुम्हारा रहना अब किसी प्रकार भी नहीं हो सकता। हम दोनों को बनारस छोड़कर कहीं दूसरी जगह जाना होगा।"

शान्ति अब सँभलकर बैठ गयी थी। मेरी बात सुनकर उत्सुक होकर बोली–"कहाँ जाने का विचार है?"

"तुम्हीं बताओ, कहाँ जाना चाहिए?"

"मेरे लिये तो अब काल के घर भी ठौर नहीं है। मैं कहाँ बताऊँ! फिर भी भरतपुर में मेरा एक भाई है, उसके पास जाने का विचार कर रही हूँ।"

उसकी बात से मेरे हृदय पर एक चोट-सी पहुँची। जिस रंगीन 'रोमांस' की सुनहली कल्पना के मधुर मोह से मेरा मन आच्छन्न होने लगा था, वह टूटता हुआ दिखायी दिया। आज दो बार अपनी मूर्खतापूर्ण बातों से उसे रुला चुका था। बड़ी मुश्किल से मनाने में समर्थ हुआ था। इसलिए अपनी वास्तविक इच्छा को प्रकट करने में डर रहा था कि कहीं फिर अनजान में कोई ऐसी उजड्ड बात न कह बैठूँ जिससे वह फिर एक बार रोने लग जाये। फिर भी साहस बटोरकर बोला–"अगर मैं तुम्हें किसी दूसरी जगह ले चलूँ तो क्या तुम्हें मेरे ऊपर विश्वास नहीं होगा? देखो, खूब सोच-समझकर ठीक-ठीक उत्तर देना, जिससे मेरे मन में कोई शंका न रह जाय।"

वह कुछ भी असमंजस में न पड़कर स्पष्ट शब्दों में बोली–"दूसरी जगह जाने का कोई उद्‌देश्य भी है या नहीं! मैं तो इसमें दोनों की बदनामी के सिवा कोई लाभ नहीं देखती।"

उस दिन शान्ति ने जिस ढंग की बातें की थीं उसमें और आज की बात में कितना अन्तर था! तब क्या वह मुझे परखना चाहती थी कि मैं दृढ़-संकल्पवाला आदमी हूँ या नहीं!

अत्यन्त व्यथित होकर मैंने कहा–"तुम आज यह कैसे अनोखे ढंग से बातें कर रही हो, शान्ति! तुम्हारे अविश्वास और सन्देह का कारण मैं तो कुछ भी मालूम नहीं कर पाता!"

अवज्ञा की रूखी हँसी से मेरी बात उड़ाकर, वेदना-म्लान दृष्टि से शान्ति बोली–"जो आदमी मेरी स्थिति से भली-भाँति परिचित होने पर भी इतने दिनों तक मुझे अकेली छोड़ सकता है, इस बात की खबर तक लेना भी उचित नहीं समझता कि मैं जीती हूँ या मर गयी हूँ, उसके प्रति अगर अविश्वास का भाव बढ़ने लगे तो आश्चर्य ही क्या है!"

शान्ति के इस मार्मिक व्यंग्य तथा रुखाई से उसके प्रति मेरा हृदयावेग दुगना बढ़ गया। रही-सही द्विविधा भी मेरे मन से जाती रही और मन-ही-मन यह निश्चय करके कि इस दुःखिनी स्त्री के जीवन से अपना जीवन जड़ित करके मृत्युपर्यन्त उसकी रक्षा करता रहूँगा, मैं इस उन्मादक भावना के नशे में उत्तेजित हो उठा।

उमंग के साथ बोला—"देखो शान्ति, मैं तुमसे पहले भी क्षमा माँग चुका हूँ, फिर माँगता हूँ। मैं आज तक तुम्हारे पास क्यों नहीं आया, तुम्हें समझाने पर भी तुम इसका कारण नहीं समझोगी। इसलिए उस सम्बन्ध में अब अधिक विवाद वृथा है। अगर तुमने मुझमें कभी कुछ भी मनुष्यत्व पाया हो तो उसे साक्षी करके कहता हूँ कि मैं पूर्ण रूप से तुम्हारी इच्छा के अधिकार में हो चुका हूँ। इसलिए तुम्हारा यह विश्वास, तुम्हारी यह रुखाई अत्यन्त निष्ठुरता से मेरा कलेजा चीरे डालती है।"

मेरे कण्ठ-स्वर की सहृदयता से शान्ति को कुछ आश्वासन-सा मिला। उसके चेहरे का रूखा भाव धीरे-धीरे बदलने लगा और उसके हृदय का स्वाभाविक मधुर रस उसकी आँखों में फिर एक बार छलक उठा। मैंने एक लम्बी साँस ली।

उसने सलज्ज दृष्टि से पूछा—"तुम क्या विचार कर रहे हो? मुझसे कहाँ चलने को कहते हो?"

"मेरी तो यह राय है कि कुछ दिन निरुद्देश्य भ्रमण किया जाय। उसके बाद जहाँ तुम्हारा जी लगेगा वहीं स्थायी रूप से रहेंगे। इस समय हम दोनों का मन डाँवाँडोल है, इसलिए यहाँ बैठे-बैठे कुछ भी निश्चय नहीं किया जा सकता कि कहाँ जायँगे, कैसे रहेंगे, क्या करेंगे। इस समय मुख्य चिन्ता तो यह होनी चाहिए कि जितनी जल्दी हो सके बनारस छोड़ दें।"

शान्ति कुछ देर चुप रही। फिर एकाएक बोल उठी—"यदि मुझे भरतपुर मेरे भाई के पास पहुँचा दो तो तुम्हारी बड़ी कृपा होगी। मैं और कहीं नहीं जाना चाहती।" एक अस्वाभाविक उद्दीप्ति से उसका मुख्य चमक रहा था। मैं देखकर चकित रह गया। उसकी बात से मेरे हृदय की गति का तार ही एकदम टूट गया।

घबराकर बोला—"आज तो मैं तैयार होकर नहीं आया हूँ, इस समय रुपये भी मेरे पास नहीं हैं। कल बैंक से रुपये लेने होंगे।"

शान्ति ने व्याकुल होकर कहा—"इस असमंजस की स्थिति में मुझे एक-एक मिनट युग के बराबर जान पड़ने लगा है। आज की लम्बी रात कैसे कटेगी, यही सोच रही हूँ!"

"जहाँ इतने दिन कट गये हैं, वहाँ एक रात और भी कट जायगी। कोई चिन्ता की बात नहीं है। कल मैं तैयार होकर आऊँगा। उसके बाद जहाँ भगवान् की इच्छा होगी, वहीं का टिकट कटाकर चल पड़ेंगे। इस समय देर हो गयी है, मैं जाता हूँ।"

"तुम्हारा क्या भरोसा कि कल आओगे! पिछली बार भी तो तुमने कहा था कि जल्दी आऊँगा!"

"नहीं शान्ति, अब वह बात नहीं रही। अबकी तो बात ही दूसरी है। आज रात तुम निश्चिन्त होकर सोना। खाने का क्या बन्दोबस्त है? कहो तो बाजार से पूड़ियाँ ला दूँ?"

"नहीं, मुझे इस वक्त बिलकुल भूख नहीं है। कुछ खाया न जायगा।"

मैंने कहा—"यह न होगा। मेरे पीछे तुम भले ही भूखी रहो, पर सारी स्थिति से परिचित होने पर मैं अपने सामने तुम्हें इस दशा में छोड़ नहीं सकता। सुना है कि आज तक बनिये के यहाँ से तुम जिन्स उधार मँगाती थी, अब वह भी उधार नहीं देता।"

आश्चर्य से शान्ति ने पूछा—"किसने तुमसे यह बात कही?"

"शिवरतन ने।"

"झूठ कहता है! मैंने कभी जिन्स उधार नहीं मँगायी। बराबर नगद पैसे दिये हैं। हाँ, इधर दो-एक दिन से अब कुछ नहीं मँगाती।"

"कुछ भी हो, इस समय मैं बाजार से पूड़ियाँ ले आता हूँ। बहुत जल्दी लौटकर आता हूँ, तुम बैठी रहो।"

शान्ति मना करती रही, पर मैंने एक न सुनी और बाजार की ओर चल दिया।

●●●

जब बाहर आया तो हृदय में एक प्रकार का अप्राकृतिक हर्षोल्लास समाया हुआ था, यद्यपि एक कोने में एक अज्ञात भयजनित तीव्र धड़कन भी जारी थी। मध्ययुग के 'नाइट' लोगों की तरह मेरा मनोभाव हो रहा था, और मन में ऐसा अनुभव कर रहा था कि एक योग्य किन्तु संकट में पड़ी हुई महिला के प्रेम के कारण मैं अपने भावी जीवन की महत्त्वाकांक्षाओं को तिलांजलि देकर महान् त्याग कर रहा हूँ। इस भावना के कारण मैं एक अपूर्व गर्व से स्फीत हो रहा था।

एक दूकान पर जाकर गरमागरम पूड़ियाँ तुलवायीं और कुछ मिठाई भी लेकर वापस चला आया। अभी तक न तो शिवरतन ही आया था, न कमलकुमारी जी। शान्ति अकेली दुबककर बैठी थी। मुझे देखकर बोली—"मैं तो अकेले में मारे डर के थरथरा रही थी!"

मैं मुस्कराया। वह भी अपने सहज स्निग्ध, मधुर हास से मुस्करायी। कैसी प्यारी, कैसी भोली उसकी चितवन थी! मेरे मर्म में एक अनोखी वेदना लहराने लगी, साथ ही एक आतंक भी छा रहा था। मैं ऐसा अनुभव कर रहा था कि भीतर-ही-भीतर उसकी हत्या का षड्यन्त्र रच रहा हूँ।

शान्ति ने कहा—"इतनी मिठाई, इतनी पूड़ियाँ किसके लिए ले आये? मैं तो इसका आधा भी न खाऊँगी! तुम भी खाओ।"

"नहीं, इस समय मुझसे न खाया जायगा। मैं हॉस्टल में जाकर ही खाऊँगा। तुम खाओ।"

"तुम्हें खाना पड़ेगा!" यह कहकर वह उठी और जाकर बाहर की तरफ का दरवाजा, जिसे मैं इरादतन खुला छोड़ आया था, बन्द करने लगी।

मैंने घबराकर कहा—"यह क्या करती हो! उसे खुला ही रहने दो न!"

"न!" कहकर मेरी बात तुच्छ करके एक हठीली लड़की की तरह उसने आखिर दरवाजा बन्द कर ही दिया और भीतर से चिटखनी लगा दी। मैं भयभीत हो उठा। पिछली बार के अनुभव से भी शान्ति इस सम्बन्ध में सचेत नहीं हो पायी, यह सोचकर मैं चकित था। वह आकर कुर्सी पर बैठ गयी। इस समय चिन्ता का लेश भी उसके शान्त तथा प्रसन्न मुख-मण्डल पर वर्तमान नहीं था। निष्पाप बालिका की तरह निष्कपट दुष्टता उसकी चंचल आँखों में झलक रही थी। उसके सिर पर से साड़ी नीचे को खिसक गयी थी, अथवा उसने इरादतन, जान-बूझकर खिसका दी थी। आज कुछ देर पहले जो व्यथित, म्लान भाव उसके मुख पर देखा था, उसमें और इस समय के भाव में कितना अन्तर था।

मैंने कहा—"तुम जिद करती हो तो मैं जाता हूँ!" यह कहकर मैं उसे डराने के लिए सचमुच उठने लगा।

उसने मेरा हाथ जोर से पकड़ लिया और बोली—"मैं तुम्हें जाने न दूँगी, कैसे जाते हो जरा देखूँ!" यह कहकर वह अनोखे, दुष्टताजनित हास्य से मुस्कराने लगी।

लाचार होकर मुझे बैठना पड़ा। पर कलेजा धड़क रहा था।

वह मुझसे खाने की जिद करने लगी। मैंने कितना ही इनकार किया; पर वह न मानी। बोली--"नहीं तो मैं भी न खाऊँगी।"

लाचार होकर मैंने एक टुकड़ा मिठाई का उठा लिया और धीरे-धीरे चूहे की तरह दाँत से कुतर-कुतरकर खाने लगा।

शान्ति ने दो-एक पूड़ियाँ खायी होंगी कि बाहर से दरवाजा खटखटाने की आवाज आयी। जिस बात का डर था, वही हुआ।

मैं स्तब्ध बैठा रहा। शान्ति ने जाकर दरवाजा खोला। जिस व्यक्ति ने प्रवेश किया वह शिवरतन नहीं, कमलकुमारी जी थीं। मेरी अजीब हालत थी। शान्ति का सिर अभी तक वैसा ही नंगा था। कमलकुमारी जी नें हिंसक दृष्टि के एक बार उसकी ओर देखा, एक बार मेरी ओर। मेज पर पड़ी हुई मिठाई-पूड़ियों पर भी वही क्रूर दृष्टि फिरायीं। फिर सीधे भीतर चली गयीं। भीतर जाकर शिवरतन को पुकारने लगीं। कई बार पुकारा। जब कोई उत्तर न मिला तो बड़बड़ाने लगीं। उनका बड़बड़ाना बाहर के कमरे में स्पष्ट सुनायी दे रहा था। इसके बाद ऊँचे स्वर में मकान की दीवारों को सुनाकर कहने लगीं—"निगोड़े की रखवाली में सारा घर छोड़ के जाती हूँ, मुआ दिनभर बाहर गायब रहता है। इधर रण्डी-भड़वों के मारे नाक में दम है। आधी-आधी रात तक बेहयाई से

बाज नहीं आते। इन बेशरमों के लिए क्या एक यही मकान रह गया है! चुल्लू भर पानी में डूब नहीं मरते!''

मुझे जैसे काठ मार गया हो। स्तब्ध निश्चलावस्था में सन्न बैठा रहा। शान्ति ने कहा–''सुनते हो! इस हालत में अब मैं कैसे एक क्षण भी यहाँ रह सकती हूँ! नहीं, मुझे आज ही ले चलो! अभी!''

मुझे उस पर बेतरह गुस्सा आ रहा था। उसी के हठ के कारण ये सब बातें सुननी पड़ी थीं। तिस पर उसे इतना धैर्य नहीं कि एक रात किसी तरह से और काट ले। बड़ी विकट समस्या उसने मेरे सामने उपस्थित कर दी।

मैंने कहा–''अभी कैसे ले चलूँ। आज की रात किसी तरह काटो, कल सवेरे सब ठीक हो जायगा। बिना रुपये का बन्दोबस्त किये क्या फकीरों की तरह भीख माँगकर फिरने का इरादा है?''

वह हठपूर्वक बोली–''कुछ भी हो, इस मकान में तो आज रात किसी प्रकार न रहूँगी, गले में फाँसी लगाकर मर जाऊँगी, बनारस में ही आज रहना है तो किसी दूसरे मकान में मुझे ले चलो। काल का घर भी यहाँ से अच्छा।''

मैं परेशान था। उसकी स्थिति की विकटता का भी अनुभव कर रहा था, पर क्रोध भी आता था। अन्त को लाचार होकर बोला–''अच्छी बात है। तैयार हो जाओ। अपना कपड़ा-बिस्तर सँभालकर रख लो।''

मेरी बात सुनकर शान्ति का चेहरा जगमगा उठा। अत्यन्त प्रसन्न होकर वह उठ बैठी और बेझिझक भीतर जाकर अपनी चीजें सँभालकर रखने लगी। मैं भी भीतर जाकर उसे सहायता देने लगा। वह एक बक्स में कपड़े सजाकर रखने लगी और मैं उसका बिस्तर बाँधने लगा। एक दरी, एक गद्‌दा, एक लिहाफ, एक कम्बल, एक चादर, एक काउण्टरपेन तथा एक तकिया–कुल इतनी चीजें बाँधनी थीं। किसी तरह जल्दी-जल्दी लपेटकर बाँधा। शान्ति जब कपड़े बदलकर बक्स बन्द कर चुकी तो मैंने कहा–''चलो!''

कमलकुमारी जी बगलवाले कमरे में थीं। शान्ति उनके पास जाकर अत्यन्त नम्रतापूर्वक, स्वाभाविकता से बोली–''दीदी, जो कुछ अपराध मुझसे हुआ हो क्षमा करना! जा रही हूँ। अब यह काला मुँह फिर कभी तुम्हें न दिखाऊँगी।''

मैं कमलकुमारी जी के कमरे के बाहर आड़ में खड़े रहकर उत्सुकतापूर्वक भीतर की ओर झाँक रहा था। कमलकुमारी जी का मुँह शान्ति की बात सुनकर विस्मय अथवा भय से एकदम फीका पड़ गया था। लालटेन के अस्पष्ट प्रकाश में भी मैं स्पष्ट उनके मुँह पर उड़नेवाली हवाइयाँ देख रहा था। शान्ति इतनी जल्दी ऐसा दुस्साहसिक निश्चय करेगी, यह बात उनकी कल्पना के अतीत थी। शान्ति ने उन्हें प्रणाम किया, पर वह न तो एक शब्द बोलीं, न प्रत्यभिवादन ही किया।

बाहर जाकर कुली को बुला लाने का समय मेरे पास न था। शिवरतन भी अभी तक नहीं आया था। मैंने एक हाथ से बिस्तर पकड़ा, एक से बक्स। शान्ति दियासलाई

जलाकर अन्धकारग्रस्त सीढ़ियों का रास्ता दिखाने लगी। बड़ी मुश्किल से हम लोग नीचे पहुँचे। सामान एक कुली के हवाले कर बड़े रास्ते पर जाकर एक ताँगा किया और एक धर्मशाले का नाम बताकर ताँगेवाले से वहाँ ले चलने को कहा।

धर्मशाले में पहुँचकर जब वहाँ के प्रबन्धक से मिला और एक अच्छे कमरे का प्रबन्ध कर देने की प्रार्थना उससे की, तो वह टालमटोल करने लगा। अर्थात् उसने अस्पष्ट भाषा में यह भाव जताना चाहा कि मुफ्त में रहने के लिए वहाँ कोई कमरा खाली नहीं है। मैं उसका आशय तत्काल समझ गया। असमय में हम लोग आये थे। हमारी गरज देखकर ही उसने यह भाव दिखाया था। मैंने उसे यथेष्ट किराया देने की प्रतिज्ञा की। वह प्रसन्नता से दाँत दिखाता हुआ उठ खड़ा हुआ और ऊपर एक कमरे में ले गया। बत्ती जलाने पर देखा कि सारा कमरा कूड़े से भरा है। एक आदमी झाड़ू लगाने के लिए बुलाया। झाड़ू-बुहारी हो जाने पर खाट का बन्दोबस्त करना पड़ा। एक रुपया खाट के लिए भाड़ा अलग तय हुआ। बिस्तर खोलकर मैंने खाट पर बिछा दिया। पानी का एक घड़ा रखवा दिया। लोटा और गिलास शान्ति साथ ही लेती आयी थी। उसके रहने का जब सब प्रबन्ध ठीक हो चुका, तो मैंने कहा—"अब तुम आराम से यहाँ सो जाओ। कल सवेरे मैं लौटकर आ पहुँचूँगा।"

शान्ति ने अनमनी-सी होकर कहा—"यह तो सब ठीक हुआ, पर मैं इस अपरिचित स्थान में रात को अकेली कैसे रहूँगी, यह बात तुमने एक बार भी न सोची। मैं तो डर के मारे अकड़कर रात ही में मर जाऊँगी, सुबह मेरी खबर लेकर क्या करोगे!"

उसकी स्थिति मैं खूब समझ रहा था; पर मेरी स्थिति भी कम विकट नहीं थी। कैसे इस समस्या का समाधान हो, यह बात हम दोनों में से कोई भी निश्चित रूप से नहीं समझ पाया।

मैंने कहा—"तो तुम्हीं बताओ न, कि क्या करूँ?"

शान्ति कुछ देर तक चुप बैठी सोचती रही। फिर दबी हुई जबान से बोली—"तुम भी अगर एक खाट मँगाकर यहीं लगा लो तो कैसा हो!" मैं घबरा उठा। उसने मुझ पर विश्वास करके ही ऐसा कहने का साहस किया था सन्देह नहीं, पर मैं यथार्थ में कायर था। इस दुस्साहस के योग्य मैं कभी अपने को नहीं पाता था। साथ ही यह भी सोच रहा था कि जब उसकी रक्षा का पूरा भार मैंने अपने ऊपर ले लिया है और कल उसे अपने साथ ले चलने का इरादा कर रहा हूँ, तो इस प्रकार लौकिकता का ख्याल रखकर चलना केवल मूर्खता है। फिर भी मन में अभी यथेष्ट दुर्बलता वर्तमान थी। सोचने लगा कि किया क्या जाय? उसे उस हालत में अकेली छोड़ना भी वास्तव में अन्याय था। घोर असमंजस में पड़कर अन्त को मैंने शान्ति से ही पूछा—"तुम्हीं बताओ, शान्ति, क्या मेरा इस कमरे में सोना लौकिक, धार्मिक, किसी भी दृष्टि से उचित है?"

पर शान्ति पहले ही अपने मन में इस शंका का समाधान कर चुकी थी। इसलिए मेरे प्रश्न से कुछ भी व्यतिव्यस्त न होकर वह स्वाभाविकतापूर्वक बोली—"संकट के

समय लौकिक नियमों का पालन मैं अपरिहार्य नहीं समझती। धार्मिक दृष्टि से मेरा तुम पर पूर्ण विश्वास है।''

पर मुझे अपने ऊपर विश्वास नहीं था। इसलिए भय तथा द्विविधा के कारण अस्थिर हो रहा था और चित्त डाँवाँडोल था। कोई अन्य गति जब नजर न आयी तो मैं समझ गया कि मुझे हर सूरत आज इसी कमरे में रात बितानी पड़ेगी और यमयातना अनिवार्य है। अतः खाट का प्रबन्ध करने के लिए नीचे गया। पर मालूम हुआ कि अब कोई खाट शेष नहीं रही। ऊपर से नीचे जाने और फिर वापस आने में मुझे मुश्किल से तीन मिनट लगे होंगे। पर इतनी ही देर में शान्ति का बुरा हाल हो गया था। उसके चेहरे पर घबराहट के चिह्न स्पष्ट दिखायी देते थे। हाँफती हुई बोली—अभी एक आदमी हमारे कमरे के दरवाजे पर खड़ा होकर मेरी ओर घूर रहा था। मैं डर गयी कि कहीं मेरा गला न दबा दे! मैंने सुना है कि धर्मशालों में बड़े चोर रहते हैं, और बदमाश, गुण्डे भी।''

मैं ठठाकर हँस पड़ा। बोला—''गाँव की पर्दानशीन औरतें भी इतना नहीं घबरातीं। तुम शहर में रहनेवाली एक शिक्षिता महिला होने पर भी इस कदर डरती हो!''

''प्राण तो सबके समान होते हैं, शिक्षिता हो चाहे अशिक्षिता! खाट मिली?''

''नहीं। पर जब मुझे यहाँ सोना ही पड़ेगा, तो खाट और फ़र्श में कोई विशेष अन्तर मैं नहीं समझता। दरी और चादर मुझे दे दो। दरी बिछाऊँगा, चादर ओढ़ूँगा, इससे मेरा काम चल जायगा।''

शान्ति ने घबराकर कहा—''यह कैसे हो सकता है!''

''दूसरा उपाय ही क्या है!''

''तुम खाट पर सोओ, मैं नीचे सोऊँगी।''

मैंने अवज्ञापूर्वक उसकी बात हँसी में उड़ा दी। पर वह फिर जिद करने लगी। मैं एक तो योंही नाना दुर्भावनाओं के कारण परेशान था, तिस पर उसका यह अनावश्यक, असम्भव हठ देखकर बेतरह चिढ़ उठा। बिगड़कर बोला—''अगर तुम नाहक जिद करोगी तो मुझे उठकर यहाँ से चला जाना पड़ेगा।''

मेरे इस कठोर आचरण से शान्ति का मुख व्यथा से अत्यन्त म्लान हो गया। मैंने तत्काल कण्ठ-स्वर यथाशक्ति कोमल करके कहा—''देखो शान्ति, एक तो मैं दिनभर का थका हूँ, तिस पर तुम व्यर्थ का हठ कर रही हो। मेरी चिन्ता बिलकुल न करो। मैं बड़े आराम से फ़र्श पर सोऊँगा। घोड़े बेचकर। मुझ जैसे फक्कड़ आदमी पर ऐसी छोटी-छोटी तकलीफों का कोई असर नहीं पड़ सकता।'' यह कहकर मैंने जाकर दरवाजा बन्द कर दिया। शान्ति से दरी और चादर लेकर नीचे लेट गया।

शान्ति ने लेटे-लेटे कहा—''कब तक फक्कड़ रहोगे? ब्याह कब करोगे? तुम्हारे घरवाले अभी तक इस सम्बन्ध में चुप क्यों हैं?''

मैंने कहा—''घरवालों को क्या अधिकार कि वे मेरी इच्छा के विरुद्ध मेरे ब्याह की तैयारी करें!''

"मेरी इच्छा के विरुद्ध" का अर्थ मैं न समझी। "क्या तुम सदा क्वाँरे रहना चाहते हो?"

"इरादा तो यही है।"

"ऐसा इरादा करनेवाले लोग संसार में इने-गिने ही होते हैं, जो किसी महान् आदर्श के पालन या प्रचार का व्रत लेने के कारण ही ऐसा करते हैं। तुम्हारा कौन-सा महत् उद्‌देश्य है, मैं भी जरा सुन लूँ!"

शान्ति के इस व्यंग्य में क्या कुछ वेदना भरी थी? यह इसलिए कहता हूँ कि उसकी आवाज अन्त में कुछ लड़खड़ाती हुई-सी प्रतीत हुई, यद्यपि उसने उसमें यथेष्ट स्वाभाविकता लाने की चेष्टा की थी।

मैंने कहा—"अपना महत् उद्‌देश्य तुम्हारे आगे अभी से खोलकर अगर रख दूँ तो उसका सारा महत्त्व जाता रहेगा, और सम्भव है, वह बीच ही में भ्रष्ट हो जाय। इसलिए मेरी बात रहने दो। पर अपने सम्बन्ध में तो कहो कि तुम किस उद्‌देश्य से अभी तक क्वाँरी बनी हो! जरा मैं भी तो सुन लूँ?"

प्रश्न के रूप में इस प्रकार पलटा जवाब पाकर शान्ति ने स्पष्ट ही अच्छे विनोद का अनुभव किया। खिलखिलाती हुई आवाज में बोली—"हटो! मुझसे ऐसा प्रश्न करते तुम्हें शरम नहीं मालूम होती?"

मेरा साहस बढ़ गया। मैंने कहा—"शरम की एक ही कही! ऐसा कौन-सा बेजा प्रश्न मैंने किया है! मैं सच कहता हूँ, शान्ति, मुझे बहुत दिनों से यह जानने की उत्सुकता है कि अपने भावी जीवन के सम्बन्ध में तुम्हारा क्या विचार है।"

शान्ति कुछ देर तक चुप रही। फिर अत्यन्त गम्भीरतापूर्वक बोली—"एक दिन तुम्हें आप-से-आप मालूम हो जायगा कि मैं क्यों जीवन-भर क्वाँरी रहने का इरादा करती हूँ।"

मेरा सारा उत्साह पल में ठण्डा पड़ गया। जैसे किसी ने मेरे हृदय पर सद्यःविगलित बर्फ का एक घड़ा उँड़ेल दिया हो। अभी तक फर्श पर केवल एक दरी के ऊपर लेटकर, और इस एक चादर को ओढ़कर ही मैं काफी गरमी मालूम कर रहा था। पर शान्ति के इस एक वाक्य से मैं थरथराने लगा और मालूम करने लगा कि एक चादर मेरे लिये यथेष्ट नहीं है। सात का अंक बनकर बिल्ली की तरह दुबक गया। बहुत देर तक दोनों मौनावस्था में स्तब्ध भाव से लेटे रहे।

शान्ति ने ही पहले मौन भंग किया। बोली—"क्या नींद आ गयी?"

मैंने चादर के भीतर से ही कहा—"क्यों? क्या कुछ चाहिए?"

"बत्ती क्या जलती रहेगी?"

"जब तक जलती है, जलने दो न! क्या हर्ज है!"

फिर निस्तब्धता छा गयी।

कुछ देर बाद वह फिर बोली—"मुझे डर लगता है!"

मैं रह न सका। झल्लाकर बोला—"दुत! बातें बनाती हो!"

वह खिलखिला पड़ी।

फिर तत्काल गम्भीर होकर बोली–"नहीं, सच कहती हूँ। मुझे सचमुच आज बड़ा भय मालूम होता है। न जाने क्यों। रातभर आज नींद नहीं आने की। मैं इसी चिन्ता में हूँ कि भाई मुझे देखकर न जाने मन में क्या सोचेगा। वह स्वयं आर्थिक कष्ट में रहता होगा। मेरा भार उस पर और पड़ जायगा। फिर भी मैंने अपने सम्बन्ध में जो कुछ निश्चय कर लिया है, उसके कारण निश्चिन्त हूँ। पर मुझे तुम्हारी चिन्ता है। यूनिवर्सिटी छोड़कर तुम मेरे कारण अपने भावी जीवन के सुख और आशाओं को तिलांजलि देने पर तुले हुए हो। इसके लिए जीवन-भर तुम्हारी कृतज्ञ रहूँगी। पर तुम्हारे इस निःस्वार्थ त्याग का मूल्य मेरी कृतज्ञता से बहुत अधिक है, यह बात मैं अच्छी तरह जानती हूँ, इसलिए इतनी चिन्तित हूँ।"

उसकी एक-एक बात बरफ के गोले की तरह मेरे हृदय पर चोट मार रही थी। उसने अपने सम्बन्ध में क्या निश्चय कर रखा है। यह बात पूछने का तनिक भी साहस नहीं होता था। और पूछने पर भी वह इस बात का कोई स्पष्ट उत्तर देगी, इसकी भी मुझे बिलकुल आशा न थी। मन-ही-मन कहने लगा–"हे नारी! तुम्हारा चरित्र पुरुष के लिए अगम, अगोचर है। ज्ञानी लोग इस बात की घोषणा बहुत पहले कर चुके हैं। ब्रह्मा में भी शक्ति नहीं कि तुम्हारे अन्तस्तल की जटिल गुत्थियों को सुलझा सकें। प्रकट में बोला–"अब सोने की फिक्र करो। मेरे लिये चिन्ता करने की इस समय कोई आवश्यकता नहीं है। कल जल्दी उठना है।" यह कहकर मैं करवट बदलकर फिर एक बार अच्छी तरह से कम्बल लपेटकर सोने की चेष्टा करने लगा। पर बहुत देर तक नींद न आयी। बीच में कुछ देर के लिए आँख लगी, पर फिर ठण्ड और दुश्चिन्ता के कारण नींद उचट गयी। सारी रात बड़े कष्ट में बीती। आज उस दिन की बात याद करके सोच रहा हूँ कि वह कष्ट की रात ही क्या मेरे जीवन की एकमात्र सुख की रात न थी?

●●●

दूसरे दिन तड़के उठकर शान्ति के स्नानादि का प्रबन्ध करके उसके लिए बाजार से पूड़ियाँ लाकर रख गया, और स्वयं अस्नातावस्था में यूनिवर्सिटी को चलने लगा।

शान्ति ने कहा–"मैं भी तुम्हारे साथ चलती हूँ।"

मैनें कहा–"क्या बावली हुई हो! मेरे साथ यूनिवर्सिटी आकर क्या करोगी? सारे बनारस में दोनों की ख्याति फैल जायगी। मैं अभी थोड़ी देर में लौटकर चला आता हूँ। तुम तब तक शान्त होकर बैठी रहो!"

पर वह बेतरह घबरायी हुई थी। काँपती हुई आवाज में बोली—"अगर न लौटे! तो मेरी क्या दशा होगी? बाप रे!" वह वास्तव में काँपने लगी। उसकी आँखें सहसा छलछला आयीं और भीतर-ही-भीतर न जाने किस कल्पना के आवेग से विह्वल होकर टप-टप आँसू गिराने लगी। उसने अंचल से मुँह ढाँप लिया।

अत्यन्त व्यथित होकर मैंने उसे दिलासा देते हुए कहा—"छी-छी, शान्ति! तुम्हारा यह कैसा आचरण है! तुम्हें अभी तक मेरे ऊपर विश्वास नहीं हुआ? अभी तक तुम मुझे समझी नहीं। कैसी असम्भव कल्पना तुम्हारे मन में उत्पन्न हुई है! तुम्हारी आशंका कैसी निर्मूल है! कैसा अन्याय तुम मेरे ऊपर करती हो! ओह!"

वह सिसकते हुए बोली—"तुम्हारे ऊपर मेरा बिलकुल अविश्वास नहीं है। अपने खोटे भाग्य का ही मुझे खटका है। जन्म-जन्म तक मैं तुम्हारा ऋण नहीं भूलूँगी।" यह कहकर उसने एकाएक अपने दोनों हाथों से मेरे पाँव छू लिये। हड़बड़ाकर मैंने पाँव हटा लिये और पीछे हट गया। घबराकर बोला—"यह क्या! यह क्या! यह क्या करती हो, शान्ति! तुम्हें हो क्या गया है! क्या मुझे अधिक लज्जित करती हो! स्वप्न में भी कभी मेरे सम्बन्ध में ऐसी धारणा न करना कि मैं तुम्हें छोड़कर चला जाऊँगा। मुझे दुःख केवल इसी बात का है कि तुम मुझे अभी तक न समझ पायी। यह दुःख कितना बड़ा है, समझाने पर भी तुम न समझोगी। कुछ भी हो, मैं तुमसे प्रार्थना करता हूँ कि तुम कुछ देर निश्चिन्त होकर यहाँ चुपचाप बैठी रहो; मैं अभी आया। अगर मेरे लौटने में कुछ देर हो भी गयी, तो भी तुम्हें घबराना न चाहिए। मैं सीधे हॉस्टल जाऊँगा। वहाँ से बिस्तर और बक्स उठाकर बैंक जाना होगा। वहाँ से रुपये लेकर फौरन यहाँ चला आऊँगा। बोलो, तुम्हारी क्या राय है? जाऊँ?"

शान्ति ने अंचल से आँखें पोंछते हुए कहा—"जाओ।"

"तुम घबराओगी तो नहीं?"

उसने उसी प्रकार विगलित स्वर में उत्तर दिया—"नहीं।"

मैंने कहा—"तुम्हारी आवाज अभी तक काँप रही है। मुझे तो इस हालत में तुम्हें छोड़कर जाने का साहस नहीं होता।" यह कहकर मैं निराश दशा में फर्श पर पलथी मारकर बैठ गया।

शान्ति सँभलकर बैठ गयी। शान्त होकर बोली—"नहीं-नहीं, तुम जाओ, देर न करो। जाकर जल्दी आना। मुझे आब ढाढ़स हो गया है। अब चिन्ता न करो।"

फिर-फिर उसे समझा-बुझाकर बाहर चला आया। पर उसकी वही आर्त्त, करुण मूर्ति, वही विह्वल, व्याकुल आँखें बहुत देर तक मेरे हृदय पर, मेरे मस्तिष्क पर नाचती रहीं। सोच-सोचकर मेरा हृदय भाव-गद्‌गद हो आया और बलात् आँखें भर आयीं। इच्छा होती थी कि सिसक-सिसककर, जी भरकर रो लूँ। रूमाल से आँखें पोछीं और एक ताँगे पर चढ़ बैठा। शायद आज किसी पर्व का दिन था। दशाश्वमेध घाट पर गंगा-स्नानार्थी स्त्री-पुरुषों की खासी भीड़ थी। बंगालिनें अपने सुदाम केशों की बहार

दिखाती हुई, 'आछे-जाछे' बोलती हुई बड़ी हड़बड़ी दिखा रही थीं। मेरा ताँगा जब भीड़ से हटकर आगे खुली हवा में निकल आया, तो मुझे अपनी स्थिति पर एक बार भली-भाँति विचार करने का अवकाश मिला। आकाश-पाताल की अनेकानेक सम्भव-असम्भव, उद्भट, अनोखी कल्पनाएँ मेरे मस्तिष्क पर उछल-कूद मचाने लगीं। शान्ति को कहाँ ले चलना चाहिए, उसका सारा भार अपने ऊपर लेकर मैंने उचित किया है या नहीं, कब तक उसे निभा सकूँगा, कहाँ तक मैं इस दुस्साहस का अधिकारी हूँ—आदि बहुत-सी बातों पर विचार करने की चेष्टा करने लगा। पर किसी एक का भी ठीक उत्तर नहीं मिलता था। केवल रह-रहकर उसकी वह वेदना-विभोर, करुणा-कातर छवि आँखों के आगे भासमान हो रही थी। और जितना ही उसका चिन्तन करता था उतना ही हृदय भर-भर आता था, और आँखें छलछला उठती थीं। मन-ही-मन कहने लगा—"शान्ति, प्यारी शान्ति, किस कोमल-क्लान्त माया से तुमने मेरा वज्र-कठोर हृदय पिघलाकर ऐसा कुसुम-सुकुमार, वेदनाशील बना डाला है!" मैं कभी ऐसा न था, कभी अपने पिछले जीवन में एक बूँद आँसू भी मैंने किसी भी कारण से नहीं बहाया था। जब पिता जी की मृत्यु हुई थी, मेरी अवस्था उस समय दस साल से अधिक न थी। उनके मरने पर मुझे जो दुःख हुआ, उसका वर्णन नहीं कर सकता, और ऐसा होना स्वाभाविक भी था। पर, न मालूम क्यों, मुझे किसी प्रकार भी रोना न आया। भैया-भाभी सभी रोये, पर मैं पत्थर की तरह जड़ बना रहा। पर आज यह हालत थी कि एक स्त्री की करुण दशा के स्मरण-मात्र से हृदय उमड़-उमड़ पड़ता था, और गंगा की उद्वेल तरंगों की तरह पछाड़ खाना चाहता था। मैं जानता हूँ कि लोग मुझे भावुक कहकर तिरस्कृत करेंगे। करें। इसके वे पूरे अधिकारी हैं। पर मैं केवल इतना ही कहने की धृष्टता करता हूँ कि स्थिति-विशेष के फेर में पड़ने पर वीर-से-वीर पुरुष भावुक बन जाता है। और इस भावुकता में कितना स्वाद है! जिसे इसका अनुभव ही नहीं हुआ है, उस व्यक्ति को इसका आनन्द कैसे समझाया जा सकता है!

हॉस्टल पहुँचने पर उमापति को इस बात की कैफियत देनी पड़ी कि रात कहाँ गायब रहा। टालमटोल की बातें करके किसी तरह उससे पिण्ड छुड़ाया। पर अपने साथियों के सामने अपना बोरिया-बँधना कैसे उठा ले जाऊँ, यह समस्या मेरे लिये विकट हो उठी। इस प्रकार एकाएक बिना किसी पूर्व सूचना के हॉस्टल छोड़कर सदा के लिए चले जाना कोई आसान काम नहीं था। इससे एक तो उन लोगों को आश्चर्य होता, दूसरे उसके मन का सन्देह बढ़ता, तीसरे वे लोग अवश्य मुझे स्टेशन तक पहुँचाने की जिद करते। मैं बड़ी द्विविधा में पड़ गया। अन्त को वे लोग अपने-अपने क्लासों में उपस्थिति देने के लिए जाने को तैयार हुए। उमापति मेरे ही साथ रहकर दिनभर गप्पें उड़ाने की इच्छा प्रकट कर रहा था। पर मैंने यह कहकर टाल दिया कि मुझे बुखार आ रहा है और मैं एकान्त में लेटे रहना चाहता हूँ। फलतः वह भी निराश होकर चल दिया। उन सबके चले जाने पर मैंने अपनी सभी छोटी-मोटी चीजें और कपड़े-लत्ते बक्स में सँभालकर रखे और बिस्तर होल्डाल में बाँधा। एक ताँगा ले आया और उसमें असबाब

लाद दिया। कमरा बन्द करके, चाबी अपने परिचित किसी एक मेस के महाराज को दे दी। डुप्लीकेट उमापति के पास थी।

इसके बाद बैंक में जाकर रुपये लेने में भी काफी देर हो गयी। मन में धड़का लगा था कि शान्ति के प्राण उड़ रहे होंगे। खैर, किसी तरह जब सुरक्षितावस्था में शान्ति के पास लौटकर पहुँचा और उसे जीता पाया तो एक आराम की साँस ली। शान्ति मुझे देखकर जिस अपार हर्ष के कारण उछल पड़ीं उसका वर्णन नहीं हो सकता। खाट पर से उठकर मेरे स्वागत के लिए उठ खड़ी हुई और आनन्दोज्ज्वल मुख पर उल्लास की दीप्ति झलकाकर उसने मेरा हाथ पकड़ लिया। मुझे ऐसा भास हुआ कि वह अपने आपे में नहीं है। उसका यह उल्लास अस्वाभाविक-सा जान पड़ा।

जब शान्ति स्थिर हुई तो उसने कहा–''यहाँ से भरतपुर जाने के लिए कौन गाड़ी पकड़नी पड़ेगी, यह किसी से पूछकर मालूम करना होगा।''

पर मैं एक दूसरी ही बात सोच रहा था। मेरे मन में शैतान का दूसरा ही नृत्य चल रहा था। मैंने कहा–''हाँ, मुझे मालूम है। इस सम्बन्ध में तुम निश्चिन्त रहो।''

अपने मन का भाव शान्ति को बताया जाय या न बताया जाय, बहुत देर तक इस सम्बन्ध में द्विविधा में पड़ा रहा। एक बार इस निश्चय पर पहुँचा कि अपने विचार के सम्बन्ध में शान्ति को अभी से कुछ इंगित दे देना अच्छा है। पर फिर साहस न हुआ और मैं चुप लगा गया।

स्टेशन पहुँचकर मैंने इलाहाबाद का टिकट लिया, पर शान्ति को सूचित नहीं किया। प्रायः चार बजे गाड़ी आयी। गाड़ी लदी हुई आयी थी, पर स्टेशन पर बहुत-से यात्री उतर गये। एक सुभीते का डिब्बा मिल गया। दोनों चढ़ बैठे। शान्ति के लिए एक बर्थ में बिस्तर बिछाकर फैला दिया। वह आराम से बैठ गयी। इंजन ने सीटी दी। बनारस के विद्यार्थी-जीवन को मैंने सदा के लिए प्रणाम किया। गाड़ी चलने लगी।

•••

रेल की प्रबल प्रवेगमयी गतिशीलता मनुष्य के मन को नित्य-नैमित्तिक नियमचक्र से बन्धनमुक्त करके एक अज्ञात उन्मुक्त दिशा की ओर बहा ले जाती है। मुझे अपने पिछले जीवन की सब बातें, सब असफलताएँ, सब अतृप्त आकांक्षाएँ माया-मरीचिकावत् मिथ्या जान पड़ने लगीं और ऐसा बोध होने लगा कि जिस नव-जीवन की यात्रा के प्रवाह में मैं बह निकला हूँ, वह अनन्त आनन्द की महिमा से उज्ज्वल, अपरिसीम और अशेष है। मुझमें जो जीवन की कठोर वास्तविकता की कमी थी, उसे मैं भली-भाँति

महसूस कर रहा था और जिस कठिन उत्तरदायित्व का भार मैंने अपने ऊपर लिया था, उसे भी नहीं भुलाना चाहता था। तथापि इस प्रकार की कोई भी चिन्ता मेरे उत्साह को दमन करके, उसे तीव्रतर करने में सहायक हो रही थी। मेरी रगों में नवयौवन का रक्त परिपूर्ण वेग से जोश मार रहा था और प्रेम के जिस अथाह सागर में मैंने अपनी जीवन-नौका बहा दी थी, उसे पार करने में बड़ी-से-बड़ी बाधा का सामना करने के लिए मैं अपने मन को पूर्णतः तत्पर मालूम कर रहा था।

रास्ते-भर शान्ति मुझसे एक शब्द भी न बोली। मैं भी बोलने की अपेक्षा मौनावस्था में अपने मनोभावों को निर्बाध तथा निरुद्देश्य रूप से बहने देने में ही सुख का अनुभव कर रहा था।

जब इलाहाबाद स्टेशन पर गाड़ी ठहरी, तो मेरा स्वप्न भंग हुआ। एक कुली को पुकारा और उससे सामान उतारने के लिए कहा। शान्ति के आश्चर्य का ठिकाना न था। मैंने कहा—"इलाहाबाद कुछ दिन ठहरकर तब भरतपुर जाने का विचार कर रहा हूँ, यहाँ मेरा एक आवश्यक काम है।" शान्ति चकित-भाव से मेरी ओर देखती रह गयी। मैंने अभी तक कुछ भी निश्चित नहीं किया था कि इलाहाबाद में कहाँ ठहरना होगा। शान्ति का हाथ पकड़कर अनिश्चित पगों से नीचे प्लेटफार्म पर उतरा। कुली ने कहा—"बाबू जी चलिये!" मैं अन्यमनस्क होकर शान्ति के साथ मन्थर गति से चलने लगा। कुछ दूर आगे बढ़ने पर तीन-चार होटलवालों ने मुझे आ घेरा। प्रत्येक व्यक्ति अपना-अपना छपा कार्ड दिखाकर अपने-अपने होटल की तारीफ के पुल बाँधने लगा और मुझसे वहाँ ठहरने के लिए हठपूर्वक अनुरोध करने लगा। मैंने कुली से पूछा—"धर्मशाला कितनी दूर है?" एक होटलवाले ने कहा—"बाबू जी, इलाहाबाद के धर्मशालों को रेल के मुसाफिरखाने से अच्छा न पाइयेगा। बीबी जी को साथ लेकर वहाँ रहने से आपको बड़ा कष्ट उठाना पड़ेगा।" कुली ने भी उसकी बात का समर्थन किया। कोई चारा न देखकर अन्त में उसी व्यक्ति के होटल में जाने का निश्चय किया।

शान्ति कठपुतली की तरह मेरे पीछे-पीछे चल रही थी। एक शब्द भी उसके मुँह से नहीं निकलता था। भय, विस्मय और विभ्रान्ति के चिह्न उसके मुख पर स्पष्ट लक्षित होते थे।

होटल का मैनेजर बातें करने की कला में बड़ा निपुण था। बड़े अदब के साथ मीठी-मीठी बातें करते हुए उसने मुझे एक-एक करके सब कमरे दिखाये। मैंने दुमंजिले में एक कमरा पसन्द किया। सामान उतरवाकर, दो चारपाइयों पर बिस्तर बिछाकर, मैंने एक लम्बी साँस ली और एक कौच पर बैठ गया। शान्ति भी एक पलँग पर बैठ गयी। मैनेजर ने पूछा—"चाय भेजूँ?" मैंने कहा—"हाँ, जल्दी, दो कप।" बड़े प्रेम से सिर हिलाते हुए मैनेजर ने कहा—"बहुत अच्छा, मैं अभी भेजे देता हूँ।" यह कहकर वह जाने लगा। दो कदम चलकर वह फिर लौटकर दरवाजे पर आ खड़ा हुआ और बड़ी मिठास के साथ कहने लगा—"इस होटल को अपना घर समझिये। किसी बात का संकोच न कीजियेगा। यहाँ किसी प्रकार का कष्ट आपको न होने दूँगा। इस होटल

में ऐसे बहुत-से साहब रोज ही उतरते हैं जो किसी-न-किसी औरत को साथ लेकर रहना चाहते हैं। आज ही एक साहब कानपुर से एक तवायफ़ को साथ लेकर आये हैं। नीचे के एक कमरे में ठहरे हुए हैं। परसों एक दूसरे साहब गोरखपुर से एक बाई जी को पकड़ लाये थे। ऐसी हसीन औरत मैंने अपनी जिन्दगी में कभी देखी नहीं। और उसका गाना! क्या तारीफ करूँ, साहब! आप लोगों की दुआ से मैंने जिन्दगी में एक-से-एक मशहूर तवायफ़ का गाना सुना है, पर परसों गोरखपुरवाली का जो गाना सुना, वह—आह! कुछ पूछिये मत। कमाल का गाना गाया उसने!" यह कहकर वह गद्गद भाव दिखाकर शान्ति की ओर घूरने लगा। शान्ति ने उसकी बातों का रूख देखकर पहले ही मुँह फेर लिया था। मैं असह्य क्रोध से काँपने लगा था और एक अज्ञात भय से मेरा हृदय जोरों से धड़क रहा था। मैंने यथाशक्ति जोर से चिल्लाकर कहा—"खबरदार!" पर मेरा गला फट-सा गया था और अपनी आवाज स्वयं मुझे अत्यन्त अप्राकृतिक तथा विकृत-सी जान पड़ी। इसके बाद तुरन्त अपनी आवाज को यथाशक्ति स्वाभाविक बनाने की चेष्टा करते हुए मैंने कहा—"एक भले घर की महिला के सामने इस तरह की बातें करते हुए तुम्हें शरम नहीं मालूम होती! तुम्हारे होटल में क्या हम लोग इस तरह की ऊल-जलूल की बातें सुनने के लिए आये हैं! अगर हमें मालूम होता कि इस होटल में इस तरह के लोग आया करते हैं, तो हम हर्गिज यहाँ पाँव न रखते! हम अभी यहाँ से चलते हैं!" यह कहकर मैं क्रोध, लज्जा, ग्लानि और भय से तमतमाता हुआ उठ खड़ा हुआ। शान्ति की घबराहट का अनुभव मन-ही-मन करते हुए मेरी मानसिक अशान्ति और बढ़ गयी। मैनेजर ठिठककर काष्ठमूर्तिवत् खड़ा था। उसका चेहरा एकदम मुरझाकर झुलस-सा गया था। उसने हाथ जोड़ते हुए कहा—"मुझसे गुस्ताखी हुई, माफ कीजियेगा! मैंने आपके बारे में तो कुछ नहीं कहा, फिर भी अगर मुझसे गलती हुई हो तो मैं माफी चाहता हूँ।"

शाम हो गयी थी, अँधेरा होने जा रहा था। मैंने देखा कि इस अपरिचित शहर में शान्ति को लेकर रात को डेरे की खोज में चक्कर लगाना झंझट मोल लेना है। इसके अतिरिक्त दूसरे डेरे में इस प्रकार की बातें सुननी न पड़ेंगी, इसकी कौन गारण्टी है! लाचार कद्दू की तरह मुँह बनाकर वहीं बैठ गया और मैनेजर की ओर न देखकर (असह्य घृणा से उसका मुँह भी मैं देखना नहीं चाहता था) झल्लायी हुई आवाज में मैंने कहा—"जाओ!"

वह चुपचाप नीचे चला गया।

•••

मैनेजर के चले जाने पर मैंने दरवाजा बन्द कर दिया और फिर आरामकुर्सी पर पीठ अड़ाकर बैठ गया। शान्ति मेरी ओर मुँह करके बैठ गयी। त्रस्त कपोती की तरह अत्यन्त करुण दृष्टि से वह मुझे देख रही थी। मैंने धीमे स्वर में पूछा—"क्यों, किस चिन्ता में हो? क्या सोच रही हो?"

अत्यन्त क्षीण और म्लान स्वर में उसने कहा—"कुछ भी नहीं!" उस घबराये हुए चेहरे में और भर्रायी हुई आवाज में नववधू की तरह एक सलज्ज और सन्त्रस्त भाव देखकर मैं पुलकित हो उठा। उसकी चंचल आँखों में करुणा का एक अपूर्व मधुर रसावेश छा गया था। वह मार्मिक दृष्टि से मेरी ओर देखकर बार-बार सिर नीचे को कर लेती थी। इस ढीठ लड़की में मर्मगत लाज की यह स्निग्ध, सुघड़ शोभा आज मैंने पहली बार देखी। मैनेजर की बातों से जो कुत्सित इंगित परिस्फुट हो पड़ा था, उससे स्पष्ट ही उसका हृदय तीव्र वेग से आन्दोलित हो उठा था। पर उसकी आँखों से उस आन्दोलन के अतिरिक्त कुछ और भी बात व्यक्त होती थी। मेरी अन्तश्चेतना कुछ समय से अत्यन्त प्रखर हो उठी थी। मैं स्पष्ट ही देख रहा था कि उसकी मर्मभेदिनी दृष्टि यह जानने के लिए विशेष उत्सुक है कि मेरे मन पर मैनेजर की बातों का प्रभाव किस हद तक पड़ा है।

वास्तव में मेरा मन अस्त-व्यस्त-सा होने लगा था। मुझे ऐसा अनुभव हो रहा था, जैसे मैं किसी घोर दुष्कर्म में पकड़ा गया होऊँ। अब मुझे मालूम पड़ने लगा कि मैंने कितना बड़ा भार अपने ऊपर लिया है। (तब मुझे क्या खबर थी कि मुझे अभी बहुत-कुछ जानना बाकी है!) प्रबल अवसाद तथा घोर आतंक के भाव ने मुझे धर दबाया। पर शान्ति के मुख की ओर जब मैं देखता तो मेरा अन्तर्मन मुझे भीरु और कापुरुष कहकर धिक्कारता था। शान्ति बीच-बीच में इस भाव से मुझे देखती थी, जैसे वास्तव में अपराधिनी वही हो।

मैंने जी कड़ा करके दुर्भावना को मन से एकदम हटा देने का प्रबल प्रयास किया और शान्ति की बगल में पलँग पर बैठकर अपने दोनों हाथों से धीरे से उसका बायाँ हाथ पकड़ते हुए कहा—"तुम तो कुछ बोलती ही नहीं। जैसे काठ मार गया हो। इस तरह घबराने से कैसे काम चलेगा, शान्ति? हम लोग जब समाज और संसार का बन्धन काटकर जीवन की कठिन यात्रा में एक स्वतन्त्र मार्ग पकड़कर निकल पड़े हैं, तो इस प्रकार की तुच्छ बातों की परवा करने से तो हम एक पग भी आगे न बढ़ पावेंगे!"

मैं बहुत धीमी आवाज में बोल रहा था, ताकि बगल के कमरे में कोई मेरी बात सुनने न पावे। मैनेजर की बातें सुनने के बाद अब मैं सब तरफ़ से सतर्क रहने की चेष्टा कर रहा था।

शान्ति ने सिर नीचा करके दोनों हाथों से साड़ी का अंचल चुनते हुए कहा—"मुझे घबराहट इस बात के लिए इतनी नहीं है। मैं यह सोचकर घबरा रही हूँ कि तुमने इलाहाबाद ठहरने का निश्चय क्यों किया!" मैंने कहा—"आश्चर्य है कि तुम अभी तक मेरे मनोभाव को समझ न पायीं! तुम क्या सचमुच यह समझे बैठी हो कि मैंने भरतपुर पहुँचाने के लिए तुम्हारा साथ दिया है? नहीं शान्ति, तुम अब मेरा साथ छोड़कर दुनिया में किसी के पास नहीं जा सकतीं। तुम अब मेरी हो और मैं तुम्हारा।" मैंने सोचा था कि मेरी यह बात सुनकर शान्ति सहम उठेगी। पर ऐसा नहीं हुआ। उसने अत्यन्त शान्त और गम्भीर भाव से कहा—"मुझे पहले से ही इस बात की आशंका थी। यह आशंका होते हुए भी मैं तुम्हारे साथ क्यों चली आयी, यह मैं स्वयं नहीं जानती। मैं तुम्हें दोष नहीं देती, क्योंकि मैंने ही तुम्हें इसके लिए उकसाया है; पर भय मुझे इस बात का है कि इस नयी स्थिति को हम दोनों किस हद तक निभा सकेंगे।"

शान्ति को यद्यपि स्पष्ट ही मेरी ही तरह इस प्रकार की परिस्थिति का सामना प्रथम बार करना पड़ रहा था, तथापि जीवन के कठोर अनुभवों से उसकी बुद्धि मुझसे बहुत अधिक परिपक्व हो चुकी थी, और जो संकटमय मार्ग हम लोगों ने पकड़ लिया था, वह कैसे कण्टकों से भरा पड़ा है, उसका अनुमान, बहुत सम्भव है, वह पहले ही कर चुकी थी; इसलिए उसके लिए किसी हद तक तैयार भी थी, ऐसा जान पड़ा। वह जानती थी कि मैं अभी यूनिवर्सिटी की संकीर्ण चहारदीवारी से निकला हुआ एक अपरिपक्व मस्तिष्क, वास्तविक जीवन के अनुभवों से रहित नवयुवक हूँ। ज़रा-सी बात से भी कहीं बहक न जाऊँ, अपने कठिन कर्त्तव्य-पथ से कहीं डिग न जाऊँ, यह आशंका उसके मन में प्रारम्भ से बनी हुई थी, जिसका परिचय मुझे पहले भी कई बार मिल चुका था। मेरे मन की दुर्बलता को वह ताड़ गयी है, यह जानकर मैं मन-ही-मन लज्जित हो उठा और इस कारण शान्ति के प्रति कुछ क्रोध भी हुआ। मैंने कहा—"तुम क्या मेरे मन को, मेरे प्रेम को इतना दुर्बल समझती हो कि तनिक भी बात से यह विचलित हो उठेगा? इससे यही प्रकट होता है कि अभी तक मेरे प्रति तुम्हारा—"

बीच ही में बात काटकर शान्ति ने आवेग के साथ कहा—"नहीं, नहीं, ऐसा न कहो!" कहकर उसने दोनों हाथों से मुझे जकड़ लिया और मेरे कन्धे पर सिर रखकर टपाटप आँसू गिराने लगी।

पल में जैसे किसी के मायास्पर्श से मेरा मोह दूर हो गया। न जाने किस अज्ञात उत्साह से एक दुर्दमनीय शक्ति मेरे भीतर जागरित हो उठी और सारे संसार के विद्रोह का सामना अकेले करने के लिए मैं अपने को पूर्ण समर्थ मालूम करने लगा।

मैं उसकी पीठ पर सस्नेह हाथ फेरते हुए उसे थपथपाने लगा। मैंने कहा—"शान्ति, संसार की कोई भी शक्ति मुझे तुम्हारे प्रेम से और अपने कर्त्तव्य से कभी विचलित नहीं

कर सकेगी, इस बात पर तुम एक बार दृढ़ता से विश्वास कर लो, बस! अपने जीते-जी मैं तुम्हें अब एक दिन के लिए भी कभी नहीं छोड़ूँगा। कभी छोड़ नहीं सकता। यह असम्भव है! मैंने जब तुमसे प्रेम किया है, और बनारस से तुम्हें यहाँ लाया हूँ, तो अपने कठिन उत्तरदायित्व को अच्छी तरह समझकर ही आया हूँ। इसीलिए मेरे प्रति तुम्हारा यह सन्देह मुझे इतना अखर रहा है।''

शान्ति ने मेरी ओर न देखकर, दोनों बाँहों से मुझे और भी अधिक प्रबलता से जकड़ते हुए कहा–''तुम्हारे प्रति मेरे मन में तनिक भी सन्देह नहीं है। अगर होता तो मैं कभी तुम्हारे साथ न आती।''

पर उसके आँसुओं का वेग अधिकाधिक उमड़ता जाता था; इस कारण मेरे लिये यह विश्वास करना कठिन हो रहा था कि वह मुझे सन्देह की दृष्टि से नहीं देखती।

बाहर से किसी ने दरवाजा खटखटाया। शान्ति हड़बड़ाती हुई उठी और जल्दी से आँसू पोंछकर सँभलकर बैठ गयी। मैंने दरवाजा खोला। होटल का एक आदमी 'ट्रे' में चाय लेकर आया हुआ था।

एक कप चाय तैयार करके शान्ति ने मुझे दिया। स्वयं पीने की उसने अनिच्छा प्रकट की, पर मेरे बहुत जिद करने पर उसने भी दूसरे प्याले में चाय तैयार करके पीना शुरू कर दिया।

•••

रात को शान्ति ने खाना नहीं खाया और चाय पीने के बाद पलँग पर जो लेटी तो लेटी ही रही। मेरे बहुत कहने-सुनने पर भी वह कुछ खाने को तैयार न हुई। मुझे बड़ी भूख लगी थी। सुबह से कुछ नहीं खाया था। किसी तरह पेट भरके होटल के नौकर को बिदा करके मैंने दरवाजा बन्द कर दिया। पलँग पर लेटा तो नींद किसी प्रकार न आयी, यद्यपि सारे बदन में बड़ी थकावट मालूम होती थी। अनेकों ऊटपटाँग चिन्ताओं ने मेरे मस्तिष्क को धर दबाया। कभी इस करवट लेटता, कभी उस करवट। जब किसी तरह नींद न आयी तो उठ खड़ा हुआ और बरामदे में जाकर बाहर सड़क का दृश्य देखने लगा। अभी नौ भी नहीं बजे थे। सड़क पर खासी चहल-पहल थी।

एक मोटर होटल के दरवाजे पर आकर खड़ी हुई और उसमें से एक गुलाबी रंग की साड़ी से सुसज्जित, पाउडर की चमक और 'लिपस्टिक' की रंगीनी से सुशोभित रमणी तथा चार पुरुषों ने उतरकर भीतर प्रवेश किया। कुछ ही देर बाद वह सारा दल जूतों की फटाफट और 'हाः हाः होः होः' के अट्टहासात्मक शब्द के साथ ऊपर चढ़कर ठीक हमारे कमरे के बगलवाले कमरे में आ खड़ा हुआ।

होटलों के सम्बन्ध में मैंने बहुत-सी बातें पहले सुन रखी थीं, यद्यपि किसी होटल में ठहरने का यह प्रथम अवसर था। मैनेजर की बातों ने चित्त को अधिक सशंकित कर दिया था और अब जब यह दृश्य देखा तो मेरी घबराहट का ठिकाना न रहा। बगलवाले कमरे में बहुत देर तक उच्च शब्द से हास-परिहास चलता रहा। "बाई जी, ज़रा सुनिये!" "बाई जी ज़रा मेरी भी सुनिये!" "बाई जी, कि-स्सी की भी न सु-उ-निये। ये सब साले एक नम्बरी हैं!"

शान्ति हल्ला सुनकर घबराहट के कारण उठ बैठी थी। मुझे कमरे में न देखकर वह हाँफती हुई बरामदे के पास आयी और बोली—"सुनते हो!"

मैं भीतर गया। शान्ति ने पलँग पर बैठकर कहा—"क्या कहीं किसी अच्छी जगह हम लोगों के ठहरने का प्रबन्ध नहीं हो सकता?"

इतने में बगलवाले कमरे से तबले में 'धा-धा-धिन्ना' और हारमोनियम में सरगम बजने लगा।

मैंने कहा—"इतनी रात को अब अच्छी जगह कहाँ ढूँढ़ी जा सकती है! आज की रात किसी तरह काटो, कल देखी जायगी।"

बगलवाले कमरे से रमणी का कण्ठस्वर गूँज़ उठा—

या इलाही, मिट न जावे दर्दे-दिल!

असह्य वेदना से विकल होने के कारण शान्ति 'उफ़!' कहकर उँगलियों से कानों को बन्द करके लेट गयी। बीच-बीच में "अहाहा!" "वाह!" "क्या खूब!" "बहुत अच्छे!" की आवाज आती-जाती थी। मैं यह सोचकर व्याकुल था कि भाग्य ने हमारी नव-जीवन-यात्रा के प्रथम दिन ही हमें किस विकृत तथा घृणित वातावरण में लाकर खड़ा कर दिया है। शान्ति भी सम्भवतः यही सोच रही थी। किस स्वर्गीय आदर्श को लेकर हम लोग चले थे और प्रारम्भ में किस नारकीय बीभतसता में आ फँसे।

बहुत देर तक विकृत नारी-कण्ठस्वर का चीत्कार तथा उन्मत्त मद्यपों का कोलाहल जारी रहा। हम दोनों निरुपाय अवस्था में अपने-अपने पलँग पर छटपटाते रहे। मन की सब सरस, सुघड़ और सुकुमार कल्पनाएँ विरस और तिक्त हो उठी थीं। राम-राम करके किसी तरह कालरात्रि के समान वह रात काटी।

दूसरे दिन स्नानादि से निवृत्त होकर मैं मकान की तलाश में निकल पड़ा। दो दिन से बदली छायी हुई थी, जिससे चित्त का अवसाद और भी घनीभूत हो उठा था। इधर-उधर, अली-गली में बहुत देखा, पर रुचि के अनुकूल कोई मकान कहीं न मिला। विवश होकर वह रात भी उसी नरकवास में बितानी पड़ी।

होटल में हमारे कमरे के साथ कोई स्नानागार नहीं था। क़मरों के सामने दो-तीन स्नानागार बने हुए थे। शान्ति को विवश होकर दो-एक बार स्नानादि के लिए वहाँ जाना पड़ा था। इस मौके से हमारे अगल-बगल के सहवासियों ने उसे अच्छी तरह देख लिया था। सन्ध्या के समय दक्खिन की तरफ के कमरे से किसी एक व्यक्ति को कहते

हुए सुना गया—"साला एक नौजवनिया को कहीं से पकड़कर लाया है! छोकरी है तो हसीन!" सुनकर मेरे रोंगटे खड़े हो गये। शान्ति ने बिलखते हुए कहा—"अगर इस होटल को आज ही न छोड़ोगे तो मैं गले में फाँसी लगाकर मर जाऊँगी।" मैंने उसे सान्त्वना देते हुए कहा कि कल जो कोई भी मकान जहाँ-कहीं भी मिले, उसे अवश्य ही ठीक कर लूँगा।

दूसरे दिन फिर सुबह से ही चक्कर लगाना शुरू किया। प्रायः सारे शहर में दौड़-धूप की। अन्त में भाग्यवश साउथ मलाका की तरफ एक मकान का ऊपरी भाग बीस रुपया मासिक किराये पर मिल गया। मैंने तत्काल 'एडवान्स' भाड़ा चुकाकर रसीद लेकर उसे ठीक कर लिया और शान्ति को लेकर वहाँ चला आया।

•••

नये मकान में आने पर शान्ति का चित्त कुछ स्थिर हुआ जान पड़ा। मकान साफ-सुथरा था और अगल-बगल के मकान भी स्वच्छ और सुघड़ थे। अड़ोस-पड़ोस के निवासी बाह्य लक्षणों से विशेष सभ्य और सुशिष्ट दिखायी दिये। निवासी अधिकतर सम्पन्न बंगाली थे। एक सज्जन शक्ल-सूरत से मद्रासी जान पड़ते थे। होटल के शोहदों का परिचय पाने के बाद इस स्थान का वातावरण शान्ति को सुखद और शान्तिमय लगा। मेरा चित्त भी कुछ शान्त हुआ। मैं बाजार से मूँज की दो चारपाइयाँ खरीद लाया। मकान-मालिक से कहकर एक महरी का भी प्रबन्ध कर लिया, जो सुबह-शाम आकर काम कर जाया करे।

दोनों चारपाइयों पर अपने सुघड़ और पटु हाथों से अत्यन्त दक्षतापूर्वक बिस्तर बिछाकर शान्ति एक पर आराम से लेट गयी। उसके चेहरे पर आज बहुत दिनों के बाद एक मृदु-मन्द मुस्कान की उज्ज्वल झलक दिखायी देती थी, जिसे देखकर मेरा भारग्रस्त हृदय बहुत हलका हो गया। दो दिन की बदली के बाद आज आकाश स्वच्छ हो गया था। निर्मल सूर्य की दिव्य आभा स्वर्ग और मर्त्य के कण-कण में एक मधुर-मोहिनी माया की चेतना का संचार कर रही थी। होटल के दो दिन के अनुभव से जो विरस भावना सारी अन्तरात्मा को ग्लानि से क्लेदाक्त कर रही थी, वह इस शान्त, स्निग्ध वातावरण तथा निर्मल सूर्योज्ज्वल दिन में दुःस्वप्न की तरह पल में विलीन हो गयी। नव-जीवन की जो तरंग एक गन्दे टीले से टकराकर रुद्ध गर्जन से विक्षुब्ध होने लगी थी, वह फिर उन्मुक्त होकर निर्बाध गति से आगे को बढ़ने लगी।

शान्ति लेटे-लेटे अत्यन्त सरस, स्निग्ध तथा मधुर दृष्टि से मेरी ओर देख रही थी। इच्छा होती थी कि उन प्यारी-प्यारी आँखों को एक बार जी भरकर चूम लूँ और युग-युगान्त से तृषित अपनी विकल आत्मा को शीतल करूँ। मेरे अन्तस्तल के अज्ञात कोने से यह अनुभूति जागरित होने लगी कि अनेक जन्मों के बाद आज मैंने शान्ति को फिर से पाया है। ऐसा जान पड़ने लगा कि बहुत पहले के किसी जन्म में मैंने शान्ति को परिपूर्ण रूप से पाया था, पर अकस्मात् वह किसी अज्ञात दैवी कारण से मुझसे विच्छिन्न होकर तिरोहित हो गयी थी। उसके बाद उसकी खोज में मैं जन्म से जन्मान्तर की ओर धावित होता चला गया हूँ, पर प्रत्येक बार उसका क्षीण, अस्पष्ट, छायात्मक आभास पाकर ही मुझे रह जाना पड़ा है, उसे सजीव और मूर्तिमान् रूप में मैं नहीं पा सका हूँ, पर इस बार युग-युगान्त के वियोग के बाद वह मुक्त विहगी फिर मेरे प्रेम-बन्धन में आ फँसी है। क्या मैं अब स्थायी रूप से उसे अपने पिंजड़े में बन्द कर रखने में समर्थ हूँगा? या इस बार भी वह बन्धन तोड़कर चिर-अनन्त की ओर उड़ी चली जायगी? इस बार के लक्षणों से तो मालूम होता है कि वह भागेगी नहीं; इस बार तो उसने स्वेच्छा से बन्धन स्वीकार किया है। फिर भी, कौन जानता है!

क्षण-भर में यह अनोखी, निर्मूल, निराधार कल्पना मेरे मन में न जाने किस मायालोक से उदित होकर तत्काल विलीन भी हो गयी। मैं शान्ति के पास ही उसी के पलँग पर बैठकर उसका दाहिना हाथ पकड़कर उसकी उँगलियों को सहलाने लगा। न मालूम कब उसने मेंहदी रचायी थी, अभी तक नाखून रँगे हुए थे। कुछ देर तक मैं विमूढ़, मोहाच्छन्न अवस्था में शान्ति की प्यारी-प्यारी उँगलियों पर हाथ फेरता रहा। पर शान्ति ने शीघ्र ही धीरे से अपना हाथ छुड़ाकर कहा–"क्या इसी तरह बैठे रहोगे? खाने-पीने का कुछ प्रबन्ध करोगे या नहीं?"

मैंने कहा–"आज के इस सुन्दर दिन में भी क्या शारीरिक क्षुधातृषा का पीड़न मानकर चलना होगा? आज तो दो आत्माओं के परिपूर्ण मिलन का दिन है।" यह बात मैंने यद्यपि अपनी अन्तरात्मा से कही थी, तथापि मेरी इच्छा न होते हुए भी, मेरे अनजान में, न जाने कहाँ से मेरी बात में परिहास का आभास झलक उठा था। शान्ति खिलखिलाती हुई उठ बैठी और बोली–"तुम तो बड़े कवि भी हो जी! चलो, उठो, अब अधिक बातें न बनाओ! बाजार से जल्दी सौदा खरीदकर लाओ और बर्तनों का भी प्रबन्ध करो! आज घर ही में खाना बनेगा। बाजार का खाना खाते-खाते तुम कहीं बीमार न पड़ जाओ। चार दिन के चक्करों से मुँह सूखकर एकदम मुरझा गया है।"

मेरा सारा स्वप्न पल में मिट्टी हो गया। म्लान भाव से मैंने कहा–"आज भी बाजार के ही खाने से काम चलाया जाय, अभी कौन झंझट करे! कल देखी जायगी।"

"न, न, यह न होगा! जाओ, उठो जल्दी!" कहकर शान्ति ने मुझे बलपूर्वक ढकेलना शुरू कर दिया। लाचार होकर उठना पड़ा!

सौदा खरीदने का काम वास्तव में बड़े झंझट का था। आज तक जीवन में आटे-दाल का भाव मुझे कभी मालूम न रहा। पर मालूम करना ही पड़ा। दाल, चावल, आटा,

मिर्च-मसाला, साग-सब्जी आदि सभी चीजें खरीदकर, नोन-तेल-लकड़ी का पूरा प्रबन्ध करने के बाद सभी उपयोगी बर्तन भी खरीदे। शान्ति की हिदायत के अनुसार दो लोहे की अँगीठियाँ भी खरीदीं, और एक स्टोव भी। एक टी-सेट भी मोल लिया। कोयले की दुकान का पता लगाकर एक मन कोयला भी खरीदा। इस काम में तीन घण्टे से ज्यादा लग गये। नयी गिरस्ती जोड़ने के 'सुख' का पूरा अनुभव करने के बाद थका-थकाया जब डेरे पर लौटा तो देखा कि शान्ति के साथ तीन महिलाएँ और बैठी हैं। शान्ति सलज्ज मुस्कान से उनके साथ बातें कर रही थी। मुझे देखकर तीनों महिलाएँ उठ खड़ी हुईं। उनमें दो महिलाएँ मुखाकृति से बंगाली जान पड़ती थीं और एक नवोढ़ा युक्त-प्रान्त की-सी लगती थी। बंगाली महिलाओं में एक अधेड़ थी और एक युवती। युवती ने एक बार अर्द्ध-मुस्कान के साथ भरी नजर से मुझे देखा और फिर सिर नीचा कर लिया। युक्तप्रान्तीय नवोढ़ा विशेष कौतूहलपूर्वक ढिठाई के साथ काफी देर तक मेरी ओर ताकती रही। उसकी आँखें सुन्दर अवश्य थीं, पर उनसे अनावश्यक गर्व का भाव व्यक्त होता था। कद में वह कुछ लम्बी थी; न बहुत पतली थी और न मोटी। जाते समय उसने शान्ति की ओर मुख करके कहा—"बहन, हमारे यहाँ जरूर आना। बगल में ही हमारा मकान है।" बंगाली युवती ने भी कहा—"हमारे हियाँ भी जोरूर आइयेगा! जोरूर, जोरूर!" जाते हुए युक्तप्रान्तीय नवोढ़ा ने फिर एक बार अपनी गर्व और गुमान-भरी दृष्टि से धृष्ट कौतूहल के साथ मेरी ओर देखा। बंगाली युवती अर्द्धव्यक्त और सलज्ज मुस्कान से, अर्द्ध-दृष्टि से एक बार मुझे देखकर आगे बढ़ गयी। प्रौढ़ महिला की स्निग्ध दृष्टि से स्नेह का भाव टपकता था।

तीनों महिलाओं के चले जाने पर मैंने कुली से एक्के पर का सामान ऊपर रखवाया। सब सामान पूरा और अपने मन के मुताबिक पाकर शान्ति की आँखें प्रसन्नता से चमक उठीं और वह एक-एक चीज को उठाकर सँजोकर रखने लगी।

•••

जब सब सामान सँभाल चुकने के बाद शान्ति अँगीठी में आग सुलगा रही थी तो मैंने कहा—"मुझे मालूम नहीं था कि तुम्हारी कोई बहन इलाहाबाद में भी रहती है। तुमने मुझसे पहले क्यों नहीं बताया?"

शान्ति ने अकृत्रिम आश्चर्य से मेरी ओर देखकर कहा—"कौन बहन? किसकी बात तुम कर रहे हो?"

"तुम्हारी बहन और किसकी? जो तुम्हें अभी अपने घर आने का न्योता दे गयी है?"

वह खिलखिलाकर हँस पड़ी। मैंने अपने जीवन में बहुत-सी स्त्रियों को खिलखिलाते और अट्टहास करते देखा और सुना है। पर शान्ति के खिलखिलाने में जो एक अव्यक्त जादू भरा था, उसे मैं यथार्थ रूप से व्यक्त करने में असमर्थ हूँ। किसी शान्त और विजन वन में जब कोई तीतर अकस्मात् कलित कण्ठ से कूज उठता है, तब उस स्निग्ध वातावरण में एक निष्कलुष पवित्र तथा तरल उल्लास की विकलता हृदय के कण-कण में जिस रोमांचकर अनुभूति को तरंगित कर देती है, शान्ति का कलहास्य भी प्रत्येक बार मेरे हृदय में उसी आनन्द का उल्लसित क्रन्दन उच्छ्वसित कर देता था।

उसने सहास्य कहा–"तुमने तो इस गम्भीरता से बात कही कि मैं सचमुच घबरा उठी थी। मेरी जिस बहन की बात तुम कह रहे हो, उससे मेरा परिचय आज ही हुआ है। किसी खत्री की लड़की है। उसके पिता यहाँ कपड़े का व्यवसाय करते हैं। इसी वर्ष उसका विवाह हुआ है। आजकल मायके आयी हुई है। नाम उसका है विमला। बड़ी सुन्दर है, क्यों? तुम्हारे पसन्द तो जरूर ही आ गयी होगी।"

एक साँस में शान्ति इतनी बातें कह गयी। उसकी अन्तिम बात सुनकर उस पर मुझे बड़ा क्रोध आया। पर केवल "दुत!" कहकर मैं चुप रह गया।

वह कहती चली गयी–"पर पसन्द आने से क्या होता है! उससे तो अब तुम्हारा विवाह हो नहीं सकता। पर हाँ, उसकी बातों से मालूम हुआ है कि उसकी एक बहन है, उससे छोटी। उम्र उसकी तेरह वर्ष की है। देखने-सुनने में विमला से भी अच्छी है, यह विमला ने ही स्वयं मुझसे कहा है। उसका नाम है उर्मिला। कहो तो उसके साथ तुम्हारे विवाह की बात चलाऊँ, ताकि अगले साल–"

"तुम पागल हो!" कहकर मैंने क्रोध का भाव जतलाया!

शान्ति ने कहा–"अरे! मैं तो भूल ही गयी थी, तुम तो ब्राह्मण हो, किसी अब्राह्मण की लड़की से विवाह कैसे करोगे! तुम्हारे लिये एक ब्राह्मण की लड़की ढूँढ़नी पड़ेगी। इसके लिए मुझे अब किसी ब्राह्मण परिवार से परिचय बढ़ाना होगा!"

इस अन्तिम बात से मुझे यथार्थ में क्रोध आने लगा था। मैंने कुछ तीव्रता से कहा–"तुम तो इस बात पर तुली हुई हो कि किसी तरह मेरा क्रोध भड़क उठे। तुम्हारी बातों से मेरा जी खराब हो गया। मेरे सिर में दर्द होने लगा है। अब मुझसे अधिक बातें न करना, मैं जरा आराम करता हूँ।" यह कहकर मैं उसकी तरफ से मुँह फेरकर पलँग पर लेट गया।

शान्ति आग सुलगाना छोड़कर तत्काल उठ खड़ी हुई और मेरा हाथ पकड़कर अनुनयपूर्वक मीठे और दुलार-भरे शब्दों में कहने लगी–"क्या सचमुच रिसा गये? मैंने तो हँसी की थी!"

मैंने बिना उसकी ओर मुँह किये लेटे-लेटे कहा–"सब समय हँसी अच्छी नहीं लगती, शान्ति! इस समय सचमुच मेरे सिर में दर्द है। मुझे जरा आराम करने दो!"

शान्ति ने उसी तरह मीठे दुलार के साथ अनुताप-भरे शब्दों में कहा—"मुझसे भूल हुई, क्षमा करो! अब से कभी इस तरह की बातें न करूँगी।"

उसकी उस अनुनय-वाणी का माधुर्य अपनी अपूर्वता से यद्यपि मेरे हृदय के अणु-अणु में, मेरे शरीर के रोम-रोम में एक ऐसे अज्ञात आनन्द का पुलक-संचार कर रहा था, जिसका अनुभव मैंने अपने जीवन में पहले कभी नहीं किया था, तथापि बाहर मैंने उस अनुभूति का लेश भी प्रकट न होने दिया और अधिकतर तीव्रता के साथ कहा—"मैं एक बार कह चुका हूँ कि मुझे दिक न करो! तुम्हारी इस जिद की आदत से मैं तंग आ गया हूँ।" कहकर मैंने बिना उसकी ओर मुँह किये झटके से अपना हाथ छुड़ा लिया।

इसके बाद वह कुछ न बोली। मैं बिना देखे ही स्पष्ट अनुभव कर रहा था कि वह धीरे से अपने पूर्व स्थान पर बैठकर पंखे से आग सुलगाने लगी। अपने शब्दों द्वारा अनावश्यक तीव्रता तथा कटुता व्यक्त करने के कारण मैंने व्यर्थ ही उसका जी दुखाया, यह सोचकर मैं मन-ही-मन पश्चात्ताप करने लगा था, तथापि मैं पूर्ववत् लेटा ही रहा।

जब काफी देर हो गयी और एक ही करवट में लेटे-लेटे मैं थक गया, तो मैंने करवट बदलकर शान्ति की ओर देखा। वह एक हाथ से पंखा पकड़कर दूसरे हाथ से आँचल से आँसू पोंछ रही थी। आग जरूरत से ज्यादा सुलग चुकी थी, तथापि अभी तक वह पंखा लिये बैठी थी। मुझे करवट बदलते देखकर उसने मेरी ओर आँख न उठाकर सिर नीचा कर लिया और कल की पुतली की तरह बिना इच्छित चेष्टा के पंखे से आग सुलगाती रही।

मैं समझ गया था कि अब उसके मान की बारी आयी है और अब मुझे उठकर उसे मनाना ही होगा। मैं उठ बैठा और मुख में स्निग्ध शान्त भाव लाने की चेष्टा करते हुए मुस्कराकर बोला—"किस दुनिया में पहुँच गयी हो शान्ति! क्या मुझे भी वहाँ न ले चलोगी? इस दुनिया से तो तुम एकदम बेखबर हो गयी हो! अगर इसी तरह अपनी इच्छा से किसी भी समय इस लोक से बेसुध होकर किसी काल्पनिक लोक में पहुँचने की कला मैं भी सीख पाता, तो इस संसार के रात-दिन के बहुत-से झंझटों से आसानी से मुक्ति पा जाता। तुम्हारे इस गुण पर मुझे ईर्ष्या होती है। खूब! आग न मालूम कब जल चुकी है और राख से भी ढकने लगी है, पर तुम अभी तक पंखा करती चली जाती हो! यह अच्छा तमाशा है।"

मैं चाहता तो था कि उसे हँसाने की कोई बात कहकर उसे प्रसन्न करूँ, पर मेरे अज्ञात में मेरी बात ने कटु व्यंग्य तथा अर्द्धव्यक्त क्रोध का रूप ग्रहण कर लिया। मन-ही-मन मैं अपनी बात पर अत्यन्त लज्जित और क्रुद्ध हो उठा। शान्ति अधिक वेग से पंखा हिलाकर यत्र-तत्र जमी हुई राख को उड़ाने लगी। राख के सफेद कण उड़-उड़कर उसके कपड़ों में, बालों पर और मुख पर आकर बैठने लगे, तथापि वह इस बात पर तनिक भी ध्यान न देकर पंखा हिलाती रही। मेरी बात का उत्तर देना तो दरकिनार, उसने मेरी ओर एक बार देखा तक नहीं और बायें घुटने पर बायाँ हाथ रखकर

उस पर बायाँ गाल स्थापित करके उसने सिर और नीचे की ओर कर लिया। उसकी अर्द्धव्यक्त दृष्टि से मानिनी की निदारुण मर्म-वेदना प्रकट होती थी।

मेरी समझ में नहीं आया कि उसे किस तरह मनाया जाय। बात असल में यह थी कि उसने मेरे विवाह की बात भले ही हँसी में कही हो, पर उससे मेरे मन में एक अज्ञात रहस्यमयी आशंका उत्पन्न हो गयी थी और वास्तव में मेरा चित्त खिन्न हो गया था। उसके प्रति क्रोध का जो भाव मैंने व्यक्त किया था, एकदम कृत्रिम नहीं था। इतने दिनों तक जिस विचार को, जिस चिन्ता को मैंने अपने मन के अतल गह्वर में दबा रखा था, शान्ति के इस परिहास से वह अकस्मात् आन्दोलित और मथित होकर ऊपर को उमड़ आयी थी। मैं सोचने लगा कि मैं शान्ति को अपने साथ किस लिए भगा लाया हूँ? मेरा अज्ञात मन इस विषय पर भले ही चिन्ता करता रहा हो और उसने भले ही अपने लिये इस समस्या का कोई समाधान न रखा हो, पर मेरा सचेत मन जान-बूझकर या अनजान में इस परम महत्त्वपूर्ण प्रश्न को बार-बार भुलाने की चेष्टा कर रहा था। आज शान्ति के साधारण-से परिहास ने (जिसमें मुझे, न मालूम क्यों, एक गहन रहस्य छिपा हुआ जान पड़ा) उस दबे हुए प्रश्न को एक विराट् और भयंकर आकार में मेरे सामने लाकर खड़ा कर दिया। मैंने फिर एक बार पूरी शक्ति से उसे दबाने की चेष्टा की, पर वह दबना नहीं चाहता था।

वास्तव में (मैं सोचने लगा) मैं शान्ति को किस उद्देश्य से यहाँ भगा लाया? मुझे अपने इस मतिभ्रम पर अत्यन्त आश्चर्य हुआ कि इस समय तक इस एकमात्र महत्त्वपूर्ण प्रश्न पर मैंने परिपूर्ण रूप से विचार क्यों नहीं किया? इसमें सन्देह नहीं कि उससे मेरा प्रेम हो गया था और वह मुझे अपनी बातों से और व्यवहार से अपना आन्तरिक प्रेम अर्पण कर चुकी थी। यह भी ठीक है कि उसने केवल प्रेम ही अर्पित नहीं किया था, बल्कि अपने को भी पूर्णतः मेरे आश्रय में समर्पित कर दिया था। इलाहाबाद पहुँचने पर जब मैंने उससे कहा था—"तुम अब मेरी हो और मैं तुम्हारा हूँ", तो उसने एक आह अवश्य भरी थी, किन्तु कोई विरोध नहीं प्रकट किया था। पर इससे क्या हुआ? इससे असली समस्या तो हल नहीं हुई! यदि केवल हृदयों का पारस्परिक प्रेम पाना ही हम लोगों के लिए महत्त्वपूर्ण बात थी, तो शान्ति को अपने साथ यहाँ लाकर समाज तथा संसार के प्रति विद्रोह की घोषणा करके इतने बड़े बखेड़े का भार अपने ऊपर लेने की आवश्यकता ही मुझे क्या थी! आत्मा का सच्चा प्रेम तो प्रेमिक-प्रेमिकाओं के एक-दूसरे से विच्छिन्न रहने पर भी अक्षय रह सकता है, बल्कि दूर रहने से वह और भी अधिक गहरा और सुदृढ़ बनता जाता है—यह बात मैं बहुत-से उपन्यासों तथा दार्शनिक सन्दर्भों में पढ़ चुका था। फिर मुझे याद आया कि शान्ति की परिस्थिति कमलकुमारी जी के विद्वेषात्मक भाव के कारण ऐसी हो गयी थी कि वह बनारस में बिना झूठे कलंक का टीका अपने सिर पर लगाये रह नहीं सकती थी, इसीलिए मुझे उसे अपने साथ बनारस से ले चलना पड़ा। पर नहीं (मैंने फिर सोचा), मैं इस युक्ति से अपने-आपको ठग रहा हूँ। माना कि बनारस में झूठे कलंक के प्रचार

से उसे प्रतिदिन कुण्ठित रहना पड़ता, पर अब मेरे साथ उसके चले आने से क्या वह कलंक मिट गया? बल्कि उसमें तो अब 'सचाई' की पक्की मुहर लग गयी! रही भरतपुर जाने की बात। पर वह तो एक बहाना था, जिससे शान्ति भी स्पष्ट ही परिचित थी। क्योंकि शान्ति इतनी मूर्ख नहीं थी कि इतना भी न जानती रही हो कि एक अपरिचित पुरुष के साथ उसे देखकर उसका भाई क्या सोचेगा।

पर मेरी अन्तरात्मा जानती थी कि यह सब मानसिक तर्क-वितर्क व्यर्थ है। मेरा अन्तर्मन इस बात का सच्चा कारण भी जानता था कि मैं किस प्रवृत्ति से प्रेरित होकर शान्ति को अपने साथ भगा लाया। फिर भी रह-रहकर केवल एक कारण सब तर्कों के अतीत मेरे मन के बाह्य स्तर को आघात कर रहा था। "प्रेम!"—यह शब्द मन की प्रत्येक कन्दरा में प्रतिध्वनित हो रहा था। यह प्रतिध्वनि मेरे साथ परिहास कर रही थी अथवा उसमें सत्य की प्रतिवेदना भरी हुई थी, इस बात का विवेचन उस समय, मैं स्पष्ट रूप से कुछ भी नहीं कर पाता था। साथ ही मेरे अन्तर्मन के किसी अज्ञात कोने के एक सूक्ष्म छिद्र से पाप की जो धूम्र-रेखा फूटती हुई मुझे दिखायी दे रही थी, उसे मेरा सचेत मन कितना ही दबाना चाहता था, पर वह दबना नहीं चाहती थी। इसीलिए मेरे हृदय में अपने तथा शान्ति के प्रति किंचित् क्रोध का भाव उमड़ पड़ा।

पर जब मैंने शान्ति का वह मुग्ध-मनोहर मानिनी-रूप देखा, आँसुओं से धुली हुई अर्द्धव्यक्त आँखों की वह स्निग्ध मौन छवि देखी, मेरे मन से क्रोध का भाव पल में अन्तर्हित हो गया और प्रेम की बाढ़ ने ज्वार के वेग से मेरे हृदय के कोने-कोने को परिप्लावित कर दिया। समस्त दुश्चिन्ताओं को और कुतर्कों को बहाकर मेरा मन एक अपूर्व उमंग से तरंगित हो उठा। किसी वास्तविक अथवा ऐन्द्रजालिक लोक से मेरे अन्तर में विद्युत् की तरह प्रकाश की एक रेखा चमक उठी, जिसने मुझे यह वास्तविक अथवा मायावी सत्य प्रदर्शित किया कि प्रेम चाहे आध्यात्मिक हो अथवा शारीरिक, उसका मूल तत्त्व एक ही है और वह पाप-पुण्य के अतीत है। इस काल्पनिक अथवा मूलगत सत्य के आलोक से मैं ऐसा पुलकित हो उठा कि शान्ति को तत्काल गले लगाने के लिए अधीर हो गया।

पलँग पर से उठकर मैं भी शान्ति के साथ नीचे फर्श पर बैठ गया। उसके दोनों पाँव पकड़कर आन्तरिक अनुनय के साथ मैंने कहा—"देखो शान्ति रानी! मुझसे अपराध हुआ, क्षमा करो!" इस बार मेरे कण्ठस्वर में कटुता नाम को भी नहीं थी, और न व्यंग्य का ही भाव था। इसलिए शान्ति का भाव कुछ बदला और उसका मौन भंग हुआ। अपने पैरों को धीरे से छुड़ाकर उसने कहा—"मैंने कब कहा था कि किसी से अपराध हुआ है!" मेरी ओर फिर भी उसने न देखा। अभी तक उसके मन में मान का भाव शेष था, इसी कारण उसका कण्ठस्वर मुझे अत्यन्त प्रिय और मधुर लग रहा था।

मैंने अपने दोनों हाथ उसके दोनों गालों पर स्थापित करके उसका मुँह बलपूर्वक अपनी तरफ को किया। उसने कुछ चकित भाव से मेरी ओर देखा। मैंने स्निग्ध-मधुर मुस्कान से उसे देखते हुए कहा—"तुम बड़ी दुष्ट हो!"

अपने गालों पर मेरे हाथों के स्पर्श का अनुभव करने से उसके मुख में किंचित् रक्तिम आभा झलक गयी। मेरे हाथों से छुटकारा पाने की चेष्टा करते हुए उसने कहा—"दुष्ट मैं हूँ या तुम!" कहकर उसने एक झटके से अपने को छुड़ा लिया। उठकर अँगीठी में फिर से कोयले डालते हुए उसने कहा—"एक जरा-सी बात से जो आदमी नाराज हो सकता है, वह—" बात कहते-कहते वह रुक गयी। मेरी उमंग फिर ठण्डी पड़ गयी। पर अब मैं समझ गया था कि वास्तव में छोटी-मोटी बातों पर अप्रसन्नता का भाव प्रकट करने से मान-अभिमान का चक्कर लम्बा चला जायगा और आगे उसमें कोई लाभ होने अथवा किसी प्रकार का 'रस' प्राप्त होने के बजाय हानि की ही अधिक सम्भावना है और नीरसता बढ़ने की ही अधिक आशंका है। मेरे इतने मनाने पर भी शान्ति का यह व्यंग्यात्मक भाव मुझे तनिक भी अच्छा नहीं मालूम होता था, तथापि मैंने अपने मन के भाव को बलपूर्वक दबाया और परिहास के स्वर में बोला—"अशान्ति देवी! अब शान्ति से काम लो! अधिक क्रान्ति न मचाओ! मैं बड़ी भ्रान्ति में हूँ!" मेरे मुँह से इस प्रकार तुकों की झड़ी निकलते देखकर शान्ति मुस्करायी और "हटो!" कहकर पंखा हाथ में लेकर फिर बैठ गयी और आग सुलगाने लगी। इस एकमात्र शब्द "हटो!" से सन्धि की सूचना पाकर मेरा चित्त स्थिर हुआ और उमंग का ज्वार फिर से उमड़ चला। मेरे पुलकित मन के भीतर से बार-बार यह आवाज निकल रही थी—"दुष्ट! दुष्ट!" और तुलसीदास का यह पद याद आ रहा था—

'नारि स्वभाव सत्य कवि कहहीं'—

•••

खाना बनाने में शान्ति को मैंने काफी सहायता दी। हॉस्टल में सिद्धान्त रूप से सीखी हुई कला का व्यावहारिक उपयोग आज मैंने प्रथम बार किया। खाना तैयार होने पर खा-पीकर जब बैठे तो सन्ध्या हो चुकी थी! महरी आयी और चौका-बर्तन करके चली गयी। मैंने शान्ति से प्रस्ताव किया कि बाहर हवा खाने के लिए चला जाय। पर उसने कहा—"आज जी अच्छा नहीं है, कहीं जाने की इच्छा नहीं होती।" कहकर वह पलँग पर लेट गयी। मैं भी अन्यथा गति न देखकर अपने पलँग पर चारों खाने चित लेटकर छत की ओर निरुद्‌देश्य भाव से टकटकी लगाये रहा। अँधेरा होने लगा था, पर बत्ती जलाने के लिए मुझमें न तो स्फूर्ति रह गयी थी, न उत्साह। शान्ति निश्चल-अवस्था में मौन भाव से जड़वत् पड़ी हुई थी। मैंने अपने जीवन में अनेक बार अनुभव किया है कि दिन और रात के संयोग का समय मनुष्य को या तो अनन्त जीवन की उद्‌दाम तरंगों के अविरत आघातों से आन्दोलित करता है, मनोमोहिनी आशा की मुग्धा माया

के नव-नव वैचित्र्यमय रूपों की झलकों से चित्त को एक चिरप्रेममय, चिरसंगीतमय लोक की अपूर्व रंजना के चिदाभास से आच्छादित कर देता है, या गहन मृत्यु की स्तब्ध जड़ता के वज्रपाषाण से सारे वातावरण को, समस्त आत्मा को अपने गुरु-गम्भीर भार से आक्रान्त कर देता है। इस स्तब्धता की भयंकरता का अनुभव जिन्हें नहीं हुआ है, उन्हें उसकी वास्तविकता से परिचित कराना असम्भव नहीं तो दुःसाध्य अवश्य है।

खा-पीकर शान्ति जब वज्राहत-सी लेट गयी तो पाषाण-भार की वही अछेद्य जड़ता उस प्रायान्धकार में मेरी आत्मा को दबोचने लगी। एक भौतिक लोक के अज्ञात भय, पाप-लोक की क्लेदाक्त ग्लानि, पाताल-लोक की अन्धगुहाओं के अव्यक्त अवसाद ने चारों ओर से घनीभूत होकर मेरी छाती को ऐसी बुरी तरह से जकड़ लिया कि मुझे ऐसा मालूम होने लगा, जैसे मेरा दम घुटा जाता हो। शान्ति का वह आच्छन्न भाव मुझे रह-रहकर पीड़ित कर रहा था और उसकी चित्तवृत्तियों का क्षण-क्षण में परिवर्तित होनेवाला स्वभाव मुझे तनिक भी अच्छा नहीं लग रहा था। मेरा पश्चात्ताप क्रोध का रूप धारण कर रहा था अथवा क्रोध ही पश्चात्ताप में परिणत हो रहा था, यह मैं ठीक तरह से कुछ कह नहीं सकता। वह क्रोध अपने ऊपर था, अथवा शान्ति के प्रति था, अथवा समाज तथा प्रकृति के विचित्र विधान के प्रति, यह भी मैं नहीं कह सकता।

प्रायः पौन घण्टे तक दोनों अपने-अपने पलँग पर उसी स्तब्ध अवस्था में पड़े रहे। शान्ति से कुछ न पूछने पर भी मेरे मन में, न जाने क्यों यह विश्वास निश्चित रूप से जम गया था कि वह न तो सोयी हुई है (यद्यपि वह आँखें बन्द करके निश्चल अवस्था में लेटी हुई थी) और न उसे किसी प्रकार का शारीरिक कष्ट ही पीड़ित कर रहा है। वह न मालूम किन अज्ञात दुश्चिन्ताओं की गहनता में अपने को डुबोये हुए थी। पर मेरे चित्त का भाव उस समय ऐसा विचित्र हो रहा था कि उसकी दुश्चिन्ताओं के प्रति (चाहे वह किसी प्रकार की क्यों न हों) तनिक-सी भी सहानुभूति मेरे मन में उत्पन्न नहीं होती थी। इस असमय में, किसी प्रकार की दुश्चिन्ता का कोई संगत कारण मेरी समझ में न आता था। उसके उस मनोभाव को मैं केवल उसके स्वभाव की मूर्खतापूर्ण हठकारिता समझ रहा था और यह विश्वास करने की इच्छा मेरे मन में उदित हो रही थी (यद्यपि मैं जानता था कि ऐसा सोचना अनुचित और अन्यायकर है) कि शान्ति जान-बूझकर मेरा जी जलाने और मुझे मार्मिक वेदना पहुँचाने के उद्देश्य से ही दुर्भावनाग्रस्त होकर स्तब्ध और मौनभाव से असमय में लेटकर सोने का बहाना कर रही है।

जब प्रायः पौन घण्टे तक मेरे मानसिक धूम्रोद्गार और शान्ति के चिन्ता-विजड़ित, अवसन्न तथा खिन्न मनोभाव से कमरे का सारा वातावरण विषमय हो उठा, तो वास्तव में मेरा दम घुटने लगा। मैं उठ बैठा और शान्ति के पास जाकर मैंने कुछ तीव्र स्वर में कहा—"तुमको तो जैसे किसी ने अहल्या की तरह शाप दे दिया है। पत्थर की तरह जड़ हो गयी हो। उतनी देर से एक ही करवट में लेटी हो और टस-से-मस होना नहीं चाहती! यह समय क्या लेटने या सोने का है?"

वह ज़रा हिली और एक बार मेरी ओर एक विचित्र दृष्टि से देखकर फिर करवट बदलकर लेट गयी। अँधेरा काफ़ी हो चुका था, इसलिए उसकी दृष्टि का भाव स्पष्ट रूप से मैं देख नहीं सका था। तथापि उस दृष्टि में एक ऐसी मर्मभेदी विद्युत्-झलक थी, जो उस अन्धकार में मेरे हृदय को तीर की तरह आर-पार चीरकर निकल गयी। स्पष्ट ही मेरे कण्ठ-स्वर की तीव्रता और व्यंग्य से उसे मार्मिक आघात पहुँचा था। पौन घण्टे तक की निस्तब्धता के बाद सन्ध्या और रात्रि के सन्धिकाल के घनीभूत अन्धकार के समय एक असहाया खिन्नमना नवयुवती को उसका कोई घनिष्ठतम सुहृद् (कम-से-कम जिसे वह ऐसा समझती हो) यदि सान्त्वना देने के बजाय अकस्मात् तीव्र कण्ठ से डाँट बताने लगे तो उसके हृदय में चोट पहुँचना स्वाभाविक ही है। यह बात इस समय मेरी समझ में आ रही है; पर उस समय मैं न उसकी खिन्नता का कोई कारण देख रहा था, न उसे असहाया ही समझ रहा था। मैं सोच रहा था कि जब वह स्वयं मेरे साथ चली आने को राजी हुई है और मैंने सारी परिस्थिति का उत्तरदायित्व और भार पूर्णतः अपने ऊपर ले लिया है, तो बात-बात में उसका "जी खराब होना" व्यर्थ की चिन्ता में डूबी रहना, समय-असमय का विचार न करके पत्थर के समान स्तब्ध होकर लेट जाना और मृतवत् मौन धारण कर लेना—यह सब उसकी ज्यादती है और मेरे ऊपर अत्याचार के सिवा और कुछ नहीं है। इसलिए यद्यपि मैं स्वयं अपने कथन की तीव्रता से अनुतप्त हो रहा था, तथापि मुझे अपने शब्दों में कोमलता लाने की इच्छा भी नहीं होती थी। मेरी बात सुनने पर भी वह उठी नहीं, बल्कि तीक्ष्ण दृष्टि से मुझे देखकर करवट बदलकर फिर लेट गयी, यह बात मुझे और भी अधिक अप्रियकर मालूम हुई। उसकी प्रबल हठकारिता का यह एक और दृष्टान्त मुझे दिखायी दिया। इस बात से मेरा मनोभाव शान्त होने के बजाय और अधिक कठोर हो उठा। मैंने कहा—"मैं नहीं जानता था कि तुम्हारे मन के भीतर ऐसे गुप्त और अव्यक्त भाव छिपे हुए हैं! तुम बराबर अपने मन की यथार्थ बातों को मुझसे छिपाती आयी हो और मुझसे कपट रखती हो। (शान्ति ने यहाँ पर अपना बायाँ पाँव हिलाया।) न जाने तुम मुझे क्या समझने लगी हो। अगर यही बात थी तो पहले ही"—बात को बिना पूरा किये ही मैं ठिठककर रह गया। शान्ति अकस्मात् बड़े वेग से उठ बैठी और मेरी ओर एकटक देखने लगी। फिर उसी विद्युत-दृष्टि की मार्मिकता मैं अपने अन्तर में अनुभव करने लगा। और कोई समय होता तो उसकी उस हरकत और उस दृष्टि से मुझे भय होता। पर उस समय मेरी रुद्ध वासना क्रोधावेग के साथ उमड़ चली थी और यह जानकर मुझे दुःख के बदले प्रसन्नता ही हो रही थी कि मेरे आघात से वह आहत हुई है। क्षण-भर के लिए चुप रहकर मैंने कहा—"रात हो आयी, पर बत्ती जलाने की भी सुध किसी को नहीं है।" कहकर मैंने लालटेन पकड़कर कुछ आवाज के साथ उसे जमीन पर रखा और दियासलाई ढूँढ़ने लगा। शान्ति पलँग पर से नीचे उतरी और दियासलाई लेकर लालटेन बलपूर्वक मेरे हाथ से छीनकर जलाने लगी। पर बोली एक शब्द भी नहीं। उसका यह एकान्त

मौनभाव मुझे सबसे अधिक कष्ट पहुँचा रहा था। यदि मेरी किसी बात के उत्तर में वह कुछ बोलती, चाहे वह कितनी ही कड़ी बात क्यों न होती, मैं तब भी मन में कुछ सान्त्वना पाता। पर वह कुछ न बोलने की वज्र-प्रतिज्ञा-सी किये बैठी थी। उसके इस भाव से मेरा अन्तर-आवेग जैसे एक भयंकर कठिन चट्टान से टक्कर खाने के कारण अवरुद्ध होकर विक्षुब्ध हो रहा था।

असल बात यह थी कि प्रेम के सम्बन्ध में सिद्धान्त-रूप से मेरा आदर्श कितना ही ऊँचा क्यों न हो, पर यथार्थ में वह वास्तविक जगत् की प्रकृतिगत पंकिलता से लिप्त होने के लिए भीतर-ही-भीतर व्याकुल हो रहा था। पर शान्ति ने जैसा रुख अख्तियार कर लिया था, उससे वह पग-पग पर विरोध तथा प्रतिरोध पाने के कारण अशान्त और अधीर हो उठा था। बनारस में मैंने सोचा था कि काव्यों, उपन्यासों तथा नाटकों में जिस 'स्वर्गीय प्रेम' का मनोमुग्धकर और सुन्दर वर्णन पढ़ता आया हूँ, शान्ति के साथ वही 'संगरहित निर्लिप्त प्रेम' शान्त और स्निग्ध रूप से निबाहता हुआ प्रतिपत स्वर्गीय उमंग और उल्लास का अनुभव करता रहूँगा। यह मैं क्या जानता था कि यह काल्पनिक आदर्श मेरे बाह्य मन का मिथ्या संस्कार-मात्र है, जो ऐसे कवियों तथा कथाकारों की मन-गढ़न्त कल्पना की केवल छाया है, जिनकी भावधारा जीवन की वास्तविक जड़ों को स्पर्श न कर शून्यलोक के उद्भ्रान्त स्वप्नमय संसार में अपने अवास्तविक आदर्शों का जाल बुनकर पाठकों को ऐसे भयंकर धोखे में डाल देती है जिससे उनके जीवन-मरण की समस्या हल न होकर अन्त तक विभ्रान्ति के चक्कर में गोते खाती फिरती है।

मेरे बाह्य मन का आदर्श चाहे कितना ही ऊँचा हो, पर मेरा अन्तर्मन तो जन्म-जन्मान्तर के संस्कारों से गठित मानवी प्रकृति के विरुद्ध नहीं जा सकता था! भगाने के समय मेरे भीतरी मन का यह पाप स्वयं मुझसे छिपता हुआ था। अब वास्तविकता के संघर्ष से वह फूट पड़ा था, यह बात मैं पहले भी कह चुका हूँ। इसलिए शान्ति के प्रति मेरे निर्मम आक्रोश और निष्ठुर आघात का वेग बढ़ता ही जाता था।

यथार्थ में मैं शान्ति को बनारस में पूरी तरह से समझ नहीं पाया था। उसे मैंने कुसुम से भी कोमल और नव मुकुलित लता से भी अधिक नमनीय समझा था। जीवन के सम्बन्ध में मेरा अनुभव यदि उस समय अधिक गहरा होता तो जिस साहसिकता से उसने कमलदेवी द्वारा आरोपित मिथ्या कलंक का सामना किया था, उसे देखते हुए मुझे पहले ही समझ लेना चाहिए था कि उसकी अन्तःप्रकृति कुसुम-सदृश कोमल होने पर भी उसका बाह्यावरण वज्र-निर्मित कवच से भी अधिक सुदृढ़ है। जब तक वह स्वेच्छा से इस अक्षय कवच को उतार न दे, तब तक उसे भेद सकना आसान नहीं। उसका व्यक्तित्व नव-मुकुलिता लता की तरह नमनीय अवश्य था, पर आवश्यकता पड़ने पर वह तड़िल्लता का रूप धारण कर लेता था, जिसकी प्रज्वलित ज्योति की निर्मम तीक्ष्णता आँखों में चकाचौंध लगाने पर भी अत्यन्त सुन्दर लगती है और जो स्वयं क्षणिक प्रकाश के बाद विलीन हो जाने के कारण रहस्यमय रह जाती है, और अपने पीछे, गाढ़तर अन्धकार छोड़ जाती है, पर दूसरों का मर्म चीरकर उसके गहन गुहा में छिपे हुए

अणु-परमाणुओं का भी परिचय पा जाती है। उसके स्वभाव की रहस्यमय गुत्थियों को न सुलझा सकने के कारण आक्रोश के साथ ही उसके प्रति मेरे प्रेम का प्रवेग अधिकाधिक उद्वेलित होने लगा।

•••

शान्ति ने जब बत्ती जलायी तो उसके रहस्यमय सौन्दर्य का एक विचित्र ही रूप आज अकस्मात् मेरी आँखों के आगे झलक गया। अभी तक रात्रि के बाह्यान्धकार के साथ ही मेरा मन भी घोर अन्धकार में निमज्जित था। शान्ति ने लालटेन जलाते ही जैसे अकस्मात् मेरे मनोगुहा में छिपे हुए, युगों से पुंजीभूत, निविड़ तिमिर से आच्छन्न मन्दिर में भी दीपक जला दिया। आज तक मैंने उसके सौन्दर्य के अनेक रूप देखे थे। पर आज का रूप एकदम निराला, अद्वितीय और एक अनिर्वचनीय महिमा की अपूर्व आभा से प्रदीप्त था। वह महामहिम ज्योति इस साधारण जगत् के तुच्छ सुख-दुःख, प्रेम-घृणा, उमंग और ग्लानि के ऊपर विश्व के महागिरिशृंग के उत्तुंग मन्दिर के शिखर से अपनी पुण्य-प्रभा का विकीरण करती हुई जान पड़ी। मेरी आँखों से अकस्मात् एक काला पर्दा हट गया और मैं स्तम्भित, विमुग्ध और विभ्रान्त होकर उस अपरूप रूप को एकटक निहारता रहा। कहाँ गया आक्रोश! कहाँ गयी मेरे अन्तर के गहनतम अव्यक्त रन्ध्रों से घनीभूत होनेवाली विषमयी वासना! मेरा हृदय अलौकिक पुलक की अकपट श्रद्धा से गद्गद और भक्ति से प्रणत होकर उस दिव्यरूपमयी देवी के—जिसके एक भ्रू की भंगिमा अभिशाप का अस्त्र निक्षेप करने को उद्यत जान पड़ती थी और दूसरे भ्रू का विलास वरदान देने के लिए उन्मुख था—चरणों पर गिरकर अपने को परिपूर्णतः निछावर करने के लिए उत्कण्ठित हो उठा।

अकस्मात् शान्ति के रूप में यह कैसी विशेषता मैंने पायी? आज कौन-सा नया कारण सहसा व्यक्त हो पड़ा, जिसके मायावी प्रभाव से उसका अन्तरतम सौन्दर्य तलप्रदेश से एकदम सतह पर आ पड़ा? मैं ठीक तरह से कुछ कह नहीं सकता। तथापि एक बात पर मेरा ध्यान आकर्षित हुए बिना न रहा। उसका चेहरा तमतमाया हुआ था। आँखों को देखने से मालूम होता था कि उसके अन्तर की सारी वेदना उमड़कर उनमें समाकर घनीभूत हो उठी है; पर उन आँखों की तेजस्विता ने उस वेदना को जैसे सगर्व पी लिया हो—उसकी एक बूँद भी बाहर निकलने देना जैसे वह न चाहती हो। उसकी भ्रू-भंगिमा से प्रबल आक्रोश और सकरुण क्षोभ, अधिकारपूर्ण गर्व और सहज नम्रता के भाव एक साथ व्यक्त हो रहे थे। प्रायः तीन मिनट तक मैं निश्चल नेत्रों से उसके रहस्यमय रूप की इस अवर्णनीय मनोमोहकता का रस पान करता रहा।

पर सहसा किसी अज्ञात शक्ति के धक्के से मेरी मोहाच्छन्नता भंग हुई और एक अजानित वाणी ने मेरे मन के कानों में कहा कि शान्ति की तबीयत सचमुच खराब है और तुमने अपने कटु व्यंग्यों के बाणों से उसका मर्मच्छेदन करके घोर नीचता का काम किया है। मुझे सबसे बड़ा आश्चर्य और दुःख अपनी नीचता और स्वार्थान्धता को इस सीमा तक पहुँचते देखकर, हुआ कि मैंने इस समय तक झूठे मुँह भी एक बार उससे नहीं पूछा कि उसकी तबीयत कैसी है?

शान्ति लालटेन जलाकर सिर नीचा किये फ़र्श पर ही बैठी थी। मैंने आन्तरिक चिन्ता से पूछा—"शान्ति, तुम्हारी तबीयत इस समय कैसी है?

उसने कोई उत्तर नहीं दिया और पूर्ववत् सिर नीचा किये रही। उसका यह वज्र-स्तम्भित मौन मेरे चित्त को अशान्त कर रहा था। मैंने उसके माथे पर हाथ लगाया। वह चूल्हे पर रखे हुए तवे की तरह गरम था। मैंने कहा—"तुम्हें बुखार है, नीचे मत बैठो। पलँग पर जाकर आराम करो।"

पर वह हठपूर्वक फ़र्श पर ही बैठी रही। मेरा चित्त पहले से ही दुःखी था, तिस पर उसे ज्वर से पीड़ित जानकर मैं बहुत घबरा उठा। पर सबसे अधिक कष्ट मुझे उसके मौन भाव और उसकी हठकारिता देखकर हो रहा था। मैं उसके व्यवहार से ऐसा परेशान था कि जी में आता था कि या तो अपना सिर पीटूँ या कोई भीषण काण्ड कर बैठूँ। पर कुछ न करके मैंने अनुनय के स्वर में कहा—"शान्ति, देखो, मेरा कहना मानो, उठ बैठो! इस तरह स्वयं कष्ट पाने और मेरा जी दुखाने से क्या लाभ होगा।" मेरी आवाज भर्रायी हुई थी। मुझे डर लग रहा था कि कहीं मैं रो न पड़ूँ। शान्ति का हृदय कुछ द्रवीभूत हुआ। वह धीरे से उठकर अपने पलँग पर जाकर लेट गयी।

मेरे सिर पर अकस्मात् फिर न जाने कौन भूत सवार हुआ, मैं भी उठकर उसी के पलँग पर उसके पैताने बैठ गया और उसके पैरों की उँगलियों के ऊपर हाथ फेरते हुए मैंने पूछा—"क्या बहुत दर्द हो रहा है, शान्ति? डॉक्टर को बुला लाऊँ?"

उसने पाँव को धीरे से हटाते हुए बहुत धीमे, किन्तु सहज स्वर में कहा—"नहीं, मुझे बिलकुल ही कष्ट नहीं हो रहा है। मैं बड़े आराम से हूँ। मुझे बुखार-उखार कुछ नहीं है! तुम कुछ चिन्ता न करो, और जाकर आराम करो।"

पर मुझे न मालूम क्या हो गया था, मैं उन चरणों का मोह छोड़ नहीं पाता था। मैं उन्हें पकड़कर बार-बार सहलाने लगा। इच्छा होती थी कि उन्हें कलेजे से लगाऊँ, सिर पर रखूँ और उन पर लगी हुई धूलि का चुम्बन करूँ। कुछ देर तक चुप रहने के बाद मैंने कहा—"शान्ति, मेरे ही कारण तुम्हें सब कष्ट उठाने पड़ रहे हैं, मुझे क्षमा करना! तुम्हारा जीवन नियमित रूप से चल रहा था, बीच में मेरे आ जाने से सब डाँवाँडोल हो गया। मैं अपने को बड़ा अपराधी मालूम कर रहा हूँ। मैं अकारण तुम्हारे दुःख का कारण हुआ!" कहकर मैं, फिर धीरे-धीरे उसके पाँव सहलाने लगा। मेरा हृदय वास्तव में द्रवीभूत हुआ जा रहा था और मुझे विश्वास है कि मेरे कथन में परिपूर्ण सहृदयता थी, व्यंग्य का लेश भी न था।

आज बहुत दिनों से मेरे हृदयावेग ऐसे निश्छल रूप से प्रकट हुआ था। शायद इसी कारण शान्ति भी विचलित हो उठी थी। अथवा यह भी सम्भव है कि वह ज्वर के कारण तैश में आ गयी हो। कारण कुछ भी हो, वह अकस्मात् उठ बैठी और अपनी दोनों कोमल भुजाओं से मेरे गले से लिपटकर बच्चों की तरह मुँह बनाकर स्नेह तथा अनुरोध से पूर्ण भर्त्सना के साथ बोली—"न! ऐसी बात न कहो! तुमने मेरे लिये जो त्याग स्वीकार किया है, उसे मैं मरने के बाद भी नहीं भूल सकती।" कहकर वह अपना बायाँ हाथ मेरे कन्धे पर रखकर दाहिने हाथ से सस्नेह मेरे बालों को सहलाने लगी। मेरी आवेग-विह्वलता सब बन्धनों को तोड़कर गिरि-गुहा से निर्झर-धारा-सी फूट पड़ी। उन्मादग्रस्त की तरह मैं उसके चरणों को बार-बार चूमने लगा और उत्कट स्नेह के बौड़मपन में दाँतों को पीसता हुआ कहने लगा—"शान्ति! मेरी भोली शान्ति! मेरी दुलारी शान्ति! मेरी प्यारी शान्ति! तुम मेरी हो, केवल मेरी! तुम अब स्वयं अपनी भी नहीं हो! तन से, मन से और आत्मा से तुम अब पूर्ण रूप से मेरी हो।" मेरा बच्चों का-सा आवेग देखकर वह खिलखिलाकर हँस पड़ी। ज्वर के कारण उसके गले की आवाज कुछ भारी होने से उसका खिलखिलाना आज और भी अधिक मधुर लगता था। मुझे दृढ़तर आलिंगन-पाश में बाँधती हुई बोली—"तुम अभी दस बरस के लड़के-से लगते हो।"

"और तुम? क्या अपने को बड़ी सयानी समझती हो?" कहकर मैंने ही उसकी ठुड्डी पकड़ ली।

उसने कहा—"मैं भी अभी नादान लड़की हूँ। सच्ची! देखो न, कभी-कभी तुमसे किस कदर रूठ जाती हूँ। फिर पछताती हूँ कि तुम्हारे मन को क्यों नाहक दुखाया। क्या करूँ, बचपन से ही रूठने की निगोड़ी बान पड़ी हुई है।" मैंने कहा—"बचपन में तुम जिससे रूठती होंगी, उसके प्रति मेरे मन में बड़ी ईर्ष्या उत्पन्न हो रही है।" शान्ति ने भावमग्न होकर शून्य की ओर दृष्टि करके स्वप्न की-सी अवस्था में कहा—"माँ को बचपन में कितना परेशान करती थी। बात-बात में रूठती, बात-बात में झगड़ती। माँ से जब जिस चीज के लिए पैसा माँगती, वे भरसक नाहीं न करतीं। मेरे छोटे भाई विजय से भी मुझे वे ज्यादा चाहती थीं। मैं चार साल की थी तभी पिता जी की मृत्यु हो गयी थी। इसलिए उनके स्नेह से मैं परिचित नहीं हूँ। पर अपने भैया की मैं बड़ी दुलारी बहन थी।" यह कहकर वह फिर भावविभोर हो गयी। मैने कहा—"तुमने अपने भैया के बारे में मुझसे कभी कुछ नहीं कहा।"

"वे मेरे सौतेले भाई थे। उनकी माता की मृत्यु के बाद मेरी माँ का विवाह हुआ था। पर माता को वह कभी विमाता न समझते थे और माँ भी उन्हें प्राणों से अधिक मानती थीं।" शान्ति इस तरह अन्यमनस्क-सी होकर बोल रही थी जैसे वह अपने-आपसे कुछ कह रही हो। क्षण-भर चुप रहकर उसने कहा—"उन्होंने मुझे बहुत मुँह लगा रखा था। जब विजय मेरी शिकायत उनसे करता, तो वह उसकी एक न सुनते और जब मैं उसकी शिकायत करती, तो उस पर बड़ी डाँट पड़ती। माँ से मैं फुटकर पैसे अपनी

सहेलियों के साथ खर्च करने के लिए माँगती, पर भैया से बड़ी-बड़ी फरमाइशें करती। कभी किसी सहेली को सुन्दर नयी साड़ी पहने देखती तो भैया से मेरे लिये भी उसी तरह की साड़ी लाने के लिए जिद करती और जब तक न लाते, तब तक एक पल के लिए उन्हें चैन लेने न देती। कुछ दिनों बाद जब किसी दूसरी सहेली को नयी साड़ी पहने देखती, तो ठीक उसी तरह की और साड़ी मैं भैया से खरीदने के लिए कहती। भैया के पल्ले में पैसे न रहने से वह कभी-कभी साड़ी खरीदने में देर भले ही कर देते रहे हों, पर उन्होंने खरीदने से इनकार कभी नहीं किया। यह कभी नहीं कहा कि 'तुम्हारे पास इतनी अच्छी-अच्छी और नयी साड़ियाँ पड़ी हुई हैं, फिर एक और खरीदने के लिए क्यों कहती हो?'' हाँ कभी-कभी हँसी में इतना जरूर कह देते—''माँ, शान्ति अपने ब्याह के लिए साड़ियों को अभी से इकट्ठा करती जाती है।'' मैं इस बात पर नाराज होकर कहती—''ऐसा कहोगे तो मैं मारूँगी।'' और मुँह फुलाती हुई सचमुच उन्हें मारने लगती। वे अपने को बचाते हुए हँसते-हँसते कहते—''अच्छा, अच्छा बहन अब हो गया, अब से ऐसा नहीं कहेंगे, पर यह तो बताओ, तुमने इतनी साड़ियाँ इकट्ठी कर ली हैं, पर पहनती सिर्फ तीन-चार ही हो। बाकी साड़ियों से क्या करोगी?'' मैं कहती—''मैं कुछ भी करूँ, तुम्हें इससे क्या! मैं अपनी गुड़िया का ब्याह करूँगी, उसे पहनाऊँगी, उसकी ससुराल को भेजूँगी, जैसी इच्छा होगी, वैसा करूँगी, तुम्हें क्या!'' ''भैया ठठाकर हँस पड़ते।'' कहकर शान्ति स्वयं भी खिलखिलाकर हँस पड़ी और उसकी आँखों में हर्ष और स्नेहस्मृति के आँसू लालटेन के क्षीण प्रकाश में मोती की तरह झलकने लगे।

मैं तन्मय होकर उसके बाल्य-जीवन के स्निग्ध-मधुर संस्मरणों की पुलकभरी बातें सुन रहा था। दीर्घ-मौन के बाद उसके हृदय का बाँध टूट पड़ा था और संस्मरणों के सिलसिले का तार टूटना नहीं चाहता था। वह बायें हाथ से मेरे कन्धे को दृढ़ता से पकड़े थी और दाहिने हाथ से कभी मेरी कमीज का बटन खोलती थी कभी लगाती थी; पर यह काम वह अज्ञात रूप से कर रही थी। वह एक दूसरी ही दुनिया में पहुँची हुई थी, जिसकी स्वप्न-स्मृति शैशव-लोक से अकस्मात् उमड़कर उसके हृदय के प्रत्येक उपप्रान्त को विह्वल तरंगाभिघात से आन्दोलित कर रही थी। वह कहती चली गयी—''भैया मेरे मुँह से सयानी औरतों की-सी बातें सुनकर कहते—''अभी से बूढ़ी बन गयी है। दो-तीन दिन में तेरे बाल भी पकने लगेंगे, देख लेना!'' (यहाँ पर शान्ति एक सेकण्ड के लिए फिर खिलखिलाकर उठी) मैं खीझकर उन्हें मारने दौड़ती। वे भी अपने को बचाने के लिए मेरी ओर मुँह किये हँसते-हँसते दौड़ते! मैं उनका पीछा करती। वे कभी 'बुढ़िया', कभी 'शैतान की नानी' कहकर मुझे खिझाते और हाः हाः करते हँसते रहते। भैया स्कूल में लड़कों को पढ़ाते थे। स्कूल से लौटने पर जब वे घर आते और मुझे घर पर न पाते तो माँ से पूछते—''माँ, 'बुढ़िया' कहाँ गयी?'' भैया के घर आने के समय मैं अक्सर घर ही पर रहती, पर कभी-कभी समय का अन्दाज न आने से अपनी सहेलियों के साथ खेल में व्यस्त रह जाती। जब तक मैं न आती, तब तक भैया जलपान न करते। सुबह-शाम भैया के भोजन के समय मुझे उन्हीं के पास बैठे रहना होता।

किसी दिन मैं न बैठ पाती तो बड़े उदास हो जाते और माँ कहती थीं कि उस दिन वे खाना भी पूरी तरह न खाते। स्कूल से भैया को बहुत कम वेतन मिलता था। मुश्किल से पचास रुपये मिलते रहे होंगे, ऐसा मेरा अनुमान है। ठीक कितना मिलता था, मुझे मालूम नहीं, पर माँ से उनकी जो बातें होती थीं, उनसे पता चलता था कि स्कूल के वेतन से घर का खर्चा नहीं चलता था। इसलिए वे दो-एक लड़कों को घर में पढ़ाया करते थे। कुछ समय तक उन्होंने एक लड़की को भी पढ़ाया था। यही लड़की उनके जीवन का काल बनी।''

शान्ति का गला रुँध आया और वह अंचल से आँसू पोंछने लगी। मेरी आँखें भी न मालूम किस समय डबडबा आयी थीं। शान्ति को आँसू पोंछते देख मुझे भी याद आया कि मेरी आँखें भीगी हुई हैं; पर पोंछने का साहस मुझे इसलिए नहीं होता था कि कहीं वह मेरी दुर्बलता से परिचित न हो जाय। इसी कारण मैं कुछ बोलने और उसे दिलासा देने का भी साहस नहीं कर रहा था। तथापि मेरा जी चाहता था कि इसी तरह अनन्त काल तक बैठे-बैठे उसके स्पर्श-सुख का अनुभव करते हुए उसकी कलकूजनमयी भाषा में उसके पूर्व जीवन की स्नेहपूर्ण करुणा से भरी कहानी सुनता रहूँ। उसके अपरिचित जीवन का एक अपूर्व रहस्य मेरे आगे उद्घाटित हो रहा था। मानव-संसार के अविरल- प्रवाहित चिर-कोलाहलमय जीवन के अन्तराल में अज्ञात रूप से छिपी हुई एक स्निग्ध-करुण क्षीणधारा भूतकाल को किसी अन्ध कन्दरा से फूटकर अपनी मार्मिक संवेदनशीलता के माधुर्य से मेरे प्राणों को परिपीड़ित और साथ ही पुलकप्लावित कर रही थी।

•••

शान्ति को चुप होते देख मुझसे रहा न गया। मेरी उत्सुकता बहुत बढ़ गयी थी। अपना रुँधा हुआ गला साफ करके मैंने क्षीण स्वर में कहा—''मैं तुम्हारे भैया का पूरा हाल सुनने के लिए बड़ा उत्सुक हूँ।''

स्पष्ट ही शान्ति का मन भी बहुत दिनों से (शायद वर्षों से) किसी मनोनुकूल श्रोता के आगे अपने पूर्व जीवन की मर्मगाथा सुनाने के लिए उत्कण्ठित हो रहा था। उसकी रुद्ध गति आज दीर्घकाल के बाद मुक्त होकर अब रुकना नहीं चाहती थी। जब उसका मनोवेग कुछ शान्त हो गया, तो वह कहने लगी—''भैया को जिन लोगों ने देखा है, वे उनके शील-स्वभाव और रूप-गुण की प्रशंसा अभी तक करते हैं। उनके गुणों की भी अपेक्षा उनके रूप की प्रशंसा स्त्रियों में अधिक सुनी जाती थी। मैं तब छोटी थी। मैं

न तो उनके गुणों से और न रूप की विशेषता से परिचित थी। उन पर मैं अपने सहज स्नेह का अधिकार समझती थी और उनके कारण पिता जी की मृत्यु के अभाव का अनुभव मैंने कभी नहीं किया। पर माँ के पास उनकी जान-पहचान की जो स्त्रियाँ आती थीं, उनकी बातों से पता चलता था कि मेरे भैया कोई साधारण व्यक्ति नहीं हैं और उनके कारण अपने मन में मैं एक अज्ञात गर्व का अनुभव करती। बहुत-सी स्त्रियों ने भैया के साथ अपनी लड़कियों के विवाह का प्रस्ताव माँ के आगे किया। उनमें से दो लड़कियों को माँ ने बहुत पसन्द किया था। पर भैया से जब वे उस बात की चर्चा चलाती थीं, तो वह एकदम अस्वीकार कर देते थे। और सब समय वह बड़ी हँसी-खुशी के साथ माँ से बातें करते थे, पर विवाह की बात चलते ही उनका मुँह गम्भीर हो जाता और आँखें क्रोध से भर जातीं। ऐसे मौके पर उनके मुँह की ओर देखने में भी मुझे डर मालूम होता। कई बार वे 'विवाह' शब्द सुनते ही परोसा हुआ खाना छोड़कर उठकर चल देते थे। अन्त में माँ ने हार मानकर इस सम्बन्ध में उनसे कहना छोड़ दिया।

''जिस लड़की को वे पढ़ाते थे, उसका पूरा नाम था कीर्तिकुमारी। पुकारने में कोई उसे कीर्ति कहते और कोई कुमारी। वह खत्री लड़की थी और उसके पिता बनारस के एक प्रसिद्ध साहूकार थे। कीर्ति की माता से माँ का घनिष्ठ परिचय था। इसी परिचय का ही यह फल हुआ कि भैया कीर्ति को पढ़ाने लगे। कीर्ति की आयु उस समय सोलह वर्ष के लगभग रही होगी। पर माँ का कहना था कि वह उसी आयु में बहुत-सी सयानी स्त्रियों से भी अधिक समझदार मालूम होती थी। उससे बड़ी उसकी दो बहनें थीं। उसकी माँ की बातों से मालूम होता था कि तीनों बहनों में बड़ा मेल और बड़ा प्रेम था। सबसे बड़ी बहन का विवाह बारह वर्ष की अवस्था में हो गया था; पर विवाह के दूसरे साल ही उसे क्षय-रोग ने धर दबाया, और वह भी इस बुरी तरह से कि बीमारी जाहिर होने के कुछ ही महीने बाद उसकी मृत्यु हो गयी। इसके बाद दूसरी बहन का विवाह हुआ—तेरह वर्ष की अवस्था में। उस पर भी न जाने विधाता का क्या कोप हुआ, वह भी विवाह के प्रायः डेढ़ साल बाद क्षय-रोग से चल बसी। माँ कहती थीं कि दोनों लड़कियाँ बड़े नम्र स्वभाव की और सुशील थीं! दूसरी बहन की मृत्यु को साल भर भी नहीं हुआ था कि कीर्ति का छोटा भाई अकस्मात् एक विचित्र रोग का शिकार बन गया। डॉक्टरों ने कहा कि डिप्थीरिया हो गया है, औरतो ने कहा—'हब्बा डब्बा'। बीमारी कुछ भी रही हो, इलाज में कुछ कोर-कसर न रहने पर भी वह जी न सका। अब केवल कीर्ति ही अपने पिता की एकमात्र सन्तान रह गयी। कीर्ति स्वभाव में अपनी बहनों की अपेक्षा ढीठ और बड़ी चंचल और हँसमुख लड़की थी। पर अपनी प्यारी बहनों और लाड़ले भाई की मृत्यु के कारण उसके हृदय को ऐसी चोट पहुँची कि उसका स्वभाव ही एकदम बदल गया। उसने अपनी सहेलियों से मिलना एक प्रकार से छोड़ दिया। किसी काम में उसका जी नहीं लगता था। सदा उदास बैठी रहती और अकेले बैठे-बैठे न मालूम क्या सोचती। पहले वह किस्से-कहानियों की किताबों को बहुत पढ़ा करती थी। पर पीछे अकस्मात् धार्मिक पुस्तकों की ओर उसकी ऐसी रुचि बढ़ी कि घण्टों पढ़ती रहती।

उसके कुल में प्रचलित रीति के हिसाब से वह विवाह की अवस्था पार कर चुकी थी। पर उसने अभी से विवाह न करने के लिए ऐसा हठ बाँधा कि उसमें माँ-बाप को चुपचाप रह जाना पड़ा। कम उम्र में अपनी दो लड़कियों का विवाह करने से अच्छा फल नहीं हुआ था, यह सोचकर भी उन्होंने इस बात पर जोर देना उचित नहीं समझा। जिस पर वह उनकी एकमात्र सन्तान रह गयी थी।

"धार्मिक पुस्तकों में मन लगने से कीर्ति को एकाएक संस्कृत सीखने की धुन सवार हुई। भैया संस्कृत बहुत अच्छी तरह जानते थे और वैदिक ग्रन्थों का अध्ययन उन्होंने भली-भाँति कर रखा था। कीर्ति की माँ ने भैया को केवल एक बार देखा था। वे नहीं जानती थीं कि वास्तव में भैया की योग्यता कहाँ तक है। फिर भी एक बार के ही दर्शन से उन्हें, न मालूम क्यों, इस बात पर पूरा विश्वास हो गया था कि वे बड़े विद्वान् हैं और साथ ही सदाचारी भी हैं। उन्होंने माँ से पूछा कि भैया कीर्ति को पढ़ा सकेंगे या नहीं। माँ ने भैया से पूछा। एक लड़की को पढ़ाना होगा, यह सुनकर भैया कुछ हिचकिचाये; पर उनके लिए वह जीविका का प्रश्न था। माँ ने उन्हें समझाया कि "कीर्ति को घर की लड़की समझना चाहिए, मैं बराबर उसे अपनी बेटी के समान मानती आयी हूँ।" माँ की बात सुनकर उन्हें ढाढ़स हुआ और वे राजी हो गये।

"प्रायः डेढ़ साल तक उन्होंने कीर्ति को पढ़ाया। माँ से वे कीर्ति की बड़ी प्रशंसा किया करते। कहते—"ऐसी बुद्धिमती लड़की मैंने अपने जीवन में नहीं देखी। इतने कम समय में ही उसने इस हद तक संस्कृत सीख ली है कि दर्शनशास्त्र के बड़े-बड़े जटिल ग्रन्थों का मर्म आसानी से समझ जाती है। पर सबसे बड़ी बात यह है कि वह केवल विद्वत्ता के लिए नहीं पढ़ती, वह अपने जीवन को भी दार्शनिकता के रंग में रँगना चाहती है।" माँ इस विशेषता को किसी लड़की के लिए बड़ी प्रशंसा की बात नहीं समझती थीं। फिर भी जब भैया कीर्ति का गुणगान करते तो वे स्नेहपूर्वक मुस्करा देती थीं।

"जब से भैया ने कीर्ति को पढ़ाना शुरू किया, तब से उनके स्वभाव में धीरे-धीरे विशेष परिवर्तन दिखायी देने लगा। मेरी अवस्था उस समय केवल आठ वर्ष की थी। किसी व्यक्ति के विशेष मानसिक भावों के ह्रास और विकास पर बारीकी से गौर करने और उनका कारण मालूम करने की अवस्था मेरी नहीं थी। फिर भी मुझे इस समय भी अच्छी तरह याद है कि मैं भैया के स्वभाव में एक ऐसा परिवर्तन देख रही थी, जिसकी अवज्ञा मुझ-जैसी अबोध लड़की भी नहीं कर सकती थी। माँ के मन में कुछ विशेष सन्देह होने लगा था—जैसा कि माँ ने स्वयं पीछे मुझसे कहा था। भैया ऐसे अन्यमनस्क रहने लगे कि तब तक उनके पास जाने में भय मालूम होता, जब तक वे स्वयं मुझे न बुलाते। जब कभी मैं किवाड़ के छेद से उनके कमरे की ओर झाँकती तो या तो उन्हें पलँग पर चित लेटे हुए और अन्यमनस्क भाव से छत की ओर दृष्टि किये हुए पाती, या कमरे के एक छोर से दूसरे छोर तक टहलते हुए देखती।

"भैया के सदाचार पर मेरा पूर्ण विश्वास है और मैं जानती हूँ कि उनका घोर शत्रु भी उन पर यह दोषारोपण करने का साहस नहीं कर सकता कि कीर्ति के साथ उनका किसी प्रकार का अनुचित सम्बन्ध कभी रहा। पर दो हृदयों के प्रकृतिगत आकर्षण का निवारण करने की शक्ति इस विश्व में कहीं भी है, इस बात पर मैं कदापि विश्वास नहीं कर सकती। (यहाँ पर शान्ति ने विशेष अर्थभरी मार्मिक दृष्टि से मुझे देखा।) वह आकर्षण सदाचार और दुराचार के परे है, इसका अनुभव मैं अपने मर्म के अणु-परमाणु में कर रही हूँ। इसलिए किस साहस से भैया को इस बात के लिए दोष दे सकती हूँ कि कीर्ति के आकर्षण के मोह से वे अपने को बचा न सके! मेरा अज्ञात संस्कार मुझसे कहता है कि भैया ने उस मोह से मुक्ति पाने की चेष्टा में कोई बात उठा नहीं रखी! पर उन्हें अन्त तक सफलता नहीं मिली।

"भैया के रूप और गुण से परिचित होने पर कोई सहृदय, और बुद्धिमती नवयुवती उनके प्रति आकर्षित हुए बिना रह सकती, यह सम्भव नहीं था। फिर कीर्ति को तो घनिष्ठ रूप से उनके स्वभाव से परिचित होने का अवसर मिला था। कीर्ति की भावुक प्रकृति और साथ ही तेजस्वी स्वभाव के बारे में मैंने माँ के और भैया के मुँह से जैसी बातें सुनी थीं, उनसे मैं यह अनुमान भली-भाँति लगा सकती हूँ कि उसके लिए भैया का आकर्षण कुछ कम नहीं, बल्कि अधिक प्रबल था।

"प्रायः डेढ़ वर्ष तक जब भैया उसे पढ़ा चुके, तो एक दिन अकस्मात् उन्हें सूचना दी गयी कि अब कीर्ति अधिक नहीं पढ़ेगी, क्योंकि उसी महीने उसका विवाह होना निश्चित हो चुका था। कीर्ति ने इस बार भी घोर आपत्ति प्रकट की थी। पर उसके माता-पिता ने इस बार उसकी बात मानने से एकदम इनकार कर दिया, क्योंकि समाज में बड़ी बदनामी फैलने लगी थी। इसके सिवा उन लोगों के दृष्टिकोण से वर भी उन्हें योग्य मिल गया था।

"इस सूचना से भैया को कैसा सदमा पहुँचा होगा, उसका अनुमान करना कठिन नहीं है। उनके सुन्दर उज्ज्वल मुख की कान्ति एक ही दिन में ऐसी फीकी पड़ गयी कि देखकर आश्चर्य होता था। तब से दिन-दिन उनका शरीर सूखता चला गया। फिर भी वे स्कूल जाते थे और माँ को चिन्तित होते देख यथाशक्ति बात को हँसी में टालकर उन्हें दिलासा देने की चेष्टा करते थे।

"कीर्ति के विवाह के एक सप्ताह बाद यह दिल दहलानेवाला समाचार मिला कि उसने आत्महत्या कर ली है। जिस समय भैया ने माँ के मुँह से यह समाचार सुना, उस समय उनके चेहरे की जो हालत हो गयी थी, उसे मैं मरते दम तक नहीं भूल सकती। वे खड़े थे। खबर सुनते ही वहीं नीचे फर्श पर बैठ गये। उनके मुख पर ऐसी मुर्दनी छा गयी कि मैं भय से चिल्लाकर रो उठी और माँ के शरीर से लिपट गयी। उनकी आँखें सूखकर पत्थर की तरह नीरस और निश्चल हो गयी थीं, मुख का चमड़ा सिकुड़कर चमगादड़ के चमड़े की झिल्ली की तरह दिखायी देता था। जैसे प्रेतात्मा की साक्षात् मूर्ति मेरे सामने खड़ी थी। माँ भी बहुत डर गयी थी। उन्होंने चिल्लाकर पुकारा—"जग्गू!"

इस आवाज से भैया की मूर्च्छा (उनकी उस विचित्र दशा को मूर्च्छा के सिवा और क्या कहा जा सकता है!) भंग हुई। उन्होंने कहा—'क्या है माँ?' माँ ने कहा—'जग्गू, तुझे हो क्या गया है? इस तरह घबरा जाना अच्छा नहीं है, बेटा!' 'कुछ नहीं हुआ', कहकर वे बड़ी मुश्किल से उठे और पलँग पर जाकर लेट गये। उस दिन जो लेटे तो फिर लेटे ही रहे। उसी दिन से उन्हें बुखार आना शुरू हो गया। प्रायः दो महीने बाद उनकी मृत्यु हो गयी।''

शान्ति फिर अंचल से आँसू पोंछने लगी। मैं मुग्ध, मौन-भाव से उसके भैया के जीवन की पुण्य-गाथा सुन रहा था। उनके जीवन का इतिहास इस मार्मिक रूप से दुःखान्त होगा, यह मैं भी नहीं जानता था। कथा की चरम परिणति का हाल सुनकर मैं मूढ़वत् स्तब्ध और विभ्रान्त रह गया। शान्ति को किन शब्दों में दिलासा दूँ, समझा नहीं पाता था।

•••

इतनी देर तक तन्मयता के साथ भैयां के सम्बन्ध में बोलते रहने से शान्ति का बुखार आँसुओं के साथ जैसे बह गया, ऐसा मालूम हुआ; ठीक जैसे मलेरिया ज्वर पसीने के साथ उतर जाता है। शरीर का उत्ताप बहुत कम हो गया था। इस बात से एक बड़ी चिन्ता मेरे मन से दूर हुई। उस अपरिचित स्थान में उसका ज्वर बढ़ जाने से मुझे जिस कष्ट का सामना करना पड़ता, उसका अनुभव मैं खूब अच्छी तरह से कर रहा था।

शान्ति जब कुछ देर तक आँसू पोंछ चुकी और मैं भी अपने मन की स्तम्भित अवस्था से सचेत होकर कुछ सँभला, तो मैंने कहा—''बीती हुई बात के लिए रोने से अब कोई लाभ नहीं है, शान्ति! मुझे पूरा विश्वास है कि तुम्हारे भैया की आत्मा जहाँ भी होगी, बड़ी शान्ति और सुख से होगी।''

मैं जानता था कि मैंने रात-दिन साधारण व्यवहार में आनेवाली उक्ति को केवल दुहराया है। तथापि शान्ति को उसी साधारण उक्ति से बहुत-कुछ सान्त्वना मिली, ऐसा जान पड़ा। वह सँभलकर बैठ गयी और उसने अत्यन्त उत्सुक दृष्टि से मेरी ओर देखा। कुछ देर तक इसी तरह देखते रहने के बाद उसने कहा—''क्या तुम स्वर्ग को मानते हो?''

''न मानने का कोई कारण मैं नहीं देखता। हाँ, यह बात जरूर है कि स्वर्ग-नरक के सम्बन्ध में पुराणों में जो वर्णन पाया जाता है, उसे मैं विश्वासयोग्य नहीं समझता। मेरा यह विश्वास है कि जिस व्यक्ति का अन्तःकरण शुद्ध है, उसकी अन्तरात्मा में ऐसे

पुनीत भाव संचित होते जाते हैं, जिनकी पुंजीभूत सुखानुभूति में उसके व्यक्तित्व का सूक्ष्म रूप उसकी मृत्यु के बाद पूर्ण रूप से निमज्जित हो जाता है। भावों की यह अतीन्द्रिय सुखानुभूति ही स्वर्ग-सुख है। जीवन-काल में मानवात्मा संसार के नाना चक्रों के बाह्य संघर्षण से उस निष्कलुष भावपूर्ण सुख का अनुभव सब समय नहीं कर पाती, पर मृत्यु के बाद सांसारिक संघर्षण की बाधा न होने से वह उसमें पूर्णतया तल्लीन हो जाती होगी, ऐसा मेरा विश्वास है।''

इसमें बहुत सन्देह है कि शान्ति मेरी बात को अच्छी तरह हृदयंगम कर पायी या नहीं। तथापि उसने कहा—''स्वर्ग का वास्तविक रूप चाहे कैसा ही क्यों न हो, उसका अस्तित्व तुम अस्वीकार नहीं करते, यही मेरे मन के सन्तोष के लिए काफी है। अपने भैया के सम्बन्ध में मुझे पूरा विश्वास है कि वह अवश्य ही स्वर्ग-सुख का उपभोग कर रहे होंगे।'' कुछ देर तक चुप रहकर कुछ सोचने के बाद उसने कहा—''या यह भी सम्भव हो सकता है कि किसी पुण्यात्मा के घर में उन्होंने जन्म ले लिया हो! कौन जानता है! अच्छा, क्या तुम पुनर्जन्म की बात पर विश्वास करते हो?''

''विश्वास न भी करूँ तो इस बात पर अविश्वास भी नहीं कर सकता।''

''अखबारों में अक्सर इस तरह की खबरें छपा करतीं हैं कि फलाँ लड़की या फलाँ लड़के को अपने पूर्वजन्म की घटनाएँ सब याद हैं। ऐसे बच्चे अपने पूर्व जीवन की जिन परिस्थितियों और घटनाओं का वर्णन करते हैं, उनकी सचाई की परीक्षा बड़े-बड़े नामी विद्वान् किया करते हैं। उन विद्वानों की बातों से पता चलता है कि वे सब बातें सच होती हैं। अगर भैया ने किसी घर में जन्म ले लिया हो तो उन्हें भी अपने पूर्व जीवन की सब बातें याद होनी चाहिए। क्या वे मुझे याद नहीं करेंगे? मुझे नहीं पहचानेंगे? अगर अखबारों की बातें सच हैं तो यह बात कुछ असम्भव तो नहीं मालूम होती है। क्यों?''

शान्ति की इस आन्तरिक उत्सुकता-भरे प्रश्न का मैं क्या उत्तर देता! अपने भैया से पुनर्मिलन के सम्बन्ध में उसकी वह उद्दाम व्याकुलता और पत्रों में प्रकाशित पुनर्जन्म के किस्सों पर नादान बच्चों का-सा अकपट विश्वास देखकर मेरी आँखें हलके वाष्प से भींग गयीं। अपने विह्वल भाव को दबाते हुए मैंने कहा—''पुनर्जन्म के विषय में मुझे कोई अनुभव नहीं है, इसलिए मैं इस सम्बन्ध में, कुछ कह नहीं सकता। पर कुछ भी हो, मेरी इस बात पर तुम विश्वास रखो कि तुम्हारे भैया की आत्मा जहाँ कहीं, जिस किसी भी रूप में हो, वह परम मंगलमय स्निग्ध शान्ति का अनुभव कर रही होगी।''

एक लम्बी साँस लेकर शान्ति ने कहा—''तुम्हें भैया का हाल सुनाकर मेरे मन का बड़ा भारी बोझ आज हलका हुआ। अब देर हो गयी है, अपने पलँग पर जाकर सो रहो।'' कहकर वह उठ बैठी।

मैं अपने पलँग पर चला गया। शान्ति ने नीचे उतरकर घड़े से एक गिलास पानी लेकर पिया। फिर बत्ती बुझाकर अपने पलँग पर आकर लेट गयी।

मुझे नींद नहीं आ रही थी। शान्ति ने आज अपने भैया के स्निग्ध-मधुर जीवन का वृत्तान्त सुनाने के बाद उनकी जिस लोमहर्षक परिणति का वर्णन किया था, उसने मेरे समस्त मन को आच्छन्न कर दिया था। पर अभी कथा का उपसंहार अवशिष्ट था। उसे सुने बिना मुझे चैन नहीं मिल रहा था। पर साथ ही यह भी सोच रहा था कि शान्ति थकी हुई है, उसे नींद आ रही होगी, या आ गयी होगी; ऐसी हालत में उसे जगाना उचित है या नहीं। इतने में शान्ति को खाँसी का 'फिट'-सा आया।

मैंने कहा—"बुखार अभी अच्छी तरह उतरने भी न पाया था कि तुमने इतनी रात गये ठण्डा पानी पी लिया, इसी से यह खाँसी शुरू हो गयी है।"

उसने खाँसी को हँसी में परिणत करने की चेष्टा करते हुए कहा—"क्या करती, प्यास जो लगी थी!"

कुछ देर तक दोनों चुप रहे। उसके बाद मैंने कहा—"अच्छा शान्ति, एक बात मेरी समझ में नहीं आयी। तुम्हारी बातों से मालूम हुआ है कि तुम्हारे भैया और कीर्तिकुमारी, दोनों एक-दूसरे को बहुत चाहते थे। तुम्हारी माता जी के साथ कीर्ति की माता का हेलमेल भी अच्छा था। तब क्यों उन लोगों ने दोनों का आपस में विवाह कराने की चेष्टा नहीं की?"

शान्ति ने दुःख की हँसी के साथ कहा—"कीर्ति के पिता सामाजिक विषयों में बड़े कट्टर थे। एक आर्यसमाजी के साथ अपनी लड़की का विवाह कैसे कर देते! मुझे तो इसी बात पर आश्चर्य होता है कि एक आर्यसमाजी को अपनी लड़की का शिक्षक नियुक्त करने के लिए वे राजी ही क्योंकर हुए। इसका एक कारण शायद यह था कि भैया कट्टर आर्यसमाजी नहीं थे और हिन्दुओं की पौराणिक संस्कृति के प्रति उनकी अश्रद्धा नहीं थी।"

"तुम्हारे पिता जन्म से ही आर्यसमाजी थे या पीछे दीक्षित हुए थे?"

"नहीं, वह पहले कट्टर सनातनी थे। सुना है कि वे जब हरिद्वार में पढ़ते थे तो एक ऐसे महात्मा के संसर्ग में आ गये, जिन्होंने उनकी विचारधारा एकदम पलट दी। उन्होंने समाज-सुधार के कामों में अपना जीवन अर्पित करने का दृढ़ निश्चय कर लिया और आर्यसमाज में सम्मिलित होकर मरते दम तक लोक-सेवा और समाज-सुधार के कार्यों में लगे रहे।"

"तुमने यह नहीं बताया कि भैया की मृत्यु के बाद तुम लोगों की क्या दशा हुई? तुम्हारी माता जी को तो बहुत कष्ट उठाना पड़ा होगा?"

मेरा यह प्रश्न सुनकर शान्ति अपने पलँग पर उठ बैठी। स्पष्ट ही वह वेदना-भरी स्मृतियों के फिर से जाग पड़ने से कुछ उत्तेजित-सी हो उठी थी। उसने कहा—"भैया हम लोगों को एकदम अनाथ अवस्था में छोड़ गये थे। माँ काढ़ने-बुनने का काम अच्छा जानती थीं। टेबिल-क्लाथ, आसन, ऊनी मोजे, बनियाइन आदि तैयार करके पड़ोस के एक परिचित व्यक्ति के हाथ उन्हें बेचने को दे देती थीं। कुछ समय तक इसी उपाय

से किसी तरह गुजारा करती रहीं। पर इस प्रकार कब तक चलता! एक-एक चीज को तैयार करने में काफी समय लग जाता था और बिक्री भी जल्दी नहीं होती थी। अन्त में पिता जी से परिचित एक सज्जन ने हम लोगों की हालत पर तरस खाकर एक पाठशाला में माँ को 20 रु. मासिक पर कसीदे का काम सिखाने के लिए नियुक्त करवा दिया और मेरी और विजय की निःशुल्क शिक्षा का भी प्रबन्ध कर दिया।

"माँ को दमा की बीमारी थी। जब तक भैया जीवित थे, तब तक यह रोग दबा रहा—बीच में कभी-कभी कुछ समय के लिए कष्ट होता था, पर विशेष नहीं। भैया की मृत्यु से उन्हें जो धक्का पहुँचा, उससे धीरे-धीरे रोग बढ़ने लगा। सभी जानते हैं कि दमा की बीमारी में खाने-पीने के सम्बन्ध में छोटी-से-छोटी बात का परहेज रखना पड़ता है। कभी जरा-सा दही खा लिया, कभी रात को पानी पी लिया तो श्वास बहुत बढ़ जाता था। कुछ समय तक तो माँ बड़े परहेज से रहीं। पर पीछे उकता गयीं। डॉक्टरों ने इन्जेक्शन लेने के लिए कहा। पर इन्जेक्शन के प्रयोग में खर्चे का जो हिसाब उन्हें बताया गया, उससे वे घबरा उठीं। इसलिए डॉक्टरी इलाज की आशा छोड़कर वैद्यों के फेर में पड़ीं। वैद्यों की दवाओं से बीमारी घटने के बजाय बढ़ती चली गयी। धीरे-धीरे रोग ने उनके हृदय को धर दबाया। रात के समय श्वास का आक्रमण ऐसा भयंकर रूप धारण कर लेता था कि वह असह्य कष्ट से छटपटातीं और चीख मारतीं। उनका कष्ट देखकर मैं भगवान् से यही प्रार्थना करती कि जल्दी उन्हें अपने पास बुला लें। मैं रात-दिन उनकी सेवा में रहती। न रात को नींद आती न दिन को भूख लगती। समय-असमय में बरबस नींद आ जाती, पर फिर माँ का चिल्लाना सुनकर बीच ही में हड़बड़ाकर उठ बैठती। विजय को मैं भरसक माँ के पास न जाने देती। वह कभी स्कूल जाता, कभी न जाता और दिनभर लड़कों के साथ खेलता रहता। अपने लिये मुझे चिन्ता नहीं थी, पर उसके लिए खाने-पीने का पूरा प्रबन्ध करके रखती। मेरे कारण उसे माँ की बीमारी से कोई कष्ट नहीं उठाना पड़ा और अन्त तक वह उनके सम्बन्ध में उदासीन-सा ही रहा। उनकी मृत्यु होने पर वह कुछ समय तक अवश्य रोया था, पर फिर शीघ्र ही उन्हें भूल गया।

"मेरे ऊपर संकट का पहाड़ टूट पड़ा। अपनी असहाय और अनाथावस्था और विजय की लापरवाही का हाल देखकर मैं घबरा गयी। उस समय मेरी अवस्था सोलह वर्ष की थी और विजय को चौदह वर्ष हो गये थे। वह निर्द्वन्द्व होकर आवारा लड़कों के साथ फिरा करता था और मेरी संकटपूर्ण परिस्थिति और अपने दायित्व का तनिक भी बोध उसे नहीं था।

"अन्त में उन्हीं सज्जन ने, जिन्होंने माँ को पाठशाला में रखवा दिया था, मुझे भी वहीं बीस रुपया मासिक पर छोटी लड़कियों को पढ़ाने के लिए नियुक्त कर दिया। पढ़ाने में मेरी योग्यता देखकर वे प्रसन्न हुए और कुछ समय बाद उन्होंने मुझे बनारस के उस विद्यालय में नियुक्त करवा दिया जहाँ मैं कमला देवी के साथ पढ़ाया करती

थी। वहाँ का हाल तुम्हें मालूम ही है। विजय एक दिन अकस्मात् मुझे बिना कुछ सूचना दिये ही न जाने कहाँ को और किस कारण भाग निकला, मुझे इस बात का कुछ पता न चला। तीन महीने बाद किसी एक परिचित व्यक्ति ने मुझसे कहा कि उन्होंने उसे भरतपुर में देखा है, पर वह क्या करता है, किसके साथ है, कुछ पता नहीं। कभी एक पत्र उसने मुझे नहीं भेजा।''

शान्ति का गला फिर भर आया और कमरे में अँधेरा न होने पर भी मैं अनुभव कर रहा था कि वह अंचल से आँसू पोंछ रही है।

इतने दिनों तक शान्ति के पूर्व जीवन से परिचित होने के कारण मेरे मन में अकारण ही यह संस्कार जमा हुआ था कि वह जन्म से ही अनाथ रही है। यद्यपि इस धारणा से उसके प्रति मेरे मन में श्रद्धा का अभाव कभी नहीं रहा, और मैंने उसे कभी अनाथाश्रम की लड़की के रूप में नहीं देखा (क्योंकि मेरा अन्तर्मन उसकी तेजस्विता और स्वभावगत शालीनता से परिचित हो चुका था), तथापि उसके पूर्व जीवन के इतिहास ने मेरी मानसिक आँखों में जादू का एक ऐसा सुरमा लगा दिया कि उसका एक नया ही रूप मेरे सामने प्रतिभासित होने लगा। शान्ति का यह नया रूप वर्षा के मेघ की तरह स्निग्ध-गम्भीर और साथ ही शरदाकाश की तरह शुभ्र-समुज्ज्वल तथा पवित्र था, प्रभात-छवि की तरह स्वच्छ-सरल और अश्रुसिक्त हास से तरल था और सान्ध्यश्री की तरह सुमंगल वेदना से विह्वल था।

करुण-स्मृति से उत्थित शान्ति के हृदय के निःश्वासों से कमरे का सारा वातावरण उच्छ्वसित हो रहा था, जिसके अज्ञात स्पर्शान्दोलन से मेरा थकित हृदय थपकियों का-सा अनुभव कर रहा था और एक सजल-स्निग्ध अनुभूति से अभिभूत होने लगा था। मेरी आँखें झपने लगीं और मैं सो गया।

•••

सुबह को जब आँखें खुलीं, तो दिन काफी चढ़ चुका था। शान्ति अभी तक सोयी थी। रात को देर में नींद आयी होगी, यह सोचकर मैंने उसे नहीं जगाया और बाहर बरामदे में चला आया। इस बरामदे से बायीं तरफवाले मकान का बरामदा सटा-सा था। वहाँ एक साँवले रंग और लम्बे कद का नवयुवक खड़ा था, जिसकी आयु 22 वर्ष के लगभग होगी। वह मोटी हरी धारियों का एक कमीजनुमा कोट और उसी ढंग का पायजामा पहने हुए था। मुझे देखते ही उसने कहा—''कहिये जनाब, क्या हाल है? इस नये मकान में आपको कोई तकलीफ़ तो नहीं है?''

"जी नहीं, कोई खास तकलीफ नहीं है। आप इसी मकान में रहते हैं?"

"जी हाँ।"

"आप किस काम पर हैं?"

"अभी तो 'स्टूडेण्ट' हूँ।"

"किस क्लास में पढ़ते हैं?"

"एम. ए. प्रीवियस में। और आप यहाँ क्या करते हैं?"

"अभी तो कुछ नहीं करता।"

"फ़ेमिली के साथ होंगे?"

मैंने अत्यन्त संकुचित होकर दबी जबान में उत्तर दिया—"जी हाँ।"

इस कौतूहली नवयुवक के प्रश्नों की बौछारों से आत्मरक्षा का कोई उपाय न देखकर मैं घबरा रहा था। उसने फिर प्रश्न किया—"आपने 'एजुकेशन' कहाँ तक पाया है?"

"एम. ए. प्रीवियस तक पढ़ा है, पर पास नहीं किया।"

"कहाँ?"

"बनारस में।"

"मालवीय जी के उद्योग से हिन्दू विश्वविद्यालय ने बड़ी तरक्की कर ली है।"

"जी हाँ।"

"पर साहब, आप कुछ भी कहें, इलाहाबाद यूनिवर्सिटी का जो 'स्टैण्डर्ड' है, वहाँ तक हिन्दू विश्वविद्यालय कभी नहीं पहुँच सकता।"

मैंने उदासीनता के साथ कहा—"जी हाँ, लोग साधारणतः यही कहा करते हैं।"

"लोगों के कहने की बात नहीं है, दरअसल हिन्दू यूनिवर्सिटी का 'स्टैण्डर्ड' अभी तक बहुत गिरा हुआ है।"

स्पष्ट ही वह उत्साही नवयुवक मेरी उदासीनता से खीझ उठा था। उसकी बात का कोई उत्तर न देकर मैं अविश्वासपूर्वक मुस्कराया। मेरी नीरव मुस्कान से वह अधिक खीझ उठा, ऐसा मालूम हुआ। उसके नथने कुछ फूल उठे और उसकी चोंचनुमा नाक के नीचे दोनों ओर घृणा की-सी रेखाएँ खिंच गयीं। उसने कहा—"माफ़ कीजियेगा, बनारस यूनिवर्सिटी के लड़कों को हम लोग 'बलियाटिक' कहा करते हैं। आपके सम्बन्ध में मैं कुछ नहीं कहता—Present company allways excepted—(कहकर वह व्यंग्यपूर्वक मुस्कराया), ज्यादातर यही देखा जाता है कि बनारसी 'स्टूडेण्ट्स' सब विषयों में बुद्धू हुआ करते हैं। उनकी चाल-ढाल, रहन-सहन, बात-व्यवहार, सभी विषयों से बलिया की देहाती सभ्यता की बू आती है। 'कल्चर' तो उन लोगों में नाम को भी नहीं पाया जाता। और वहाँ के प्रोफ़ेसर्स! उन लोगों में से बहुतों को मैं जानता हूँ। किसी में कोई ऐसी खास 'पर्सनेलिटी' नहीं पायी जाती जो 'इम्पोजिंग' हो! वे सब भी बलियाटिक होते हैं। हमारी इलाहाबाद यूनिवर्सिटी के किसी भी प्रोफेसर को आप देखिये। उनकी शान-शौकत और पोशाक-पहनावा देखकर आप दंग रह जावेंगे। उनका

ठाठ ही निराला है। वही हाल यहाँ के 'स्टूडेण्ट्स' का है। एक-एक 'स्टूडेण्ट' कम-से-कम दो दर्जन 'सूट्स' अपने पास रखता है। सौ रुपये 'फ़ी मन्थ' से कम खर्चा तो यहाँ बहुत कम स्टूडेण्ट्स का होता है—गीरब-से-गरीब 'स्टूडेण्ट' का कम-से-कम खर्चा साठ रुपया है। रेस्टॉरेण्टों में टी-टोस्ट, चाय-आमलेट उड़ाने में कितने ही रुपये वे खर्च कर देते हैं। बनारस के लड़कों की तरह एक कप चाय पीकर ही वे नहीं रह जाते। हर एक लड़का कम-से-कम दस-बारह साथियों को लेकर 'रेस्टॉरेण्ट' में जाता है और सबको भर-पेट खिलाकर सबकी तरफ़ से खुद 'पे' करता है। आप यूनिवर्सिटी रोड के किसी रेस्टॉरेण्ट में जाइये, वहाँ खाते में आप सौ-पचास रुपया से कम किसी के नाम के आगे चढ़ा हुआ शायद ही पावेंगे। खुद मेरे नाम करीब डेढ़ सौ रुपया चढ़ा हुआ है। तरह-तरह के खर्चे रहते हैं, इसलिए रेस्टॉरेण्ट का बिल मैं अभी तक चुका नहीं पाया। हम लोगों को तो, साहब, यहाँ की यूनिवर्सिटी का 'स्टैण्डर्ड' मेण्टेन करना पड़ता है। यहाँ बनारस की तरह नहीं कि गाँधी कैप, मोटे खद्दर का कुर्ता, मोटे ही खद्दर की धोती और बाटा कम्पनी के सस्ते चप्पल पहनकर काम चला लें। सुना है कि बनारस के लड़के धोबी से भी कुछ वास्ता नहीं रखते, अपने हाथ से कपड़े धो लेते हैं। खद्दर धोने में लगता ही क्या है! पर अपने लोगों का तो इस तरह से चल नहीं सकता। हम लोग एक मामूली-से-मामूली कपड़े की धुलाई के लिए तीन-चार आना धोबी को दिया करते हैं। ऐसा न करें तो अपनी 'कल्चर्ड कम्यूनिटी' में 'मिक्स' न कर पायें। जहाँ 'कल्चर' की ओर ध्यान रखना होता है वहाँ रुपये-पैसे का ख्याल नहीं किया जाता। हम—"

उसका लेक्चर समाप्त होने के लक्षण न देखकर मैंने बीच ही में बात काटते हुए कहा—"माफ़ कीजियेगा, हम 'बलियाटिक' लोग 'कल्चर' का अर्थ ठीक तरह से नहीं समझते। क्या आप कृपा करके समझावेंगे कि 'कल्चर' किसे कहते हैं?"

"कल्चर? कल्चर किसे कहते हैं? कल्चर—यह भी क्या आपको समझाना पड़ेगा! इसका मतलब आप जिससे पूछें, वही बता देगा। कल्चर यही है—यही कि अप-टू-डेट फ़ैशन से रहना, सभी-सोसाइटियों में 'मिक्स' करना, अच्छी सोसाइटी के 'एटीकेट' से वाकिफ़ रहना, किस समय किस तरह की सूट पहननी चाहिए, इस बात की जानकारी रखना, धड़ल्ले से शानदार अँगरेजी बोलना—यही और क्या! बनारस के लड़के तो अँगरेजी का एक 'सेण्टेन्स' भी ठीक से नहीं बोल सकते और 'सूट' तो वे कभी पहनते ही नहीं। टोस्ट किसे कहते हैं, आमलेट किस चीज से बनता है, यह भी उन्हें नहीं मालूम। वे 'कल्चर' की बात क्या समझेंगे!"

मैं ठहाका मारकर हँस पड़ा। पहले मैंने सोचा कि लड़का परिहास कर रहा है, पर उसकी गम्भीर मुखाकृति देखकर मैं चकित रह गया। मैंने कहा—"माफ कीजियेगा, किसी एम. ए. प्रीवियस के विद्यार्थी के मुँह से इस प्रकार का उत्तर पाने की आशा मैं न रखता था, इसीलिए हँसा। पर इन सब बातों को मारिये गोली। इतनी देर तक बातें हुईं, अभी तक आपका नाम ही मुझे मालूम न हुआ।"

"मेरा नाम रमाशंकर त्रिपाठी है।"

मैंने आश्चर्य से कहा–"त्रिपाठी? आप क्या ब्राह्मण हैं? पर–मेरा खयाल था कि इस मकान के निवासी खत्री हैं।"

"आपका खयाल ठीक है। यह मकान खत्रियों का ही है और रहते भी वही हैं। मैं उन लोगों के साथ रहता हूँ। शीतलप्रसाद के साथ मेरी ऐसी घनिष्ठता हो गयी है कि वह मुझे पल-भर के लिए नहीं छोड़ना चाहता। उसी की जिद्द की वजह से मैं तीन साल से यहाँ उसी के साथ रहा करता हूँ, नहीं तो मैं पहले हॉस्टल में रहा करता था।"

"आपका घर कहाँ है?"

"इटावे में।"

"क्या आप कान्यकुब्ज ब्राह्मण हैं?"

"जी हाँ।"

इतने में एक गोरे रंग का और ठिगने कद का नवयुवक भीतर से आकर उसके पास खड़ा हो गया और मेरी ओर देखने लगा। रमाशंकर ने कहा–"इन्हीं का नाम शीतलप्रसाद है।" इसके बाद वह गौरवर्ण नवयुवक की ओर देखकर बोला–"अभी मैं तुम्हारी ही तारीफ़ आपसे कर रहा था।" शीतलप्रसाद सलज्ज मुस्कान से मेरी ओर देखने लगा। उसकी मुखाकृति अत्यन्त सुन्दर और दर्शनीय थी। वह खद्दर का कुरता और खद्दर की ही धोती पहने था। त्रिपाठी-जैसे 'कल्चर्ड' और 'अप-टु-डेट' फैशन में रहनेवाले व्यक्ति के साथ रहने पर भी उसे खद्दर के सादे पहनावे में देखकर मुझे कुछ कम आश्चर्य न हुआ। उसने अत्यन्त नम्रभाव से मधुरतापूर्वक कहा–"आप जैसे सज्जन को पड़ोसी के रूप में पाना हम लोगों का सौभाग्य है। पर रमाशंकर की सभ्यता का यह हाल है कि मेरा नाम-धाम तो आपको बता दिया, लेकिन आपकी तारीफ़ मुझे नहीं सुनायी।"

रमाशंकर तत्काल अपनी 'सभ्यता' की रक्षा करता हुआ बोला–"आप बनारस के रहनेवाले हैं–"

मैंने उनकी बात काटकर कहा–"जी नहीं, मैं लखनऊ जिले का रहनेवाला हूँ।"

रमाशंकर ने फिर कहा–"आपने बनारस यूनिवर्सिटी में बी. ए. तक पढ़ा है (कहकर व्यंग्यपूर्वक मुस्कराया।) आपका नाम–"

"नन्दकिशोर वाजपेयी है मेरा नाम।"

रमाशंकर ने कहा–"माफ़ कीजियेगा, यहाँ पर आपने ज़रा भाषा की गलती की है। आपको कहना चाहिए–'मेरा नाम नन्दकिशोर वाजपेयी है'।"

"बलियाटिक हूँ न, इसलिए गलती किये बिना रह नहीं सकता।"

मेरी इस बात से रमाशंकर ठट्ठा मारकर हँस पड़ा और शीतलप्रसाद सलज्ज भाव से मन्द-मन्द मुस्कराने लगा।

शीतलप्रसाद ने कहा–"दिन में घर पर खाली बैठे क्या कीजियेगा; ताश खेलने का शौक तो आप रखते ही होंगे। अगर हमारे यहाँ पधारने का कष्ट करें तो बड़ी कृपा होगी।

कुछ देर तक ताश खेलेंगे और गपशप रहेगी। रमाशंकर को भी आज यूनिसर्विटी जाना नहीं है, क्यों रमाशंकर?"

"जाना तो था, पर आज 'गोल' करने का इरादा है। आज नहीं जाऊँगा।"

शीतलप्रसाद ने उत्सुकता के साथ मेरी ओर देखकर कहा—"क्यों, क्या विचार है, पधारेंगे न?"

मैंने कहा—"मुझे कोई आपत्ति नहीं है।"

भीतर से आवाज आयी—"भैया!" और बरामदे से लगे दरवाजे पर वही कलवाली नवोढ़ा, जो शान्ति के पास आयी थी, आकर खड़ी हो गयी और उसने तिरछी चितवन से एक बार मेरी ओर देखा। उसके सिर पर से साड़ी नीचे सरक गयी थी जिससे उसके घने, काले, चिकने रेशमी बालों की शोभा लहराती हुई दिखायी दे रही थी।

उसने कहा—"भैया, अम्माँ बुलाती हैं।" कहकर फिर एक बार मेरी ओर चकित दृष्टि से देखकर वह चली गयी।

"अच्छी बात है, तब एक बजे आपका इन्तजार करूँगा।" कहकर शीतलप्रसाद हाथ जोड़कर भीतर चला गया। रमाशंकर अभी वहीं खड़ा था। मैंने उससे कहा—"अच्छा, फिर मिलेंगे। और भीतर चला आया। भीतर दरवाजे के पास ही शान्ति कान लगाकर खड़ी थी। मुझे देखकर खिलखिलाकर हँस पड़ी। मैंने कहा—"हँसती क्यों हो?"

"तुम्हारा 'बलियाटिक' रूप-रंग देखकर!" कहकर वह फिर खिलखिला उठी।

मैं भी हँस पड़ा। बोला—"तुम बड़ी दुष्ट हो? छिपकर हम लोगों की सब गुप्त बातें तुमने सुन लीं!"

भीतरवाले कमरे में जाकर मैंने कहा—"अच्छा ही हुआ; तुम्हें भी आज मालूम हो गया कि जिस व्यक्ति का साथ तुमने पकड़ा है वह 'बलियाटिक' है। पर अब इस बात के लिए पछताकर क्या करोगी? अब जीवन-भर इस 'बलियाटिक' के साथ रहने के सिवा तुम्हारे लिये और कोई चारा नहीं है!"

शान्ति ने एक बार प्रश्न-भरी उत्सुक दृष्टि से मेरी ओर देखा। उसके बाद वह रूठने का भाव जताती हुई बोली—"तुमसे तो साधारण परिहास की कोई बात कहना भी पाप है? कैसी भी सीधी-सादी बात क्यों न हो, उसे गम्भीर अर्थ में लिये बिना तुम्हें चैन नहीं मिलता।"

आज प्रातःकाल के प्रथम दर्शन में उसके मुख का हास्योज्ज्वल रूप देखकर मेरा हृदय आनन्द-विभोर हो उठा था। अपनी मूर्खता की बात से उसकी निर्मल प्रभात की तरह तरल प्रसन्नता को म्लान कर देने के कारण मैं मन-ही-मन अत्यन्त परितप्त हो उठा। पर साथ ही एक दूसरा भाव भी मैं स्पष्ट रूप से उसके चेहरे पर देख रहा था, जिस देखकर मेरे मन में न जाने क्यों, यह विश्वास हो रहा था कि वह मेरी बात से वास्तव में खिन्न नहीं हुई है, बल्कि उससे उसके हृदय में एक नयी उत्सुकता का भाव उत्पन्न हो गया है। वह आँखें नीची करके बीच-बीच में एक विशेष प्रश्न के साथ अर्द्धदृष्टि से मुझे देख रही थी।

मैंने अत्यन्त शान्त और कोमल स्वर में कहा—"शान्ति, विश्वास मानो, मैं जब कभी तुमसे कोई बात कहता हूँ, तुम्हारा हृदय दुखाने के उद्‌देश्य से नहीं कहता। यह उद्‌देश्य मेरे मन में कभी स्वप्न में भी एक क्षण के लिए भी नहीं रह सकता। तुम्हारे परिहास का उत्तर मैंने भी परिहास ही में दिया है, सच मानो। पर आज एक नयी समस्या उठ खड़ी हुई है। वह कैसे हल होगी, इस सम्बन्ध में निश्चित रूप से विचार करना हम दोनों के लिए आवश्यक हो गया है।"

मेरी बात सुनकर शान्ति सिर उठाकर भय और विस्मय से भरी परिपूर्ण दृष्टि से मुझे देखने लगी।

मैंने कहा—"जिस लड़के ने मुझे 'बलियाटिक' सिद्ध किया है, मेरे साथ उसकी जो बातें हुई हैं, उन्हें तुमने पूरी तरह से सुना या नहीं, मैं नहीं कह सकता। उसने मुझसे जब कहा कि 'आप फेमिली के साथ होंगे, तो मैं अस्वीकार न कर सका। अब प्रश्न यह है कि वास्तव में मैं 'फेमिली' के साथ हूँ या नहीं? 'फेमिली' शब्द का अर्थ कुछ भी होता हो, पर उस लड़के का आशय यही था कि मैं अपनी पत्नी के साथ हूँ या—या मामला कुछ और है। यह प्रश्न केवल इस लड़के ने ही नहीं किया, बल्कि तुम्हारे साथ जितनी भी स्त्रियों का परिचय होता रहेगा, और मेरे पुरुष-मित्रों की संख्या यहाँ जितनी बढ़ती रहेगी, वे सब यही प्रश्न करेंगे। जो नहीं भी करेंगे, उनके मन में अवश्य ही यह प्रश्न उठेगा और हम लोगों को बार-बार संकोच और ग्लानि के साथ इस झूठी उक्ति को सत्य का रूप देना होगा कि हम पति-पत्नी हैं।"

शान्ति विह्वल, व्याकुल दृष्टि से मेरी ओर देखती रही। कुछ देर तक चुप रहकर मैंने कहा—"तुम्हारे साथ मेरा सम्बन्ध वास्तव में किस प्रकार का है और किस प्रकार का होना चाहिए, यह मैं अभी तक ठीक तरह से कुछ समझ न पाया। जीवन के सम्बन्ध में अनुभव की कमी किसी हद तक मेरे न समझ सकने का कारण हो सकती है, पर सबसे बड़ा कारण यह है कि तुम्हारे मन की रहस्यमयी प्रकृति की उलझन में मेरा मन और मस्तिष्क इस तरह फँस गया है, कि इस गुत्थी को सुलझाता हूँ तो वह और उलझ जाती है।

शान्ति फिर भी कुछ न बोली और प्रस्तर-मूर्ति की तरह स्थिर दृष्टि से मुझे देखती रही। मैंनें कहा—"क्या सोच रही हो?"

वह कुछ चौंकी और "कुछ नहीं" कहकर धोती-तौलिया पकड़कर गुसलखाने में चली गयी।

•••

खा-पीकर मैं पलँग पर लेटकर आराम करने की तैयारी कर ही रहा था कि बाहर से आवाज आयी—"कहिये वाजपेयी जी महाराज, क्या कर रहे हैं?"

"कौन है?" पुकारकर मैं बाहर के कमरे में देखने लगा। देखा, पेटेण्ट लेदर 'पम्प-शू' को चरमराते हुए रमाशंकर ऊपर को आ रहा है।

मैंने कहा—"आइये, पधारिये।"

महाशय जी पधारे तो सही, पर अब प्रश्न यह उत्पन्न हुआ कि 'विराजें' कहाँ? बाहर के कमरे में न कोई कुर्सी थी, न पलँग, न दरी। नंगे फर्श पर कल्चर्ड महाशय को कैसे बिठाता! कोई उपाय न देखकर मैंने कहा—"चलिये, भीतर ही चलकर बैठें। आपके साथ तकल्लुफ का कोई सवाल पैदा नहीं हो सकता। आप अभी एक छात्र हैं और मैं भी कुछ समय पहले तक छात्र ही था, इसलिए आपके हमारे बीच वही सम्बन्ध रहना चाहिए जो एक ही हॉस्टल में रहनेवाले छात्रों के बीच रहता है।"

"हाँ साहब तकल्लुफ की कोई बात नहीं है, चलिये", कहकर बड़े मधुर भाव से मुस्कराता हुआ रमाशंकर मेरे साथ चला आया। उसका मुस्कराना देखकर मेरे सर से पाँव तक आग जलने लगी थी। उसका सुबहवाला रूप ही (जो कि व्यंग्य और घृणा से भरा हुआ था) मुझे उसके व्यक्तित्व के अनुरूप जँचता था, इस समय की मधुर मुस्कान नहीं।

शान्ति एक अपरिचित व्यक्ति को भीतर आते देख हड़बड़ाती हुई पलँग पर से उठी और अपनी अर्द्धदृष्टि की एक विद्युत् झलक से मेरी मूर्खता पर आक्रोश प्रकट करती हुई हम लोगों की ओर पीठ करके फर्श पर एक कोने में जाकर बैठ गयी।

"आइये, विराजिये!" कहकर मैंने रमाशंकर को अपने पलँग पर बैठने के लिए संकेत किया। वह निस्संकोच बैठ गया और मूर्खों की तरह शान्ति की ओर देखने लगा। मुझे उस पर ऐसा गुस्सा आ रहा था कि जी चाहता था, उसे उठाकर बरामदे से बाहर फेंक दूँ। पर बाहर से मन को शान्त करके उसकी बगल में बैठते हुए मैंने कहा—"कहिये, भोजन कर चुके?"

"जी हाँ, और आप?"

वह प्रश्न मुझसे कर रहा था, पर देख रहा था शान्ति की ओर (अर्थात् शान्ति की पीठ की ओर, उसका मुँह वह देख नहीं सकता था।)

मैंने कहा—"जी हाँ, भोजन करके लेटकर कुछ देर आराम करने की तैयारी कर रहा था।"

"आप क्या खाना खाकर दिन में सोने के आदी हैं?" (वह एक आँख से मेरी ओर देख रहा था और दूसरी आँख से शान्ति की ओर।)

"नहीं, कोई ऐसी खास आदत तो है नहीं। आज कुछ आलस्य-सा मालूम कर रहा था, इसलिए।"

उसने उदासीनता से कहा—"अच्छा—।"—जैसे जम्हाई लेना चाहता हो। अब भी वह शान्ति की ही तरफ देख रहा था। कुछ देर तक दोनों चुप रहे। किस विषय को लेकर, उससे बातें करनी चाहिए, मेरी समझ में न आता था, पर साथ ही सन्नाटा भी कुछ अशोभन-सा लग रहा था।

रमाशंकर ने एक बार कमरे के चारों ओर नजर दौड़ायी। सब चीजें अस्त-व्यस्त अवस्था में पड़ी हुई थीं। जिस कमरे में हम लोग सोते थे उसी को रसोईघर भी बना रखा था। महरी अभी तक नहीं आयी थी। सब बर्तन जूठे पड़े थे। वहीं पर दो अँगीठियाँ पड़ी थीं, जिनके नीचे फर्श पर राख का ढेर जमा हो गया था। एक कोने में बालटी रखी थी, जिसके नीचे पानी-ही-पानी हो गया था। एक तरफ सूटकेस खुला हुआ पड़ा था। शान्ति के बिस्तर पर उसकी एक मैली साड़ी पड़ी थी। अलगनी में मेरी एक धोती चुनी हुई रखी थी और एक मैला तौलिया पड़ा था जिसमें यत्र-तत्र हल्दी के पीले दाग वर्तमान थे। इन गन्दगी के बीच में एक नवपरिचित 'कल्चर्ड' छोकरे को लाकर बिठाने के कारण मैं संकोच का अनुभव अवश्य कर रहा था; पर अपने संकोच से भी अधिक चिन्ता मुझे इस बात की थी कि शान्ति न जाने मन-ही-मन कितनी क्रुद्ध हो रही होगी। पर इसमें मेरा क्या अपराध था। नये मकान में हम लोगों को आये अभी दो दिन भी पूरे न हो पाये थे। मैं एक तो गिरस्ती के धन्धे में नौसिखिया था, तिस पर नाना कारणों से वित्त की स्थिति अभी ऐसी अस्थिर, अनिश्चित और अशान्त थी कि मैं नियमित रूप से कोई काम नहीं कर पा रहा था। इसमें सन्देह नहीं कि शान्ति स्वभावतः गिरस्ती के कामों में निपुण थी। पर उसकी मानसिक दशा किसी कारण से मुझसे अधिक अस्थिर हो रही थी।

रमाशंकर ने कहा—"रसोई के लिए क्या कोई अलग कमरा नहीं है?"

मैंने कहा—"है तो, पर अभी आलस्य की वजह से हम लोग इसी कमरे में खाना बना लेते हैं। यही हमारा 'ड्राइंग रूम है', यही 'बेड-रूम' और 'किचन' भी यही है।"

रमाशंकर जोर से हँस पड़ा। उसकी वह कर्कश हँसी उस अवसादग्रस्त स्तब्ध कमरे में निर्जन रात्रि के समय प्रेतात्मा के आकस्मिक अट्टहास की तरह विभीषिका से भरी थी। कुछ देर तक चुप रहने के बाद उसने कहा—"आपको कुछ फर्नीचर खरीदकर रखना होगा, इस तरह से काम नहीं चलेगा।"

"जी हाँ, मैं स्वयं यह विचार कर रहा हूँ। जल्दी ही खरीदूँगा।"

फिर कुछ देर तक हम लोग चुप बैठे रहे। मैं चाह रहा था कि रमाशंकर चला जावे। पर वह तो जैसे हत्या देकर बैठा हो! उसके उठने के कोई लक्षण नहीं दिखायी देते थे। वह फिर-फिर शान्ति की ओर देखता था। पर शान्ति तो पीठ फेरकर इस तरह बैठी

हुई थी कि न हिलती थी न डुलती थी। पाषाणप्रतिमा की तरह स्तब्ध और निश्चल बनी हुई थी।

अशोभन नीरवता को भंग करने के इरादे से मैंने कहा—"और सुनाइये, क्या खबर है? शीतलप्रसाद जी क्या कर रहे हैं?"

रमाशंकर इस तरह चौंका जैसे उसका कोई स्वप्न भंग हो गया हो। बोला—"कौन? शीतलप्रसाद? हाँ, ठीक है! उसी के कहने पर तो मैं आपको बुलाने यहाँ आया हूँ। चलिये!"

मैंने मन-ही-मन कहा—"मूर्ख! तो अब तक यह बात क्यों न कही।" प्रकट में बोला—"अच्छा। तो चलिये। मैं जरा कमीज पहन लेता हूँ।"

वह धीरे से उठा, जैसे अनिच्छा से उठ रहा हो। कमीज पहनकर जब चलने लगा तो शान्ति को लक्ष्य करके मैंने कहा—"अभी महरी आयेगी। कमरा अच्छी तरह से साफ करवा लेना। मैं जरा बगलवाले मकान में जा रहा हूँ, थोड़ी देर में आ जाऊँगा।"

हम लोगों के जाने तक शान्ति अपने स्थान से न उठी। उसका यह व्यवहार मुझे कुछ विचित्र-सा अवश्य लग रहा था, तथापि मैं साथ ही यह भी स्वीकार करता हूँ कि उस 'कल्चर्ड' छोकरे को उसने अपनी 'अनकल्चर्ड' हठकारिता से अच्छा छकाया।

•••

रमाशंकर के साथ जब मैं शीतलप्रसाद के कमरे में पहुँचा तो वहाँ उसके साथ दो व्यक्ति और बैठे हुए थे। दोनों प्रायः समवयसी मालूम होते थे और अन्दाज से बताया जा सकता था कि वे लोग कम-से-कम तीस वर्ष पार कर चुके हैं। उनमें से एक सूरत-शक्ल से बंगाली जान पड़ते थे और दूसरे युक्तप्रान्तीय। बंगाली सज्जन रेशमी कुरता और चुन्नटदार धोती पहने थे और ऊपर से रेशमी चादर ओढ़े हुए थे। उनकी आँखों में बिना फ्रेम का एक स्प्रिंगदार चश्मा सुशोभित था। युक्तप्रान्तीय सज्जन भूरे रंग का कोट-पतलून पहने थे। बंगाली महाशय का नाम मुझे गौरीकान्त मुकर्जी बताया गया। मालूम हुआ है कि वह हाल ही में कलकत्ते से आये हुए हैं और यहाँ अपने बहनोई के यहाँ ठहरे हुए हैं। युक्तप्रान्तीय सज्जन का नाम डॉ. कुंजबिहारी माथुर बताया गया। दोनों व्यक्ति बात-व्यवहार में सज्जन और सुशिष्ट जान पड़े। तीनों व्यक्ति एक छोटी-सी मेज को घेरकर 'ब्रिज' खेल रहे थे।

कमरा खूब साफ-सुथरा और अच्छी तरह से सजा हुआ था। फर्श पर कालीन बिछा हुआ था। तीन कोनों पर कौचों और गद्देदार कुर्सियों के तीन 'सेट' रखे हुए थे।

स्थान-स्थान पर छोटी-छोटी कुर्सियाँ और 'पेगटेबिल' रखे पड़े थे, जिन पर सुन्दर, झालरदार टेबिल-क्लाथ बिछे थे। दीवार पर बढ़िया फ्रेमों से मढ़े हुए, नेताओं के 'इनलार्ज्ड' फोटो टँगे थे। सामने पूरब की ओर की दीवार पर बीच में गाँधी जी का रंगीन चित्र टँगा था, जिसमें महात्मा जी की सुपरिचित हास्याभिव्यंजना दर्शकों को कृतकृत्य करती हुई-सी जान पड़ती थी। पश्चिम की तरफ की दीवार पर गाँधी जी के आमने-सामने सुदर्शन-चक्रधारी कृष्णमूर्ति विराजमान थी—राधिका के संग से रहित। कोई महिला-मूर्ति कहीं भी चित्र में नहीं दिखायी दी, जिससे यह अनुमान करने की इच्छा होती थी कि जान-बूझकर नारी-प्रतिमाओं का वर्जन किया गया है।

पूर्वोक्त सज्जनों से मेरा परिचय कराने के बाद शीतलप्रसाद ने कहा—''हम लोग आप ही का इन्तजार कर रहे थे। कोई चौथा साथी न होने से अभी तक 'कट-थ्रो' खेल रहे थे। जब आप आ गये हैं तो यह खेल यहीं समाप्त कर दिया जाय, क्यों मि. मुकर्जी?''

मि. मुकर्जी ने कहा—''अवश्य!''

मैंने कहा—''इस खेल में मैं अधिक अभ्यस्त नहीं हूँ। बनारस में फर्स्ट हॉस्टल के लड़कों के साथ कभी-कभी खेल लिया करता था और बात-बात में अपने 'गुँइयाँ' की फटकार मुझे सुननी पड़ती थी।''

''क्यों?''—मुस्कराते हुए शीतलप्रसाद ने पूछा।

''प्रत्येक बार कोई-न-कोई गलती मुझसे अवश्य हो जाती। पर आश्चर्य की बात यह है कि जो व्यक्ति एक बार मेरा 'पार्टनर' बन जाता वह मुझे डाँटते रहने पर भी अन्त तक मेरा साथ छोड़ना न चाहता—इस रहस्य का कारण मैं अभी तक समझ न पाया। शायद यह बात रही हो कि दूसरे व्यक्तियों की तरह मैं अपने गुँइयाँ से बहस न करता और हर बार अपनी गलती चुपचाप मान लेता!''

सब लोग हँसने लगे।

शीतलप्रसाद ने कहा—''घबराइये नहीं, यहाँ आपको कोई न डाँटेगा, आप चाहे कितनी भी गलतियाँ करें।''

खेल शुरू हुआ। प्रायः दो घण्टे तक खेल खूब अच्छी तरह से जमा। बीच-बीच में हास्य-विनोद और वाद-विवाद चलता रहा। और भी दो घण्टे तक खेल चलता, पर मैं उकता गया था, इसलिए बन्द कर देना पड़ा। रमाशंकर कुछ देर तक मेरे साथ बैठकर खेल देखता रहा। वह इस विषय में कुछ खास दिलचस्पी लेते हुए न दिखायी दिया; बीच में वह भीतर चला गया था। खेल समाप्त होने पर वह एक कोट-पैण्ट-धारी लड़के के साथ फिर हम लोगों के बीच में चला आया। यह नया लड़का दुबला-पतला था। उसके कोट और पैण्ट पर स्थान-स्थान पर असंख्य सिकुड़नें पड़ी हुई थीं। वह 'टाई' न पहनकर एक खुले गले की कुछ मैली-सी कमीज पहने था। उसके सिर पर टोपी नहीं थी और बाल बिखरे हुए थे।

मि. मुकर्जी ने गाँधी जी के चित्र को कुछ देर तक गौर से देखते हुए कहा—"बहुत सुन्दर चित्र है।"

सभी लोग उस चित्र की ओर देखने लगे। रमाशंकर का साथी अपरिचित लड़का भी उसी ओर देख रहा था। उसने पैण्ट की दोनों जेबों में हाथ डालते हुए कहा—"क्यों साहब, क्या मैं यह जान सकता हूँ कि इस चित्र में क्या विशेषता है?"

सब लोग चौंककर उसकी ओर देखने लगे। किसी ने उसके प्रश्न का कोई उत्तर नहीं दिया। सबको चुप रहते देख वह बोला—"गाँधी जी की इस मुस्कान में न सरलता है न भोलापन। इसमें केवल 'कैपिटेलिस्टों' की कृपा से परिपुष्ट एक आत्म-तृप्त प्राणी के सुख और सन्तोषपूर्ण भाव की अभिव्यक्ति मैं पाता हूँ।" शीतलप्रसाद ने विस्मय-विभ्रान्त होकर उत्तेजना के साथ कहा—"कौन है 'आत्म-तृप्त?' यह अशिष्ट शब्द तुम किसके लिए काम में लाये हो?" उसके गोरे मुख में लाली दौड़ गयी थी।

पर उस लड़के ने (जिसके सम्बन्ध में मुझे पीछे मालूम हुआ कि वह रमाशंकर का सहपाठी है और नाम उसका बलदेवप्रसाद है) उसकी उत्तेजना से जरा भी न घबराकर निर्विकार भाव से कहा—"गाँधी जी के सिवा यह शब्द और किसके लिए काम में लाया जा सकता है!" उसके चेहरे से घृणा और व्यंग्य का भाव व्यक्त होता था।

"तुम्हें लज्जा नहीं आती?"—शीतलप्रसाद ने काँपती हुई आवाज में कहा—"माफ करना, तुम्हें बोलने की जरा भी तमीज नहीं है। किस समय कौन शब्द किसके लिए काम में लाना चाहिए, यह तुम नहीं जानते।"

बलदेवप्रसाद ने पूर्ववत् निरुद्वेग भाव से कहा—"मैं बखूबी जानता हूँ कि कौन शब्द किसके लिए काम में लाना चाहिए। मैं मूर्ख को मूर्ख ही कहूँगा, चाहे वह महात्मा गाँधी हों, चाहे खुद अल्लाह मियाँ ही क्यों न हों। उनके चेहरे का 'एक्सप्रेशन' देखते नहीं, एक भर-पेट भोजन प्राप्त गँवार की तरह हँस रहे हैं। दक्षिण अफ्रीका में सच्ची लगन से, आत्मा की सच्ची अनुभूति से पीड़ितों और अपमानितों के हितार्थ अपने को अर्पित करनेवाले त्यागी गाँधी का अन्त न जाने कब हो चुका था। सच्चे गाँधी को भूलकर दुनिया उसकी प्रेतात्मा को भज रही है।"

शीतलप्रसाद स्वभावतः शान्त और सुशील प्रकृति का मालूम होता था। पर इस समय उसका क्रोध ऐसा भड़क उठा था कि दबाये नहीं दबना चाहता था। उसे ऐसा मालूम होता था जैसे उसकी आदर्श-प्रतिमा पर किसी ने थूक दिया हो। उसने उत्तेजित स्वर में कहा—"निष्कपट हृदय की सरल हँसी की महिमा तुम क्या जानो। इस रहस्य को समझने के लिए वैसा ही महान् हृदय और निष्कलंक प्राण चाहिए।"

मि. मुकर्जी ने भी कहा—"महापुरुषों के लिए इस प्रकार के शब्द काम में लाना बड़ा अन्याय है।"

माथुर साहब ने भी बलदेव को लक्ष्य करके कहा—"यह आपकी बड़ी ज्यादती है।"

सब लोगों के तिरस्कार का भाजन होने पर भी बलदेव लज्जित न हुआ, बल्कि उसकी धृष्टता और बढ़ गयी। वह बोला–"अगर कोई दूसरा आदमी इस तरह से हँसता तो आप लोग केवल उसे 'ईडियट' ही न कहते, बल्कि–"

मि. मुकर्जी बीच ही में उसकी बात काटकर बोले–"महात्मा जी की इस हँसी की ओट में जो गम्भीर आध्यात्मिकता छिपी हुई है उसकी उपेक्षा करना अन्याय है।"

बलदेव ठठाकर हँस पड़ा। उसने कहा–"आप ठीक कहते हैं। गाँधी जी को साधारण 'ईडियट' नहीं, बल्कि मैकाले की भाषा में 'इन्सपायर्ड ईडियट' कहना बेहतर होगा।"

मि. मुकर्जी उसकी निर्लज्जता के लिए स्वयं लज्जित होकर चुप रह गये। माथुर साहब ने न जाने क्या सोचकर अकस्मात् बलदेव से प्रश्न किया–"आप ईश्वर को मानते हैं या नहीं?"

"मैं उसे 'ओल्ड फूल' समझता हूँ जो अपनी बुजुर्गी के बल पर अभी तक–इस बीसवीं सदी में भी–दुनिया के मूर्खों पर राज करता चला जाता है।"

मैंने कहा–"तो आप प्रगतिशीलतावादी हैं?"

"आपका मतलब?"

"मैंने सुना है कि इलाहाबाद में नवयुवकों का एक ऐसा दल संगठित हुआ है जो भारतीय सभ्यता, संस्कृति और साहित्य को पूँजीवादी कहकर उसके विनाश के लिए कटिबद्ध हुआ है और उसके ध्वंसावशेष की नींव पर एक ऐसी साम्यवादी सभ्यता स्थापित करना चाहता है जो उसकी राय में विश्व में क्रान्ति मचाकर रहेगी। यह दल अपने को प्रगतिशीलतावादी कहता है, ऐसा मैंने सुना है।"

"मुझे अफ़सोस है कि इस दल से मेरा परिचय नहीं है, पर उसके मतवाद से मेरी 'सिम्पैथी' है। गाँधी जी पूँजीवादियों के पिट्ठू हैं, इसीलिए उनके प्रति मेरे मन में तनिक भी श्रद्धा नहीं है। भारत की निर्धन और दलित जनता के प्रति उनकी आध्यात्मिक सहानुभूति अवश्य है, पर जहाँ सदियों से पीड़ित किसान और मजूर अपनी नोन-तेल-लकड़ी पर भी पूँजीपतियों का सर्वग्रासी हाथ पड़ते देख अपनी क्षीण शक्ति से उसका विरोध करने लगते हैं तो गाँधी जी उनकी तरफ से कभी एक शब्द भी न कहकर पूँजीपतियों की पीठ ठोंकने लगते हैं। भावलोक में विचरण करके मानवता के 'ऐब्सट्रेक्ट' रूप के प्रति प्रेमभाव दिखाकर गद्‌गद भाव प्रकट करके महात्मापन का यश लूट लेना आसान है, पर जहाँ वास्तविक जगत् में अपने शरीर का सब रस सुखाने, हड्डियों को मशीनों में पिसवाने और एड़ी-चोटी का पसीना एक करने पर भी मजूरों को अपने लिये, अपने बच्चों के लिए, अपनी स्त्रियों के लिए रूखी रोटी भी भरपेट प्राप्त नहीं होती, स्त्रियों की लज्जा ढकने के लिए कपड़े जुटाने का कोई प्रबन्ध नहीं हो पाता, जाड़ों में शीत से बच्चों की रक्षा का उपाय नहीं हो सकता, वर्षा में पानी से बचने का कोई ढंग नहीं रहता, ऐसी दुनिया के नग्न तथ्यों की भयंकरता के प्रति भी आपके महात्मा गाँधी ने कभी ध्यान दिया है? महात्मा जी ने या आपके और भी किसी राष्ट्र-नेता

ने कभी ऐसे व्यक्तियों का परिचय प्राप्त किया है जो अपनी निपट अकिंचनता से तंग आकर स्वयं घर में आग लगाकर स्त्रियों और बाल-बच्चों सहित जल मरने के लिए बाध्य हुए हैं, या कुटुम्बीजनों-सहित कुएँ में गिरकर प्राण देने के लिए विवश किये गये हैं? मैं अभी प्रतापगढ़ से आ रहा हूँ। वहाँ मैंने जो भयंकर दृश्य अपनी आँखों से देखा है उसे मैं इस जीवन में कभी नहीं भूल सकता। एक बेकार मजदूर ने जब एक रूखी-सूखी और बासी रोटी के टुकड़ों के लिए अपने तीन बच्चों को आपस में झगड़ते और छीना-झपटी करते देखा तो उससे अधिक सहा न गया। एक छुरा लाकर उसने पहले एक-एक करके तीनों बच्चों के कलेजों में उसे भोंककर उन्हें मार डाला। इसके बाद अपनी स्त्री की हत्या करके अन्त में उसने आत्महत्या कर ली। पाँचों की लाशें मैं अपनी आँखों से देखकर आ रहा हूँ। अखबारों में इस प्रकार की खबरें करोड़पति सेठों के यहाँ ठहरनेवाले और अन्तरराष्ट्रीय राजनीति के आदर्श से अपने देश के सम्बन्ध में चिन्ता करनेवाले महानेताओं के विराट् स्वागत जय-जयकार या हवाई-जहाज की यात्रा से सम्बन्ध रखनेवाले बड़े-बड़े टाइपों में छपे हुए समाचारों के बीच में किसी अज्ञात कोने में विलीन होकर रह जाती हैं। ऐसे हृदय-विदारक समाचार की ओर किसी का ध्यान अगर जाता भी है तो वह एक मिनट में उसे पढ़कर सिगरेट के धुएँ के साथ उसे उड़ाकर तत्काल भूल जाता है। आपके श्रद्धेय नेतागण कभी आँख उठाकर भी ऐसे समाचारों की ओर देखते होंगे, इस बात पर मुझे सन्देह है। उन्हें अपने दल-संगठन के कामों से फुर्सत कहाँ कि वे भूख की ज्वाला से पीड़ित किसी मजूर या किसान-परिवार के समूल विनाश की बात पर तनिक विचार करें। वर्किंग कमेटी में पेश या पास होनेवाले एक साधारण-से प्रस्ताव का महत्व उनके लिए किसी क्षुधा-पीड़ित कुटुम्ब के मार्मिक पीड़न के समाचार से हजारगुना अधिक महत्त्व रखता है। ग्राम-संगठन-सम्बन्धी प्रस्ताव उनके लिए जितना महत्त्वपूर्ण है, ग्रामों की जीवित जनता के सजीव कष्टों की कठोर वास्तविकता उसका शतांश भी महत्त्व नहीं रखती।''

•••

इस दुबले-पतले लड़के की वाग्धारा से सब लोग स्तम्भित रह गये। उसका चेहरा एक भौतिक जगत् की आभा से चमक रहा था और उसकी लम्बी किन्तु छोटी आँखों से एक विचित्र ज्वाला-सी निकल रही थी। सबको स्तब्ध देखकर उसने फिर अपना व्याख्यान शुरू कर दिया–''केवल किसानों और मजूरों के जीवन की कठोरता के प्रति ही आप लोगों के श्रद्धेयगण उदासीन नहीं हैं। हम लोग जो बीच की श्रेणी के जीव

हैं, बल्कि यह कहिये कि मध्यश्रेणी और निम्नश्रेणी के बीच के जीव हैं, हमारे कष्टों का कितना अनुभव आपके नेताओं को है! संसार और समाज के संघर्ष में हम लोग जिस बुरी तरह से पिसे जा रहे हैं, निर्धनता और बेकारी के सबब से हम लोगों की जो दुर्गति हो रही है, पग-पग पर हमारा और हमारे कुटुम्बी जनों का आत्म-सम्मान जिस निर्दयता से ठुकराया जा रहा है उसकी क्या खबर आप लोग या आपके श्रद्धेय लोग रखते हैं? अकिंचनता और अभाव की नग्नता की वास्तविक विकरालता का अनुभव तो दर-किनार, उसकी कल्पना के सत्य रूप का लेश भी आप लोगों में से किसी के मस्तिष्क में कभी प्रवेश नहीं कर सकता। आपके महात्मा जी लँगोट धारण करके दरिद्रता के आत्मगत अनुभव का स्वाँग भले ही रचें, पर उन्होंने अपने जीवन में कभी एक क्षण के लिए भी दीनता के हाहाकार की प्राणघाती पीड़ा का अनुभव नहीं किया। मैं जानता हूँ, किसी नेता के व्यक्तिगत जीवन की आलोचना अनुचित है। पर आप लोगों ने अपने महात्मा को अब व्यक्तिगत जीव नहीं रहने दिया। वह अब अपने व्यक्तिगत रूप में भी सार्वजनिक हो उठे हैं। यह बात किसी से छिपी नहीं है कि लँगोट धारण करने पर भी वह राजसी जीवन बिता रहे हैं। गाँधी जी केवल फल खाते हैं और बकरी का दूध पीकर रहते हैं, ठीक है। उनके इस 'त्याग और तपस्या' की जितनी प्रशंसा की जाय, थोड़ी है। पर आप लोग, जो कि बचपन से ही ऐश्वर्य की गोद में पले हैं (आप लोगों का पोशाक-पहनावा देखकर इस सम्बन्ध में सन्देह करने का कोई कारण मुझे नहीं दिखायी देता) महात्मा जी के इस त्याग से स्वभावतः प्रभावित होंगे। पर मेरे जैसे व्यक्ति, जिन्हें माँ का दूध भी बचपन में अच्छी तरह प्राप्त नहीं हुआ, गाय और बकरी के दूध की तो बात ही दूर रही, जानते हैं कि फलाहार और छागदुग्ध 'त्याग' नहीं, बल्कि 'लग्जुरी' है। मेरी बहन को एक विशेष प्रकार का क्षय रोग हो गया था। डॉक्टरों ने कहा कि उसे बकरी का दूध दिया जाना चाहिए। उसके सिवा और कोई दूसरा पथ्य ही उसके लिए नहीं बताया गया। पिता जी बहन को इतना चाहते थे कि अपनी जान देकर भी उसके प्राण बचाने को तैयार थे। उनकी जान सस्ती थी, पर बकरी का दूध महँगा था। किसी से पन्द्रह-बीस रुपया कर्जा लेकर एक बकरी खरीदना चाहते थे, पर इतनी छोटी रकम भी उन्हें प्राप्त न हो सकी, क्योंकि पहले से ही उनके सिर पर काफी कर्जा लदा हुआ था और महीनों से किसी महाजन को सूद के हिसाब में एक कौड़ी चुकाने का भी उपाय नहीं हो सका था। जब बकरी न खरीदी जा सकी तो कम-से-कम पाव-भर दूध सुबह और पाव-भर शाम खरीदकर बहन को पिलाने की बात सोची गयी! पर बारह आना सेर की दर से कम पर कहीं बकरी का दूध मिला नहीं। छह आना रोज खर्च करना पिता जी के साध्यातीत था, क्योंकि कुटुम्ब के और प्राणी भी भूखों मरने जा रहे थे। इसलिए दिनभर में पाव-भर से अधिक दूध पिता जी न ले सके। पड़ोस के सज्जन दया करके थोड़ा-सा गाय का दूध दे देते थे। बकरी के दूध में उसे मिलाकर बहन को दिया जाता था। इसके सिवा और कोई इलाज बहन की बीमारी का न किया जा सका। कुछ ही महीनों में वह चल बसी।

"कुछ समय पहले मुझे 'लिवर' की बीमारी हो गयी थी। डॉक्टरों ने मुझे राय दी कि मैं खूब सेब, अंगूर और अनार खाया करूँ। फल के मार्केट में कौतूहलवश गया। किसी का भाव दो रुपया सेर था तो किसी का डेढ़ रुपये। दस-बारह आना सेर से कम पर तो कोई मामूली तौर से अच्छा फल भी नहीं मिल सकता था। अनाज दो आना सेर मिलता था और एक सेर अनाज में मेरा दो दिन तक का गुजारा बड़ी अच्छी तरह से हो सकता है। पर सेर भर फल से एक वक्त के लिए भी पेट नहीं भर सकता, इस बात का अनुभव आप लोगों को अवश्य होगा। अब बताइये कि जो लोग फल खाकर और बकरी का दूध पीकर रहते हैं उनका त्याग क्या वास्तव में इतना महान् है जितना कि आप लोग समझे बैठे हैं?

"गाँधी जी तीसरे दर्जे में यात्रा अवश्य करते हैं। पर उनके तीसरे दर्जे में और वास्तविक तीसरे दर्जे में क्या अन्तर है, क्या इस बात को भी समझाने की आवश्यकता है? मैंने जीवन में जब भी रात के समय रेल में सफर किया है, शायद ही कभी मुझे सोने का सौभाग्य प्राप्त हुआ होगा। सोना तो दर-किनार, आराम से बैठने को जगह मिलना भी वास्तविक तीसरे दर्जे में सम्भव नहीं है। जेठ के महीने की लू में यात्रियों के रेल-पेल के बीच में जिस जलते हुए अनुभव का उपभोग हम लोगों को करना पड़ता है उसकी कल्पना भी आपके महात्मा जी कैसे कर सकते हैं जबकि उनके डिब्बे में खस की टट्टी लगी रहती है? महात्मा जी साधुओं की तरह आश्रम में निवास करते हैं, सत्य है, (यद्यपि राजनीतिक दौरों में उन्हें महलों में ही रहना पड़ता है—शायद लाचारी के सबब!—) पर उनके आश्रम से क्या कभी गरीब की झोंपड़ियों या मजदूरों और मुझ जैसे बेकारों की तंग कोठरियों की तुलना किसी प्रकार की जा सकती है, जहाँ गरमी की भभक और बरसात की सड़ाँध का बारी-बारी से एकच्छत्र साम्राज्य रहता है और जहाँ बड़े-बड़े महात्माओं का माहात्म्य पल में खण्डित हो सकता है?"

बलदेव का कथन समाप्त होने पर भी उसकी उन्मादग्रस्त आँखों का नशा काफी देर तक हम सब लोगों को अपनी मार्मिकता से अभिभूत किये रहा। ऐसा मालूम होता था जैसे उसकी स्थिर किन्तु उद्भ्रान्त दृष्टि की तीक्ष्णता पत्थर की आत्मा का भी मर्म चीरकर उसे प्रभावित करने में समर्थ है। मजदूरों और किसानों का पक्ष लेकर रूसी पुस्तकों से रटी हुई बातें दुहराकर 'साम्यवाद' का प्रचार करनेवाले अपरिपक्व-बुद्धि नवयुकों की बातें हम लोगों ने काफी सुनी और पढ़ी थीं, पर इस प्रकार अपनी समस्त आत्मा की वेदना को बाहर निकालकर तर्क करनेवाले साम्यवादी की प्रत्यक्षता का अनुभव उपस्थित मण्डली के प्रत्येक सज्जन को आज जीवन में शायद पहली बार हुआ था। पूरे तीन मिनट (अर्थात् एक सौ अस्सी सेकेण्ड तक) हम सब लोग जड़वत् स्तब्ध बैठे रहे; किसी के मुख से किसी प्रकार का प्रतिवाद न निकला, यद्यपि सम्भवतः प्रत्येक व्यक्ति प्रतिवाद के लिए भीतर-ही-भीतर बेचैन हो रहा था। इस भ्रान्त नीरवता को पहले-पहल मैंने भंग किया। मैंने कहा—"आपको अपने जीवन में जो कटु अनुभव हुए हैं उनके कारण आपके प्रति मैं अपनी आन्तरिक सहानुभूति प्रकट करता हूँ।

महात्मा जी के प्रति आपका जो आक्रोश है, वह आपकी मानसिक अवस्था को देखते हुए स्वाभाविक ही समझा जाना चाहिए। फिर भी, न जाने क्यों, मेरी अन्तरात्मा कहती है कि महात्मा जी का महत्त्व जिस रूप में आपके हृदय में (शायद आपके अनजान में) समाया हुआ है उस रूप में वह उनके बड़े-बड़े भक्तों के मन में भी वर्तमान नहीं पाया जाता। मुझे पूरा विश्वास है कि समय आयेगा जब आप महात्मा गाँधी की पूजा करने लगेंगे। उत्कट घृणा उत्कट प्रेम का ही प्रतिरूप है, इस तथ्य में कोई भूल नहीं हो सकती।"

सब लोग अत्यन्त आश्चर्य से मेरी ओर देखने लगे। स्वयं बलदेव भी स्तम्भित होकर विस्मय-विमूढ़ भाव से कुछ देर तक एकटक देखता रह गया। इसके बाद क्षण-भर के लिए उसने आँखें नीची कर लीं, जैसे किसी ऐसे गुप्त काम में पकड़ा गया हो जिससे वह स्वयं घृणा करता है। पर तत्काल वह फिर स्थिर दृष्टि से ढिठाई के साथ मेरी ओर देखता हुआ जोर से हँसा। मैं समझ गया कि यह कृत्रिम हँसी केवल अपनी झेंप मिटाने के लिए है।

उसने कहा—"आपकी मनोवैज्ञानिकता अवश्य प्रशंसा के योग्य है, पर मेरे सम्बन्ध में आपकी धारणा एकदम गलत साबित हुई है। मैं महात्मा जी की पूजा करने लगूँगा—मैं! हाः हाः! यह आपने एक ही कही।"

पर उसकी हँसी में कोई सार नहीं था और उसकी बात बनावटी थी।

कुछ देर बाद सब लोग उठकर जाने लगे। जब हम लोग बाहर आये तो मैंने अत्यन्त परिचित की तरह बलदेव के कन्धे पर हाथ रखा और अन्य सज्जनों से अलग होकर उसके साथ चलते-चलते मैंने कहा—"आपकी बातों से मैं कितना प्रभावित हुआ हूँ, इसका वर्णन नहीं कर सकता। महात्मा जी के सम्बन्ध में आपने अपने जो विचार प्रकट किये हैं, उनसे मेरा मूलतः मतभेद है। पर दुःख, दैन्य और दारिद्र्य के नग्न रूप का वर्णन आपने जिस मार्मिकता से किया है वैसा मैंने अपने जीवन में किसी के मुँह से नहीं सुना।"

बलदेव मेरी बात सुनकर चुप था। कुछ देर बाद मैंने पूछा—"यह तो बताइये कि आप यहाँ करते क्या हैं!"

उसने अत्यन्त क्षीण स्वर में कहा—"कुछ भी नहीं। आज तक रमाशंकर के साथ ही एम.ए. में पढ़ता था, पर अब इम्तहान देने का विचार नहीं है।"

"क्यों?"

"जमीन-जायदाद गिरवी रखकर और दो-एक धनी सम्बन्धियों पर निर्भर करके आज तक किसी तरह फीस जुटाता रहा, पर अब न तो जमीन का कोई टुकड़ा ही शेष है न किसी सम्बन्धी जन का ही भरोसा रह गया है। इसलिए इम्तहान न देने का इरादा कर लिया है।"

ऐसे क्षीण स्वर में और व्यथित शब्दों में उसने यह बात कही कि इस बात पर विश्वास करना कठिन मालूम होता था कि कुछ समय पहले यही व्यक्ति गर्जन-भरे शब्दों में महात्मा गाँधी के विरुद्ध विष उगल रहा था।

कुछ सोचकर मैंने कहा—"अगर सिर्फ फीस न चुका सकने के ही सबब से आप इम्तहान देना नहीं चाहते तो मैं उसका प्रबन्ध कर सकता हूँ।"

कुछ समय तक चकित भाव से, विस्फारित दृष्टि से बलदेव मेरी ओर देखता रहा; फिर बोला—"आपकी सहृदयता के लिए आपको धन्यवाद देता हूँ। पर मैंने अब इम्तहान न देने का ही पक्का निश्चय कर लिया है। यूनिवर्सिटी की डिग्रियों पर से मेरा विश्वास उठ गया है और मैं फीस के लिए बेकार रुपये नष्ट करना नहीं चाहता।"

जब वह जाने लगा तो मैंने उससे पूछा—"आप रहते कहाँ हैं?"

"कटरे में।"

मैंने अपना मकान दिखाते हुए कहा—"मैं यहाँ रहता हूँ। क्या कभी मेरे यहाँ आने की कृपा कीजियेगा?"

शायद उसके साथ घनिष्ठता बढ़ाने की मेरी इच्छा उसे अस्वाभाविक-सी लग रही थी। इसलिए उसने एक बार किंचित् सन्देह-भरी प्रश्नात्मक दृष्टि से मेरी ओर देखा, फिर कहा—"मैं अवश्य एक दिन आपके यहाँ आऊँगा।" कहकर वह हाथ जोड़कर चला गया।

•••

मेरे मकान पहुँचने तक शान्ति ने खाना बनाकर तैयार कर लिया था। जब दोनों खा-पी चुके तो उसने चौक की तरफ घूमने का प्रस्ताव किया। कल खुशामद करने पर भी चलने को राजी नहीं हुई थी, आज अपने-आप तैयार हो गयी। आज वह अकारण ही अत्यन्त प्रसन्न दिखायी देती थी और उसका सौन्दर्य अपूर्व ज्योति से उद्दीप्त हो रहा था। उसका ऐसा प्रखर-उज्ज्वल, उन्मादक और साथ ही मंगलमय रूप मैंने कभी नहीं देखा था। उसकी छवि निहार-निहारकर मैं पुलकित हो उठा और मेरे रोम-रोम में एक विचित्र हर्ष की वेदना सिहर उठी। उसकी दीप्ति की मोद-मधुर ज्वाला शीघ्र ही मेरे सर्वांग में संचारित हो गयी और एक प्रकार के गुलाबी नशे की मृदु-मादकता का सज्वर भाव मुझे विकल और विह्वल करने लगा। मैं रह न सका और अन्ध भाव से उसे पकड़कर मैंने उसका मुँह चूम लिया। मुक्त होने पर उसने तत्काल मेरी दोनों हथेलियों को एक-दूसरे से मिलाकर उन पर अपना मस्तक स्थापित किया। फिर अकस्मात् सिर

उठाकर एक निराली मार्मिकता से मेरी ओर देखकर अत्यन्त गम्भीर भाव से बोली–"आज की इस बात के साक्षी भगवान् हैं। देखना, कहीं भूल न जाना!"

"अब चलो, देर हो रही है।"

एक ताँगे पर हम दोनों चौक की तरफ चले। मेरे मन की विचित्र दशा हो रही थी। पश्चिमाकाश में अस्तगामी सूर्य की छटा बिखर रही थी। सारी प्रकृति में, समस्त आकाश में, मुझे कवित्वमय पवित्र भाव तरंगित होता हुआ दिखायी देता था। शान्ति के मुख का उद्दीप्त भाव इस समय एक स्निग्ध सलज्ज सरसता में परिवर्तित हो गया था। लज्जा का झीना पर्दा उसकी सहज तेजस्विता को ढकने की चेष्टा कर रहा था। पर जिस प्रकार रेडियन का अन्तर्गत प्रकाश उसके भीतर न समा सकने के कारण ज्योतिर्कणों को बाहर बिखेरता रहता है उसी प्रकार शान्ति की शुभ्र समुज्ज्वल, सतेज पवित्रता उसके मुखमण्डल के प्रत्येक सूक्ष्मतम चर्म-छिद्र से अदृश्य किरणों के रूप में बरबस निर्गत हो रही थी, जिसे देखकर एक अपूर्व, अवर्णनीय कवित्वमय भाव मेरे प्राणों के अणु-अणु में संचारित होने लगा था। चौक की तरफ जाकर कवित्व की इस अनिर्वचनीय अनुभूति को रात-दिन के कोलाहलमय जीवन की धूलि से धूसरित करने की इच्छा नहीं होती थी, इसलिए मैंने ताँगेवाले को सिविल लाइन्स की ओर ले जाने के लिए कह दिया।

मन की बहुत-सी बातें बाहर निकलने को तिलमिला रही थीं, पर साथ ही ऐसा भी अनुभव होता था कि आज के चुम्बन ने मेरे जीवन की सभी आशाओं और आकांक्षाओं की परिणति चरम सफलता के रूप में हो चुकी है, उसके कारण मन की और सब बातें तुच्छ और हीन हो चुकी हैं। पर चूँकि एकदम चुप रहना भी अशोभन-सा लग रहा था, इसलिए मैंने बलदेव की चर्चा छेड़ दी।

मैंने कहा–"आज एक अनोखे लड़के से मेरा परिचय हुआ। वह महात्मा गाँधी को गाली देता था।"

शान्ति की अन्यमनस्कता भंग हो गयी। उसने कहा–"महात्मा गाँधी को गाली देता था? ऐसे बदतमीज लड़के के कान तुमने नहीं ऐंठ दिये?"

मैंने मुस्कराते हुए उत्तर दिया–"मैं क्यों उसके कान ऐंठने लगा? फिर वह कोई दुधमुँहा बच्चा तो है नहीं कि डराने-धमकाने से अपनी गलती मान लेता। उम्र में वह मुझसे दो-एक साल से अधिक छोटा नहीं होगा, ऐसा मेरा अनुमान है। एम. ए. में पढ़ रहा है, पर फीस न दे सकने के कारण उसने पढ़ना छोड़ दिया है।"

शान्ति गाँधी जी की कट्टर भक्त थी। इसलिए पहले वह बहुत उत्तेजित हो उठी थी। पर पीछे जब उसने सुना कि फीस न दे सकने के कारण उसने एम. ए. पढ़ना छोड़ दिया है तो उसकी आँखों में तत्काल करुणा छलक उठी।

उसने आश्चर्य का भाव प्रकट करते हुए पूछा–"इतना गरीब है, तिस पर भी गरीबों के साथी महात्मा जी को गाली देता है, इसका रहस्य मैं समझी नहीं!"

"सच पूछो तो मैं भी नहीं समझा। पर मालूम होता है कि बेचारे को जीवन में बहुत कड़वे अनुभव हुए हैं। उसी से उसके स्वभाव में रूखापन आ गया है। कुछ भी हो, एक बात मैंने उसमें बड़ी विचित्र पायी। हाँ, यह तो मैंने तुमसे कहा ही नहीं कि वह ईश्वर को भी गाली देता है...."

शान्ति फिर उत्तेजित हो उठी। कहने लगी—"तब तो बड़ा वाहियात लड़का मालूम होता है! ऐसे लड़के का जिक्र मेरे सामने न करो, मुझे बहुत बुरा मालूम होता है।"

मैंने कहा—"तुम ठीक कहती हो, पर मैं जो बात तुमसे कहने जा रहा था, वह तो तुमने सुनी नहीं।"

"वह कौन-सी?"

"उस लड़के के हृदय में मैंने गरीबों के प्रति एक ऐसी मार्मिक और सच्ची सहानुभूति पायी है कि उसमें और सब दोष होने पर भी उसके इस एक गुण की सचाई ने मुझे मोह-सा लिया है। उसकी बातें सुनकर ऐसा मालूम होने लगता है कि पीड़ितों और अनाथों के प्रति उसकी यह संवेदना कोरी किताबी दुनिया से या राजनीतिक प्लेटफार्मों पर दिये गये भाषणों से प्राप्त फ़ैशन की संवेदना नहीं है, उसने उसे अपने जीवन के वास्तविक अनुभवों की जलन और तपन से पाया है।"

शान्ति कुछ समय तक विस्मित दृष्टि से मेरी ओर ताकती रही। स्पष्ट ही उसे इस बात पर विश्वास ही नहीं होना चाहता था कि ईश्वर को और महात्मा गाँधी को गाली देनेवाला व्यक्ति कभी सच्चे हृदय से गरीबों के दुःखों की वेदना का साझीदार हो सकता है। साथ ही मेरी बात पर अविश्वास करना भी उसे कठिन जान पड़ता था। कुछ देर तक चुप रहने के बाद उसने कुछ धीमी आवाज में कहा—"अच्छा उस लड़के की फ़ीस का क्या कोई प्रबन्ध नहीं किया जा सकता है?"

मैं ठठाकर हँस पड़ा। मैंने कहा—"देखो, तुम्हारे मन में भी इस अनोखे लड़के के प्रति ममता का भाव उत्पन्न होने लगा है। जब तुमसे बिना मिले ही उसने तुम पर इतना प्रभाव डाल दिया है तो मिलने पर वह न मालूम तुम्हारे हृदय में कितनी करुणा जगा देगा। असल में वह एक जादूगर है।"

"चलो, तुमको सब समय हँसी की सूझती है!" कहकर उसने मुझे एक हलका धक्का दिया।

मैंने कुछ गम्भीर होकर कहा—"नहीं, मैं हँसी नहीं करता। सचमुच उसमें एक निराला आकर्षण है, जिसका ठीक कारण समझ में नहीं आता। मैंने उससे एक दिन अपने यहाँ आने की प्रार्थना की है।"

"अपने यहाँ आने की प्रार्थना की है? यह क्यों? तुम बड़े अजीब आदमी हो! किसी अनजान आदमी को बिना सोचे-समझे घर आने के लिए न्योता दे बैठते हो! अगर वह कोई क्रान्तिकारी निकले, तब?"

शान्ति क्रान्तिकारियों से बहुत घबड़ाती थी। उससे मैंने सुना था कि एक बार बनारस में किसी क्रान्तिकारी नवयुवक की खोज के सिलसिले में पुलिस ने उन लोगों

के यहाँ भी धावा बोला था। पुलिस को यह गलत सूचना मिली थी कि वह नवयुवक किसी आर्यसमाजी महिला के यहाँ रहता है। तब से शान्ति के मन में क्रान्तिकारियों के सम्बन्ध में आतंक छाया हुआ था। बलदेव का जो वर्णन उसने मेरे मुँह से सुना उससे उसके क्रान्तिकारी होने का अनुमान खूब लगाया, यह सोचकर मैं हँसा।

मैंने कहा–"घबराने की कोई बात नहीं है। आजकल कांग्रेस गवर्नमेण्ट का शासन चल रहा है। इस गवर्नमेण्ट से और कुछ आशा तुम चाहे न करो, पर इतना तो मानना ही पड़ेगा कि दोषी और निर्दोष सबको समान रूप से दण्ड देने के पक्ष में वह नहीं है!"

"तुम्हारी बातें मेरी समझ में कुछ भी नहीं आतीं।" यह कहकर वह अकारण ही मन्द-मन्द मुस्कराने लगी। ऐसा मालूम होता था कि वह बातें करते-करते अन्यमनस्क हो चली थी और मेरी बात उसने ठीक से सुनी नहीं थी। पर उसकी इस समय की अन्यमनस्कता में और दूसरे दिनों के अनमने भाव में कितना अन्तर था! और दिनों उसकी अन्यमनस्कता मुझे शून्य के भीषण और निःशब्द हाहाकार की तरह लगती थी, पर आज उसका वही भाव मुझे हेमन्त ऋतु की निर्मल सूर्योज्ज्वल दुपहरी की निस्तब्ध शान्ति की वेदना की तरह अत्यन्त मधुर और प्रिय लग रहा था।

•••

वास्तव में मैं भी आज यथेष्ट अन्यमनस्क था। बातें मैं कर तो रहा था, और बलदेव की चर्चा करते हुए ऊपरी मन से उसके विषय में सोच भी रहा था, पर मेरा भीतरी मन किसी दूसरी ही दुनिया में पहुँचा हुआ था। मैं सोच रहा था कि इतने दिनों के बाद अन्त में मैं शान्ति के निकट पहुँच पाया! आज तक इतना निकट होते हुए भी मैं उससे कितनी दूर था! पर आज जिस समय उसने चुम्बन का प्रतिरोध करने के बजाय अत्यन्त गम्भीरतापूर्वक उसे ग्रहण किया था उस समय से मेरे जीवन की धारा एक अत्यन्त महत्त्वपूर्ण दिशा की ओर प्रबल प्रवेग से बह चली थी,–मुझे ऐसा अनुभव होने लगा था। आज मैं अपने को जीवन-क्षेत्र में कच्ची बुद्धिवाला, अनुभवहीन, रँगरूट नहीं समझ सकता था। आज मैं अपने को यूनिवर्सिटी से ताजा निकला हुआ उत्तरदायित्वहीन भावुक नवयुवक मानने को तैयार नहीं था। शान्ति के साथ कुछ ही समय तक रहने से जीवन का जो अनुभव मुझे हो चुका था वह मुझे जीवन-सागर में उठे हुए तूफान के समय की उत्ताल तरंगों की प्रचण्ड हिल्लोलगति से परिचित करा चुका था। मुझे आज ऐसा लग रहा था जैसे तूफान के दुर्दमनीय वेग से अनुकूल समुद्र में डूबता, उतराता और लोल-लहरों के धक्के खाता हुआ मैं श्रान्त पथिक आज की सन्ध्या में

किसी अज्ञात दैवी माया से एक अपरिचित देश के किनारे पर पहुँच गया हूँ। वह देश अज्ञात होने पर भी बहुत सुन्दर लग रहा है और वहाँ चिर-प्रशान्त सन्ध्या का सकरुण हासाभास सब समय स्थिर रूप से विराजता रहता है। शान्ति की इस समय की स्निग्ध और मौन मुस्कान में मुझे उसी सान्ध्य आभा की रहस्यमयी झलक दिखायी दे रही थी।

हम लोग एक अँगरेजी सिनेमा के पास पहुँच गये थे। शान्ति को अकस्मात् न जाने क्या सनक सवार हुई, उसने कहा—"चलो, सिनेमा देखने चलें।"

मुझे आज उसकी किसी भी बात पर किसी तरह की आपत्ति करके उसका जी दुखाने की इच्छा नहीं होती थी। सिनेमा देखने की कुछ विशेष इच्छा न होते हुए भी मैंने ताँगा रुकवाया और हम लोग उसमें से उतर पड़े। ताँगेवाले को बिदा कर दिया। ऊपर की सीटों के दो टिकट खरीदकर मैं शान्ति का हाथ पकड़कर ऊपर ले गया।

आधे घण्टे तक इधर-उधर के चित्रों को दिखाने के बाद मूल चित्र का प्रदर्शन प्रारम्भ हुआ। अफ्रीका के घने जंगलों के भीतर भयंकर हिंसक पशुओं के बीच बीसवीं सदी के सभ्य स्त्री-पुरुषों के वैचित्र्यपूर्ण भ्रमण और उस भ्रमण के फलस्वरूप एक बर्बर युवक के साथ एक नवीना गोरी ललना का प्रेम, और उस प्रेम के कारण उस गोरी युवती के गौरांग प्रेमी की प्राणान्तक ईर्ष्या और अन्त में बर्बर-प्रेमिका की विजय—यह था फिल्म के मूल कथानक का सार। शान्ति हिंसक जन्तुओं के विकट रूप, उनकी उछल-कूद और तर्जन-गर्जन के कारण बीच-बीच में कौतुक के साथ भय का भाव दिखाती थी और मुझसे चिपट-सी जाती थी। उसका वह अंगस्पर्श आज मुझे एक निराली ही अनुभूति से पुलक-चकित कर रहा था। मेरा रोम-रोम एक अपूर्व सुखोन्माद के हर्षण से आकुल हो रहा था। शान्ति ने इससे पहले भी कई बार अपने अंगस्पर्श से मुझमें अलसित रसावेश का संचार किया था। पर आज की स्पर्शानुभूति जिस रहस्यमय दिव्य लोक की तड़ित्-तरंगों को मेरे अंग-अंग में संचारित कर रही थी उसका अनुभव मैंने अपने जीवन में न कभी उसके पहले किया था, न कभी उसके बाद किया है। चित्रपट में जो बाह्यजगत् का चित्र दिखाया जा रहा था वह मेरे अन्तर्पट में प्रतिफलित होनेवाले विचित्र छाया-चित्रों से अधिक रोचक मुझे नहीं लग रहा था। मैं बाहरी आँखों से सिनेमा के चित्रपट का चित्र देखता था और भीतरी आँखों से अपने अन्तर्पट के छायाचित्रों के विचित्र घटना-चक्र के दृश्य देख रहा था। अन्तर्पट के उन छायाचित्रों में केवल वर्तमान की ही नहीं, अपने भविष्य की भी घटनाओं का घूर्णित चक्र मुझे दिखायी दे रहा था। जिस प्रकार किसी आतिशबाजी का चक्कर जब पूरे जोरों पर चलता है तो उसकी चिनगारियाँ अलग-अलग न दिखायी देकर सारा दृश्य एक प्रज्ज्वलित चक्र के रूप में आँखों के आगे नाचता रहता है, उसी प्रकार मेरे अन्तर्पट के छायाचित्रों का चक्र भी जब पूरे वेग से चलता था तो मुझे वह सारा दृश्य एक अखण्ड मनोहरता की इन्द्रधनुषी माया-सा लगता था, पर जब उसका वेग किसी समय में ढीला पड़ने लगता तो उसके चित्र विच्छिन्न रूप से आतिशबाजी के अंगार-कणों को बिखेरते हुए मालूम होते और

उन अंगार-कणों का राख में परिणत होना भी मैं अस्पष्ट रूप से देख रहा था। मेरी अन्तश्चेतना भविष्य की भयोत्पादक परिस्थिति की सम्भावना की ओर संकेत कर रही थी, पर मेरी ज्ञात चेतना मुझे प्रेम के अमर काव्यमय लोक की सैर करा रही थी। मैं अन्तश्चेतना की इस अज्ञात और असामयिक दुश्चिन्ता को बलपूर्वक दबा रहा था।

फिल्म समाप्त होने पर जब सिनेमा-हाल की बत्तियाँ जगमगा उठीं तो मैंने शान्ति के मुख पर एक ऐसे उद्दीप्त उल्लास का भाव झलकते हुए देखा जैसा पहले कभी नहीं देखा था। उसे देखकर मेरी रगों में रक्त का वेग ऐसा दुर्दमनीय हो उठा कि मुझे मालूम होने लगा जैसे मेरे मन में और शरीर में आनन्द न समा सकने के कारण मैं वहीं पर चक्कर खाकर गिर पड़ूँगा।

किसी तरह बाहर निकलकर एक ताँगे में बैठकर हम लोग एक होटल में गये। वहाँ हम लोगों ने चाय पी। कुछ दिन पहले शान्ति होटल में जिस प्रकार भयभीत हो उठी थी, आज उसमें वह भाव मैंने नहीं पाया। पता नहीं क्यों। शायद आज किसी एक अलौकिक उन्मादक भाव ने उसका सारा दृष्टिकोण ही बदल डाला था। शायद आज उसके लिए सारा लौकिक जगत् तुच्छ हो गया था और वह एक ही व्यक्ति के आभ्यन्तर में आकर उसी में समा गयी थी। मैं अपनी अन्तर्प्रेरणा से समझ रहा था कि शान्ति के लिए आज क्या समाज, क्या संसार, क्या मनुष्य और क्या ईश्वर—सबका अस्तित्व केवल एक व्यक्ति के व्यक्तित्व में विलीन हो गया था, और वह व्यक्ति था—मैं! हाँ, मैं! मैं आज समस्त शंकाओं और द्विविधाओं, दुर्भावनाओं और दुश्चिन्ताओं रूपी राक्षसों के पंजे से अपनी रानी को छुड़ाकर उसे निश्चित रूप से अपने हृदय के राज्य में प्रतिष्ठित करने में समर्थ हो पाया था। आज मैं अपने को विश्व-विजयी समझ रहा था।

होटल में चाय पीने पर हम दोनों एक अवर्णनीय भाव की मादक रसविभोरता में झूमते हुए मौन अवस्था में घर पहुँचे। घर पहुँचते ही शान्ति ने जीवन में पहली बार अपनी माँग में सिन्दूर भरा। यह रहस्य मेरी समझ में कुछ भी न आया। मेरे पूछने पर वह केवल कौतुकपूर्वक मुस्कराने लगी। कुछ भी हो, उस दिन की और उस रात की वह स्वर्गीय स्मृति जन्म-जन्मान्तर तक मेरे मन में अक्षय होकर रहेगी, मुझे इस बात पर ध्रुव विश्वास है।

•••

वास्तविक जगत् में रहने पर भी मैं एक अलौकिक स्वप्नमय संसार की मायापुरी में विचरण करने लगा था। मानव-जगत् के रात-दिन के तुच्छ सुख-दुःखमय जीवन के

कोलाहल से अपने को एक प्रकार से विच्छिन्न करके एक अपूर्व मनोहर मोह में भूला हुआ था। कई दिनों तक यह हाल रहा। इसी मोहाच्छन्न मानसिक स्थिति में सारा जीवन कट जायगा, ऐसा मैंने सोचा था। पर एक दिन संसार की वास्तविकता ने मेरे दरवाजे पर आघात किया। दरवाजा खोलकर देखा, तो बलदेव खड़ा था।

"नमस्कार!"

"नमस्कार! आइये, पधारिये! आपने बड़ी कृपा की!" कहकर मैं उसका हाथ पकड़कर भीतर ले गया। मैं एक दिन बाँस की कुछ कुर्सियाँ खरीदकर ले आया था। उन्हीं में से एक पर वह बैठ गया और दूसरी पर मैं।

मैंने कहा—"फरमाइये, आज आपने कैसे कृपा की?" मैं जानता था कि मेरा यह प्रश्न कुछ अशिष्ट-सा है, तथापि बातचीत का सिलसिला उससे किस तरह चलाया जाय, यह मैं स्वयं नहीं समझ पा रहा था।

वह आज बेहद संकोचशील बना हुआ था। उसने झेंपते हुए कहा—"मैं यों ही आ गया। आपने एक रोज आने के लिए कहा था। बहुत दिनों से इरादा कर रहा था, पर आ नहीं पाया।"

"हाँ, हाँ, ठीक है! आपने बड़ी कृपा की। और सुनाइये, क्या हाल है?"

मैं बार-बार इसी तरह की बातों को दुहरा रहा था, जिससे मेरा संकोच भी बढ़ता जाता था। शान्ति भीतर चाय बना रही थी। मैं सोच रहा था कि वह चाय लेकर आती, तो चाय की चर्चा में ही कुछ समय कट जाता। असल बात यह थी कि इस चरमपन्थी नवयुवक के साथ किस-किस तरह की बातें की जानी चाहिए और किस विषय की चर्चा छेड़नी चाहिए यह मैं कुछ समझ ही न पाता था। मेरी घबराहट का यही कारण था।

थोड़ी देर बाद शान्ति दो प्यालों में चाय लेकर आयी। एक प्याला उसने मेज पर मेरे सामने रखा और दूसरा वह बदलेव के आगे रखना ही चाहती थी कि प्याला किसी कारण से उसके हाथ से उलटकर जमीन पर गिरकर चकनाचूर हो गया। यही गनीमत थी कि चाय बलदेव के कपड़ों पर न पड़ी। मैं शान्ति की लज्जा मिटाने के लिए खूब जोर से हँस पड़ा! शान्ति अत्यन्त संकुचित होकर भीतर से एक दूसरे प्याले में चाय लेकर आयी।

मैंने शान्ति से कहा कि वह अपने लिये भी चाय यहीं ले आवे, ताकि तीनों जनें साथ ही पीयें। शान्ति आँखों के इशारे से मुझे इस आदेश के लिए मना कर रही थी। उसके भाव से मालूम होता था कि वह भीतर अकेले में ही चाय पीना चाहती है; पर मैंने दूसरी बार फिर उससे हम लोगों के साथ ही पीने के लिए कहा। अगत्या वह अपने लिये भी चाय वहीं ले आयी।

मैंने बलदेव का परिचय शान्ति को देने के इरादे से कहा—"यह वही सज्जन हैं, जिनकी तारीफ मैंने एक दिन तुमसे की थी। आपका नाम श्रीयुत् बलदेवप्रसाद है। आप गाँधी जी के परम—"

शान्ति ने मेरी बात पूरी न होने दी और बीच ही में बोल उठी—"हाँ, मैं समझ गयी।" और बलदेव की ओर हाथ जोड़ते हुए कहा—"नमस्कार!" बलदेव के जीवन में किसी शिक्षिता महिला के साथ आमने-सामने बैठने का शायद यह प्रथम ही अवसर था। इसलिए उसे आवश्यकता से अधिक संकोच का सामना करना पड़ रहा था, यह मैं स्पष्ट देख रहा था।

कुछ भी हो, मैं सोच रहा था कि शान्ति का परिचय उसे देना चाहिए या नहीं। न देने से अशिष्टता अवश्य होगी, पर देने से स्थिति कहीं और विकट तो नहीं हो जायगी? फिर भी मैं साहस करके सत्य का सामना करने को तैयार हो गया और मैंने कहना शुरू किया—"यह मेरी—" मेरा कथन फिर एक बार बीच ही में काटकर शान्ति ने तत्काल बलदेव से यह प्रश्न किया—"आप यहाँ किस काम पर हैं?"

बलदेव ने संकोच के साथ मन्द-मन्द मुस्कराते हुए कहा—"कुछ भी नहीं करता। निठल्ला हूँ।"

"आप क्या यूनिवर्सिटी में पढ़ते हैं?"

बलदेव के उत्तर के बाद यह प्रश्न अनावश्यक था, यह बात शान्ति भी खूब अच्छी तरह से जानती रही होगी, पर जानकर उसके इस प्रकार प्रश्न करने का अर्थ मैंने यह लगाया कि वह चाहती है कि किसी तरह बातों का ऐसा सिलसिला जारी रहे, जिससे उसके और मेरे सम्बन्ध की कोई बात उठने न पावे।

बलदेव ने कहा—"कुछ दिनों तक के लिए एम. ए. 'ज्वाइन' किया था, पर अब छोड़ दिया है।" कहकर वह एक बार तिरछी और संकोचभरी निगाह से शान्ति की ओर और एक बार नीचे मेज की ओर देखने लगा। आज मैंने उसके चेहरे का भाव ही एकदम बदला हुआ पाया। इस समय उसके मुख पर ऐसे कोमल, करुण और सुकुमार भाव की झलक दिखायी दे रही थी, जिसे देखकर इस बात की कल्पना ही नहीं की जा सकती थी कि वह कभी गाँधी जी और उनके अनुयायियों के प्रति उग्र रोष की आग बरसा सकता है।

शान्ति ने पूछा—"क्यों छोड़ दिया?"

इस बार बलदेव के बदले मैंने उत्तर दिया—"इनका कहना है कि फीस न दे सकने के कारण इन्होंने पढ़ना छोड़ दिया है—"

बलदेव घबराते हुए बोला—"नहीं, नहीं, यह कारण नहीं है—"

मैंने कहा—"इस समय भले ही आप संकोच के कारण इनकार कर रहे हों, पर आपने उस बार मुझसे यही कहा था। और शान्ति, तुमसे शायद मैंने नहीं कहा, मैंने इन्हें वचन दिया था कि फीस का प्रबन्ध मैं कर सकता हूँ, पर—"

शान्ति का मुख कुछ समय पहले म्लान हो आया था, पर अब मेरी अन्तिम बात सुनकर वह प्रसन्नता के कारण फिर से जगमगा उठा। पर बलदेव सिर नीचा करके कहता गया—"नहीं, नहीं फीस का कोई सवाल नहीं है, मैंने—मैंने—आपको शायद कुछ गलतफहमी हुई है, या मैंने ही गलत बात कही होगी।" उसका मुँह अकारण लज्जावश

लाल हो आया था। वह अपने एक हाथ की उँगलियों को फैलाकर उन्हें दूसरे हाथ की उँगलियों से फँसाकर कुछ देर तक उन्हीं की ओर ताकता रहा।

मैंने मुस्कराते हुए कहा—"अच्छा तब आप ही बताइये, असली कारण क्या है?"

उसने एक बार शान्ति की ओर देखा। शान्ति जिज्ञासु भाव से उसकी तरफ दृष्टि किये हुए थी। अकस्मात् बलदेव का सब संकोच जादू के मन्त्र की तरह पल में न मालूम कहाँ विलीन हो गया। वह दोनों हाथों की उँगलियों को एक-दूसरे से छुड़ाकर जरा डटकर कुर्सी पर बैठ गया और एक बार शान्ति की ओर और एक बार मेरी ओर मुँह करके बोला—"बताऊँ, असली कारण क्या है? अच्छा, तो सुनिये! असली कारण यह है कि मैं यूनिवर्सिटी के जीवन को मूर्खों के काल्पनिक स्वर्ग—जिसे अँगरेजी में कहते हैं 'फूल्स पैरेडाइज'—का जीवन समझता हूँ, और यूनिवर्सिटी की पढ़ाई को केवल व्यर्थ और अनावश्यक ही नहीं समझता, बल्कि हानिकर भी समझता हूँ।"

उसके चेहरे में फिर एक बार उसका वही रूप व्यक्त हो उठा जिसका अनुभव मुझे उस दिन हुआ था, जिस दिन मैं शीतलप्रसाद के यहाँ पहली बार 'ब्रिज' खेलने गया हुआ था। उसकी आँखों से उद्दीप्त किरण-रेखाएँ निर्गत हो रही थीं। मैंने शान्ति की ओर देखा। वह विस्मय के कारण आत्म-विस्मृत-सी होकर उसकी ओर एकटक देख रही थी।

प्रायः डेढ़ मिनट तक हम तीनों मौन भाव से स्तब्ध बैठे रहे। यदि सहज और साधारण रूप से वह यह बात कहता तो उत्तर में मैं भी बहुत-कुछ कह सकता था। पर जब अपनी इस साधारण-सी बात पर वह स्वयं उत्तेजित हो उठा तो उस पर कुछ कहना मेरे लिये कठिन हो गया। पर तीनों का मौन बैठे रहना भी अशोभन-सा लग रहा था, इसलिए मैंने बात को परिहास का रूप देने के लिए कहा—"इसीलिए तो महात्मा गाँधी ने सन् इक्कीस के असहयोग आन्दोलन के अवसर पर कहा था कि हमारे देश की वर्तमान शिक्षा-प्रणाली दास-मनोवृत्ति की पोषक है और उन्होंने विद्यार्थियों को स्कूलों और कॉलेजों को छोड़ देने की सलाह दी थी। पर आप तो महात्मा जी से चिढ़े हुए हैं और उनकी किसी भी बात को मानने के लिए शायद तैयार नहीं हैं।"

मेरी बात सुनकर बलदेव कुछ मुस्कराया। पर उसकी इस मुस्कान से सहृदयता की अपेक्षा घृणा का भाव अधिक व्यक्त होता था। उसने कहा—"स्कूलों और कॉलेजों की शिक्षा के सम्बन्ध में मैं कुछ नहीं कहूँगा। पर यूनिवर्सिटी की शिक्षा-प्रणाली के सम्बन्ध में मैं इतना अवश्य कहूँगा कि वह बहुत-से विषयों में हानिकर होते हुए भी दास-मनोवृत्ति का पोषण नहीं करती। फिर भी एक बड़ी खराबी हमारी यूनिवर्सिटी की शिक्षा-प्रणाली में है, वह यह कि वह छात्र को जीवन के संसर्ग में न लाकर उसे किसी एक काल्पनिक और सैद्धान्तिक जगत् में छोड़ देती है। फल यह होता है कि वह यदि यूनिवर्सिटी छोड़ने के बाद कवि होकर निकलता है तो बिना कुछ अनुभव किये अनन्त का राग अलापने लगता है, कथाकार होता है तो सिनेमा-राज्य की अवास्तविक और ऐन्द्रजालिक दुनिया के किस्से लिखने लगता है, राजनीति की ओर झुकता है तो कोरा सिद्धान्तवादी बन बैठता है।"

शान्ति ने कहा—"आश्चर्य है कि आप इस तरह का मत रखते हुए भी गाँधी जी को नहीं मानते।"

बलदेव फिर एक बार मुस्कराया। इस बार उसकी मुस्कराहट में व्यंग्य या घृणा का लेश भी नहीं था। एक स्निग्ध और सहृदयतापूर्ण सरलता से उसका मुख उज्ज्वल.हो उठा था। मैंने इस समय प्रथम बार इस बात पर गौर किया कि उसके मुख की आकृति बहुत सुन्दर है। मैंने सोचा कि उसके जीवन की गति के कुछ अज्ञात और विचित्र चक्रों से होकर चलने के कारण उसके मुख का भाव समय-समय पर बदलता रहता है और इसी कारण कभी-कभी दर्शक को उसके मुख का रूखा या खीझा हुआ भाव देखकर यह भ्रम हो जाना स्वाभाविक है कि वह देखने में कुरूप है, पर वास्तव में बात यह नहीं है। इस समय उसके मुख में वह भाव व्यक्त हो रहा था जो एक शिष्ट नवयुवक में सहज और स्वाभाविक होना चाहिए।

उसने उसी स्निग्ध सरल भाव से मुस्कराते हुए बड़ी मृदुता के साथ शान्ति से कहा—"आप क्या गाँधी जी को बहुत मानती हैं?"

मुझे ऐसा जान पड़ा कि बलदेव की इस मृदुता से शान्ति को यथेष्ट साहस और ढाढ़स मिला। सम्भवतः गाँधी जी की चर्चा चलने से या और किसी कारण से उसकी आँखों में एक ऐसी निराली भाव-विह्वलता छलक उठी जो मुझे बहुत सम्मोहक लगी। उसने कहा—"यह आपने ऐसा प्रश्न किया है जो मुझे अकारण ही कुछ विचित्र-सा लग रहा है। महात्मा गाँधी के लिए 'मानना' शब्द काम में लाना मुझे ऐसा हलका और ओछा लगता है कि मैं आपसे क्या कहूँ। मेरे प्राणों के भीतर श्रद्धा का भाव जितना भी समा सकता है वह सब-का-सब अगर मैं महात्मा जी के चरणों पर उँड़ेल दूँ तो भी मेरी आत्मा को पूरी तरह सन्तोष नहीं हो सकता। मैं उन्हें मनुष्य के रूप में नहीं देखती हूँ। मैं तो उन्हें एक स्वर्गीय आदर्श की मूर्तिमान् कल्पना समझती हूँ। उनकी यह आध्यात्मिक मूर्ति मुझे बचपन से ही उज्ज्वल ध्रुवतारा की तरह लगती है जो मेरे स्वप्नमय जीवन को एक स्थिर आदर्श का पथ दिखाने को सदा उत्सुक-सी रहती है। जब मैं स्कूल में पढ़ती थी तो महात्मा जी के सम्बन्ध में विचित्र-विचित्र स्वप्न देखा करती। कोई भी स्वप्न इस समय मुझे ठीक तरह से याद नहीं आता, पर इतना मुझे अच्छी तरह से स्मरण है कि प्रत्येक स्वप्न में मैं महात्मा जी का रूप बदला हुआ देखती और प्रत्येक रूप को किसी स्वर्गीय प्रकाश से जगमगाता हुआ देखती, और प्रत्येक बार उस प्रकाश का रंग बदला हुआ सा मालूम होता था। जब मैं नित्य प्रातःकाल ईश्वर की प्रार्थना करने बैठती तो ईश्वर का रूप मेरे लिये महात्मा गाँधी के रूप में बदल जाता और मैं गद्‌गद होकर उस अलौकिक मूर्ति का ध्यान करती। ध्यान करते-करते कभी-कभी मेरी आँखों से अनजान में अकारण ही टपाटप आँसू गिरने लग जाते। इस समय उन आँसुओं की बात कहते हुए अपनी अज्ञान भावुकता पर हँसी आती है, फिर भी अभी तक जब मैं अकेले में कभी अपनी उस भावुकता और तन्मयता की बात सोचती हूँ तो बरबस रो पड़ती हूँ। कितनी भाग्यवती महिलाएँ महात्मा जी के साथ उनके आश्रम में रहकर उनकी सेवा

करके अपना जीवन सार्थक बना चुकी हैं, ऐसा मैंने सुना है। यह मेरे भी जीवन का स्वप्न रहा है। पर इस स्वप्न का आदर्श मेरे लिये इतना ऊँचा रहा है कि उसकी सफलता को मैं उतना ही आशातीत समझती हूँ जितना जीते-जी स्वर्ग में जाकर किसी देवता की सेवा का सौभाग्य प्राप्त कर सकना।''

शान्ति की आँखों में एक सकरुण पर साथ ही सुतीव्र भावोन्माद की ऐसी स्वर्गीय मादकता-सी छा गयी थी कि बलदेव और मैं दोनों मोहाविष्ट होकर कुछ क्षण के लिए भ्रान्तभाव से उसे देखते रह गये। मुझे स्वप्न में भी खयाल नहीं था कि शान्ति अपनी भावुकता को ऐसी मार्मिकता से व्यक्त कर सकती है।

कुछ ही क्षण बाद शान्ति की आँखों का भावोन्माद निदारुण लज्जा में परिणत हो गया। उसने आँखें कुछ नीचे की ओर करके कहा–''किस बात की चर्चा से क्या बात आ पड़ी। आशा करती हूँ, आप मेरी मूर्खता की बातों के लिए मुझे क्षमा करेंगे। मेरा स्वभाव ही कुछ ऐसा विचित्र है कि किसी बात की प्रेरणा से मेरे हृदय का बाँध जब एक बार टूट पड़ता है तो उसका वेग फिर रुकना नहीं चाहता।'' स्पष्ट ही यह बात उसने बलदेव को लक्ष्य करके कही थी।

मैंने कनखियों से बलदेव की ओर देखा। इस बार उसके मुख पर मैंने जो भाव झलकता हुआ पाया वह निराला ही था। निगूढ़ भ्रान्तिपूर्ण विस्मय की एक गहरी छाया उसकी आँखों में भासमान हो रही थी।

कुछ देर तक तीनों सन्न बैठे रहे। इसके बाद बलदेव न जाने क्या सोचकर उठ खड़ा हुआ। शान्ति की ओर हाथ जोड़ते हुए उसने कहा–''आपका परिचय प्राप्त कर आज जो प्रसन्नता मुझे हुई है उसे मैं शब्दों में प्रकट नहीं कर सकता। मैं फिर एक बार आपके दर्शन करने आऊँगा। इस समय आज्ञा दीजिये।''

यह कहकर वह चलने लगा। शान्ति और मैं दोनों उठ खड़े हुए। शान्ति से यह कहकर कि ''मैं अभी आता हूँ'', मैं भी बलदेव के साथ बाहर हो लिया।

•••

रास्ते में चलते-चलते बलदेव ने कहा–''आपकी श्रीमती जी ने (मैं सोचता हूँ कि वह आपकी 'वाइफ' हैं–क्यों?) आज गाँधी जी के बारे में जो बातें सुनायीं वे ऐसी मार्मिक थीं कि आज अपने जीवन में प्रथम बार मैं गाँधी जी को एक दूसरे ही दृष्टिकोण से समझने के लिए उत्सुक हुआ हूँ। मैं जानता हूँ कि उनकी बातों में भावुकता की प्रधानता थी, और विवेचना का लेश भी नहीं था। पर आज मैं यह सोचने लगा हूँ कि

संसार में विवेचना ही क्या सब-कुछ है? भावुकता क्या कोरी भावुकता है? उसमें क्या कोई सार नहीं है? मेरी विवेचना मुझसे अभी तक कानों में कह रही है कि भावुकता में कोई सार नहीं होता, वह बाढ़ की तरह मनुष्य के हृदय में क्षणकाल के लिए बवण्डर मचाती हुई आती है और चली जाती है—शून्य में लीन होने के लिए। पर मेरा हृदय कह रहा है, कि नहीं, भावुकता ही मनुष्य को जीवन के ऊँचे आदर्शों की ओर खींच सकती है, जीवन के सच्चे मर्म को समझाने में भावुकता ही सहायता पहुँचा सकती है; विवेक तो पग-पग पर मनुष्य के विचारों की सच्ची प्रगति में अपने यथार्थवाद से विघ्न डालते रहने के सिवा उसके और किसी काम में नहीं आ सकता। मुझमें जो दो विभिन्न व्यक्तित्व वर्तमान हैं उनमें से प्रत्येक अपने को इस कदर आगे बढ़ाना चाहता है कि मुझे दोनों कभी-कभी असत्य-से लगने लगते हैं। कुछ भी हो, आज मेरे भीतर मेरी दबी हुई भावुकता जोर मारने लगी है और मेरा विवेक लुप्त-सा हो गया है। मैं जानता हूँ कि मेरी यह अवस्था क्षणस्थायी रहेगी। फिर भी इस समय तो इसने मुझे भूत की तरह धर दबाया है।''

मैंने उसकी इस बात के उत्तर में कुछ भी नहीं कहा। चुपचाप उसके साथ हीवेट रोड की ओर कदम बढ़ाता रहा। मुझे अपने ऊपर इस बात से स्वयं आश्चर्य हो रहा था कि मैं उससे विदा माँगकर वापस क्यों नहीं चला जाता! उसके साथ मेरा कोई काम नहीं था और सच बात तो यह है कि उसका साहचर्य इस समय मुझे बड़ा नीरस और निर्जीव-सा लग रहा था। एक अवर्णनीय उदासी-सी मेरे मन में छा रही थी। फिर भी न जाने क्यों, मैं उसका साथ नहीं छोड़ रहा था।

हम लोग जब कुछ दूर और निकल गये तो सहसा बलदेव ने कहा—''कैसे विचित्र युग में हम लोगों ने जन्म लिया है, भाई साहब! इस बात पर मैं जितना ही सोचता हूँ उतना ही मेरा दिमाग खराब होने लगता है। दलितों की दीनता और निर्धनों की पराधीनता के विरुद्ध जैसी जबर्दस्त आवाज इस युग में उठायी जा रही है वैसी शायद ही पहले कभी किसी युग में उठायी गयी हो। साथ ही धन के वैभव के प्रति मस्तक नत करने की दास-प्रवृत्ति जिस हद तक इस युग के बने हुए नेताओं के भीतर पायी जाती है वह भी अतुलनीय है। इस युग में संसार में ऐसे व्यक्तियों की कमी नहीं है जो प्लेटफार्मों पर मजदूरों और किसानों के प्रति सहानुभूति दिखाते हुए रो पड़ते हैं और संवादपत्रों और पुस्तकों द्वारा साम्यवाद का प्रचार करना ही अपने जीवन का ध्येय बना चुके हैं, पर साथ ही स्वयं ऐसे ठाठ-बाट और शान-शौकत से रहते हैं और ऐसी विलासिता का जीवन बिताते हैं कि बड़े-बड़े राजा-रईसों को उनकी रहन-सहन देखकर शर्मिन्दा होना पड़ता है। इस युग में एक ओर साम्यवाद का आदर्श चरम सीमा तक पहुँचने जा रहा है, और दूसरी ओर उसके पास-ही-पास फासिज़्म उग्रतम रूप धारण करके अपने कराल जबड़ों को दिखाता है। एक ओर संसार में सर्वत्र शान्ति की पुकार मची हुई सुनायी देती है, और दूसरी ओर युद्ध की पैशाचिक प्रवृत्ति का जो रुद्र रूप इस युग में देखने में आता है वैसा संसार के इतिहास में पहले कभी किसी युग में नहीं

देखा गया। सभ्यता और संस्कृति का जैसा दर्प इस युग के विश्व नेताओं की बातों से प्रकट होता है, वह किसी से छिपा नहीं है, पर साथ ही नग्न बर्बरता को इस युग के लोगों ने जिस हद तक अपनाया है वह भी अभूतपूर्व है। इस प्रकार जहाँ सारे वातावरण में परस्पर-विरोधी प्रवृत्तियों का घोर संघर्ष जारी है, वहाँ व्यक्तियों के निजी विचार द्वन्द्व के प्रभाव से कैसे बचे रह सकते हैं!"

उसके सारे मुखमण्डल पर एक उत्तेजक उन्माद के सतेज विषाद का भाव व्याप्त हो गया था और क्षण काल के लिए मुझे ऐसा भ्रम हुआ कि उसकी आँखों से क्रोध की चिनगारियाँ और करुणा के आँसू एक साथ बरस रहे हैं। कुछ दूर आगे, चौराहे तक जाकर मैंने कहा—"अब मुझे आज्ञा दीजिये, मैं चलता हूँ।"

"अवश्य। आपने व्यर्थ ही इतनी दूर तक मेरे साथ आने का कष्ट किया। मैंने बात में या व्यवहार में अगर किसी प्रकार की अशिष्टता दिखायी हो तो उसके लिए क्षमा कीजियेगा।" कहकर उसने बड़ी स्निग्धता से मुस्कराते हुए हाथ जोड़कर नमस्कार किया। मैं उत्तर में केवल "नहीं, नहीं", कहकर रह गया और नमस्कार करके बिदा हुआ।

•••

रास्ते में चलते हुए मैंने मन-ही-मन कहा—"कैसा विचित्र आदमी है!" सब मिलाकर मेरे मन पर उसकी बातों का और व्यवहार का कोई अच्छा प्रभाव नहीं पड़ा, तथापि इच्छा करने पर भी मैं उसके सम्बन्ध में किसी तरह भी उदासीन नहीं रह पाता था। शन्ति के साथ इलाहाबाद के एक कोने में पड़ा हुआ मैं अपने को प्रेमलोक की अमरपुरी का अप्रतिद्वन्द्वी राजा समझने लगा था और अपने मन के काल्पनिक संसार की संकीर्णता को विराट् विश्व से भी अधिक विस्तृत मानने लगा था। बलदेव की बातों से मेरी इस मूर्खतापूर्ण कल्पना को बड़ा धक्का पहुँचा और वास्तविक जगत् के कठोर रूप की एक झाँकी मेरी आँखों के आगे नाचने लगी। विश्वव्यापी राजनीतिक तथा सामाजिक संघर्ष-विघर्ष के पीड़न-चक्र द्वारा पिसे हुए वैयक्तिक मानव के मर्मभेदी आर्त्तनाद का क्रन्दित स्वर मेरे कानों में सायँ-सायँ भाँयँ-भाँयँ शब्द से भय का संचार करने लगा।

जब मैं मकान पर पहुँचा तो शान्ति ने अपनी आँखों में सलज्ज उल्लास की दीप्ति झलकाते हुए कहा—"उन्हें कहाँ तक पहुँचा आये?" उसका उल्लास, न जाने क्यों, मुझे कुछ अच्छा न लगा।

मैंने कुछ रुखाई से उत्तर दिया–"हीवेट रोड तक गया था।"

शान्ति का उत्साह मेरी रुखाई से कुछ ठण्डा अवश्य पड़ा, पर अधिक नहीं। उसने कहा–"आदमी तो कुछ बुरे नहीं मालूम होते। तुम्हारी बात सुनकर तो मुझे मालूम हो रहा था कि न जाने वह उजड्डपने की कैसी बात कर बैठेंगे। पर–"

मैंने उसकी बात बीच ही में काटकर खीझकर कहा–"तुमने मेरी बात गलत समझी थी। पर–कुछ भी हो–साफ बात यह है कि वह आदमी कम-से-कम मुझे अधिक पसन्द नहीं है। हाँ, इतना जरूर है कि वह बहुत बुरा आदमी भी नहीं है।"

मेरे कहने का ढंग कुछ ऐसा अनोखा था कि शान्ति कुछ विस्मित-सी होकर अपनी मर्मभेदी दृष्टि से मेरे मन की असली बात मालूम करने की चेष्टा करने लगी, मुझे ऐसा जान पड़ा। कुछ देर बाद उसने कहा–"अच्छे हों या बुरे, इससे तुम्हें और हमें क्या करना है! अच्छा यह तो बताओ, आज खाना क्या बनेगा? आलू के सिवा कोई तरकारी घर में नहीं है।"

खाने की चर्चा चलाकर बलदेव की बात को शान्ति ने जान-बूझकर टाल दिया, यह मैं समझ गया। इससे स्पष्ट था कि वह अपनी तीक्ष्ण अन्तर्दृष्टि से मेरे मन की भीतरी बात को ताड़ गयी थी। मुझे अपने व्यवहार से स्वयं अपने ऊपर घृणा होने लगी थी। मैंने सोचा–"शान्ति ने यदि कुछ प्रसन्न चित्त से बलदेव की चर्चा चलायी, तो इस बात से मुझे बुरा लगने का कारण क्या था? मैं बलदेव को पहुँचाकर वापस आया, और शान्ति ने यदि पूछा कि मैं उसे कहाँ तक पहुँचा आया, तो इसमें कौन-सी ऐसी बात थी कि मैं खिन्न हो गया? हाँ, उसने यह भी कहा कि वह बुरा आदमी नहीं मालूम होता और मेरी बात से उसे बलदेव के सम्बन्ध में भ्रम हो गया था। तो इससे क्या हुआ? इससे यह सिद्ध हुआ कि वह बलदेव के व्यक्तित्व से आकर्षित हुई है। तो भी हर्ज क्या हुआ? हर्ज यह हुआ कि मेरे प्रति अब उसका प्रेम–दुत! मूर्ख!" मैंने अपनी इस प्रकार की ऊटपटाँग तर्क-प्रणाली के लिए अपने को धिक्कारा और अपनी नीचता पर मुझे क्रोध आया। अपनी आत्मा की दुर्बलता देखकर मैं आतंकित हो उठा। एक अदनी-सी बात से मेरे मन में अमूलक ईर्ष्या उत्पन्न हो गयी! अफसोस!

अपने मन से ग्लानि का भाव झाड़कर मैंने शान्ति के गले पर हाथ डालकर अत्यन्त प्रसन्नतापूर्वक कहा–"खाना जल्दी बना लो। फिर अल्फ्रेड पार्क की तरफ टहलने चलेंगे। आलू का ही पराठा और आलू की ही तरकारी बनाओ।"

शान्ति सिर नीचे की ओर करके स्थिर खड़ी रही। उसकी आँखों से आँसू टपाटप नीचे गिरने लगे। मैंने चौंककर कहा–"यह क्या! ये आँसू क्यों? तुम्हारा स्वभाव बड़ा विचित्र है, शान्ति! मुझे तो ऐसा जान पड़ता है कि मेरे लिये वह सदा रहस्यमय ही रहेगा। जब मैं खिन्न होकर तुमसे बात करता हूँ तो तुम शान्त रहती हो और जब प्रसन्न होकर कुछ कहता हूँ तो तुम झट रो देती हो! इस रहस्यवाद की भी तो कोई सीमा होनी चाहिए!" यह कहकर मैं उसकी साड़ी के अंचल से उसके आँसू पोंछने लगा। वह धीरे से मेरा हाथ हटाकर एक कोने में बैठकर आलू छीलने लगी। मैं भी उसी

के पास बैठकर एक दूसरा चाकू लेकर आलू छीलने लगा। मैंने उससे बार-बार पूछा कि उसके रोने का कारण क्या था। पर वह केवल "कुछ नहीं" कहकर मेरी बात को टाल देती थी। पर जब मैं अपने हठ पर डटा रहा और वही एक प्रश्न करता गया, तो अन्त में उसने कहा–"तुम्हें जब मेरी प्रसन्नता से दुःख होता है, तो मेरा यह सोचना स्वाभाविक है कि मेरे रोने से तुम्हें सुख होगा और कोई दूसरा कारण मेरे रोने का नहीं था।"

शान्ति के इस निष्ठुर व्यंग्य से मैं तिलमिला उठा। मुझे दुःख तो हुआ ही, और साथ ही उसके व्यंग्य का मर्म समझकर मैं लज्जित भी हो रहा था। पर यह होने पर भी उसके प्रति जो एक उत्कट क्रोध का भाव मेरे मन में उत्पन्न हो रहा था उसे मैं दमन भी नहीं कर पाता था और बाहर निकालने का भी दुस्साहस नहीं कर सकता था। इसलिए मैं कुछ देर तक चुप रहा। जब बलपूर्वक चेष्टा करने पर अपने मन को कुछ स्थिर कर पाया, तो बाहर से शान्त भाव दिखाकर मैंने धीरता और गम्भीरता के साथ कहा–"शान्ति, तुम मेरे प्रति बड़ा अन्याय कर रही हो। क्या तुम अपने अन्तःकरण में हाथ रखकर यह बात कह सकती हो कि तुम्हारी प्रसन्नता से मुझे दुःख होता है? इतने दिनों तक साथ रहने पर क्या तुम मुझे इसी रूप में जान पायी हो? मैं क्या सचमुच इतना नीच हूँ? अगर हूँ तो इस नीच के साथ तुम–खैर। पर भगवान् मेरे साक्षी हैं, और मैं कुछ नहीं कहता।" मेरे बनावटी धैर्य की पोल खुल गयी थी। मेरे अन्तर का आवेग बहुत देर से रुद्ध हो रहा था। इस बार अपनी ही बात के बहाव में उसका बाँध टूट पड़ा और मैं सचमुच रो-सा दिया।

शान्ति अत्यन्त व्याकुल-सी होकर आलू छीलना छोड़कर उठी और मेरे एकदम पास आकर घुटने टेककर उसने अपने दोनों स्नेहकोमल हाथों से मेरा गला जकड़ लिया। इसके बाद अपने दाहिने गाल को मेरे बाँयें गाल से सटाकर अपने अंचल से मेरी आँखें पोंछते हुए कहने लगी–"तुम रोते हो! छी-छी! मैंने तो यों ही हँसी में एक बात कह दी थी।" मैं चुप रहा और आलू छीलता गया। उसने फिर कहा–मैं मानती हूँ कि मुझे उस तरह की बातें नहीं करनी चाहिए थीं पर तुमने भी तो उसका कुछ दूसरा ही अर्थ लगाया!" मैं फिर भी चुप रहा। कुछ देर बाद उसने बच्चों की तरह अनुनयपूर्वक अत्यन्त स्नेहकोमल स्वर में कहा–"मुझसे कसूर हो गया, क्षमा कर दो!"

उसके इस अन्तिम अनुरोध में इतनी करुणा भरी हुई थी कि मैं रह न सका। मैंने कहा–"तुम्हारा कोई दोष नहीं है, शान्ति! मैं सचमुच बड़ा नीच हूँ और दोष मेरा ही है। बलदेव दरअसल अच्छा आदमी है, और उससे बातें होने पर तुम्हारा प्रसन्न होना स्वाभाविक था। पर मैंने अपनी संकीर्ण मनोवृत्ति के कारण उस बात को इस सीधे रूप में नहीं लिया इसी का यह दण्ड मुझे मिला है कि अपने स्वभाव पर दुःख और क्रोध होने से मेरी आँखों से बरबस आँसू निकल पड़े, जिसके कारण मुझे वर्षों तक लज्जित होना पड़ेगा।"

शान्ति ने कहा–"इसमें लज्जा की कोई बात नहीं है। इससे तुम्हारे हृदय के बड़प्पन का ही प्रमाण मिलता है। तुम्हारा हृदय इतना उदार है कि अपने जिस साधारण-से भाव को भी वह भूल समझता है (चाहे वह भूल न हो) उसे क्षमा के योग्य न समझकर उसके लिए बहुत बेचैन हो उठता है। मैं तुम्हारे स्वभाव की इस विशेषता को खूब जानती हूँ, इसीलिए तुम्हें इतना चाहती हूँ, और–और इतना चाहने के कारण ही तुम्हें बात-बात में परेशान किये रहती हूँ।" यह कहकर उसने उत्कट दुलार से अपनी दो लता-कोमल बाँहों से मुझे फिर एक बार अत्यन्त दृढ़तापूर्वक जकड़ लिया।

•••

इस घटना के प्रायः एक सप्ताह बाद बलदेव फिर आया। उसके शीर्ण मुख पर इस बार एक ऐसी सहज-सरल प्रसन्नता झलक रही थी कि उसके आने पर मैं सच्चे हृदय से आनन्दित हो उठा। मैंने बड़े प्रेम से उसका स्वागत किया। इस बार मेरे हर्ष का एक कारण यह भी था कि उसके कारण पिछली बार मैंने शान्ति के जी को दुखाया था, और आज मैं उसके प्रति अपना सच्चा प्यार जताकर आन्तरिक मन से उस बात का प्रायश्चित्त करना चाहता था। इसके अतिरिक्त शान्ति के साथ सुखपूर्वक रहने पर भी इधर कुछ समय से मैं अपने निर्वासित जीवन में एक ऐसी निर्विचित्रता का अनुभव करने लगा था कि बलदेव को पाकर कुछ समय के लिए जीवन-वैचित्र्य की चर्चा से अपने बद्ध वातावरण से मुक्त होने की आशा से भी मैं उल्लसित हो उठा।

मेरा रुख देखकर शान्ति भी प्रसन्न थी। हम लोगों को चाय पिलाकर वह भी हमारे साथ बैठ गयी। चाय की ही चर्चा चल पड़ी। बलदेव ने कहा–"यह विचित्र पेय-पदार्थ इस युग में ऐसा चल पड़ा है कि इसकी सर्वव्यापकता देखकर आश्चर्य हुए बिना नहीं रहता। चीन में बौद्धधर्म का प्रचार उस शीघ्रता से नहीं हुआ होगा, जिस शीघ्रता से चीनियों ने इस अनोखी बूटी की मादकता सारी दुनिया में फैला दी है। मेरा अपना यह हाल है कि अन्न के बिना मैं रह सकता हूँ, पर चाय के बिना नहीं। दिन में जितनी भी बार मुझे चाय मिले, मैं उतनी ही बार परम प्रसन्नता से उसका स्वागत करता हूँ।"

मैंने कहा–"पर डॉक्टर लोग तो कहते हैं कि चाय का असर शरीर और मष्तिष्क पर हलके विष के समान होता है।"

वह उसी तरह हँसा, जैसे कोई घोर नास्तिक ईश्वर का भय दिखाने पर हँसता है। उसने कहा–"आपने क्या कभी किसी डॉक्टर को यह भी कहते सुना कि फलाँ चीज

में अमृत के गुण वर्तमान हैं, फलाँ चीज खाने से मनुष्य अमर हो जायगा? वे ऐसा कह ही कैसे सकते हैं? असल बात यह है कि खाने या पीने की अच्छी-से-अच्छी चीज का भी असर अन्त में विष के ही समान होता है। मनुष्य कुछ भी खाय, कुछ भी पिये, मृत्यु के कराल ग्रास से अपनी रक्षा किसी भी हालत में नहीं कर सकता। जब सभी खाद्यरस और पेय-पदार्थ क्षणिक जीवन-संचार के साथ-ही-साथ मनुष्य को मृत्यु के निश्चित पथ पर ले चलते हैं, तो बेचारी चाय को ही दोष क्यों दिया जाय?''

मैंने मुस्कराकर कहा–''आपकी फिलासफी कुछ विचित्र लगने पर भी रोचक है।''

अकस्मात् बलदेव की भौंहों पर बल पड़ गये। उसके जिस भयावने रूप को मैंने प्रथम परिचय के दिन देखा था, इस बार भी उसी का आभास दिखायी देने लगा। उसने अत्यन्त गम्भीरतापूर्वक कहा–''मेरी फिलासफी में कोई विचित्रता नहीं है। मैंने केवल एक स्पष्ट और सरल सत्य को दुहरा दिया है। पर युधिष्ठिर की 'किमाश्चर्यमतः परम' वाली बात मुझे तब बार-बार स्मरण आती है जब मेरे मुँह से साधारण सत्य की बातें सुनकर लोग उसे आपकी ही तरह 'विचित्र फिलासफी' बताने लगते हैं।''

शान्ति ने बलदेव के रुख से तनिक भी भीत न होकर अत्यन्त शान्त भाव से कहा–''बात चली थी चाय को लेकर। तो आप चाय को एक उत्तम पेयपदार्थ मानते हैं?''

बलदेव ने अपने कण्ठस्वर को यथासम्भव कोमल करने की चेष्टा करते हुए उत्तर दिया–''इस सम्बन्ध में तो मेरे लिये उत्तम और मध्यम का कोई प्रश्न ही नहीं उठ सकता। चाय तो मेरे जीवन का आधार ही बन गयी है। मैं पहले ही कह चुका हूँ कि अन्न न मिलने पर भी मैं जीवित रह सकता हूँ, पर चाय के बिना हरगिज नहीं। और–और अगर सच पूछिये, तो देशव्यापी बेकारी और निर्धनता के इस युग में चाय हम गरीबों का जो उपकार कर रही है, उसका वर्णन नहीं हो सकता। मैं लगातार कई महीनों तक दो टोस्ट और एक कप चाय सुबह, और दो टोस्ट और एक कप चाय शाम को लेकर, दिनभर और कोई भी दूसरी चीज न खाकर, बड़े मजे में जीवन धारण कर चुका हूँ। इतना अल्प भोजन करने पर भी मेरे क्षीण शरीर को तनिक भी हानि नहीं पहुँची है। इससे मुझे यह अनुभव हुआ है कि चाय भूख को मार देती है, और साथ ही इतना बल शरीर में पहुँचा देती है कि मनुष्य नाममात्र का भोजन करके भी जीवित रह सके। 'अन्नक्षये वर्धति जाठराग्निः'–इस उक्ति में अनुभूत सत्य वर्तमान है। गरीबों की इस जठराग्नि को शान्त करने का सबसे अच्छा उपाय है चाय का प्रचार! अन्न-कष्ट की समस्या दिन-दिन कैसी विकट होती जाती है, और उसने कैसा सर्वग्रासी रूप धारण कर रखा है, इसकी कल्पना भी आप लोग ठीक तरह से कर सकेंगे या नहीं, इसमें मुझे सन्देह है। पर मैं–मेरा मतलब यह है कि जिन लोगों पर बीत रही है, वे उसकी करालता से भली-भाँति परिचित हैं। इसलिए चाय उन लोगों के लिए किस हद तक हितकर सिद्ध हो सकती है, इसे अनुभवी लोग ही समझ सकते हैं।''

शान्ति कुछ देर तक विह्वल भाव से बलदेव की ओर देखती रह गयी। उसकी आँखें डबडबा-सी आयीं और मुझे यह डर मालूम हुआ कि वह कहीं सचमुच रो न दे। बलदेव की बातों में जो मार्मिकता छिपी हुई थी, उसने मुझ पर कोई असर उस समय न किया और मैंने उसकी बातों को परिहास के बतौर ग्रहण किया—चाय की इस कदर विशुद्ध प्रशंसा की बात को कोई भी समझदार व्यक्ति विनोद के सिवा और किस रूप में ग्रहण कर सकता है! पर शान्ति की अत्यन्त सुकुमार अनुभूतिशील अन्तर्दृष्टि परिहास के बाहरी आवरण को भेदकर उसके मर्म को पकड़ पायी थी, मेरा ऐसा अनुमान है।

शान्ति की व्याकुलता देखकर, बात को हँसी में टालने के उद्देश्य से मैंने बलदेव से कहा—"टी सेस कमिटी के सदस्य अगर आपका यह व्याख्यान सुनते तो तमाम पत्रों में उसे छपवाने के लिए भेज देते।"

मेरी बात सुनकर बलदेव ऐसे उन्मुक्त हृदय से ठठाकर हँस पड़ा कि उसकी आँखों से प्रसन्नता के आँसू तक निकल आये। शान्ति भी बलदेव को प्रसन्न देखकर गद्गद भाव से मुस्कराने लगी, और उसके जो करुणाजनित आँसू अब तक दबे हुए थे, वे हर्ष के रूप में निकल आये।

मैंने कहा—"टी सेस कमिटीवालों ने चाय की तारीफ में तरह-तरह की बातें लिखी हैं, पर जिस दृष्टिकोण से आपने उसकी तारीफ की है वह एकदम नया है, और साथ ही असर पैदा करनेवाला भी है।"

बलदेव फिर एक बार जोर से हँसा। मैं बात कह तो गया था, पर साथ ही मुझे बड़ा डर था कि कहीं वह सोचकर बिगड़ न बैठे कि मैंने उसकी बात को हँसी में उड़ाने की चेष्टा की है। पर जब मैंने उसे खुलकर हँसते देखा, तो मैं समझ गया कि उसकी रहस्यमय प्रकृति का पार पाना मेरे लिये असम्भव है।

शान्ति इस बीच बड़ी सफाई से सबकी नजर बचाकर अपने आँसू पोंछ चुकी थी। उसने बलदेव से कहा—"आपको जीवन के कष्टों का कड़वा अनुभव होने पर भी खुलकर हँसने का इतना अच्छा अभ्यास हो सकता है, इस बात का प्रत्यक्ष प्रमाण मिलने पर भी उस पर विश्वास नहीं होना चाहता!"

बलदेव के मुख पर तत्काल गम्भीरता छा गयी। उसने एक झलक शान्ति की ओर देखकर फिर मेरी ओर देखते हुए कहा—"सच मानिये, मुझे स्वयं अपनी इस तरह हँसने की बात पर आश्चर्य हो रहा है। आप लोगों से मिलने के पहले मैं कभी दिल खोलकर नहीं हँसा। पर पता नहीं, आप लोगों के संसर्ग में आने से मेरे स्वभाव में अपने-आप ऐसा परिवर्तन कैसे आ गया! बात सचमुच विश्वास के योग्य नहीं है।"

शान्ति अत्यन्त कौतूहल-भरी दृष्टि से उसकी ओर देख रही थी। मैंने कुछ उदासीनता के साथ कहा—"आपकी यह आदत सदा के लिए बनी रहे, हम लोग यही चाहते हैं। भाई साहब, दुःख-कष्ट तो जीवन में सब समय लगे ही रहते हैं, अगर कुछ समय के लिए भी उन्हें भूला जा सके तो उसी को परम लाभ समझना चाहिए।"

जब बलदेव जाने लगा तो शान्ति ने उससे प्रार्थना की कि वह वहीं भोजन करे। पहले तो वह राजी न हुआ, पर शान्ति ने जब एक तरह से हठ-सा किया तो वह ठहर गया। शान्ति जब भोजन तैयार कर रही थी, तो उस दरमियान बलदेव के साथ विभिन्न राजनीतिक और सामाजिक विषयों पर मेरा वाद-विवाद चला और बीच-बीच में हास-परिहास की भी बातें होती रहीं। खाना खाकर वह प्रसन्न-चित्त होकर विदा हुआ।

•••

इसके बाद बलदेव अक्सर मेरे यहाँ आने-जाने लगा। मैं जब मकान पर न भी होता, तो भी वह शान्ति के साथ बैठकर बातें करता। कभी वह रमाशंकर को साथ लेकर आता, कभी अकेले। मेरी अनुपस्थिति में शान्ति के साथ उसका वार्त्तालाप मुझे कुछ अच्छा न लगता था। पहले मैंने सोचा था कि शान्ति स्वयं इस बात पर आपत्ति प्रकट करेगी, पर यह मेरी भूल थी। शान्ति ने कभी परोक्ष रूप से भी इस सम्बन्ध में कोई आपत्ति नहीं उठायी। बलदेव के साथ अकेले बैठना उसे एक अत्यन्त साधारण बात-सी लग रही थी। मैं मन में कुढ़ने पर भी प्रकट रूप से इस बात का विरोध करने का साहस नहीं कर रहा था। असल बात यह थी कि मेरी अन्तर्बुद्धि इस बात में किसी प्रकार का अनौचित्य नहीं देख रही थी। पर मेरे मन पर मेरे विवेक का कोई प्रभाव नहीं पड़ना चाहता था। मेरी अन्तर्ज्वाला का सबसे प्रबल कारण यह था कि बलदेव से बातें करते समय शान्ति की आँखों में मैं एक ऐसा गद्‌गद् भाव छलकता हुआ देखता था जो मेरे लिये रहस्यमय था। ऐसा जान पड़ता जैसे उसके हृदय की सारी संवेदना उमड़कर उसकी आँखों में समा गयी हो।

एक दिन जब मैं अकेले जान्स्टनगंज की तरफ जा रहा था, तो अकस्मात् रास्ते में मुझे बलदेव मिल गया। मैं उसे अपने साथ टहलने के लिए ले गया। उसके सिर पर गाँधी टोपी देखकर मैंने व्यंग्यपूर्वक कहा—"आखिर गाँधी टोपी का महत्त्व आपको मानना ही पड़ा!"

वह मुस्कराने लगा। पर उसके इस मुस्कराने में लज्जा का लेश भी नहीं था। सहज सरल भाव से उसने कहा—"भाई साहब, मैं तो इस परिणाम पर पहुँचा हूँ कि गाँधी जी की बातों से किसी को कैसा ही असन्तोष क्यों न हो, पर अन्त में प्रत्येक समझदार व्यक्ति को यह मानना ही पड़ेगा कि वह सचमुच एक महान् आत्मा हैं। मुझे तो यह विश्वास होने लगा है कि इस शख्स के भीतर कोई एक ऐसी जबर्दस्त दैवी शक्ति छिपी हुई है, जो ईश्वर में तरंगित होनेवाली अदृश्य बिजली की तरह सर्वत्र व्याप्त होती रहती

है, और किसी मनुष्य के न चाहने पर भी, मौका पाते ही उसे बरबस धर दबाती है। उफ़!"

यह कहकर वह कुछ समय के लिए अपनी आँख की पुतलियों को इस तरह घुमाता रहा कि मालूम होता था जैसे शून्य के किसी अलक्ष्य बिन्दु की ओर उन्हें स्थिर करना चाहता हो। उसकी उस समय की उस भावमग्नता से मैं घबरा उठा।

कुछ देर बाद उसने कहा–'उत्कट घृणा उत्कट प्रेम का ही दूसरा रूप है, ऐसा एक दिन आपने कहा था। गाँधी जी के प्रति मेरे मन का जो भाव इधर बदला है, उससे मुझे डर मालूम होता है कि कहीं सचमुच आपकी बात सच न निकले!"

मैंने कुछ दबी जबान से कहा–"क्या आप बतला सकते हैं कि आपके इस आकस्मिक भाव-परिवर्तन का कारण क्या है?"

"कारण? आप इसका कारण पूछते हैं?" यह कहकर वह क्षण-भर के लिए अन्यमनस्क-सा होकर मेरी ओर देखता रहा; फिर कहने लगा–"भाई साहब, आपकी शान्ति देवी सचमुच एक स्वर्गीय शान्ति की प्रतिच्छाया हैं। कुछ ही दिन पहले तक मैं इस बात को एकदम असम्भव समझता था कि कोई व्यक्ति इस जीवन में अपने प्रभाव से मेरे कड़वे और कठोर विचारों को बदल सकेगा। आध्यात्मिक आदर्शवाद को मैं निरा ढोंग और नैतिक पवित्रता की बातों को मैं पोपपन्थियों का पाखण्ड समझता था। पर कुछ ही दिन शान्ति देवी के संसर्ग में आने से मेरे मनोभावों और मेरी विचारधारा में जो भयंकर उथल-पुथल मची है उसे मैं समझाने की चेष्टा करने पर भी आपको समझा नहीं सकूँगा। मैं स्वयं अपने इस आश्चर्यजनक परिवर्तन पर विश्वास नहीं करना चाहता और कई बार अपने-आप से प्रश्न कर चुका हूँ कि यह कैसे सम्भव हो गया? मेरा मन अभी अनिश्चित विचारों की उलझन में है, फिर भी उसमें परिवर्तन के चिह्न स्पष्ट दिखायी देने लगे हैं।"

मेरे हृदय में उसका एक-एक शब्द पटाखे की तरह विस्फोट मचा रहा था। मुझे शान्ति की बात याद आ रही थी। दो ही दिन पहले उसने किसी बात के सिलसिले में मुझसे कहा था–"मुझे अपने जीवन में दुःख का अनुभव काफी हो चुका है, पर बलदेव जी को देखकर मुझे ऐसा जान पड़ता है कि उनके समान दुःखी प्राणी संसार में दूसरा कोई नहीं है। उनको देखते ही मेरे मन में बरबस ऐसी सहानुभूति जाग उठती है कि मैं अत्यन्त व्याकुल हो उठती हूँ। साथ ही यह भी जानती हूँ कि मेरी इस सहानुभूति की कोई सार्थकता नहीं है। मुझे ऐसा लगता है कि वह अपने प्रति किसी की दया या सहानुभूति को अपमानजनक समझते हैं।"

मैं बलदेव के साथ चलता हुआ उसके मुख के प्रत्येक हाव-भाव पर गौर कर रहा था। मैं यह सोच रहा था कि शान्ति यदि इस व्यक्ति के प्रति सचमुच आकर्षित हुई है तो उसका कारण क्या हो सकता है? एक बार उसके मुख की आकृति मुझे बड़ी सुन्दर और सतेज जान पड़ती और कुछ ही क्षण बाद उसका चेहरा मुझे अत्यन्त कुरूप, कान्तिहीन और निस्तेज लगने लगता। कभी मैं सोचता कि चूँकि शान्ति इस व्यक्ति

को विशेष सहानुभूति की दृष्टि से देखती है, इसीलिए मेरा भी यह कर्त्तव्य है कि मैं भी उसे प्यार करूँ। अपने विचारों की उस मूर्खता पर अब मैं हँसा करता हूँ–"आन्तरिक प्रेरणा से नहीं, बल्कि कर्त्तव्य समझकर प्यार करने की बात दरअसल बड़े मजे की है! पर उस समय इस सम्बन्ध में हँसी की कोई कल्पना मेरे मन में उत्पन्न नहीं हो सकती थी। मैं बड़ी गम्भीरता और आन्तरिकता से उस बात को ग्रहण कर रहा था। मेरे मन में एक ओर ईर्ष्या की आग बड़े भयंकर रूप में भड़क रही थी, और दूसरी ओर इसी कारण उस आग को बुझाने के लिए अपने भीतर शीतल जल के संचय की अत्यन्त प्रबल आवश्यकता मुझे महसूस हो रही थी। एक भयंकर प्रलयंकर द्वन्द्व मेरे भीतर मच रहा था। मैं बार-बार सोचता था–"शान्ति क्या सचमुच इस व्यक्ति से उसी रूप में प्रेम करने लगी है, जिस रूप में वह इस समय तक मुझसे करती आयी है! क्या यह सम्भव हो सकता है? कदापि नहीं!" फिर सोचता–"असम्भव क्यों है? आखिर मनुष्य का मन ही तो है! माना कि वह इस बात के अनौचित्य को समझती है, और जान-बूझकर मेरे साथ विश्वासघात करना नहीं चाहती; पर मन क्या सब समय मनुष्य के अपने वश में रहता है? शान्ति ने स्वयं कहा है कि बलदेव को देखते ही उसके मन में बरबस उसके प्रति सहानुभूति जाग उठती है। जिस भाव को वह साधारण सहानुभूति समझे बैठी है, क्या यह सम्भव नहीं कि वह प्रेम का ही दूसरा रूप हो?"

सोचते-सोचते मेरा माथा गरम होने लगा और ऐसा मालूम होने लगा जैसे सारे शरीर का रक्त मस्तिष्क के पास एकत्र होकर बरफ की तरह जम गया हो। मुझे पता नहीं रहा कि मैंने इसी बीच अज्ञात में न जाने किस समय बलदेव के एकदम पास आकर अपना बायाँ हाथ उसके गले पर डाल दिया था। जब मुझे चैतन्य हुआ तो मैंने हाथ हटा लिया और सहसा उससे पूछा–"तुम क्या इस समय अपने मकान को वापस जाओगे?" शायद मेरे मुँह में एक भ्रान्ति का-सा भाव देखकर और अपने प्रति मेरे मुँह से आज पहली बार 'तुम' का प्रयोग सुनकर वह भी चकित-सा हो रहा था। मैं वास्तव में अन्यमनस्कतावश उससे 'तुम' कह गया था। पर, न जाने क्यों, 'तुम' कहते ही उसके प्रति मेरे हृदय में एक अपूर्व स्नेह का-सा भाव जाग पड़ा। उसने प्रश्न-भरी दृष्टि से मेरी ओर देखते हुए कहा–"विचार तो यही है।"

अकस्मात् मेरा रुद्ध भावावेग ऐसे जोरों से उमड़ चला कि संकोच का कोई बन्धन मेरे लिये न रहा। मैंने इस बार जान-बूझकर बलदेव के दाहिने कन्धे पर अपना बायाँ हाथ रखते हुए कहा–"देखा भाई, मैंने अनजान में तुमसे 'तुम' कहना शुरू कर दिया है, इसे तुम मेरी अशिष्टता कदापि न समझना। कुछ ही दिनों के संसर्ग से तुम्हारे प्रति मेरे मन में जो एक ममता उत्पन्न हो गयी, यह उसी का एक चिह्न है। आशा करता हूँ कि तुम मेरे इस व्यवहार से बुरा न मानोगे। इसके अलावा मेरा विश्वास है तुम उम्र में मुझसे छोटे हो, इससे मेरा 'तुम' कहना कुछ अशोभन भी नहीं है। क्या उम्र है तुम्हारी!"

"इक्कीसवाँ वर्ष समाप्ति पर है!"

"मेरी अवस्था प्रायः तेईस वर्ष की है!"

उसने कुछ संकोच के साथ एक बार मेरी ओर देखा और फिर नीचे की ओर देखते हुए कहा—"नहीं, इसमें बुरा मानने की क्या बात है!"

मैंने पूछा—"तुम रहते कहाँ हो?"

"कटरे में।"

कुछ सोचकर मैंने कहा—"चलो, आज मैं भी तुम्हारे साथ चलता हूँ। आज मेरा जी अच्छा नहीं है, और तुम्हें अभी से छोड़ने की इच्छा नहीं होती। तुम्हें कोई आपत्ति तो नहीं है?"

वह विस्मित दृष्टि से मेरी ओर देखने लगा। उसकी उस दृष्टि में विस्मय के साथ ही एक अज्ञात सन्देह का भी भाव वर्तमान था और संकोच का भी। उससे कुछ उत्तर देते नहीं बनता था। मैंने कहा—"मेरे वहाँ जाने से अगर तुम्हें किसी प्रकार की असुविधा हो तो निस्संकोच स्पष्ट कह दो। तुम्हारे और मेरे बीच तकल्लुफ़ की कोई गुंजाइश नहीं होनी चाहिए।"

उसने कहा—"नहीं, तकल्लुफ़ की कोई बात नहीं है। आप मेरे साथ चलना चाहें तो शौक से चलें। मुझे किसी प्रकार की असुविधा नहीं होगी।"

•••

जान्स्टनगंज के चौराहे पर मैंने एक ताँगा पकड़ा और उस पर हम दोनों बैठ गये। बहुत देर तक दोनों चुप बैठे रहे। जब ताँगा कैनिंग रोड के चौराहे को पार करके निकल गया, तो अकस्मात् बलदेव ने कहा—"ताँगे में बिठाकर आज आपने मेरा नियम तोड़ दिया। मैं घर से चौक तक बराबर पैदल आता हूँ, और पैदल ही वापस जाता हूँ। इतनी दूर तक पैदल चलना मुझे अच्छा नहीं लगता, पर परिस्थितियों के कारण लाचार हूँ, और एक दिन के लिए भी आदत बिगाड़ना नहीं चाहता। आपके साथ मैं ताँगे पर चल तो रहा हूँ, पर बड़ी अनिच्छा से।"

उसकी इस तरह की बात से निर्धनता के अहंकार की एक ऐसी उत्कट गन्ध का अनुभव मुझे हुआ जो मुझे असह्य जान पड़ा। उसके प्रति मेरे मन में घृणा और आक्रोश का जो भाव इस समय तक मेरे अनजान में दबा हुआ था, वह उसकी इस बात से बाहर फट पड़ने को बेचैन होने लगा। अभी तक मैं एक कृत्रिम प्रेम के जाल से उस भाव को ढककर अपने-आपको ठग रहा था। पर अब मुझे भय होने लगा कि कहीं मेरे मन

का पर्दाफाश न हो जाय। मैंने यथाशक्ति अपने मन के असली भाव को दबाने की चेष्टा करते हुए कहा—"आपके सम्बन्ध में मेरे मन में अभी तक जो धारणा बँधी हुई थी उससे मैं यह सोचता था कि आपकी इच्छा-शक्ति दुर्बल नहीं है, और केवल एक दिन के लिए ताँगे में चढ़ने से आपकी आदत नहीं बिगड़ सकती।"

बात कह चुकने के बाद मुझे स्मरण आया कि उसके लिए मैंने फिर से 'तुम' के प्रयोग को 'आप' में बदल दिया। वास्तव में मेरे मन में इस बात के लिए ग्लानि उत्पन्न होने लगी थी कि मैंने अपने मन के भाव को यथार्थ रूप से न समझकर भावुकता के क्षणिक आवेश में आकर उसे अपनी ममता पर विश्वास दिलाते हुए उसके लिए 'तुम' का प्रयोग किया है। साथ ही मैं यह भी समझ गया कि मेरे मन के असली भाव को बलदेव पहले ही ताड़ गया था, जब कि मैं स्वयं नहीं समझ पाया था।

मैंने देखा कि बलदेव की और मेरी मूल-प्रकृतियों में इतना अन्तर है कि दोनों मूल-गत विषयों में कभी एक-दूसरे के प्रति सच्ची सहृदयता का अनुभव नहीं कर सकते। अब मुझे इस बात के लिए भी खेद होने लगा कि मैं क्यों उसके साथ उसके घर तक चलने को राजी हुआ।

कटरे के चौराहे से कुछ आगे जाकर बलदेव ने ताँगा रुकवा दिया। मैंने पूछा—"क्या तुम—आप यहीं रहते हैं?"

"हाँ, पास ही रहता हूँ। गली के भीतर जाना होगा।"

मैंने एक बार सोचा कि तत्काल 'नमस्कार' करके वापस लौट चलूँ। पर सहसा एक अज्ञात उत्सुकता का भाव मेरे मन में उत्पन्न हुआ। मैं बलदेव के साथ ही उतर पड़ा। ताँगेवाले से वहीं ठहरे रहने के लिए कह दिया। बलदेव ने सामने की गली की ओर रास्ता दिखाते हुए कहा—"आइये, चलिये!"

गली के भीतर जाकर एक और गली मिली, और उसके बाद एक और। खपरैलों से छाये हुए छोटे-छोटे मकानों में अहीर, कहार, कुर्मी, बारी आदि निम्न श्रेणियों के लोग वहाँ रहते थे, ऐसा जान पड़ा। उन्हीं मकानों में से एक के दरवाजे पर ठहरकर बलदेव ने बाहर से खटखटाया। भीतर से एक नवोढ़ा नारी-कण्ठ से आवाज आयी—"कौन?"

बलदेव ने कहा—"मैं हूँ, खोलो!"

किवाड़ खुला। प्रायः पन्द्रह वर्ष की एक साँवली-सी लड़की एक मैली और कुछ फटी-सी साड़ी पहने खड़ी थी। एक अपरिचित व्यक्ति को खड़ा देखकर वह बेतहाशा भगी और उसने भीतर के कमरे के किवाड़ फेर दिये।

बाहर के कमरे में एक तख्त पड़ा हुआ था और बाँस की दो टूटी कुर्सियाँ। बलदेव ने कहा—"आप बैठिये, मैं अभी आता हूँ।"

वह भीतर गया और इस बार भी किवाड़ पहले की ही तरह फेर दिये गये।

मैं तख्त पर चुपचाप अकेला बैठा हुआ कितनी ही ऊटपटाँग बातों की चिन्ता में मग्न रहा। अचानक भीतर से किसी के रोने का-सा शब्द मुझे सुनायी दिया। मैंने कान

लगाकर सुना। सम्भवतः वही किशोरी जिसने हम लोगों के आने पर किवाड़ खोले थे रोते हुए कह रही थी—"भैया ने नहीं बताया कि कोई दूसरा आदमी उनके साथ आया हुआ है। यह फटी, मैली धोती पहने मैंने दरवाजा खोला। कितनी बार मैं भैया से कह चुकी हूँ कि एक नयी साड़ी मेरे लिये ले दो, पर वह कभी लेते नहीं।" कहकर वह फिर सिसक-सिसककर रोने लगी।

"बेटी, रोओ मत, जल्दी ही तुम्हारे लिये एक नयी साड़ी आ जायगी। भैया नहीं लायेगा, तो मैं खुद जाकर ले आऊँगी। रोओ मत। देखो, जो आदमी बाहर बैठे हुए हैं, वह तुम्हारा रोना सुन लेंगे तो मन में क्या सोचेंगे!"—यह गला एक अवस्था-प्राप्त स्त्री का-सा मालूम होता था। मैंने अनुमान लगाया कि यह बलदेव की (और सम्भवतः उस लड़की की भी) माता होंगी।

पर उस लड़की का रोना बन्द न हुआ। वह फिर रोते हुए कहने लगी—"तुम हमेशा ऐसा ही कहती हो। दो महीने से मैं यही सुन रही हूँ। भैया के पास पैसे नहीं, यह सोचकर मैं इतने दिनों तक चुप बैठी रही, पर अब नहीं रह सकती।" वह फिर सिसकियाँ भरने लगी।

बलदेव को मैंने दबी हुई जबान से कहते सुना—"अभी चुप करो, बहन, मैं तुम्हारे पैरों पड़ता हूँ, बाहरवाले आदमी के सामने अभी मेरी लाज रखो, मैं जल्दी ही चोरी करके भी तुम्हारे लिये एक साड़ी खरीद दूँगा। उफ़! मौसी, जरा इसको समझाओ तो सही! बड़ी आफत है! और देखो, घर में चाय का कुछ सामान पड़ा है, या नहीं?"

अवस्था-प्राप्त स्त्री-कण्ठ से उत्तर मिला—"न चीनी है, न दूध। चाय की कुछ पत्तियाँ शायद पड़ी हों तो हों।"

"तब तो बड़ी मुश्किल हुई। ऐन मौके पर तुम लोगों के यहाँ सब चीजें खतम हो जाती हैं। उन लोगों के वहाँ जब जाता हूँ तब वे चाय पिलाते हैं, खाना खिलाते हैं, और आज इत्तफाक से मेरे घर चले आये तो एक कप चाय का इन्तजाम भी उनके लिए नहीं हो सकता! क्या आफत है! ऐसी जिन्दगी से तो मर जाना अच्छा।"

मौसी ने बड़े नम्र और करुण कण्ठ से कहा—"क्या करूँ भैया! मेरा इसमें क्या दोष है? कल से घर में चुटकी-भर आटा तक नहीं रहा। चार आलू कई रोज से एक कोने में रखे पड़े मिले। उन्हीं को उबालकर रामेश्वरी ने और मैंने खाया। तुमने भी शायद यों ही कह दिया था कि मैं बाहर खाकर आया हूँ। मेरा भाग्य ही ऐसा सत्यानाशी है। तुम्हारी माँ तुम्हारे जीते-जी मरकर मुक्त हो गयी। मैं भी अब तुम लोगों को इस कष्ट में अधिक नहीं देख सकती। जल्दी ही तुम्हारे सामने मैं इस तीर्थराज में मर जाऊँ तो जन्म-जन्म के लिए तर जाऊँ। अब नहीं सहा जाता।" कहकर वह भी शायद रो दीं। क्योंकि बलदेव को मैंने यह कहते सुना—"तुम भी रोने लगी? मौसी, क्या तुम दोनों मुझे रुलाये बिना नहीं मानोगी? चुप करो, मौसी चुप करो! भगवान्—भाग्य—ने चाहा तो सब ठीक हो जायगा। अभी से धीरज न खोओ।"

"नहीं, लल्ला, मैं नहीं रोती, पत्थर का कलेजा लेकर आयी हूँ, इसलिए धीरज भी मैं नहीं खो सकती। धीरज न होता, तो तुम्हारी माँ से भी पहले मैं गले में फाँसी लगाकर मर गयी होती—जब मैं विधवा हुई थी।"

"अच्छा, अच्छा, अब बस करो, नहीं तो मैं सचमुच रो दूँगा, और ऐसे जोरों से ढाड़ मारकर रोऊँगा कि तुम घबरा उठोगी।"

"नहीं लल्ला, ऐसा न कहो! यह लो, मैं चुप हुई।"

बलदेव बाहर आया। यदि किसी जीवित व्यक्ति को कब्र में गाड़ दिया जाय, और फिर दो दिन बाद उसे बाहर निकाला जाय, और तब भी उसमें जीवन का चिह्न शेष रहे, तो उस समय उस व्यक्ति के चेहरे का जो रूप दिखायी देगा, बलदेव के मुख का भाव इस समय ठीक वैसा ही हो रहा था। बाहर बैठकर भीतर का जो वार्त्तालाप मैंने सुना था उसी से मैं स्तब्ध और विभ्रान्त हो गया था, और जब बलदेव का वह रूप देखा तो मेरा दम जैसे घुटने लगा। आज का अनुभव मेरे जीवन में एकदम नया था। दुःख, दैन्य और दरिद्रता के ऐसे कराल और मर्मघाती रूप की कल्पना भी मैं इसके पहले कभी नहीं कर सकता था। इस अनुभव की तुलना में मुझे अपने वे सब मीठे और कड़वे अनुभव अत्यन्त सारहीन जान पड़ने लगे जो प्रेम-लोक में विचरण करने के कारण कुछ समय से मुझे अस्त-व्यस्त कर रहे थे।

बलदेव ने अत्यन्त क्षीण कण्ठ से कहा—"क्षमा कीजियेगा, आपको काफी देर तक अकेले बैठे रहना पड़ा।" कहकर वह मेरे पास बैठ गया।

मैंने कहा—"क्षमा तो मुझे माँगनी चाहिए। मैंने तुम्हारे साथ चलने का प्रस्ताव करके तुम्हें व्यर्थ ही कष्ट दिया। मैं तो यह समझे था कि तुम यहाँ अकेले रहते हो, इसलिए बिना किसी तकल्लुफ़ के मैंने तुम्हारे साथ चलने का प्रस्ताव किया था। कुछ भी हो, अब एक काम करें। यूनिवर्सिटी के पास किसी एक होटल में चलकर चाय-वाय पियें, और वहाँ से तुम फिर चाहे मेरे साथ चले चलना या जैसा ठीक समझोगे वैसा करना।" इस बार बिना किसी संकोच के मैंने उससे 'तुम' कहा।

बलदेव ने अत्यन्त दीन भाव से उत्तर दिया—"मालूम होता है, आपने मेरी इस समय की स्थिति किसी कारण से समझ ली है। अच्छा ही हुआ। अपनी निपट निर्धनता मैं संसार के किसी भी व्यक्ति के आगे छिपाना नहीं चाहता। आपका प्रस्ताव बड़ा अच्छा है। चलिये, मुझे तनिक भी आपत्ति नहीं है।" कहकर वह उठ खड़ा हुआ। मैं भी उठा और बाहर चला आया। "मौसी, भीतर से दरवाजा बन्द कर देना" कहकर बलदेव भी बाहर चला आया।

●●●

जब हम लोग, बड़ी सड़क में आकर कटरे के चौराहे पर पहुँचे तो मैंने अपना विचार बदलकर चौक चलने का प्रस्ताव किया। यूनिवर्सिटी के पासवाले रेस्टॉरेण्टों में बलदेव के परिचित विद्यार्थियों के होने की सम्भावना थी। मैं उन लोगों के सामने बलदेव के साथ उसके व्यक्तिगत जीवन के सम्बन्ध में बातें नहीं कर सकता था। बलदेव ने चौक चलने में भी कोई आपत्ति प्रकट नहीं की। एक ताँगा पकड़कर हम लोग चौक की ओर चले। बलदेव के यहाँ जाकर अपनी आँखों से जो दृश्य देखा और कानों से जो बातें सुनीं, उनके कारण उसके प्रति एक सच्ची सहानुभूति मेरे हृदय में उमड़ पड़ी, और उसके सम्बन्ध में शान्ति के मनोभाव की कल्पना मैं इस समय तक जिस रूप में करता आया था, उसकी निर्मूलता पर मुझे विश्वास हो गया और मेरे हृदय में जो भार इस समय तक एक विशाल पाषाण की तरह पड़ा हुआ था, वह उतर गया। रास्ते-भर हम दोनों मौन साधे बैठे रहे। उस अभिमानी प्रकृति के निर्धन व्यक्ति को मैं किस रूप में और किन शब्दों में सान्त्वना दूँ, यह बात मेरी समझ ही में न आती थी, और न उसके व्यक्तिगत जीवन के सम्बन्ध में कोई बात करने का साहस ही मुझे होता था। तथापि इस विषय पर उससे बात करने के लिए मैं छटपटा रहा था।

चौक पहुँचकर हम लोग सिन्ध-बाम्बे होटल में गये। एक कोनेवाले टेबिल पर बैठकर मैंने दो आदमियों के लिए 'ट्रे' में चाय और कुछ 'पैस्ट्री' का आर्डर दे दिया। हम दोनों आमने-सामने बैठे थे। कटरे से रवाना होने के समय से अभी तक एक शब्द भी बलदेव के मुँह से नहीं निकला था। उसकी आँखों में इस समय एक ऐसा विचित्र अन्यमनस्क भाव वर्तमान था जैसा मैंने पहले कभी नहीं देखा था। उस भाव से उसकी बुद्धिवादिता और भावुकता, दैन्य और अभिमान एक साथ अभिव्यक्त हो रहे थे। टेबिल पर रखे हुए सासहोल्डर को वह शून्य भाव से स्थिर दृष्टि से देख रहा था। मैं कुछ समय के लिए मन्त्र-मुग्ध-सा उसके मुख की ओर देखता रह गया। एक अज्ञात प्रेरणा मुझसे कह रही थी कि उसके मुख की वह भाव-व्यंजना किसी भी अनुभूतिशील नारी को प्रबल वेग से आकर्षित कर सकती है। फिर एक बार मेरे मन में ईर्ष्या जागरित हो उठी। पर इस बार की ईर्ष्या में एक माधुर्य था, कटुता नहीं।

चाय आयी। मैंने उसके कप में डालकर फिर अपने में डाला। दूध-चीनी मिलाकर जब दो-एक घूँट पी चुका तो एक हलके गुलाबी नशे की-सी मादकता मेरे मन में छाने लगी। इस नशे का कारण मेरे खयाल में चाय उतनी नहीं थी जितनी परिस्थितियों की प्रतिक्रिया। इस नशे के जोश से मेरे मन में सहसा साहस का संचार हुआ और मैंने

कहा—"देखो बलदेव, आज तुम्हारे यहाँ जाकर जो हाल मैंने देखा और सुना उससे मेरे मन की क्या दशा हुई है उसका वर्णन मैं तुमसे नहीं कर सकता। भाई, मैं तुमसे प्रार्थना करूँगा कि तुम मुझे गैर न समझो। मैं समझ नहीं पाता कि मैं तुम्हारी सहायता किस रूप में कर सकता हूँ, पर अब सब-कुछ जानने-सुनने के बाद भी इस सम्बन्ध में उदासीन रहना मेरे लिये असम्भव है। यदि मैं अपनी इस समय की स्थिति और सामर्थ्य के अनुसार तुम्हारी कुछ आर्थिक सहायता करना चाहूँ, तो इस बात को तुम किसी दूसरे रूप में तो न लोगे! मैं तुम्हें विश्वास दिलाना चाहता हूँ कि तुम्हारी हालत पर तरस खाकर तुम पर दया दिखलाने की इच्छा से नहीं, बल्कि एक मित्र की हैसियत से मैं तुम्हारे आगे यह प्रस्ताव रख रहा हूँ।"

बलदेव ने विषाद-म्लान भाव से कहा—"मैं आपके भाव को खूब समझ रहा हूँ, और आपकी सहानुभूति के लिए आपको धन्यवाद देता हूँ। आपसे मेरे घर की कोई बात छिपी नहीं रह गयी है, इसलिए मैं व्यर्थ के अभिमान के कारण आपकी सहायता को अस्वीकार करने की मूर्खता नहीं करूँगा। पर मैं इस समय कर्ज के बतौर आपसे कुछ रुपया चाहूँगा, दान के रूप में नहीं।"

उसके बोलने के ढंग से अभिमान की रुखाई स्पष्ट व्यक्त हो रही थी। इसलिए उसकी बात से मेरे मन को काफी चोट पहुँची। तथापि अपने मन का भाव दबाकर मैंने कहा—"तो अभी कितने रुपये तुम्हें दे दूँ?"

उसने मेरी ओर न देखकर कहा—"इस समय बीस रुपये से मेरा काम चल जायगा?"

"सिर्फ बीस रुपये?"

"जी हाँ। अभी इतना काफी है, पीछे देखा जायगा। भगवान्—नहीं, भाग्य—ने चाहा तो आपके ये रुपये मैं शीघ्र ही चुका दूँगा।"

मुझे उस दुःख के वातावरण में भी मन-ही-मन हँसी आयी। एक बार पहले भी वह 'भगवान्' शब्द मुँह से निकाल चुका था, और उस बार भी वह उस शब्द को तत्काल बदलकर उसके स्थान में 'भाग्य' शब्द काम में लाया था। मैंने जेब से बटुआ निकालकर उसमें से दस-दस के दो नोट लेकर उसे दे दिये। उसने मेरी ओर बिना देखे ही उन नोटों को लेकर अपनी जेब में डाल लिया।

कुछ देर तक चुप रहने के बाद मैंने कहा—"अच्छा, एक बात तुमसे पूछना चाहता हूँ। आशा है, बुरा न मानोगे।"

उसने इस बार मेरे मुँह की ओर देखा। मैंने कहा—"आज दो बार मैंने तुम्हारे मुँह से 'भगवान्' शब्द निकलते सुना है, और दोनों ही बार तत्काल उसे बदलकर तुमने उसके स्थान में 'भाग्य' शब्द का प्रयोग किया है। मैं पूछना चाहता हूँ, ईश्वर के सम्बन्ध में तुम्हारी धारणा क्या है? एक बार तुमने कहा था कि तुम उसे 'ओल्ड फूल' समझते हो, पर इसका ठीक-ठीक तात्पर्य मैं समझ नहीं पाया।"

वह जरा सँभलकर बैठ गया। एक घूँट चाय पीकर उसने कहा—"पहले ईश्वर के अस्तित्व पर ही मेरा विश्वास नहीं था। पर इधर कुछ समय से, न जाने क्यों, मेरे अनजान में धीरे-धीरे यह धारणा जमने लगी थी कि कोई अज्ञात सर्वव्यापी शक्ति सारी प्रकृति के ऊपर राज करती है, और सब प्राणियों के भाग्य का नियन्त्रण करती है। इस शक्ति को मेरा मन परम्परा के संस्कारवश ईश्वर के नाम से ही मानने को तैयार हो गया था। पर ईश्वर के नाम के साथ उसके 'करुणामय' होने का जो विश्वास सब धर्मों में पाया जाता है, वह मेरी प्रकृति के एकदम विरुद्ध होने से मैं उस शक्ति को 'ईश्वर' के नाम से नहीं पुकारना चाहता।"

मैंने कहा—"यह बड़े आश्चर्य की बात है कि तुम ईश्वर के अस्तित्व पर विश्वास करना चाहते हो, पर उसे करुणामय नहीं मानना चाहते!"

वह बड़ी रुखाई से हँसा। फिर उसने पूछा—"आप क्या इस बात पर सचमुच विश्वास करते हैं कि ईश्वर करुणामय है?"

"अवश्य। नहीं तो उस पर विश्वास करने का अर्थ ही क्या रह जाता है?"

उसने खीझकर कहा—"क्षमा कीजियेगा, मैं इस तरह के विश्वास को घोर मूर्खतापूर्ण समझता हूँ। मैं उसे कभी करुणामय नहीं मान सकता। मानूँ कैसे, जब पग-पग पर उसके घोर निष्ठुर, पैशाचिक कुचक्रों का परिचय मुझे मिल रहा है? और उसका यह कुचक्र विशेष करके उहीं लोगों पर चलता है जो सच्चे, ईमानदार और निर्धन होने पर भी सदय हैं, कठोर-से-कठोर अत्याचारों से पिसते रहने पर भी जिनके मन में कभी प्रतिहिंसा का भाव उत्पन्न नहीं होता, जो हर तरह से अनाथ, असहाय और असमर्थ हैं। घर-घर में प्रतिदिन दिल को दहलानेवाली, मर्म को चीर देनेवाली दुर्घटनाएँ होती रहती हैं, पर आप लोगों के उस करुणामय की करुणा का एक कण भी तो कभी उन तरसते हुए अभागे चातकों के लिए नहीं बरसता। ईश्वर नामधारी वह बुड्ढा या तो बहरा है, या शैतान का चाचा है, जो सब-कुछ जानते हुए भी पीड़ितों की कराह सुनकर वज्र के गर्जन से ठठाकर हँस देता है। असल बात यह है कि सारी प्रकृति का चक्र एक निष्ठुर नियति के कठिन नियम द्वारा परिचालित हो रहा है। कुछ मुट्ठी-भर मूर्ख, आत्म-सन्तोषी और जीवन के कड़वे अनुभवों से रहित व्यक्तियों को छोड़कर किसी भी माई के लाल को यह कहते कभी नहीं सुना गया कि उस पर ईश्वर की करुणा-भरी कृपादृष्टि है। घर-घर में आग लगी हुई है, सर्वत्र हाय-हाय मची हुई है, जीवन में कहीं शान्ति नहीं है, कहीं सुख और सन्तोष नहीं है। फिर भी आप लोगों का सनातन बुड्ढा करुणामय ही बना बैठा है!"

मैं वज्र-स्तम्भित-सा होकर उसकी बातें सुन रहा था। मुझे उसके संसर्ग से कई बार इस बात पर आश्चर्य हो चुका था कि घोर अवसाद की मानसिक अवस्था से वह सहसा भाव के आवेग की चरम सीमा पर कैसे पहुँच जाता था। इस समय भी मैं फिर उसी बात पर आश्चर्य करने लगा। उसकी बातों से मेरा मत मिलता हो, चाहे न मिलता

हो पर उसके कहने के ढंग में एक ऐसा जादू था जो सुननेवाले को बरबस चकित कर देता था।

कुछ सोचकर मैंने कहा—"उसके करुणामय होने का अर्थ यह तो अवश्य ही नहीं है कि वह हर गरीब को मालामाल करता फिरे। मनुष्यों की गरीबी के कारण सम्भवतः कुछ ऐसे रहस्यमय नियम हों जिनको तोड़ना ईश्वर सब समय उचित न समझता हो। वैसे बहुत-से गरीबों को बीच-बीच में यह कहते सुना गया है कि ईश्वर की दया से उन्हें अथाह सागर में डूबते हुए सहारा मिल गया है, फिर चाहे वह तिनके का ही सहारा क्यों न हो।"

बलदेव फिर एक बार तीक्ष्ण व्यंग्य की रूखी हँसी हँसा। बोला—"जिन 'रहस्यमय नियमों' का उल्लेख आपने किया है उनसे आपका मतलब सम्भवतः पूर्व जन्मों के कर्मों से होगा। यदि कर्म की 'थ्योरी' को मान भी लिया जाय तो भी मैं यह कदापि मानने को तैयार नहीं हूँ कि जो गरीब इस जन्म में सच्चे, निष्कपट और सरल प्रकृति के हैं, वे पहले जन्म में घोर दुष्कर्मी रहे होंगे, और जो धनी इस जन्म में घोर दुराचारी, निष्ठुर, कपटी और प्रमत्त हैं वे पूर्व जन्म में बड़े 'पुण्यात्मा' रहे होंगे। आध्यात्मिक विज्ञान से यह बात सरासर खण्डित होती है। रही डूबते हुए को तिनके का सहारा मिलने की बात, मैं व्यक्तिगत रूप से, केवल संसार में टिके रहने के लिए तिनके का सहारा पाकर जीने से डूबकर मर जाना बेहतर समझता हूँ। उस सहारे को मैं ईश्वर की दया हरगिज नहीं मान सकता। आपने अभी जो बीस रुपये मुझे दिये उसे मैं न तो डूबते को तिनके का सहारा ही समझता हूँ, न ईश्वर की कृपा। आप यदि ऐसा समझते हों, तो अभी इन रुपयों को वापस ले लीजिये!" यह कहकर उसने जेब से दोनों नोट निकालकर मेरे आगे टेबिल पर रख दिये।

मेरी तो अकल ही चिराग हो गयी। मेरी बात का ऐसा अर्थ लगाकर उसने मेरा जो अपमान किया वह मेरे कल्पनातीत था। अत्यन्त विस्मित और दुःखित होकर मैंने कहा—"भाई बलदेव, मालूम होता है, तुम आज बहुत ही अधिक खिन्न हो। मैं जानता हूँ कि तुम बातें करते-करते बीच-बीच में जोश में आ जाते हो, पर इस कदर उत्तेजित होते तो मैंने तुम्हें पहले कभी नहीं देखा! मेरे सम्बन्ध में तुम इस तरह की बात कह सकते हो, यह मैं स्वप्न में भी नहीं सोच सकता था। मैं कह नहीं सकता कि तुम्हारी इस बात से मुझे कितना दुःख हुआ है!"

बलदेव चुपचाप सिर नीचा किये बैठा था। मेरी बात पूरी होते-न-होते उसकी आँख से एक बूँद आँसू चाय के प्याले में टपक पड़ा। मैं समझ गया कि उसके आवेश की प्रतिक्रिया आरम्भ हो गयी है। फिर भी मैं बहुत घबराया और तत्काल अपनी कुर्सी पर से उठकर उसके पास गया और उसकी पीठ थपथपाते हुए बोला—"शान्त होओ, भाई, धीरज धरो। इस तरह की घबराहट और अधैर्य तुम्हारे समान समझदार और अनुभवी व्यक्ति को नहीं सुहाता।" उसने चुपचाप रूमाल से आँखें पोंछीं और सिर ऊपर को उठाये बिना ही दबी हुई जबान से कहा—"मैंने जो कुछ अनुचित कहा है, उसके लिए मुझे क्षमा कीजियेगा। आज सचमुच मेरा चित्त बहुत व्याकुल है।"

मैंने अपनी योग्यता के अनुसार उसे यथाशक्ति सान्त्वना देने की चेष्टा की। मेरे अनुरोध से उसने रुपयों को फिर वापस ले लिया। मैंने उसे अपने साथ अपने मकान पर चलने की प्रार्थना की। वह अन्यमनस्क भाव से राजी हो गया।

जब हम लोग साउथ मलाका के पास पहुँचे तो अकस्मात् बलदेव ने कहा—"मुझे क्षमा कीजियेगा। मैं इस समय आपके यहाँ नहीं जा सकता। शान्ति देवी से मेरा प्रणाम कह दीजियेगा। उनके दर्शनों की बड़ी इच्छा थी। पर आज मेरी मानसिक अवस्था उनके पास जाने के योग्य नहीं है। नमस्कार!" कहकर वह ताँगे पर से उतर पड़ा।

•••

शान्ति से जब मैंने कहा कि बलदेव इतनी दूर तक आने पर भी मेरे साथ मकान तक आने को राजी न हुआ तो उसके प्रसन्न मुख पर विषाद की एक ऐसी गाढ़ी कालिमा-सी छा गयी कि शायद कोई अन्यमनस्क व्यक्ति भी उसके मुख के भाव के इस आकस्मिक परिवर्तन पर गौर किये बिना न रहता। उसका यह भाव देखकर मेरे हृदय में फिर एक बार भूली हुई वेदना जाग पड़ी। पर शान्ति ने अपने मन के भाव को बरबस दबाया, ऐसा मेरा विश्वास है। वह उदासीनता-सी दिखाती हुई बोली—"शायद कोई जरूरी काम रहा होगा, इसलिए नहीं आये होंगे।"

मैंने बरबस निकलती हुई लम्बी साँस को दबाने की चेष्टा करते हुए कहा—"हाँ, शायद यही कारण रहा होगा।"

कुछ देर तक चुप रहने के बाद मैंने दिनभर का सारा किस्सा कह सुनाया। शान्ति मेरी बात ऐसी तन्मयता से सुन रही थी कि मालूम होता था जैसे केवल कानों से ही नहीं सुन रही है, बल्कि अपनी विस्मित, उत्सुक और विह्वल-व्याकुल आँखों से मेरी प्रत्येक बात को पीने की भी चेष्टा कर रही है। सब-कुछ सुन चुकने के बाद उसने अत्यन्त कातर प्रार्थना के साथ मुझसे कहा—"कल तुम मुझे उनके यहाँ ले चलोगे?"

मैं इस तरह हक्का-बक्का होकर उसकी ओर आँखें फाड़-फाड़कर देखता रह गया, जैसे मुझे काठ मार गया हो। उसका यह प्रस्ताव ऐसा अप्रत्याशित और अचिन्तनीय था कि मैं स्तब्ध रह गया।

मुझे चुप रहते देखकर उसने फिर अत्यन्त करुण अनुनय के स्वर में कहा—"बोलो, ले चलोगे?"

मैं कुछ बिगड़ने की-सी आवाज में बोला—"तुम कैसी बात करती हो, शान्ति! तुममें इतनी समझ होनी चाहिए कि जब मेरे अकेले जाने से लज्जा और संकोच के कारण उन लोगों के कष्ट की सीमा न रही, तो तुम्हें साथ लेकर चलने से उनकी क्या दशा

होगी। वे लोग नहीं चाहते कि बाहर का कोई व्यक्ति उनके घर पर आकर उन्हें फटे-हाल देख जाय।''

पर शान्ति एक हठीली बालिका की भाँति केवल यही कहती रही—''नहीं, मुझे तुम्हें वहाँ एक बार ले चलना ही होगा। मैं नहीं मान सकती।'' साथ ही उसने यह भी कहा—''मेरे जाने से उन लोगों को कभी संकोच का अनुभव न होगा और अगर होगा भी तो मैं स्थिति को ठीक तरह से सँभाल लूँगी।''

मुझे सबसे अधिक दुःख यह सोचकर हो रहा था कि बलदेव की चिन्ता के कारण उसकी आत्मा कितनी अधीर और व्याकुल हो उठी है और इस आकुलता में उसे यह बात तनिक भी नहीं सूझती कि उसका प्रस्ताव कितना अनुचित और असंगत है! दिन के अनुभव से बलदेव के प्रति मेरे मन में जो सहानुभूति का भाव बरबस उमड़ पड़ा था, वह शान्ति की इस अधीरता से फिर ईर्ष्या की ज्वाला में परिणत हो गया। सच बात तो यह थी कि ईर्ष्या के भाव ने दिनभर एक पल के लिए भी मेरा साथ नहीं छोड़ा था—अन्तर केवल इतना ही था कि किसी समय वह मन के एकदम भीतर दब जाता था और कभी बाहरी सतह पर आकर उथल-पुथल मचाने लगता था। इस ईर्ष्या के अस्पष्ट इंगित के कारण ही मैंने घर आने पर बलदेव का साधारण-सा भी सन्देश शान्ति से नहीं कहा था। एक ओर मैं अपने मन की इस नीचता पर, जिसे मैं तब तक अपने स्वभाव के विरुद्ध समझता था, अत्यन्त क्रुद्ध हो रहा था, और दूसरी ओर कभी शान्ति और कभी बलदेव के प्रति आक्रोश का भाव मेरे मन में प्रबल-से-प्रबलतर होता जाता था।

शान्ति के बार-बार हठ करने पर मुझे ऐसा क्रोध आने लगा कि मैं स्वयं उसकी तीव्रता के कारण भयभीत हो उठा। मैंने सोचा कि कहीं वह क्रोध फट पड़ा तो अनर्थ हो जायगा और फिर कुछ सोचने-समझने और कहने-सुनने की गुंजाइश नहीं रहेगी। इसलिए मैं भरपूर शक्ति से उसे दबाने का प्रयत्न करने लगा। कुछ देर तक मैं चुप बैठा रहा। जब मन को कुछ स्थिर करने में समर्थ हुआ तो मेरे भीतर प्रतिक्रिया चलने लगी। फल यह हुआ कि अपने ईर्ष्यादग्ध मन की नीच प्रवृत्ति का प्रायश्चित्त करने के लिए मैंने निश्चय कर लिया कि हर हालत में शान्ति के साथ बलदेव के यहाँ जाऊँगा—चाहे वहाँ जाकर कितना ही अपमानित क्यों न होना पड़े।

जब मैंने शान्ति को अपने निश्चय से सूचित किया तो वह अत्यन्त उल्लसित हो उठी और बोली—''कल भोर में ही वहाँ चलेंगे। वहाँ से आकर तब खाना बनाकर खावेंगे। क्यों?''

मैंने मन-ही-मन कहा—''इतना अधैर्य!'' प्रकट में कहा—''हाँ, ठीक है, भोर ही को चलना अच्छा रहेगा।''

•••

दूसरे दिन प्रातःकाल शान्ति नहा-धोकर, सज-सँवरकर तैयार हुई। आज उसके सजाव और शृंगार में एक विशेषता मैंने यह देखी की सोने का एक कीमती हार, जो उसके पास न जाने कब से पड़ा हुआ था, और जिसे उसने आज तक छिपाकर रखा था, निकालकर पहन लिया। आज उसकी यह नयी खामखयाली देखकर मेरे मन में एक अजीब बेचैनी समा गयी। पर मैं कुछ न बोला। चलने से पहले उसने अपने ट्रंक में मेरी खरीदी हुई दो नयी और बढ़िया साड़ियाँ निकालीं जिन्हें उसने कभी एक दिन के लिए भी नहीं पहना था, और उन्हें एक अखबार में लपेटने के बाद अपनी बगल में दबाकर मुस्कराती हुई बोली—"अब चलो।"

मैंने विस्मित होकर पूछा—"इन साड़ियों को कहाँ ले जाओगी?"

उसने स्निग्ध-सरल मुस्कान के साथ कहा—"बलदेव जी की बहन के लिए ले जा रही हूँ। बहन से जब भेंट करने जाते हैं तो खाली हाथ नहीं जाते!"

मैंने मन-ही-मन कहा—"अजब बेवकूफी!" प्रकट में कहा—'अच्छा! यह बात है!"

कटरे पहुँचने पर जब हम लोगों ने ताँगे पर से उतरकर गली में प्रवेश किया तो सब लोग बड़े आश्चर्य से आँखें फाड़कर-फाड़कर हमें देख रहे थे। उन लोगों ने शायद किसी भी भद्र महिला को अपने जीवन में उस गली से गुजरते नहीं देखा था, तिस पर शान्ति का सौन्दर्य तो योंही सभी के लिए अत्यन्त आकर्षक और चकित करनेवाला था। बलदेव के मकान पर आकर मैंने दरवाजा खटखटाया।

भीतर से बलदेव की आवाज सुनायी दी—"कौन है?"

मैंने कहा—"मैं हूँ, नन्दकिशोर,—जरा खोलना!"

दरवाजा खुला। बलदेव ने मेरे साथ शान्ति को जो देखा, तो ऐसा जान पड़ा जैसे वह अप्रत्याशित आश्चर्य से मूर्च्छित होकर गिर पड़ेगा। वह भ्रान्त दृष्टि से इस तरह शान्ति की ओर देखता था कि मालूम होता था जैसे उसे अपनी आँखों पर विश्वास न हो रहा हो। उसके मुख से अच्छी तरह आवाज भी नहीं निकल पाती थी। उसने दबी हुई जबान से कहा—"आप! आप—आप यहाँ क्यों—कैसे आ गयीं?"

शान्ति उसका भाव देखकर कुछ सहम-सी गयी थी, फिर भी उसने साहस बटोरकर कहा—"बहुत दिनों से आपके यहाँ आने की इच्छा थी। कल जब ये मकान देख आये, तो आज मुझे भी ले चलने के लिए कहा।"

हम लोग अभी बाहर दरवाजे पर ही खड़े थे। शान्ति के मूर्खतापूर्ण हठ के कारण मुझे यहाँ आना पड़ा, यह सोचकर मैं मन-ही-मन क्रोध से बेचैन हो रहा था। कुछ देर

बाद बलदेव जब कुछ सँभला तो बोला–"आप लोग तो बाहर ही खड़े रह गये। आइये, भीतर चले आइये।"

भीतर जाकर मैं बाँस की एक टूटी कुर्सी पर बैठ गया और शान्ति तख्त पर बैठी। बलदेव खड़ा ही रहा। मैंने देखा कि असली बात को पहले ही स्पष्ट न कर देने से स्थिति जटिल रूप धारण कर सकती है। इसलिए मैंने कहा–"मैं अच्छी तरह देख रहा हूँ कि हमारे आने से तुम असमंजस में पड़ गये हो। कल यहाँ से जाकर तुम्हारी परिस्थिति से परिचित होने पर भी मैं शान्ति को साथ लेकर यहाँ क्यों चला आया, तुम अवश्य ही यह सोचते होगे। मैंने शान्ति को सारी स्थिति समझा दी थी, पर जब इसने सुना कि तुम्हारी मौसी और छोटी बहन भी तुम्हारे साथ हैं, तो यह उन लोगों से मिलने के लिए बेचैन हो उठी।"

शान्ति ने भी कहा–"आप बिना लेशमात्र संकोच के मुझे मौसी से और बहन से मिला दीजिये। जैसे आपके यहाँ आपकी छोटी बहन है, वैसे ही मैं भी हूँ।"

बलदेव कुछ देर तक स्तब्ध भाव से चुप खड़ा रहा। फिर कुछ सोचकर उसने कहा–"अच्छी बात है, मैं मौसी से और बहन से जाकर कहता हूँ। वे मिलना चाहें तो मुझे कोई आपत्ति नहीं है।"

शान्ति तत्काल उठ खड़ी हुई और अत्यन्त विनयपूर्वक हाथ जोड़कर कहने लगी–"मैं आपके पैरों पड़ती हूँ, आप जिस तरह भी हो मुझे अवश्य एक बार उन लोगों से मिला दीजिये।"

"अच्छा, अच्छा, आप बैठिये, मैं अभी आता हूँ," कहकर बलदेव भीतर चला गया।

भीतर उसने धीमी आवाज में मौसी से कुछ कहा। बाहर के कमरे से दोनों का बोलना सुनायी देता था, पर कोई भी बात स्पष्ट नहीं सुनायी देती थी।

सहसा उन दोनों की बात बीच ही में काटती हुई-सी एक लड़की स्पष्ट शब्दों में बोल उठी–"मैं नहीं मिलूँगी, हरगिज नहीं मिलूँगी।" वह स्पष्ट ही बलदेव की छोटी बहन थी। बलदेव को मैंने धीमे स्वर पर स्पष्ट शब्द में कहते सुना–"चुप! चुप!" मौसी और बलदेव दोनों उसे समझाने लगे, ऐसा जान पड़ा। प्रायः पन्द्रह-बीस मिनट तक बलदेव भीतर उन लोगों से बातें करता रहा। मेरा ऐसा अनुमान है कि मौसी को शान्ति से मिलने में कोई आपत्ति नहीं थी, पर उसकी बहन किसी तरह राजी न होती थी। एक बार मैंने बलदेव की बहन को स्पष्टतः यह कहते सुना–"बड़े आये हैं ये लोग! तमाशा देखने के लिए यहाँ आते हैं; और यह दिखाना चाहते हैं कि हम इतने बड़े आदमी हैं और तुम इतने गरीब हो! और मुँह से भलमनसाहत की मीठी-मीठी बातें करते हैं। नहीं चाहिए हमें इनकी भलमनसाहत!"

उसकी यह बात सुनकर शान्ति और मैं एक-दूसरे का मुँह ताकने लगे। शान्ति दाँतों तले जीभ दबाती हुई बहुत धीमी आवाज में कहने लगी–"मैं नहीं जानती थी कि बात इस हद तक पहुँचेगी! बड़े विचित्र स्वभाव की लड़की मालूम होती है!" मैं चुपचाप

क्रोध को पी जाने की चेष्टा करने लगा। मैं पहले ही जानता था कि शान्ति का हठ अत्यन्त अनुचित है। मेरे कहने पर भी उसने मेरी बात पर ध्यान नहीं दिया, यह सोच-सोचकर मैं अस्थिर हो रहा था।

अन्त में बलदेव दोनों को किसी तरह राजी करके बाहर के कमरे में ले ही आया। लड़की कल की तरह आज मैली धोती नहीं पहने थी। आज की धोती साफ-सुथरी थी, तथापि दो-तीन स्थानों में फटी हुई स्पष्ट दिखायी देती थी। जो अधेड़ स्त्री उसके साथ थीं, वह घूँघट काढ़कर आयी थीं। उनकी धोती काफी मैली थी और यत्र-तत्र फटी भी थी। उन लोगों के बाहर आते ही शान्ति ने और मैंने परिचय की प्रतीक्षा किये बिना ही अधेड़ महिला को प्रणाम किया। उन्होंने क्षीण कण्ठ से कहा—''जीती रहो बेटी, जीते रहो बेटा!'' शान्ति ने उनका हाथ पकड़कर उन्हें धीरे से ऊपर तख्त पर बिठा दिया और लड़की की पीठ पर हाथ रखकर अत्यन्त स्नेह-भरे शब्दों में उसने कहा—''आओ बहन, तुम भी ऊपर बैठ जाओ।'' वह चुपचाप बैठ गयी। आज मैंने गौर से उसकी ओर देखा। वह कुरूप नहीं थी, पर सौन्दर्य का कोई आकर्षण भी उसमें नहीं था। वह दुबली-पतली थी और कद उसका कुछ लम्बा था। वह बीच-बीच में अर्द्ध-दृष्टि से एक बार हम लोगों की ओर देखकर फिर आँखें फिरा लेती थी। उसकी आँखें बड़ी सुन्दर थीं, पर उनकी झलक में और उनके घूर्णन में एक ऐसी विचित्रता मैंने पायी जिसका वर्णन मैं ठीक तरह से नहीं कर सकता। उसकी चितवन की उस विचित्रता से मेरी अन्तरात्मा में एक अज्ञात भौतिक भय का-सा संचार हो गया। क्यों हुआ इसका ठीक कारण मैं कुछ नहीं बता सकता। मैंने अकारण ही, अपने अन्तःसंस्कार द्वारा, ऐसा अनुभव किया कि वह लड़की अपने जन्म से ही अपने साथ प्रेतलोक की एक भयंकर विभीषिका लेकर उत्पन्न हुई है और जब तक वह जीवित रहेगी, तब तक वह कभी किसी भी परिस्थिति में एक पल के लिए भी शान्ति नहीं पा सकती, और न कभी उन लोगों को शान्ति से रहने देगी जो उसके साथ जीवन में घनिष्ठ रूप से सम्बन्धित हैं। पहले दिन मैंने उसे जिस रूप में रोते हुए अपने भाई को कोसते हुए सुना था, और आज हम लोगों के सम्बन्ध में उसने जो अत्यन्त असंगत, अन्यायपूर्ण और कड़ी बात कही थी, वह मुझे उसकी आँखों की उस विचित्र झलक और उसके लम्बे और पतले मुख की प्रेतात्मक अभिव्यक्ति को देखते हुए, उसके स्वभाव के बिलकुल अनुकूल जान पड़ी। उसके प्रति मेरे मन में एक पल के लिए भी क्रोध का भाव उत्पन्न नहीं हुआ, बल्कि एक ऐसी मार्मिक करुणा और आन्तरिक संवेदना उत्पन्न हुई, जैसी इसके पहले कभी किसी के प्रति शायद ही जागरित हुई हो। उसे देख-देख करके मेरा हृदय रह-रहकर दहल उठता था।

बलदेव ने उस लड़की को लक्ष्य करके कहा—''रामेश्वरी, तुमने नन्दकिशोर जी और शान्ति देवी को प्रणाम नहीं किया!''

पर रामेश्वरी टस-से-मस न हुई और अपने दाहिने घुटने पर माथा टेककर चुपचाप बैठी रही। बलदेव फिर कुछ न बोला। स्पष्ट ही वह उससे डरता था—यह बात जानने में मुझे देर न लगी।

बलदेव ने उन लोगों का परिचय देते हुए कहा–"यह मेरी मौसी हैं, बचपन से इन्हीं ने मुझे पाला-पोसा है। और यह मेरी बहन रामेश्वरी है।" हम लोगों का परिचय देते हुए उसने कहा–"ये मेरे मित्र नन्दकिशोर जी हैं, और यह आपकी धर्मपत्नी–शान्ति देवी हैं।" इस परिचय से मैंने और शान्ति ने–दोनों ने अपना सिर क्षण-भर के लिए नीचा कर लिया। बलदेव के समान घोर नास्तिक 'पत्नी' के साथ 'धर्म' को जोड़े, यह वास्तव में व्यंग्य के सिवा और कुछ नहीं था, भले ही वह व्यंग्य अज्ञात रूप से किया गया हो!

शान्ति तत्काल सँभल गयी और तख्त के एक कोने पर बैठकर मौसी से कहने लगी–"मौसी जी, आपका परिचय पाकर जो प्रसन्न्ता हुई है, उसका वर्णन नहीं कर सकती। कल रातभर मुझे इस चिन्ता से नींद नहीं आयी कि कब सुबह हो और कब आपके दर्शन करूँ। बलदेव जी ने कभी नहीं बताया कि आप लोग उनके साथ हैं, नहीं तो मैं पहले ही चली आती।" यह कहकर उसने दुष्टतापूर्ण स्निग्ध मुस्कान से एक बार कनखियों से बलदेव की ओर देखा। बलदेव मेरी बगल में खड़ा था। शान्ति ने जब उसकी ओर देखा तो उसने सकुचाकर आँखें फेर लीं।

मौसी ने घूँघट के भीतर से कहा–"तुम लोगों ने बड़ी कृपा की बेटी, कि हम गरीबों के यहाँ आने का कष्ट किया। भगवान् तुम्हें सदा दूध-पूत से सुखी रखें और तुम्हारा सुहाग बना रहे।" इसके बाद शान्ति ने अपने स्नेह-कोमल हाथों से रामेश्वरी की पीठ पर हाथ फेरते हुए कहा–"तुम चुप क्यों बैठी हो बहन? अपनी इस बहन से क्या नाराज हो गयी? मैं तो गैर नहीं हूँ। तुम मुझे नही जानतीं, इसलिए ऐसा समझती हो। पूर्व जन्म में तुम मेरी सगी बहन थीं। इस जन्म में भी मैं तुमसे वही नाता जोड़ना चाहती हूँ। बोलो, आज से मुझे अपनी सगी बहन मानोगी कि नहीं? बोलो!"

रामेश्वरी कुछ न कहकर सलज्ज मुस्कान से आँखें नीचे किये रही। अवसर देखकर शान्ति ने कागज का बण्डल खोलकर उसके भीतर से दोनों साड़ियाँ निकालकर रामेश्वरी के आगे उन्हें रखते हुए कहा–"यह लो, अपनी बहन की यह भेंट स्वीकार करो!"

साड़ियों को देखकर पहले तो रामेश्वरी कुछ क्षण के लिए स्तब्ध रह गयी, फिर तत्काल उसकी धनुष के समान तनी हुई दो सुडौल भौंहों पर बल पड़ गये। उसने न तो साड़ियों के लिए हाथ बढ़ाया और न वह कुछ बोली। मैं शान्ति के संकट का अनुभव करके मन-ही-मन बहुत घबरा उठा, पर मैं कुछ नहीं कर सकता था।

पर शान्ति के मुख पर घबराहट का कोई चिह्न मैंने नहीं देखा। उसने अपनी सहज, स्वाभाविक कोमलता से कहा–"बहन, मैं खूब समझती हूँ कि तुम कितनी बड़ी स्वाभिमानिनी लड़की हो। तुम्हारे स्वभाव के इस गुण से मुझे कितनी प्रसन्नता हुई है, मैं वर्णन नहीं कर सकती। पर तुम्हें इस बात पर भी ध्यान देना चाहिए कि ये साड़ियाँ तुम्हें कोई पराया आदमी नहीं दे रहा है, तुम्हारी अपनी ही बहन तुम्हें दे रही है। ऐसी हालत में अगर तुम इन्हें न लोगी, तो तुम्हारी बहन को कितनी चोट पहुँचेगी, जरा यह भी तो सोचो!"

ऐसी आन्तरिकता से शान्ति ने यह बात कही कि रामेश्वरी इस बार बड़े गौर से उसकी ओर देखने लगी। इस बार उसकी दृष्टि में अभिमान की कठोरता के साथ ही सहृदयता की कोमलता का भी कुछ आभास झलकता हुआ दिखायी दिया। पर फिर भी वह निश्चल अवस्था में मौन होकर बैठी ही रही।

इस बार मौसी बोल उठीं। रामेश्वरी को लक्ष्य करके उन्होंने कहा–"लो बेटी, इतने प्रेम से वह तुम्हारे लिये साड़ियाँ लायी हैं, उनका तिरस्कार करना अच्छा नहीं।"

रामेश्वरी ने एक बार बलदेव की ओर देखा और फिर चुपचाप साड़ियाँ सरकाकर अपनी ओर बढ़ा लीं। ऐसा करते हुए उसके साँवरे मुँह पर लज्जा की गाढ़ी छाया अंकित हो गयी थी, जैसे उसे किसी ने चोरी करते हुए पकड़ लिया हो। शान्ति ऐसी प्रसन्न हुई, जैसे किसी परम संकट से मुक्ति पा गयी हो। उसने रामेश्वरी की ठुड्डी पर हाथ लगाकर उसे बच्चों की तरह चुमकारते हुए कहा–"तुम मेरी बड़ी प्यारी बहन हो! आज पहली बार तुमसे मेरा परिचय हुआ है, पर इस पहली बार से ही मैं तुम्हें कितना चाहने लगी हूँ, यह तुम नहीं समझोगी। तुम्हारा और मेरा परिचय सदा के लिए अक्षय बना रहे, मैं सच्चे हृदय से यह चाहती हूँ। अपने इस प्रथम मिलन की स्मृति के तौर पर मैं स्नेह की एक भेंट तुम्हारे पास छोड़ जाना चाहती हूँ।" यह कहकर शान्ति ने अपने गले से सोने का वही हार, जिसे वह आज खास तौर से पहनकर आयी थी, अपने गले से उतारकर उसके गले में डाल दिया।

मुझे जो आश्चर्य हुआ सो हुआ ही, पर मैंने जब बलदेव की ओर देखा तो वह विस्मय से एकदम विमूढ़-सा हो गया था। वह भ्रान्त होकर कभी मेरी ओर देखता था, कभी शान्ति की ओर और कभी रामेश्वरी की ओर। इस बार शान्ति की बातों में न मालूम क्या जादू भरा था, रामेश्वरी ने भी हार के लिए किसी तरह की आपत्ति या प्रतिरोध नहीं किया। मैंने मौसी की ओर देखा तो वह घूँघट के भीतर आँखें छिपाकर आँसू पोंछ रही थीं। ये आँसू आनन्द और प्रेम के थे, यह बात समझने में मुझे देर न लगी।

इसके बाद दो मिनट तक शान्ति वहाँ और बैठी और फिर उठ खड़ी हुई। मौसी को प्रणाम करते हुए उसने कहा–"मौसी जी, अब आज्ञा दीजिये। आपके यहाँ आने पर मैं आज कितनी प्रसन्न हूँ, यह आपको नहीं समझा सकती। फिर कभी आकर आपके दर्शन करूँगी।" मौसी ने उठकर शान्ति के सिर पर हाथ रखकर कहा–"बेटी, भगवान् तुम्हें सदा सुखी रखें! मैं और क्या कहूँ! तुम–" मौसी अधिक कुछ कह न सकीं; विह्वल होकर आँसू गिराने लगीं।

रामेश्वरी का बायाँ हाथ पकड़कर शान्ति ने कहा–"बहन, एक बार अपने भैया के साथ तुम और मौसी जी, अवश्य हमारे यहाँ आना। अपनी बहन को भूल न जाना। इस समय जाती हूँ। नमस्कार!"

उत्तर में रामेश्वरी केवल नमस्कार के तौर पर हाथ जोड़कर रह गयी, बोली कुछ नहीं।

मैंने भी मौसी को प्रणाम किया और बलदेव को नमस्कार करके शान्ति और मैं बिदा हुए। बलदेव हमें सड़क तक पहुँचाने के लिए आया। शान्ति स्निग्ध-मधुर मुस्कान से उसकी ओर देखकर बोली—"मौसी जी को और बहन को एक बार अवश्य हमारे यहाँ लाइयेगा।" उसने कहा—"अच्छा देखूँगा।" जब हम लोग ताँगे पर सवार होकर चलने लगे तो वह नमस्कार करके वापस चला गया।

•••

शान्ति के मुख पर एक अलौकिक उल्लास की दीप्ति झलक रही थी। उसके साथ मैं इतने दिन तक रहा, पर इतना प्रसन्न मैंने उसे पहले कभी नहीं देखा था। जिस स्वर्गीय आभा से इस समय उसके मुख का सौन्दर्य चमक रहा था, वह वास्तव में अपूर्व था। यदि उस समय मेरे मन में एक कण्टक न गड़ा होता तो मैं उस सौन्दर्य का उपभोग करके अपने को अवश्य ही कृतार्थ समझता। पर मेरे मन का वह काँटा—उफ़! बीच-बीच में उसकी तीक्ष्ण वेदना रह-रहकर मेरे मन को विद्ध कर रही थी। इस कारण उसकी प्रसन्नता मेरे लिये असहनीय हो रही थी। मैं चाहता था कि उसकी तत्कालीन मानसिक भावना मेरे ही स्तर पर आ जाय। उसके मन में भय और आशंका का संचार करने की इच्छा मेरे मन में प्रबल हो उठी। मैंने कहा—"रामेश्वरी को देखा, कैसी विचित्र लड़की है!"

शान्ति ने कहा—"मैं तो उसका स्वभाव कुछ समझ ही न पायी। भीतर वह हम लोगों को सुनाते हुए काफी ऊँची आवाज में कड़ी-कड़ी बातें कह रही थी, पर जब बाहर आयी तब से अन्त तक एक शब्द भी उसने मुँह से न निकाला! भीतर वैसी ढीठ और बाहर इतनी संकोचशील! तिस पर उसका स्वाभिमान देखा! सचमुच लड़की बड़ी विचित्र है।"

"तुमने अभी उसकी विचित्रता इसी हद तक देखी है। पर मुझे तो उसे देखकर एक ऐसे विकट भय और आतंक के भाव ने धर दबाया है कि मेरी दूसरी चिन्ताएँ, जो कुछ कम भयंकर नहीं हैं, उसके नीचे दब-सी गयी हैं। न जाने क्यों, एक अज्ञात संस्कार मुझसे कह रहा है कि इस लड़की के जीवन का परिणाम बड़ा दुःखद होगा। ऐसा जान पड़ता है कि इसे हिस्टीरिया के-से झटके बीच-बीच में आते रहते हैं। इसीलिए वह कभी अत्यन्त उत्तेजित होकर बहुत बोलने लगती है, और कभी एकदम संकुचित होकर बिलकुल चुप हो जाती है। एक ओर आवश्यकता से अधिक स्वाभिमान और दूसरी ओर ऐसी असहनशीलता कि भाई को नयी साड़ी न लाने के लिए कोसना—इस प्रकार की परस्पर-विरोधी प्रवृत्तियों के विकट द्वन्द्व का चक्र इस लड़की के भीतर चला करता

है—ऐसा जान पड़ता है। ऐसे व्यक्तियों में मैंने देखा है कि उनके स्वार्थ की मात्रा चरम सीमा तक पहुँच जाती है और उनका त्याग भी वैसा ही प्रबल होता है। सच बात तो यह है कि वे बड़े आत्मगत जीव होते हैं। मौका आने पर, त्याग को भी ऐसे व्यक्ति हद दर्जे तक पहुँचा सकते हैं। पर इस लड़की में इन द्वन्द्वों का सम्मिश्रण कुछ ऐसे अनोखे ढंग से हुआ है कि मुझे उसमें कुछ उन्माद के-से लक्षण दिखायी देने लगे हैं। बाहरी दृष्टि से देखने से वह बड़ी समझदार, स्वस्थ और सुन्दर लगती है, पर मुझे उसके बाहरी रूप की ओट में एक ऐसा रूप दिखायी दिया है जो नाशकारी मालूम होता है। मालूम होता है, उन्माद के जो गुप्त लक्षण मैंने रामेश्वरी में देखे हैं, वे वंशगत हैं। क्योंकि बलदेव में भी कभी-कभी मैंने ऐसे ही लक्षणों की झलक पायी है।''

मेरी बात सुनकर शान्ति का मुँह ऐसा सूख गया जैसे लू लगने से झुलस गया हो। उसकी आँखों में ऐसी व्याकुल दृष्टि मैंने पहले कभी नहीं देखी थी। उसके मुख का वह विभ्रान्त भाव देखकर एक ओर मुझे अत्यन्त कष्ट हुआ और दूसरी ओर वैसी ही प्रसन्नता भी हुई। यह प्रसन्नता क्यों!—अपने मन से मैंने यह प्रश्न पूछा। मन ने कहा—''तुम इस प्रश्न का उत्तर पूछने की मूर्खता न करो। कारण को भूले रहो और प्रसन्नता का पूरा उपभोग करो।'' पर अपनी यह प्रसन्नता मुझे स्वयं अखर रही थी। क्योंकि वास्तव में मेरी अन्तिम बात से शान्ति के मर्म में जो एक घातक चोट पहुँची थी, उससे मुझे केवल दुःख ही होना चाहिए था। दुःख हुआ भी, और वह कुछ कम तीक्ष्ण नहीं था, पर साथ ही मेरा हर्षोल्लास भी तो कुछ कम प्रबल नहीं था।

शान्ति ऐसी आतंकित हो उठी थी कि वह बहुत देर तक कुछ बोली ही नहीं। जब कुछ सँभली तो उसने कहा—''यह तुमने कैसे जाना कि बलदेव जी में भी उन्माद के लक्षण दिखायी देते हैं? मैं इतने दिनों तक उनकी बातों से कभी एक क्षण के लिए भी यह न जान पायी।''

''इसके लिए गहरी मनोवैज्ञानिक दृष्टि चाहिए।''

''मनोवैज्ञानिक दृष्टि! अब मैं समझी। मैं जानती हूँ कि तुम मनोविज्ञान के बड़े पण्डित हो, और तुम्हारा विभिन्न विषयों का अध्ययन भी खूब बढ़ा-चढ़ा है। इस अध्ययन के बल पर तुम जिसको चाहो पागल या मूर्ख सिद्ध कर सकते हो, यह तुम्हारे समान मनोवैज्ञानिकों के बायें हाथ का खेल है। पर एक बात मैं कहे देती हूँ—तुम जैसे पण्डितों ने मनुष्य की मनोवृत्तियों को खण्ड-खण्ड करके विभाजित करना ही सीखा है, इस बात पर ध्यान देना नहीं सीखा कि विभाजन से नहीं, बल्कि विभिन्न विरोधी प्रवृत्तियों के संयोजन से ही मानव-स्वभाव की महत्ता प्रतिष्ठित हुई है। अगर मनोवृत्तियों के विश्लेषण से ही मनुष्य का यथार्थ स्वभाव जाना जा सकता है, तो इस कसौटी से विचार करने पर तुम भी पागल सिद्ध किये जा सकते हो, और मैं तो सबसे अधिक पागल मानी जाऊँगी।''

मैं दंग रह गया। मैंने सोचा कि शान्ति का इतना ज्ञान इतने दिनों तक कहाँ दबा पड़ा था? मुझे उस दिन की याद आयी, जब पहली बार शान्ति से मैं मिला था। उस

दिन वह कितनी भोली दिखायी देती थी! उस दिन मैंने यही समझा था कि वह लड़कियों के एक साधारण स्कूल की एक अर्द्ध-शिक्षिता अध्यापिका के अतिरिक्त और कुछ नहीं है। पर ज्यों-ज्यों उसके साथ रहने से उसके सम्बन्ध में मेरा अनुभव बढ़ता गया, त्यों-त्यों मेरी यह धारणा दृढ़-से-दृढ़तर होती गयी कि उसकी शिक्षा चाहे कैसी ही क्यों न रही हो, पर उसकी अन्तर्दृष्टि असाधारण है। पर कुछ भी हो, इस समय उसकी इस तरह की बात मुझे एकदम अच्छी नहीं लगी। उसमें मेरे प्रति व्यंग्य का कटु कटाक्ष था। इच्छा होती थी उसकी कड़वी बात का उत्तर एक कटुतर आक्षेप द्वारा दे दूँ। पर फिर यह सोचकर चुप रह गया कि कहीं मेरा रुद्ध क्रोध ज्वालामुखी की तरह फटकर जलते हुए अंगारे न बरसाने लगे। इसलिए मैंने बात को अधिक तूल देना उचित न समझा।

●●●

मकान में पहुँचकर शान्ति भोजन का प्रबन्ध करने में लग गयी। मैं यह सोचकर कि उसके साथ बैठे रहने से कहीं फिर ऐसे विषय की चर्चा न छिड़ जाय जिससे सोयी हुई कटुता जाग पड़े, बाहर बरामदे में चला आया। आज बहुत दिनों बाद आकाश में बादल दिखायी दिये थे और पानी बरसने के आसार दिखायी देते थे। मैं एक कुर्सी पर पाँव पसारकर शरीर की और मन की थकान दूर करने के उद्देश्य से ज्यों ही बैठा, त्यों ही बगलवाले बरामदे से आवाज आयी—"कहिये जनाब, आदाब अर्ज, मिजाज तो अच्छे हैं? आजकल तो आपके दर्शन ही दुर्लभ हो गये हैं!" उस ओर मुँह करके मैंने देखा तो रमाशंकर को खड़ा पाया। वह अपने होंठो को तानकर, टेढ़े-मेढ़े दाँतों को दिखाकर बन्दरों की-सी आकृति बनाकर हँस रहा था। पता नहीं क्यों, उस छोकरे को देखते ही सिर से पाँव तक मेरे सारे शरीर में आग लग गयी। पहले दिन से ही मैं उसे घृणा की दृष्टि से देखने लगा था, पर आज, और खासकर उस समय जबकि मैं एकान्त के लिए विशेष रूप से उत्सुक था, उसे देखकर पूरी तरह बौखला उठा। फिर भी मुझमें अभी इतनी इच्छा-शक्ति शेष थी कि मैंने अपने को सँभाल लिया। यथाशक्ति शान्त भाव दिखाते हुए मैंने पूछा—"कहिये, आप तो मज़े में हैं? आज यूनिवर्सिटी नहीं गये?"

"अरे साहब, यूनिवर्सिटी का हाल कुछ पूछिये मत! इधर दो हफ्तों में तीन से अधिक मैंने यूनिवर्सिटी 'अटेण्ड' नहीं की। आजकल डिनर-पार्टियाँ, सिनेमा, कार्निवल आदि के चक्कर में ऐसा फँसा हुआ हूँ कि रात को एक बजे से पहले कभी घर नहीं आता। देर में सोने के कारण सुबह उठता भी देर से हूँ। नहा-धोकर खाना खाने तक ग्यारह बज जाते हैं। फिर आलस्य मालूम होने लगता है और लेटने को जी चाहता है।"

मैंने उदासीनता से पूछा—"कल रात किस पार्टी में गये थे?"

"अरे साहब, कल की न पूछिये। कल हम लोग गये थे कार्निवल में। वहाँ जुआ खेला। मैं दस रुपये हार आया। आजकल रात के समय कार्निवल में बड़ी रौनक रहती है। आप क्या कभी गये नहीं?"

"जी नहीं। कहाँ पर है?"

"साउथ रोड के पास है। एक बार वहाँ अवश्य हो आइये।"

इतने में किसी महिला ने भीतर से उसे पुकारा। मैंने सोचा—"चलो, अच्छा हुआ, बला टली!" मेरी तत्कालीन मानसिक अवस्था में उसकी उपस्थिति मुझे असह्य हो रही थी। पर वह नहीं गया। भीतर की ओर मुँह करके उसने कहा—"अभी आता हूँ।" और फिर मुझसे बातें करने लगा। बोला—"आपकी श्रीमती जी का क्या हाल है? उनकी तबीयत तो ठीक है? इधर दो-तीन दिन से मैं उनसे नहीं मिला हूँ।" मैंने मन-ही-मन कहा—"यह बात है!" यह बन्दर भी मेरी 'श्रीमती' की तबीयत का हाल जानने के लिए इतना उत्सुक और चिन्तित रहता है, इस बात की खबर मुझे नहीं थी। वह बीच-बीच में मेरे यहाँ आता अवश्य था—कभी अकेले और कभी बलदेव के साथ; पर न जाने क्यों, उसके आने को मैं न आने के बराबर ही समझता था और उसे ऐसी अवज्ञा की दृष्टि से देखता था जैसे उसका कोई विशेष अस्तित्व ही न हो। पर आज सुबह बलदेव के यहाँ जाने के समय से मेरा चित्त ऐसा अस्त-व्यस्त हो उठा था कि छोटी-से-छोटी बात से भी मेरे मन को बिजली का-सा धक्का लग रहा था। अपने मन के भाव को मन-ही-मन पीते हुए मैंने उत्तर दिया—"उनकी तबीयत ठीक है।" यह कहकर मैं उठ खड़ा हुआ।

उसने कहा—"बलदेव का क्या हाल है! इधर कई रोज से वह भी नहीं दिखायी दिया। आपके यहाँ तो रोज आता ही होगा?" यह कहकर फिर वह एक बार बन्दरों की तरह होंठ तानकर और दाँतों की दोनों पंक्तियों को अच्छी तरह दिखाकर मुस्कराया। इच्छा होती थी कि वहीं से हाथ बढ़ाकर दो तमाचे उसके मुँह पर जड़ दूँ। पर मैंने ऐसा किया नहीं। यह कहकर कि "जी हाँ, वह रोज ही आते हैं, और अच्छी तरह से हैं", मैं बिना हाथ जोड़े हुए भीतर चला आया।

भीतर जाकर पलँग पर लेट गया। शान्ति दूसरे कमरे में खाना बना रही थी। पलँग पर लेटते ही सैकड़ों दुश्चिन्ताओं ने एकबारगी मेरे मन को एक-साथ आ घेरा। एक-एक दुश्चिन्ता एक-एक बर्रे की तरह डंक मार रही थी। जिस समय से शान्ति के साथ मेरा परिचय हुआ था, उस समय से लेकर आज तक की सैकड़ों घटनाएँ मेरी काल्पनिक दृष्टि के आगे भौतिक नृत्य के अस्पष्ट लीलाचक्र से ऊधम मचाने लगीं। धीरे-धीरे सब अस्पष्ट दृश्य विलीन होकर कुछ स्पष्ट दृश्यों के रूप में परिणत हो गये। ये स्पष्ट दृश्य सब बलदेव से सम्बन्धित थे। धीरे-धीरे ये सब स्पष्ट दृश्य भी विलीन होकर एक

स्पष्टतर दृश्य में एकाकार हो गये। बलदेव के यहाँ से वापस आते समय आज ताँगे पर मेरी बात से भयभीत होकर शान्ति ने बलदेव की चिन्ता से जो मार्मिक व्याकुलता प्रकट की थी, उसके मुख का उस समय का वह भाव मेरे मर्म को सौ-सौ तीखी नोकवाली सुइयों की तरह छेदने लगा। मैंने असह्य पीड़न से छटपटाते हुए मन-ही-मन कहा—"शान्ति! तुम ऐसी समझदार, ऐसी सहृदय होने पर भी तुम्हारा यह कैसा आचरण है? तुम्हारी अन्तर्दृष्टि का परिचय मुझे मिल चुका है, तिस पर भी तुम मेरे मर्मघाती पीड़न को, मेरे अन्तर की भयंकर ज्वाला को नहीं देख पाती हो! या जान-बूझकर तुम मुझे इस तरह जला रही हो? पर यह कैसे हो सकता है! यह असम्भव है! मैं ऐसा मूर्ख नहीं हूँ कि तुम्हारे स्वभाव को इस हद तक भी न समझ सकूँ। तब असली बात क्या है?" मैंने अपने मन से प्रश्न किया। उत्तर मिला—"बात केवल एक ही हो सकती है। वह यह कि बलदेव को शान्ति जो चाहने लगी है, वह उसके अपने वश की बात नहीं है। दोनों के भीतर दबे हुए कुछ अज्ञात संस्कार किसी रहस्यमय नियम की प्रेरणा से बरबस एक-दूसरे के प्रति प्रबल आकर्षण का अनुभव करने लगे हैं। इस प्रकृतिगत आकर्षण के वेग को अपनी इच्छा से रोकने में यदि शान्ति अपने को असमर्थ मालूम करे तो इसमें उसका दोष ही क्या है?"

पर इस समाधान से मेरे मन को सान्त्वना मिलने के बदले मेरी बेचैनी बढ़ गयी। प्रायः दस मिनट तक मैं यही कल्पना करता रहा कि कोई अज्ञात अन्ध-शक्ति मेरे हृदय पर अविराम रूप से अत्यन्त निर्ममतापूर्वक एक-साथ कई भालों से आघात करती जाती है। उन भालों की चोटों से क्षत-विक्षत होकर जब मैं एकदम पस्त पड़ गया, तो किसी के अज्ञात संजीवन स्पर्श से मेरा मन फिर सचेत हो उठा। मेरी सारी चिन्ताएँ पल में एक दुःस्वप्न की तरह विलीन हो गयीं। मैंने सोचा—"यह सब मेरे मन की मिथ्या और भ्रामक कल्पना है। वास्तव में शान्ति बलदेव को कभी उस रूप में नहीं चाहती, जिस रूप में मैं कल्पना कर रहा हूँ। यह सब मेरे पापी मन की संकीर्ण मनोवृत्ति का भ्रम है। इसमें सन्देह नहीं कि वर्तमान वातावरण में यह भ्रम दूर नहीं होगा। पर यह क्या जरूरी है कि हम लोग इलाहाबाद में ही डेरा जमाये रहें? मैं शान्ति से प्रस्ताव करूँगा कि हम लोग शीघ्र ही इलाहाबाद छोड़ दें, क्योंकि यहाँ बड़ा सूना-सूना-सा लगता है; और किसी दूसरी जगह, किसी बड़े शहर में—कलकत्ते या बम्बई में चले जायँ। वहाँ के जीवन-वैचित्र्य से जी भी बहलेगा और हम लोग युक्तप्रान्त के संकीर्ण वातावरण से अलग रहकर निश्चिन्तता के साथ सुखपूर्वक जीवन बितावेंगे। पर एक बात है। बड़े शहरों में रहने के लिए काफी रुपया चाहिए, और—" सहसा मेरा ध्यान एक अत्यन्त महत्त्वपूर्ण प्रश्न की ओर गया। मुझे यह सोचकर बड़ा आश्चर्य हुआ कि इतने दिनों तक मैं इस परम आवश्यक प्रश्न के प्रति कैसे उदासीन रहा। मैं जितने रुपये अपने साथ लाया था, वे प्रायः समाप्त हो चले थे, और मैं आज तक इस बात की तनिक भी चिन्ता न करके दूसरी ही उलझनों के चक्कर में पड़ा हुआ था। आज अचानक जब इस बात की ओर मेरा ध्यान गया, तो मेरे सिर पर गाज-सी गिरी। मैं तत्काल पलँग

पर से उठा और निश्चित रूप से यह बात जानने के लिए कि ठीक कितने रुपये मेरे पास शेष रह गये हैं, मैंने बक्स खोला। जिस लिफाफे के भीतर मैंने नोट रखे थे उसे उठाकर, उसके भीतर हाथ डालकर नोट निकालकर गिनने लगा। मालूम हुआ कि केवल ढाई सौ के करीब रुपये बचे हुए हैं। मेरा हृदय बेतहाशा धड़कने लगा। ऐसा अनुभव होने लगा जैसे किसी ने प्रेम-जगत् के भावलोक से उतारकर मेरे मन को वस्तु-जगत् के कठोर सत्य के निम्नस्तर पर अत्यन्त निर्ममता के साथ पटक दिया। कुछ देर तक मेरी आँखों के आगे एकदम अन्धकार छा गया और सारा मकान मुझे मेरे चारों ओर घूमता हुआ मालूम हुआ। मैंने सोचा कि प्रेम तो करने बैठा हूँ, और प्रेम से सम्बन्ध रखनेवाले सुख और दुःख के चक्रजाल में बुरी तरह से जकड़ा भी जा चुका हूँ, पर जो आर्थिक समस्या विकराल रूप धारण करके मेरे आगे खड़ी हुई है उसके हल हुए बिना मैं न प्रेम-जगत् में और न वस्तु-जगत् में, कहीं भी एक कदम नहीं चल सकता। वह समस्या हल कैसे होगी, यह मैं कुछ समझ ही न पाता था। मैं सोचने लगा कि इस बेकारी के युग में नौकरी पहले मिलती ही कहाँ है, और यदि कहीं मिल भी गयी तो मैं उसे निबाह नहीं सकता—मेरा रक्त-मांस ही नौकरी के योग्य नहीं है। तब क्या उपाय होगा? शान्ति को अपने साथ ले चलने के पहले ही मैंने यह क्यों नहीं सोची? सोचते-सोचते भूत, वर्तमान और भविष्य की सैकड़ों चिन्ताओं ने मेरे मस्तिष्क में फिर से ऐसा उत्पात मचाना शुरू कर दिया कि मालूम होता था जैसे प्रलय-युद्ध छिड़ गया हो। मेरे पाँव काठ की तरह निश्चल होकर जमीन से जकड़ गये। कुछ देर तक मैं जड़ अवस्था में बक्स के पास बैठा ही रहा। सहसा शान्ति को आते देखकर मुझे होश आया और तत्काल नोटों को फिर से लिफाफे के भीतर डालकर लिफाफे को सँभालकर मैंने बाक्स बन्द कर दिया और उठ खड़ा हुआ।

शान्ति ने कहा—"खाना सब बन चुका है, सिर्फ रोटियाँ पकानी हैं। चलो, मैं रोटियाँ सेंकती जाऊँगी और तुम गरमागरम खाते रहोगे।" यह कहती हुई बड़े गौर से मेरे मुँह की ओर देखकर शायद मेरे मन का ठीक-ठीक हाल मालूम करने की चेष्टा करने लगी। मैंने अपने मुख में सहज भाव लाने का प्रयत्न करते हुए कहा—"चलो।" पर वह एकाग्र दृष्टि से मुझे देखती रही।

रोटी सेंकते हुए उसने कहा—"तुम्हारा चेहरा अचानक ऐसा सुस्त हो गया है जैसा मैंने पहले कभी नहीं देखा। अभी-अभी क्या बात हो गयी?"

मैंने उसकी बात को हँसी में टालने की चेष्टा करते हुए कहा—"कुछ भी तो नहीं हुआ! यह तुम्हारी आँखों के भ्रम और मन के वहम के सिवा और कुछ नहीं है।"

"नहीं, नहीं, तुम्हें बताना ही होगा। आजकल तुम मुझसे अपने मन की बातें छिपाना सीख गये हो!"

उसकी इस तरह की बात से मुझे बड़ा क्रोध आया। मैंने कहा—"तुम मूर्ख हो!"

शान्ति ने थाली में खाना परोसते हुए कहा—"मैं मूर्ख ही सही पर जब तक तुम यह न बताओगे कि अचानक किस बात की चिन्ता से तुम्हारा चेहरा इतना उदास हो गया, तब तक मैं न मानूँगी।"

मैंने बिगड़कर कहा—"पागलपन की बातें न करो शान्ति, मेरा चित्त इस समय ठिकाने पर नहीं है।"

"मैं यही तो पूछती हूँ कि तुम्हारा चित्त ठिकाने पर क्यों नहीं है? बात क्या है, कुछ मैं भी तो जानूँ!" कहकर उसने थाली मेरे आगे रख दी।

उफ़! नारी-स्वभाव की यह हठकारिता! यह विशेष-विशेष अवसरों पर मनुष्य को पागल तक बना सकती है, इस बात पर मुझे पूरा विश्वास है। आज प्रातःकाल से ही मेरे मन का तार इस हद तक ऐंठा जा चुका था कि शान्ति की इस जिद से वह झनझनाता हुआ टूट ही पड़ा। मैंने झल्लाकर कहा—"देखो शान्ति, तुम अब अधिक हठ करोगी तो—" वाक्य बिना पूरा किये हुए ही मैं क्रोध से काँपता हुआ उठ खड़ा हुआ और मैंने थाली पर ऐसी ठोकर मारी कि दाल का कटोरा उलटने से सारा फर्श लथपथ हो गया और दो-चार छींटे छिटककर शान्ति की धोती पर और मुँह पर भी पड़ गये। मैं उसी दम अपनी उत्तेजना के अनौचित्य को महसूस करने लगा और मन-ही-मन पश्चात्ताप करता हुआ बाहर चला आया। प्रायः एक घण्टे तक आँखें बन्द किये पलँग पर लेटा रहा। घण्टे भर बाद जब शान्ति का हाल जानने की इच्छा से उठा तो देखा कि वह रसोई के कमरे में फ़र्श पर लेटी हुई है। आटा वैसा ही गुँधा हुआ पड़ा था। मेरे जाने के बाद उसने एक भी रोटी नहीं पकायी थी।

मैंने उसके दोनों हाथ पकड़कर उसे उठाकर बैठाना चाहा। वह बिना किसी प्रतिरोध के अपने-आप चुपचाप उठ बैठी। मैंने उसके पाँव छूते हुए कहा—"शान्ति मुझे क्षमा करो! मेरा जी अच्छा न होने के कारण मैं उत्तेजित हो उठा था। मैं जानता हूँ कि मैंने बड़ा अन्याय किया है। पर—पर तुम्हें कैसे समझाऊँ कि उस समय मेरे मन की क्या दशा हो रही थी।"

उसने मेरी ओर न देखकर बड़ी रुखाई से कहा—"नहीं, तुमने कोई अन्याय नहीं किया है, दोष मेरा ही है।"

'अच्छा, अब तुम उठकर अपने लिये रोटियाँ बनाकर खा लो! मुझे बिलकुल भूख नहीं है, मैं नहीं खाऊँगा—सच मानो, मेरी जी मतला रहा है, इस कारण मैं नहीं खाता, और किसी दूसरे कारण से नहीं।"

मेरी भी कोई चिन्ता न करो, मेरा जी भी अच्छा नहीं है, नहीं तो जरूर पकाकर खा लेती।" यह कहकर वह उठकर अपने पलँग पर चली गयी। दिनभर वह मुझसे नहीं बोली।

शाम को मैंने कार्निवल जाने का निश्चय किया। रमाशंकर की बात सुनकर अपने तात्कालिक त्राण का एकमात्र उपाय मुझे यही दिखायी दे रहा था कि कार्निवल में जाकर अपनी भाग्य-परीक्षा करूँ। मैं शान्ति को अपने साथ ले जाना नहीं चाहता था। किसी तरह समझा-बुझाकर मैंने उसे इस बात के लिए राजी किया कि वह मेरे वापस आने तक शीतलप्रसाद के यहाँ की स्त्रियों के साथ बैठी रहे। उसने भी शायद यह सोचा कि

दिनभर की खिन्नता के बाद वहाँ कुछ समय के लिए उसका जी बहल जायगा। उसे शीतलप्रसाद के यहाँ पहुँचाकर मैं चला अपना भाग्य परखने! केवल दस रुपये बक्स में छोड़कर बाकी सब रुपये मैं अपने साथ ले गया।

●●●

कार्निवल में अच्छी रौनक थी। रमाशंकर ने झूठ नहीं कहा था। मनोविनोद के अच्छे-अच्छे प्रबन्ध थे। एक स्थान पर पुरुष और स्त्रियाँ 'मेरी गो-राउण्ड' की सवारियों पर बैठकर चक्कर लगा रहे थे, एक दूसरे स्थान पर उड़नखटोलों की-सी सवारियों पर लोग सैर कर रहें थे, कहीं चीनी बाजीगरों का तमाशा चल रहा था, कहीं तख़्तों की एक गोल दीवार के बीच की सतह के चारों ओर मोटर साइकिल में चक्कर लगाने का दृश्य दिखाया जा रहा था। एक ऐंग्लो इण्डियन तख़्तों की एक ऊँची मचान पर से साइकिल में सवार होकर नीचे काफी दूर पानी की एक खाई में कूदने का तमाशा दिखा रहा था। एक स्थान पर प्रायः एक छोटा-सा कुत्ता सौ फीट की ऊँचाई पर से आग की लपटों के बीच में कूदकर दर्शकों को चकित कर रहा था। भीतर जाकर एक रुपये का टिकट खरीदकर मैंने इन सब मनोविनोदों का पूरा उपभोग किया। बहुत दिनों से एक विषादमय वातावरण के दबाव में मेरा दम घुट रहा था। आज राग-रंग की मुक्त वायु में मैं कुछ समय के लिए चैन की साँस ले सकने के कारण अपने-आपको बधाई देने लगा। इस तरह के मनोविनोदों से अपना जी खूब बहलाने के बाद मैं जुए के 'स्टालों' में गया। वास्तव में कार्निवल में आने का मेरा मुख्य उद्देश्य यही था। विनोद के दूसरे साधन तो गौण विषय थे।

जीवन में आज मैं पहली बार जुआ खेलने आया हुआ था, इसलिए जब उन स्टालों की ओर बढ़ा तो मेरा हृदय इस तरह बेबस धड़कने लगा जैसे वह मेरा हृदय ही नहीं, जैसे किसी दूसरे प्राणी के हृदय का मांसपिण्ड काटकर मेरे हृदय के नीचे पिन के सहारे लटका दिया गया हो। मेरे हृदय की उस समय की दुर्बलता के कई कारण थे। एक तो मैं पहली बार जुआ खेलने जा रहा था, दूसरे यह चिन्ता लगी हुई थी कि यदि मैं सब रुपये हार गया तो परदेश में प्रेमिका को साथ लेकर किसके द्वार पर सहायता की प्रार्थना करने जाऊँगा! तीसरा कारण यह था कि मैं यह सोचकर स्वयं अपने प्रति घृणा, क्रोध, ग्लानि का अनुभव कर रहा था कि भाग्य ने मुझे आज विवश करके इस नीच कर्म की ओर प्रवृत्त किया है। पर इन सब कारणों के होते हुए भी मैं जुआ खेलने पर तुला हुआ था। मेरा अन्तर्मन बखूबी जानता था कि मेरा आज का जुआ खेलना जीवन

पर खेलने के बराबर है, तथापि मैंने मन की आँखें एकदम बन्द करके अन्ध होकर अपने विनाश की ओर पैर बढ़ा ही दिये।

एक स्थल पर भीड़ भी बहुत अधिक नहीं थी और जो दर्शक वहाँ खड़े थे, वे भी अपेक्षाकृत सभ्य दिखायी देते थे। मैंने भी वहाँ अपने लिये स्थान बना लिया और एकाग्र मन से खेल के सारे कार्यक्रम का अध्ययन करने लगा। एक आदमी टेबिल के बाहर से सामने अंकों के छोटे-छोटे खानों से भरे हुए बोर्ड पर हाथ से तीर का निशाना लगा रहा था। नीचे टेबिल पर भी दस बड़े-बड़े खानों में अंक लिखे हुए थे। तीर फेंकनेवाला एक फेरे में पाँच बार तीर के निशाने लगाता था। जिन-जिन अंकों में तीर पड़ते थे उन-उन अंकों पर दाँव लगानेवालों को उतना ही रुपया मिलता था जितना कि वे दाँव में लगाते थे। यदि इत्तफाक से एक ही अंक पर एक फेरे में दो या तीन बार तीर पड़ जाते थे तो उस अंक पर दाँव लगानेवाले को दुगना या तिगुना रुपया मिलता था। एक यहूदी दम्पति के दाँवों पर मैं बड़ा गौर कर रहा था। पहली बार के दाँव में बीस रुपया रखते थे, उसे हार जाने पर दूसरे दाँव में चालीस, और उसे भी हार जाने पर तीसरी बार अस्सी, और उसे भी हार जाने पर एक सौ साठ—इस हिसाब से रख रहे थे। मैं चकित होकर धड़कते हुए हृदय से यह दृश्य देख रहा था। एक बार ऐसा हुआ कि उसी यहूदी ने अस्सी रुपये दाँव में लगाये। जिस नम्बर में उसने दाँव लगाया था, उस पर इत्तफाक से एक ही फेरे में तीन तीर पड़ गये। उसकी सुन्दरी नवेली स्त्री ने जीत के दो सौ चालीस रुपयों के टिकट गिनकर अपनी मुट्ठी में दबाये और तीर फेंकनेवालों की ओर एक बार बड़े मधुर कटाक्ष से देखकर शायद अपनी कृतज्ञता प्रकट की। मैं तब तक दुविधा में पड़ा हुआ हिचकिचा रहा था। पर उस यहूदी सुन्दरी की जीत का वह दृश्य देखकर मुझे ताव आ गया और पाँच रुपये के पाँच टिकट खरीद लाया। मैं एक बार में एक टिकट रखने लगा। इस हिसाब से खेलते हुए आधे घण्टे के भीतर मैं दस रुपये जीत गया। पर उसके बाद दस ही मिनट के भीतर जीत के वे दस रुपये हारकर गाँठ के पाँच रुपये भी हार गया। मेरी हिम्मत बढ़ गयी थी। इस बार मैंने बीस रुपये के टिकट खरीदकर दो-दो रुपये के हिसाब से दाँव लगाना शुरू कर दिया। पर भाग्य ने साथ न दिया और मैं चन्द मिनटों के अन्दर ही उन बीस रुपयों को भी हार गया। मैं एकदम उत्तेजित हो उठा। इस बार आव देखा न ताव, टिकट-घर में जाकर जितने भी रुपये मेरी जेब में बाकी बचे थे, सबके बदले में पाँच-पाँच के टिकट ले आया और एक-एक दाँव में दस-दस रुपये लगाने लगा। दो-एक बार मेरी जीत हुई, पर पीछे ऐसी हार शुरू हुई कि एक भी टिकट मेरे पास न बचा। मुझे चक्कर आने लगा। सिर के भीतर एकदम सन्नाटा-सा छा गया और कानों के भीतर भाँयँ-भाँयँ शब्द होने लगा। कार्निवल में जलनेवाली बिजली की बत्तियाँ मेरी आँखों के आगे भूतलोक की नाशलीला के नृत्य-उत्सव पर जलनेवाले मशालों की तरह चक्कर लगाने लगीं। मैं यह बात रूपक के रूप में नहीं, बल्कि वास्तविक अर्थ में कहना चाहता हूँ कि दो या तीन मिनट के लिए मुझे निश्चित रूप से यह भ्रम हो गया कि मैं भूत और प्रेतों के बीच में हूँ। जो

दर्शक वहाँ उस समय खड़े थे उन सबकी आकृतियाँ भी मुझे भूतों की तरह अत्यन्त विकृत, वीभत्स और भयंकर दिखायी देने लगीं। कुछ देर तक मैं उस विकराल भौतिक वातावरण में स्तब्ध होकर खड़ा रहा। जब बाहर निकला तो मेरा सारा शरीर इस तरह काँप रहा था जैसे मलेरियां बुखार आने पर जाड़ा लगने से कँपकँपी मालूम होती है। वास्तव में मुझं जाड़ा मालूम हो रहा था, यद्यपि अप्रैल का महीना लग गया था और मौसम काफी गरम था।

ताँगे के लिए कुछ पैसे मेरे पास बचे थे। ताँगे पर चढ़कर उस भौतिक रात्रि की विकरालता का अनुभव करता हुआ मैं मकान की तरफ चला। इस विषम संकट के समय भी मेरे मन में रमाशंकर का उस समय का चित्र बीच-बीच में बरबस अंकित हो जाता था जब उसने बन्दरों की-सी आकृति बनाकर मुस्कराते हुए कार्निवल की चर्चा चलायी थी। उसकी उस समय की आकृति का खयाल करके मैं घोर घृणा और व्यंग्य के साथ मन-ही-मन हँस रहा था। विपत्ति जब चरमसीमा को पहुँचने जा रही है तो इस तरह की हँसी कैसे आ रही है, यह सोचकर मैं स्वयं चकित हो रहा था। किसी एक कवि की दो पंक्तियाँ मैंने या तो कहीं पढ़ी थीं या किसी के मुँह से सुनी थीं; अचानक न जाने कैसे वे पंक्तियाँ याद आ गयीं, और मेरा मन तोते की तरह उन्हीं की रट लगाते हुए रमाशंकर के प्रति कटु परिहास के छींटे कसते हुए हँसने लगा—

किन घड़ियों में तुमको देखा, तुम्हें देखना पाप हुआ,
आग लगे, वरदान निगोड़ा मुझ पर आकर शाप हुआ!

कुछ देर बाद जब रमाशंकर की बात भूलने पर शान्ति की याद आयी तो सहसा एक प्रलयंकर हाहाकार मेरे मन में उथल-पुथल मचाने लगा। एक तरफ आर्थिक संकट का खयाल और दूसरी ओर बलदेव के प्रति उसके मन के झुकाव की बात को स्मरण करके रह-रहकर मेरे मन में यह इच्छा होती थी कि ताँगे पर से वहीं सड़क की सीमेण्ट पर अपना सिर खूब जोरों से पटकूँ। कविता की जो दो पंक्तियाँ मैं इस समय तक कटु व्यंग्य के परिहास के साथ रमाशंकर के लिए प्रयोग में ला रहा था, उन्हीं का प्रयोग अब मन-ही-मन शान्ति के लिए करने लगा। पर इस बार मेरे मन में व्यंग्य या परिहास का भाव नहीं था—इस बार मेरी अव्यक्त अनुभूति एक अज्ञात संस्कार की प्रेरणा से जैसे यह जता रही थी कि "यह उक्ति तुम्हारे लिये वज्र-लेख की तरह सत्य सिद्ध होने जा रही है", और मैं चरम भ्रान्ति से आतंकित होकर इच्छा न होने पर भी मन-ही-मन रट रहा था—"तुझे देखना पाप हुआ! तुझे देखना पाप हुआ!"

मकान के पास पहुँचकर ताँगे पर से उतरकर शीतलप्रसाद के यहाँ से शान्ति को बुला लाया। शान्ति से कुछ भी बोलने की मानसिक अवस्था मेरी नहीं थी। पर ऐसा जान पड़ा कि शान्ति दिन के झगड़े की बात भुलाकर सन्धि के लिए उत्सुक है। दिनभर वह मुझसे नहीं बोली थी। इस बार उसी ने बोलना शुरू किया। वह कहने लगी—"आज उन लोगों के यहाँ अड़ोस-पड़ोस की बहुत-सी स्त्रियाँ आयी हुई थीं। उन लोगों की जो

बातें आपस में हो रही थीं वे मुझे रहस्य से भरी हुई मालूम हुईं। ठीक तरह से कोई बात समझ में न आने पर भी मैं इतना अन्दाज लगा पायी हूँ कि रमाशंकर और विमला के बीच किसी तरह के सम्बन्ध का सन्देह किया जा रहा है। विमला की माता बराबर मेरे साथ जी खोलकर बातें किया करती थीं, पर आज वह कुछ भी नहीं बोलीं। उनका चेहरा एकदम मुरझाया हुआ था। हम लोगों के बीच कुछ ही देर बैठकर वह भीतर चली गयी थीं।"

अपने संकट की बात भूलकर इस बात से मैं अत्यन्त उत्तेजित हो उठा। मैंने कहा–"उस बन्दर को जिस दिन मैंने पहले-पहल देखा तभी से मुझे उससे घृणा हो गयी थी। पता नहीं शीतलप्रसाद ने ऐसे आवारा लड़के को जान-बूझकर क्यों अपने साथ रख लिया। मैं उसकी शक्ल देखते ही ताड़ गया था कि वह नम्बरी लुच्चा है, और जब उसकी बातें सुनीं तो मेरा विश्वास पक्का हो गया था। नमकहराम कहीं का! इच्छा होती है कि अभी जाकर उसे पकड़कर उसका गला घोंट डालूँ!"

शान्ति ने शान्त भाव से कहा–"जब घरवाले उससे कुछ नहीं कहते तो तुम क्यों उत्तेजित होते हो?"

"इस तरह की बात सुनकर कौन नहीं उत्तेजित होगा? हरामखोर, गुण्डा, बदमाश कहीं का! किसी व्यक्ति की भलमनसाहत का इस तरह अनुचित लाभ उठानेवाले का सर तोड़ दिया जाना चाहिए।"

शान्ति ने पहले की तरह शान्त और गम्भीर स्वर से कहा–"नहीं, तुम्हें कोई अधिकार नहीं है।"

सहसा जैसे किसी ने एक तेज रोशनीवाला बिजली का टार्च लगाकर मेरी भ्रान्त दृष्टि को मेरे अन्तर की ओर प्रेरित कर दिया! "तुम्हें कोई अधिकार नहीं है!"–शान्ति ने जो यह बात शान्त रूप से कही थी वह बिजली की कड़क की तरह मुझे लगी। मैं चौंक पड़ा। मैंने सोचा–शान्ति ठीक ही तो कहती है! मुझे रमाशंकर को कोसने का क्या अधिकार है! मैं स्वयं एक भद्र युवती को भगाकर लाया हूँ और उसके साथ प्रेम का सम्बन्ध स्थापित कर चुका हूँ, जो सामाजिक दृष्टिकोण से अत्यन्त अनुचित है। पर नहीं–सहसा मेरे तर्क ने दूसरा रूप पकड़ लिया। मैं सोचने लगा–"रमाशंकर के और मेरे व्यवहार में बहुत अन्तर है। उसने एक विवाहिता युवती को व्यभिचार के चक्र में फँसाया है। उन दोनों के इस अनुचित सम्बन्ध के मूल में न तो वास्तविक प्रेम है न कोई ऊँचा आदर्श। यह केवल दो प्राणियों की काम-वासना की नींव पर स्थापित हुआ है। पर मेरा प्रेम-सम्बन्ध प्रथम तो एक अविवाहिता युवती से रहा है, दूसरे वह एक उच्च आध्यात्मिक आदर्श द्वारा प्रेरित है। इस प्रकार का सम्बन्ध, जो कि सच्चे प्रेम के आधार पर प्रतिष्ठित हुआ है, कभी निन्दनीय नहीं हो सकता। तब शान्ति ने अपने कथन से जिस बात की ओर संकेत किया उसका क्या अर्थ हो सकता है? ठीक है! अब मैं समझा! उसका इंगित यह है कि 'तुम्हारा-हमारा सम्बन्ध भी किसी बड़े आदर्श पर प्रतिष्ठित नहीं है। मेरी ओर से भले ही हो, पर तुम्हारी ओर से नहीं है। यदि होता

तो मेरे साथ तुम्हारा ऐसा बर्ताव कभी न रहता जैसा इधर तुम्हारी प्रत्येक बात से और व्यवहार से प्रकट हो रहा है। आज दिन में तुमने भोजन के समय जो काण्ड किया वह तुम्हारी मनोवृत्ति का ज्वलन्त प्रमाण है।' ठीक है! शान्ति का यह संकेत बिलकुल उचित है। वास्तव में मैं अधम हूँ, और मेरी भीतरी मनोवृत्ति को वह जितना समझ पायी है उतना स्वयं मैं भी नहीं समझा हूँ। खैर, यह बात तो मेरी प्रत्येक बात से और व्यवहार से सिद्ध हो ही चुकी है कि मैं नीच हूँ, पर क्या यह बात सच है कि मेरे प्रति शान्ति का जो भाव है वह विशुद्ध प्रेम से पूर्ण है और निःस्वार्थ है? उसमें क्या घुन नहीं लगने लगा है?" यह सोचते ही मुझे तत्काल बलदेव के प्रति उसके मनोभाव की बात याद आयी और साथ ही यह भी स्मरण हो आया कि बलदेव के प्रति उसके मन में इतनी अधिक ममता उत्पन्न हो चुकी है कि अपने मन का यह भाव बलदेव को जताने के लिए ही उसने अपना परम प्रिय सोने का हार उसकी बहन को दे डाला है। उसकी बहन को बिना देखे ही वह हार अपने साथ ले गयी थी, इसीलिए--मैंने सोचा--बलदेव के प्रेम से प्रेरित होकर ही उसने उसकी बहन को अपना हार दिया, उसकी बहन के प्रति संवेदना के कारण नहीं। यह बात सोच-सोच कर मेरा मस्तिष्क गरम हो उठा और मन ऐसा उत्तेजित हो गया कि इच्छा होती थी, कोई उत्कट काण्ड कर बैठूँ। फिर भी मैंने यथाशक्ति अपने मन को स्थिर रखने की चेष्टा की और शान्ति की बात के प्रत्युत्तर में कुछ न कहकर चुपचाप अपने पलँग पर लेट गया।

कुछ देर बाद शान्ति ने कुछ काँपती हुई-सी आवाज में धीरे से कहा--"इस समय खाना क्या बनेगा?" मैंने उसकी ओर न देखकर लेटे-लेटे ही कहा--"मैं इस समय कुछ नहीं खाऊँगा, बाहर खा आया हूँ। तुम अपने लिये बना लो।"

शान्ति कुछ न कहकर चुपचाप अपने पलँग पर लेट गयी।

मुझे बहुत देर तक नींद न आयी। अन्त में जब बड़ी मुश्किल से आँख लगी तो मैंने स्वप्न देखा कि कार्निवल में मैं जीतता चला जाता हूँ--इस हद तक कि मेरी जीत का रुपया जुटाते-जुटाते कार्निवलवाले परेशान हो गये हैं और उनके स्टाक में अधिक रुपया न रहने से उन्हें खेल बन्द कर देना पड़ा है। जीत के रुपयों से अपनी जेबें ठसाठस भरकर मैं मकान पर पहुँचा हूँ। यहाँ पर मेरे अनजान में स्वप्न का दृश्य इलाहाबाद से एकदम बनारस में उस मकान पर आ जाता है जहाँ मैं शान्ति से पहले-पहल मिला था। वहाँ देखता क्या हूँ कि शान्ति और बलदेव आपस में बातें करते हुए ठहाका मारकर हँस रहे हैं और मुझे देखकर और जोर से हँसने लगते हैं। मेरे मन में एक टीस-सी उठती है, पर मैं अपनी असहाय अवस्था का अनुभव करके उदारता दिखाकर अपना बड़प्पन प्रकट करना चाहता हूँ। मैं अपनी जेब से जीत के सब रुपये निकालकर बलदेव के सामने रख देता हूँ और कहता हूँ--"मैं पहले से ही जानता था कि तुम दोनों एक-दूसरे को चाहते हो। आज तक तुम लोग मुझसे इस बात को छिपाते आये थे, पर आज मेरे सामने ही तुम दोनों निर्द्वन्द्व हो गये हो। यह अच्छा ही हुआ

कि मेरे मन से सन्देह का काँटा दूर हो गया। अब तुम इन सब रुपयों को अपने पास रखो और शान्ति को लेकर जहाँ इच्छा हो चले जाओ।" बलदेव प्रसन्न होकर सब रुपयों को उठा लेता है और गिनकर अपनी जेब में रखता हुआ कहता है—"वाह! यह तो ठीक वैसा ही हुआ जैसा कि हम चाहते थे! शान्ति, अब चलो!" शान्ति बड़ी प्रसन्नता से कहती है—"ठहरो, मैं अपने नये कपड़े और सोने का हार निकालकर पहन लेती हूँ।" इतने में अकस्मात् स्वप्न टूट गया। मेरी छाती बड़े जोरों से धड़क रही थी और सारा शरीर ठण्डे पसीने से तर था। मैं इस तरह हाँफ रहा था कि मालूम होता था जैसे मुझे किसी ने एक बड़े ऊँचे पहाड़ से नीचे समुद्र में फेंक दिया हो और मैं बड़े कष्ट से तैरकर किनारे पर पहुँच पाया हूँ। ऐसा भयंकर दुःस्वप्न अपने जीवन में मैंने शायद ही कभी देखा हो। चारों ओर सन्नाटा छाया हुआ था। उस दिन या तो कृष्ण पक्ष की चतुर्दशी थी या अमावस्या। बाहर, भीतर, चारों ओर भयंकर अन्धकार छाया हुआ था। मुझे ऐसा जान पड़ने लगा कि बाहर के इस दुर्भेद्य अन्धकार की तरह ही मेरे भीतर, मेरे जीवन में भी अमावस्या के प्रगाढ़ अन्धकार की कालिमा छा गयी है और विकराल शून्यता ने मुझे चारों ओर से धर दबाया है।

•••

सुबह उठते ही मुझे यह चिन्ता हुई कि रुपयों का क्या प्रबन्ध किया जाय। एक बार इच्छा हुई कि शीतलप्रसाद के पास जाकर कुछ रुपये कर्ज माँग लें—उसका सभ्य और शिष्ट स्वभाव देखते हुए मुझे इस बात पर विश्वास था कि मेरे माँगने पर वह कभी कर्ज देने से अस्वीकार नहीं करेगा। पर आज तक कभी किसी से रुपया उधार माँगने की नौबत ही नहीं आयी थी, इसलिए यह काम मुझे फाँसी पर चढ़ने से भी अधिक कष्टकर जान पड़ता था। तिस पर शान्ति ने जो खबर कल मुझे सुनायी थी उसके बाद शीतलप्रसाद के यहाँ जाने का साहस मुझे कैसे हो सकता था! एक बार सोचा कि बनारस के किसी मित्र को तार भेजकर रुपये मँगाऊँ। कौन मित्र ऐसा हो सकता है, जो बिना किसी झंझट के रुपये भेज देगा—इस बात की चिन्ता में बहुत देर तक माथापच्ची की, पर सब व्यर्थ। कोई भी व्यक्ति ऐसा नहीं दिखायी दिया। और भी बहुत-से ऊटपटाँग उपाय सोचे। अन्त में वही एकमात्र उपाय मुझे दिखायी दिया जिसे मैं जान-बूझकर भुला रहा था—यद्यपि मेरा अन्तर्मन बखूबी जानता था कि उसके सिवा और कोई चारा मेरे लिये नहीं है। वह उपाय था बड़े भैया को तार देकर रुपये मँगाना। उनकी आज्ञा का उल्लंघन करके मैं यूनिवर्सिटी में पढ़ना छोड़ चुका था। पत्र में जैसी

कड़ी-कड़ी बातें मैंने उनको लिखी थीं वे सब मुझे एक-एक करके याद आ रही थीं। यह सब होते हुए भी उन्हें रुपयों के लिए तार देने से अधिक हीनता मेरे लिये और क्या हो सकती थी! इसलिए मैं इस इच्छा को भीतर-ही-भीतर दबा रहा था। पर कब तक दबती? क्योंकि दूसरा कोई उपाय ही नहीं था और मेरी स्थिति मरता क्या-न-करता की-सी हो रही थी। अन्त में ग्लानि के भाव की कड़वी घूँट को आँख मूँदकर मन-ही-मन पीते हुए मैंने भैया को तार दे ही दिया। लिख दिया कि मैं बड़े संकट में हूँ, इसलिए तार द्वारा पाँच सौ रुपया भेज दें।

दिनभर इस बात का इन्तजार करता रहा कि तारवाला रुपये लेकर आता ही होगा। घण्टों बीत गये, रात हो गयी, पर तारवाला नहीं आया। मेरी चिन्ता अत्यन्त भीषण रूप से बढ़ती चली जाती थी। ऐसा जान पड़ता था जैसे सारे आसपास के तारे मेरे सिर पर टटूने ही वाले हैं। रातभर मेरे भीतर भय, चिन्ता, क्रोध और ग्लानि का प्रलयंकर ताण्डव मचता रहा और नींद नहीं आयी। दस रुपये का जो नोट मैं कार्निवल में जाने के पहले अपने बक्स में छोड़ गया था, उसमें से एक रुपया तार में खर्च हो चुका था। बाकी नौ रुपयों को लेकर मुझे अपनी प्रेमिका के साथ अनिश्चित समय तक जीवन-यात्रा निभानी थी! कहीं शून्य क्षितिज के किसी कोने से भी आशा की कोई झलक नहीं दिखायी दे रही थी और अपने त्राण का कोई उपाय नहीं सूझ रहा था।

रातभर छटपटाने के बाद जब सुबह हुई तो मैं फिर ऊटपटाँग उपायों को सोचने लगा। एक बार सोचा कि शीतलप्रसाद के पास जाकर प्रार्थना करने में हर्ज ही क्या है! वह अस्वीकार कभी नहीं करेगा। जब रमाशंकर जैसे नमकहराम गुण्डे की सहायता वह कर सकता है तो मुझे संकट में जानकर क्यों मुझे रुपये कर्ज देने से अस्वीकार करेगा? अधिक नहीं, इस समय यदि सौ-पचास भी दे तो फिर एक बार कार्निवल में जाकर अपना भाग आजमाऊँ। पाँच-छह सौ रुपये भी यदि जीत गया तो फिलहाल काम चल जायगा। यह सोचकर साहस बाँधकर मैं शीतलप्रसाद के यहाँ जाने के इरादे से दरवाजे के बाहर चला आया। पर वहाँ से आगे कदम नहीं बढ़ते थे। मैंने सोचा कि रमाशंकर की काली करतूतवाली अफवाह यदि सच है तो उस दशा में शीतलप्रसाद के पास जाकर रुपये कर्ज माँगना उसके हृदय के घाव पर नमक छिड़कने के बराबर होगा। रमाशंकर की बात का भण्डाफोड़ भी ऐसे समय हुआ जब मुझे शीतलप्रसाद से सहायता की जरूरत पड़ी—इसे भाग्य का निश्चित षड्यन्त्र समझकर मुझे अपना सिर पीटने की इच्छा होती थी। फिर सोचा—"यह मेरा केवल भ्रम है कि शीतलप्रसाद इस अफवाह से इस हद तक खिन्न होगा कि मेरे जाने पर असन्तुष्ट हो जायगा और कर्ज देने से मुँह मोड़ेगा। इसलिए हिम्मत करके उसके पास सीधे चले चलना चाहिए।" पर मेरे पाँव ठिठककर जमीन से ऐसे जकड़ गये थे कि वहाँ से हटना नहीं चाहते थे। बहुत देर तक अन्यमनस्क होकर अनिश्चित अवस्था में अपने दरवाजे पर खड़ा ही रहा। निराश होकर भीतर लौट चलने का विचार कर ही रहा था कि अकस्मात् शीतलप्रसाद का नौकर भैरो उस रास्ते से होकर जाता हुआ दिखायी दिया। मुझे देखकर वह मुस्कराते हुए हाथ

जोड़ने लगा। मैंने इशारे से उसे अपने निकट बुलाकर धीमे स्वर में पूछा—"छोटे बाबू क्या कर रहे हैं?" उसने कहा—"अभी पलँग पर से उठे नहीं।" "मालूम होता है, वह सुबह को हमेशा देर से उठा करते हैं?" उसने कुछ रहस्यभरी दृष्टि से मेरी ओर देखते हुए कहा—"नहीं बाबू जी, आज ही उन्हें इतनी देर हुई है। इधर दो-तीन दिन से उनकी तबीयत कुछ अच्छी नहीं मालूम होती। कल रातभर उन्हें शायद नींद नहीं आयी।" मैंने कुछ उत्कण्ठा का भाव दिखाते हुए पूछा—"क्यों, बात क्या हो गयी?"

उसने बहुत धीरे से कहा—"आपने क्या कुछ सुना नहीं?"

"नहीं तो!"

"रमाशंकर बाबू कल भागकर चले गये हैं। उनकी हरकतें अच्छी नहीं थीं—बड़ी लल्ली जब से ससुराल से आयी, तभी से। मुझे तो पहले से ही शक था। पर चार रोज पहले गंगादीन महाराज ने जब अपनी आँखों से सब-कुछ देख लिया तो घर के सभी लोगों को असली बात मालूम हो गयी। कल महाराज ने अपने चमरौधे से उनकी खूब मरम्मत की और बुरा-भला कहा। शाम को वह बोरिया-बँधना उठाकर चुपचाप भाग निकले।"

"अकेले।"

उसने विचित्र रूप से मुस्कराते हुए कहा—"जी हाँ।" अपने प्रश्न की मूर्खता पर मुझे बड़ी लज्जा मालूम हुई।

भैरो जब चला गया तो मैं भी खिन्न मन से भीतर लौट चला। रमाशंकर का किस्सा सुनकर मुझे ऐसा लगा कि मेरे मर्म के घाव को फिर एक बार किसी ने अत्यन्त निर्दयता के साथ उँगली से कुरेद दिया। मैं सोचने लगा—"नारी जाति की प्रकृति ही ऐसी चपल और चंचल होती है कि किसी एक पुरुष से अन्त तक प्रेम निबाहना वे नहीं जानतीं। नहीं तो विमला अपने पति की अवज्ञा करके उस बन्दर से प्रेम का नाता क्यों जोड़ती? और शान्ति मुझसे इतने जल्दी ऊबकर क्यों दूसरे के प्रति आकर्षित होती?" उसने अपना जो हार रामेश्वरी को दिया था, रह-रहकर मुझे उसकी याद आती थी। मैंने सोचा—'मेरी इस संकट की स्थिति में यदि वह हार उसने मुझे प्रदान कर दिया होता तो उसका कितना बड़ा उपयोग न होता! मैं उसे बेचकर इस समय अपना काम चलाता और पीछे उसके लिए उससे भी दामी हार खरीद देता।" सोच-सोचकर मैं जी मसोस-मसोसकर रह जाता था।

मेरे भीतर पहुँचते ही शान्ति ने धीरे से मेरे पास आकर डरते-डरते कहा—"तुम्हारा जी क्या अच्छा नहीं है? मुँह एकदम सुस्त हो गया है! बात क्या है?"

मैंने उदासीनता का भाव जताते हुए बड़ी रुखाई से उत्तर दिया—"मेरी तबीयत ठीक ही है, कोई खास बात नहीं है।"

कुछ देर तक चुप रहकर शान्ति ने फिर पूछा—"खिचड़ी खाओगे? या रोटी बनाऊँ?"

मैंने उसी रुखाई से कहा—"जो कुछ भी पकाओगी, थोड़ा-सा खा लूँगा—भूख नहीं है।" असल में मेरी कुछ भी खाने की इच्छा नहीं थी, पर एकदम खाना बन्द कर देने से बात बहुत बढ़ जायगी और शान्ति को कैफियत देने की नौबत आयेगी, यह सोचकर मैंने नाममात्र को कुछ खा लेना ही ठीक समझा।

उस दिन भी दिनभर तार के मनीआर्डर की प्रतीक्षा में रहा, पर निराश होना पड़ा। दिनभर और रातभर असंख्य दुश्चिन्ताएँ खटमलों और मच्छरों की तरह मुझे बहुत तंग करती रहीं। शान्ति से मैं कुछ नहीं बोलता था। उसके किसी भी प्रश्न के उत्तर में केवल 'हाँ', या 'ना' कहकर चुप लगा जाता था।

•••

तीसरे दिन प्रातःकाल अखबार पढ़ने के बहाने मैं बहुत देर तक बरामदे पर ही बैठा रहा। चाय भी मैंने बरामदे में अकेले ही पी। शान्ति कई बार बरामदे तक आयी। मैंने न उससे वहाँ पर बैठने को कहा, न भीतर ही गया। वह आती थी और चुपचाप चली जाती थी। जब मुझे बाहर बैठे-बैठे काफी देर हो गयी तो शान्ति ने गला साफ करके कहा—"सुनते हो!"

मैंने घूमकर उसकी ओर बड़ी रुखाई से देखकर पूछा—"क्यों, क्या है?"

उसने कहा—"तुमसे एक जरूरी बात करनी है।" उसके मुख पर इस समय एक प्रगाढ़ गाम्भीर्य की स्थिरता वर्तमान थी! मैं कुछ घबराया। अखबार वहीं छोड़कर उठकर भीतर गया और बोला—"कहो, क्या कहना चाहती हो?"

उसने कहा—"मैं पूछना चाहती हूँ कि तीन दिन से मुझसे इस तरह कतरा रहे हो और खिंचे हुए हो, इसका कारण क्या है?"

उसकी आँखों में एक विशेष निश्चय का भाव देखकर उससे आँख मिलाने का साहस मुझे नहीं हुआ और सामने दीवार की ओर देखते हुए मैंने कहा—"मैं न तुमसे कतरा रहा हूँ, न खिंचा हुआ हूँ; तुम्हें भ्रम हुआ है।"

"तुम्हारा रुख इतना स्पष्ट है कि भ्रम की कोई गुंजाइश ही वहाँ नहीं है। पर मैं पूछना चाहती हूँ कि आखिर तुम्हारा रुख अचानक इस तरह बदल जाने का कारण क्या है?"

मैंने फर्श पर पड़े हुए कोयले के एक टुकड़े को चप्पल से चूर-चूर करते हुए कहा—"न कोई कारण है, न कार्य। यह सब तुम्हारे मस्तिष्क की कोरी कल्पना के सिवा और कुछ नहीं है।"

"सच कहते हो? अपनी अन्तरात्मा से तुम यह बात कह रहे हो? देखो, इस तरह की बातों से कोई लाभ नहीं है। मैं हाथ जोड़कर तुमसे प्रार्थना करती हूँ कि अपने मन की बात साफ-साफ मुझसे कह दो।" इस बार शान्ति के स्वर में तीखापन भरा हुआ था। इस तीखेपन से मैं कुछ उत्तेजित हो उठा। मैंने कहा—"देखो शान्ति, बेकार की बातों के झगड़े में न पड़ो, मैं जो बात एक बार कह चुका हूँ, उस पर विश्वास करना चाहो तो करो, न करना चाहो तो न करो। बस, इससे अधिक मैं और कुछ नहीं कहना चाहता।" यह कहकर मैं जाने लगा।

शान्ति मुझे रोकने के इरादे से मेरे सामने एकदम पास ही आकर खड़ी हो गयी और कहने लगी—"जब तक तुम मुझे अपने मन की ठीक-ठीक बात नहीं बताओगे, तब तक मैं इस मकान में खाना तो अलग रहा, पानी तक नहीं पीऊँगी। मैं जानती हूँ कि तुम मुझसे ऊब गये हो और किसी तरह मुझसे अपना पिण्ड छुड़ाना चाहते हो। नहीं तो ऐसा बर्ताव कोई अपनी बाँदी के साथ भी नहीं कर सकता जैसा तुम तीन दिन से मेरे साथ कर रहे हो!"

मेरे मन का फोड़ा बहुत दिनों से पका हुआ था। शान्ति की इस तीखी और कड़वी बात से उस पर ऐसा नश्तर लगा कि, उसके भीतर जो गन्दगी इतने दिनों तक जमा थी वह फूटकर एकदम बाहर निकल पड़ी। मैंने हिस्टीरियाग्रस्त व्यक्ति की तरह झल्लाकर कहा—"ऊब गया हूँ मैं या तुम? उल्टा चोर कोतवाल को डाँटे! इस तरह की बातें करते तुम्हें शर्म नहीं मालूम होती? तुम क्या मुझे अन्धा समझ रही हो? इतने दिनों तक तुम्हारे साथ रहकर मैं तुम्हारी नस-नस पहचान गया हूँ। इस तरह की बातों से तुम मुझे भुलावे में नहीं रख सकतीं। बलदेव के प्रति तुम्हारे मन का जो भाव है, तुम क्या यह समझती हो कि वह मुझसे छिपा है?"

शान्ति का चेहरा एकदम फक हो गया था। निश्चल और निष्प्राण पत्थर की मूर्ति की तरह वह स्थिर दृष्टि से मुझे देखती रह गयी। प्रायः फुसफुसाते हुए उसने कहा—"बलदेव के प्रति मेरे मन का भाव! कैसा भाव?"

वह विस्मय-भरी व्याकुलता ऐसी मार्मिक थी कि मेरी उत्तेजना चरम सीमा को पहुँच चुकने पर भी मुझे शान्ति के लिए दुःख होने लगा। तथापि मैं चाहता था कि अपने मन के फोड़े को पूरी शक्ति से दबाकर उसके भीतर की गन्दगी को एकदम जड़ से साफ कर दूँ, भले ही इस क्रिया में मुझे कठिन-से-कठिन पीड़ा सहन करनी पड़े।

मैंने कहा—"कैसा भाव? यह भी क्या तुम्हें बताना होगा? अपने हृदय से पूछो! तुम मुझसे ऊबकर बलदेव को चाहने लगी हो। यह बात न होती तो तुम सारी परिस्थिति को समझते हुए भी कभी बलदेव के यहाँ जाने को तैयार न होतीं। और—और वहाँ जाकर तुम बलदेव की बहन को जो अपने गले का हार दे आयी वह क्यों? क्या मैं इतनी-सी बात भी नहीं समझता? वह उपहार तुमने रामेश्वरी के प्रति सहृदय होकर नहीं दिया—मैं बखूबी जानता हूँ कि रामेश्वरी के स्वभाव की सनक तुम्हें कतई पसन्द नहीं है, और तुम अपने अनजान में उससे घृणा करती हो। तुमने वह प्रेम की भेंट परोक्ष रूप से बलदेव को ही दी है।"

शान्ति के चेहरे पर एकदम मुर्दनी छा गयी थी। ऐसा जान पड़ता था जैसे किसी मृत व्यक्ति के निष्प्राण शरीर की फोटो लेने के लिए पकड़कर खड़ा कर दिया गया है। मैं उत्तेजना से अन्धा होने पर भी उसका यह हाल देखकर घबरा गया। मैंने तब तक किसी को मूर्च्छित होते नहीं देखा था, पर शान्ति के चेहरे का वह हाल देखकर मुझे न जाने क्यों, ऐसा लगा कि उसे मूर्च्छा आने ही को है। मैंने तत्काल उसे पीछे से दोनों हाथों से पकड़ लिया, ताकि वह गिरने न पावे। मैंने समय पर जो उसे पकड़ लिया शायद इसी कारण से उसकी मूर्च्छा का संकट टल गया। केवल एक मिनट तक वह मेरे सहारे खड़ी रही। इसके बाद उसने अकस्मात् अस्वाभाविक बल से अपने को छुड़ाते हुए कहा–"छोड़ो, छोड़ो, मैं एक घृणित और पतित नारी हूँ, मुझे न छुओ! अब मैं समझी कि तुम मुझे अपने साथ भगा ले चलने के लिए क्यों राजी हुए। तुम पहले से ही जानते थे कि मैं पतित हूँ, इसलिए बिना किसी आत्मग्लानि के तुम मुझे अपने साथ यहाँ ले आये–क्योंकि एक पतिता नारी का धर्म ही क्या है, जो उसे भ्रष्ट करने के भय से किसी की आत्मा झिझकने लगे! अगर तुम पहले से ही मुझे एक व्यभिचारिणी स्त्री न समझते होते तो तुम्हारे मुँह से कभी वैसी बात न निकलती जैसी तुमने अभी निकाली है। मैंने रामेश्वरी को नहीं बल्कि उसके भाई को प्रेम की भेंट दी है!–ठीक है! ठीक है! तुमने ठीक समझा है। निष्ठुर! निर्दयी! नि–" वह पछाड़ खाकर फर्श पर गिर पड़ी और फफक-फफककर रोने लगी।

इतने में बाहर किसी ने बड़े जोर से दरवाजा खटखटाया। मैंने शान्ति की पीठ पर हाथ रखते हुए कहा–"शान्ति, उठ बैठो! बाहर कोई आदमी आया हुआ है। मुझे क्षमा कर दो, मैं किसी कारण से उत्तेजित हो उठा था।" पर वह बिलख-बिलखकर रोती रही और उठने का कोई लक्षण नहीं दिखाया। बाहर दरवाजा इस तरह खटखटाया जा रहा था कि जैसे कोई बड़े आवश्यक काम से बड़ी हड़बड़ी में आया हो और यह बताना चाहता हो कि मकान में आग लग गयी है या मुहल्ले में हत्याकाण्ड मच गया है। जो कोई भी हो, भीतर आकर शान्ति को इस हालत में पड़े देखकर क्या सोचेगा, इस खयाल से मैंने शान्ति से फिर एक बार उठ बैठने की प्रार्थना की। पर वह केवल रह-रहकर व्याकुल विह्ललता से रोती चली जाती थी और जिस अवस्था में पड़ी थी उससे टस-से-मस नहीं होती थी। ऐसा मालूम होता था जैसे मेरी एक भी बात उसके कानों तक पहुँच ही नहीं पाती, जैसे किसी अज्ञात लोक के अकूल समुद्र में बहते हुए वह उत्ताल तरंगों के क्षुब्ध रोष-भरे गर्जन के सिवा और कोई शब्द सुन ही नहीं पाती। यह केवल मेरा अनुमान है, सन्देह नहीं। पर मुझे अच्छी तरह याद है कि शान्ति के उस समय के मनोभाव के सम्बन्ध में मेरा यह अनुमान मुझे उस समय भी प्रत्यक्ष सत्य की तरह लगा था। उसके उस विदीर्ण क्रन्दन के मर्मोच्छ्वास की स्मृति अभी तक मेरे मस्तिष्क में एकदम ताजी बनी हुई है।

दरवाजे पर खटखटाने के बदले अब धक्के पड़ने लगे थे। मैंने बलपूर्वक शान्ति को उठाकर बैठाया और उससे फिर एक बार शान्त हो जाने की प्रार्थना करके मैं दरवाजा

खोलने चला गया। दरवाजा खोलते ही मैं इस तरह ठिठककर हक्का-बक्का खड़ा रह गया जैसे मेरे सामने कोई भूत अकस्मात् आ खड़ा हुआ हो! शीतलप्रसाद के नौकर के साथ भैया आये हुए थे। उनके साथ उनका एक अपना आदमी भी था जो वर्दी और चपरास पहने था। स्पष्ट ही मेरा तार पाते ही वह चल पड़े थे। उनके मुख पर स्वाभाविक प्रसन्नता की झलक वर्तमान थी, जो उस समय मुझे अत्यन्त अप्रिय लग रही थी। मैंने अपने को सँभाला और उन्हें प्रणाम किया। उन्होंने सहज भाव से मुस्कराते हुए कहा—''घण्टों भटकने के बाद बड़ी मुश्किल से तुम्हारे मकान का पता लगा पाया हूँ। तुम्हें तार देने का मौका ही नहीं मिला, नहीं तो इतनी परेशानी न उठानी पड़ती।''

मैंने मन-ही-मन कहा—''मैं खूब अच्छी तरह जानता हूँ कि आपने तार क्यों नहीं दिया। चोर को पकड़ने के लिए उसे पहले से ही सूचना नहीं दी जाती!''

भैया को इस तरह अकस्मात् स्वयं मेरे पास आ पहुँचने का कारण मेरे मन से छिपा न रहा। मैं तत्काल समझ गया कि उन्हें किसी जरिये से अवश्य ही इस बात का पता लग गया है कि मैं बनारस से किसी स्त्री के साथ भाग निकला हूँ। यह भी मैं समझ गया कि उमापति ने भैया को इस बात की सूचना दी होगी—उस दुष्ट के सिवा दूसरा कोई व्यक्ति मुझ पर ऐसी कृपा नहीं कर सकता था।

मैं भयंकर असमंजस में पड़कर यह सोच रहा था कि भैया को भीतर कैसे ले जाऊँ। पर भैया ने बेतकल्लुफ होकर कहा—''चलो, बहुत थका हूँ, दरवाजे पर खड़े रहने का धैर्य अब मुझमें नहीं है।'' यह कहकर उन्होंने अपने वर्दी पहने हुए आदमी को आज्ञा दी—''रामलखन, सामान उठाकर भीतर ले चलो।'' और स्वयं सीढ़ियों से होकर ऊपर जाने लगे। मैं ऐसा हौलदिल हो गया था कि न कुछ कहते बनता था न करते। कठपुतली की तरह उनके पीछे-पीछे हो लिया।

शान्ति अभी तक बाहर के कमरे में ही फर्श पर अपने दोनों घुटनों के बीच में मुँह छिपाये बैठी थी। उसने शायद सोचा था कि या तो बलदेव आया होगा या रमाशंकर। पर जब उसने कमरे में भैया के विलायती जूतों का चरमराना सुना तो सिर उठाकर एक बार उनकी ओर देखा और एक अपरिचित व्यक्ति को देखकर वह तत्काल उठ खड़ी हुई। भैया ने भी एक बार तीखी नजर से उसकी ओर देखा और फिर तत्काल घृणा से आँखें फिरा लीं। उनकी वह घृणा-भरी दृष्टि देखकर मेरा जी जल उठा और मेरा जो साहस इस समय तक दबा पड़ा था, वह इस उत्तेजना के कारण फिर एक बार परिपूर्ण वेग से जागरित हो उठा। मैंने दृढ़ कण्ठ से कहा—''शान्ति, भैया आये हैं, उन्हें प्रणाम करो।'' शान्ति ने एक बार चकित दृष्टि से उनकी ओर देखा। उसकी आँखों में रोने के चिह्न अभी तक स्पष्ट दिखायी दे रहे थे। कुछ सकुचाकर उसने भैया को प्रणाम किया। भैया ने ऐसा भाव जताया जैसे वह कुछ देख ही न रहे हों, कुछ सुन ही न रहे हों। मेरी ओर मुँह करके उन्होंने कहा—''रात गाड़ी में अच्छी तरह नींद नहीं आयी। रामलखन को कमरा बता दो, वह बिस्तर बिछाकर ठीक कर देगा। मैं कुछ देर के लिए सो जाना चाहता हूँ।'' मैंने पूछा—''चाय नहीं पीजियेगा?'' वह बोले—''मैं गाड़ी में ही

नाश्ता भी कर चुका हूँ और चाय भी पी चुका हूँ। इस समय चाय की कोई जरूरत नहीं है, पीछे देखी जायगी।''

मैंने अपनी खटिया बाहर के कमरे में रखवा दी। शान्ति भीतर चली गयी। रामलखन ने भैया का बिस्तर बिछा दिया। भैया कपड़े उतारते हुए कहने लगे—''यहाँ काफी गर्मी पड़ने लगी है, पता नहीं तुम बिना पंखे के कैसे ऐसी गर्मी में रह जाते हो।''

भैया पलँग पर लेटकर एक अँगरेजी उपन्यास, जिसे वह अपने साथ लाये थे, खोलकर पढ़ने लगे, और पढ़ते-पढ़ते कुछ ही समय बाद सचमुच सो गये और खुर्राटे लेने लगे। रामलखन को कुछ पैसे देकर मैंने बाजार से सेर भर पूड़ियाँ मँगायीं। शान्ति ने कुछ नहीं खाया। मुझे भी भूख नहीं थी। रामलखन सब चट कर गया। खा-पी लेने के बाद रामलखन बाहर एक कोने में नीचे फ़र्श पर ही सो गया। शान्ति भी अपने पलँग पर लेट गयी। भैया बड़े इतमीनान से खुर्राटे ले रहे थे।

मेरे पास जो पाँच-सात रुपये बचे थे उनसे दो-तीन दिन के खाने-पीने का सामान लाने का विचार करके मैं चुपचाप बाहर चला गया।

•••

जी ऐसा उचट गया था कि चौक जाने का इरादा करके चला गया अल्फ्रेड पार्क। वहाँ एक नीम के पेड़ की छाया के नीचे लेट गया। कितनी ही ऊटपटाँग चिन्ताएँ मस्तिष्क को जकड़ रही थीं। बहुत देर तक बे-सिर-पैर की बातें सोचता रहा और उसके बाद आँखें झपने लगीं और मैं वहीं सो गया। जब आँखें खुलीं तो सूर्य पश्चिम की ओर काफी ढल चुका था। हड़बड़ाता हुआ उठा और मकान की ओर कदम बढ़ाये।

नीचे का दरवाजा उसी तरह खुला पड़ा था जिस हालत में मैं उसे छोड़ गया था। दो सीढ़ियाँ ऊपर चढ़ते ही मैं अकस्मात् ठिठककर खड़ा रह गया। भैया किसी से कुछ कह रहे थे। कहने के ढंग से मुझे जान पड़ा कि वह शान्ति से कुछ कह रहे हैं। अदम्य कौतूहल के भाव से प्रेरित होकर मैं अपनी समस्त इन्द्रियों की शक्ति अपने दाहिने कान की ओर केन्द्रित करके सुनने लगा। भैया कह रहे थे—''तुम नारी हो। तुम्हें आत्मत्याग का महत्त्व समझाने की आवश्यकता नहीं है। हमारे देश की नारियाँ दूसरों की भलाई के लिए अपने बड़े-से-बड़े स्वार्थ को किस वीरता से तिलांजलि दे सकती हैं, इसके असंख्य प्रमाण इतिहास और पुराण में पाये जाते हैं। तुम भी उन वीरांगनाओं की सन्तान हो। इसलिए मैं तुमसे यह प्रार्थना करता हूँ कि अगर तुम सचमुच नन्दकिशोर को चाहती हो और तुम्हारा यह चाहना किसी सांसारिक स्वार्थ से सम्बन्धित न होकर आत्मा

से सम्बन्ध रखता है तो तुम उसके सांसारिक और सामाजिक हित का ध्यान रखकर उसका साथ छोड़कर कहीं चली जाओ।" मुझे चक्कर-सा आने लगा और शरीर का यह हाल था कि काटने पर शायद रक्त की एक बूँद न मिलती। पाँव लकड़ी की तरह सख्त होकर जमीन से जकड़ गये। शान्ति को भैया की बात का कोई उत्तर देते मैंने न सुना। भैया कहते चले गये—"देखो, देखो, जरा उसके भविष्य पर विचार तो करो! तुम उसके साथ लगी रहोगी तो उसकी क्या दशा हो जायगी! मैं उसके बचपन से ही उसकी आदतों को जानता हूँ। वह बड़ा निकम्मा और आलसी आदमी है। तुम्हारे साथ लगे रहने से वह न तो अपना पेट पाल सकेगा, न तुम्हारा। तुम्हारी खातिर पढ़ना-लिखना छोड़कर भागकर यहाँ चला आया है। यहाँ आये इतने महीने हो गये, पर अपनी रोजी का कोई ठिकाना वह नहीं लगा पाया। जितने रुपये उसके पास थे, सब खर्च हो गये। इसलिए उसने मुझे रुपया भेजने के लिए तार दिया था। रुपये की कोई बात नहीं है—मैं उसे हजार-दो हजार रुपये अभी दे सकता हूँ। और उतने ही रुपये बाद में भी दे सकता हूँ। पर इस तरह कब तक चलेगा! इसके अलावा, जो बात सबके अधिक महत्त्व की है वह यह है कि तुम्हारे साथ रहने से वह समाज से अलग कर दिया जायगा और उसके साथ ही कुटुम्ब के सभी लोगों का बहिष्कार हो जायगा। तुमको मालूम होना चाहिए कि हम लोग कनौजिये हैं और हमारे यहाँ सामाजिक विधान बड़ा कड़ा है। कुछ ही समय बाद मेरी लड़कियाँ विवाह के योग्य हो जायँगी। समाज अगर हम लोगों का बायकाट कर देगा तो उनका क्या हाल होगा, इस बात की कल्पना तुम स्वयं कर सकती हो। इन सब बातों को ध्यान में रखकर ही मैंने तुमसे नन्दकिशोर को छोड़कर चले जाने का प्रस्ताव किया है, नहीं तो कभी ऐसी बात न कहता। मैं हृदयहीन नहीं हूँ, प्रेम के महत्त्व को भली-भाँति समझता हूँ। मैं सुधारवादी भी हूँ और मेरी हार्दिक इच्छा थी कि तुम दोनों का विवाह हो जाता। पर सामाजिक परिस्थितियों से लाचार हूँ। कुछ भी हो, मुझे पूरा विश्वास है कि तुम्हारा सच्चा प्रेम तुम्हें उस व्यक्ति की भलाई के लिए आत्मत्याग करने से कभी न रोकेगा जिसे तुम चाहती हो। तुम्हें जितने रुपये की जरूरत हो मैं देने के लिए तैयार हूँ। यह लो—"

मैं उसी दम भीतर जा पहुँचा। देखा कि भैया भीतर के कमरे के दरवाजे के पास खड़े बटुवे में से रुपया निकाल रहे हैं। घृणा, क्रोध और दुःख के भाव मेरे भीतर तूफान मचा रहे थे और बहुत सम्भव है, मेरे मुख का भाव भी कुछ विचित्र रूप से भयानक हो गया था। भैया मुझे देखते ही ठिठककर रह गये और बटुवे से रुपया निकालना छोड़कर सलज्ज मुस्कान से कहने लगे—"मैं इनसे पूछ रहा था कि कोई आर्थिक कष्ट तो नहीं है!" यह कहकर वह दरवाजे से हट गये। शान्ति चरम भ्रान्ति से विमूढ़-सी होकर सामने दीवार के सहारे खड़ी थी। आज सुबह से उस पर इतना अत्याचार हो चुका था कि इस अन्तिम आघात को वह सहन न कर सकी और मुझे देखते ही अपने को सँभालने की बहुत चेष्टा करने पर भी वह मूर्च्छित होकर गिर पड़ी। मैंने उसका सिर अपनी जाँघ पर रखकर उसके सिर पर पानी डालकर एक कपड़े से उसके मुँह पर और

आँखों पर पानी छपछपाया और रामलखन से कहा कि पंखे से हवा करे। भैया घबरा गये थे और चकित दृष्टि से सारा काण्ड देख रहे थे। रुद्ध क्रोध के कारण मेरे सिर में रक्त का उत्तप इतना प्रचण्ड हो उठा था कि मालूम होता था जैसे सिर फटने को तैयार है। किसी पुरुष की निर्लज्ज हृदयहीनता इस हद तक पहुँच सकती है, भैया की बातें सुनने के पहले मैं इस बात की कल्पना नहीं कर सकता था।

शान्ति को आँखें खोलते न देखकर मैं ऐसा घबरा गया कि जोर से चिल्ला-चिल्लाकर उसका नाम ले-लेकर पुकारने लगा। मैं डरा कि कहीं यह मूर्च्छा अनन्त काल तक भंग न हो। दो-चार बार जब मैं उसका नाम लेकर चिल्लाया तो उसने आँखें खोलीं! मेरी आँखों से बरबस आँसू निकल पड़े थे। मैंने भर्रायी हुई आवाज में कहा–'शान्ति! कैसा हाल है?'' उसकी आँखें फिर झपने लगीं। मैं फिर चिल्लाया–''शान्ति! शान्ति!'' उसने आँखें खोलीं और फिर करवट बदलकर अपनी दोनों बाँहों से मेरी कमर जकड़कर आँखें बन्द करके आराम से लेट गयी।

भैया ने कहा–''मेरे पास एक दवा है, उसे दूध के साथ मिलाकर इन्हें पिला देने से दो मिनट में तबीयत ठीक हो जायगी।''

भैया का बोलना सुनकर शान्ति सहसा चौंककर उठ बैठी। अभी तक वह स्पष्ट ही स्वप्न की-सी अवस्था में मुझसे लिपटी हुई थी; भैया की बात से वह फिर वास्तविक जगत् की विकराल विभीषिका के आमने-सामने आ खड़ी हुई। मैंने लज्जा का भाव त्यागकर भैया से कहा–''कुछ समय के लिए आप बाहर चले जाइये।'' वह चले गये। मैंने शान्ति का हाथ पकड़कर उसे उठाया और पलँग पर लिटा दिया। मैं भी उसी के पलँग पर बैठ गया और धीरे से बोला–''भैया की सब बातें मैं सुन चुका हूँ, शान्ति! तुम उनकी एक भी बात को मन में न लाना।'' वह चुप रही। मैंने उसे सान्त्वना देने के लिए बहुत-सी बातें कहीं, पर वह चुपचाप सुनती रही; एक शब्द भी उसने मुँह से न निकाला। घर में दूध नहीं था। मैंने रामलखन को दूध लाने के लिए भेजा। जब दूध आया तो शान्ति ने पीने से अस्वीकार कर दिया। मेरे बहुत हठ करने पर दो-एक घूँट पीकर रह गयी। मैं कितनी ही बातें उससे करना चाहता था, पर वह ऐसा मौनव्रत धारण किये थी कि मुझे अधिक कुछ कहने का साहस न हुआ। अन्त में यह सोचकर कि उसे एकान्त में विश्राम करने देना चाहिए, मैं वहाँ से उठ खड़ा हुआ। भैया बाहर बरामदे में एक कुर्सी पर बैठकर और एक सिगार मुँह में दबाकर धुआँ उड़ाते हुए कोई विलायती अखबार पढ़ने में लगे हुए थे।

भीतर एक बार के भोजन का पूरा सामान पड़ा हुआ था, यह मैंने चुपचाप देख लिया था। रामलखन से मैंने यह कह दिया कि वह भैया के और अपने लिये खाना बना ले, मैं बाहर खा लूँगा। यह भी कह दिया कि शान्ति को यदि दूध पीने के लिए वह राजी कर सके तो बड़ा अच्छा हो। यह कहकर मैं बाहर निकल पड़ा। चित्त ऐसा चिन्तित, उत्तेजित और उद्भ्रान्त हो रहा था कि मालूम होता था जैसे बिजली की सैकड़ों मशीनें मेरे मस्तिष्क के भीतर एक-साथ चलकर घरर-घट्ट घरर-घट्ट शब्द से तुमुल कोलाहल

मचा रही हों। घण्टों इधर-उधर निरुद्देश्य भटकता रहा। जब लौटकर मकान पर पहुँचा तो काफी देर हो चुकी थी। भैया खुर्राटे ले रहे थे। शान्ति चुपचाप लेटी हुई थी। कह नहीं सकता कि उसे नींद आ गयी थी या वह जगी हुई थी। मैंने चुपचाप अपना बिस्तर उठाया और बरामदे में फ़र्श पर ही उसे बिछाकर लेट गया।

•••

रात को बहुत देर तक नींद न आयी। प्रायः चार बजे के समय आँखें लगीं और मैं ऐसी गहरी नींद में मग्न हो गया कि सुबह आठ बजे के पहले आँखें न खुलीं। जगने पर अँगड़ाइयाँ लेता हुआ उठा। भैया स्लीपिंग सूट पहने पलँग पर बैठे हुए एक सिगार मुँह में लेकर अँगरेजी उपन्यास पढ़ रहे थे। रामलखन उनके पास ही एक कोने में बैठा हुआ था। मैं सीधे शान्ति के कमरे में गया। शान्ति वहाँ नहीं थी। स्नानादि के लिए गयी हो, यह सोचकर मैं उसी के पलँग पर बैठकर बे-सिर-पैर की बातें सोचते हुए उसका इन्तजार करने लगा। इन्तजार करते-करते बहुत देर हो गयी, पर शान्ति न आयी। मैं कुछ घबराया। उठकर बाहर-भीतर सभी जगह मैंने उसकी तलाश की, पर कहीं उसका पता न मिला। बाहर आकर मैंने रामलखन से पूछा कि शान्ति कहाँ है? उसने कुछ गोल-मोल-सा उत्तर दिया और एक बार भैया की ओर अर्थ-भरी दृष्टि से देखा। भैया ने कुछ अजीब तरह से मुस्कराते हुए कनखियों से मेरी ओर देखा। मैं कुछ समझ न पाया, पर साथ ही एक अज्ञात आशंका से मैं काँप उठा। मैंने तीक्ष्ण स्वर में भैया से पूछा—"शान्ति कहाँ गयी?" उन्होंने इस बार कुछ क्रोध के साथ मुझे देखकर गम्भीर स्वर में उत्तर दिया—"मैं नहीं जानता कि कहाँ गयी।" यह कहकर वह सिगार का एक कश लेकर ऐसा भाव जताने लगे जैसे पुस्तक पढ़ने में तल्लीन हों। उनका वह भाव देखकर मैं झल्ला उठा और झिड़ककर बोला—"आप अवश्य जानते हैं—आपके ही षड्यन्त्र से वह कहीं चली गयी है। बताइये, वह कहाँ गयी है?"

एक बार कुटिल दृष्टि से मेरी ओर देखकर वह फिर उपन्यास पढ़ने लगे, कुछ बोले नहीं। मैं बौखला उठा। जमीन पर पाँव पटककर मैंने कहा—"आपको बताना ही होगा, नहीं तो मैं कोई भयंकर काण्ड कर बैठूँगा।"

इस बार भैया ने किताब बन्द करके सिगार फेंक दी और उठ खड़े हुए। एक हाथ को अपनी कमर की एक तरफ और दूसरे को दूसरी तरफ जमाकर बोले—'भयंकर काण्ड क्या करोगे? मेरा खून?"

"मेरे मन की जो दशा इस समय है उसमें कोई भी बात असम्भव नहीं है।" मेरे कण्ठ-स्वर में एक ऐसी भयंकर दृढ़ता थी जिससे स्वयं मुझे आश्चर्य हो रहा था।

"शाबाश, मेरे लायक भाई! आज तक तुम्हारे लिये मैंने जो कुछ किया है उसका यही तो उचित पुरस्कार मुझे मिलना चाहिए था! अच्छी बात है, यही सही। तुमको यही मंजूर है तो करो मेरा खून! लो, मैं तुम्हें पिस्तौल देता हूँ।" यह कहकर ताव में आकर उन्होंने अपना ट्रंक खोलकर सचमुच एक पिस्तौल निकाली और उसे मेरी ओर बढ़ाते हुए कहा—"लो, इसे पकड़ो, यह भरी हुई है। अगर तुम्हारे मन को इसी बात से सन्तोष पहुँचता हो तो तुम शौक से मुझ पर गोली चला सकते हो।" मैं विभ्रान्त होकर सिर से पाँव तक इस तरह थरथर काँपने लगा कि मालूम होता था जैसे शीतकाल की बर्फानी हवा ने मेरे भीतर घर कर लिया हो।

मैंने काँपती हुई आवाज में कहा—"इस समय मुझे पिस्तौल न दिखाइये, नहीं तो मैं और चाहे कुछ करूँ या न करूँ, आत्महत्या अवश्य कर लूँगा। मुझे बताइये कि शान्ति किस समय गयी, कहाँ गयी और कैसे गयी?"

भैया ने शायद स्थिति की गम्भीरता महसूस करते हुए पिस्तौल तत्काल बक्स में बन्द कर ली। इसके बाद मेरे पास आकर उन्होंने शान्त भाव से कहा—"देखो नन्दकिशोर, बेवकूफ न बनो। तुमने आज तक चाहे मेरा कितना ही निरादर किया हो और मुझे कितना ही बड़ा मूर्ख समझा हो, पर इतनी बात तुमको अवश्य माननी पड़ेगी कि जीवन का अनुभव मुझे तुमसे बहुत ज्यादा है। मेरी इस बात पर विश्वास करो कि तुम्हारी शान्ति कहीं भी जाय, उसका तुम्हें छोड़कर चले जाना तुम्हारे लिये अच्छा ही रहेगा। वह तुम्हारे साथ कुछ समय और रहती तो तुम दोनों का जीवन ऐसा विषमय हो उठता कि उसकी कल्पना भी तुम नहीं कर सकते। इस समय तुम चाहे कितना ही कोसो, पर मेरी बात का मूल्य तुम पीछे समझोगे।"

अभी तक मेरे मन के किसी अज्ञात कोने में यह विश्वास छिपा हुआ था कि शान्ति वास्तव में कहीं गयी नहीं है, केवल मेरे मनोभाव की परीक्षा लेने के लिए कहीं छिपी हुई है। पता नहीं, यह मूर्खतापूर्ण विश्वास क्यों मेरे अन्तर्मन में समाया हुआ था। पर जब भैया का व्याख्यान सुना तो मैं ऐसा आतंकित हो उठा कि सारा मकान मुझे मेरे सिर के चारों ओर भौतिक नृत्य से चक्कर लगाता हुआ जान पड़ा। दो मिनट तक मैं निःस्पन्द दृष्टि से भैया की ओर देखते हुए स्थिर खड़ा रहा। इसके बाद सहसा पागलपन के-से आकस्मिक 'फिट' में बाहर दरवाजे की ओर लपका। भैया दरवाजे के पास रास्ता रोककर खड़े हो गये। मैं उनको ठेलकर जाने की कोशिश करने लगा, पर उनके सुदृढ़ स्वास्थ्यपूर्ण हृष्ट-पुष्ट शरीर को ठेलकर आना मेरे लिये किसी तरह भी सम्भव नहीं था। मेरा दुस्साहस देखकर वह अत्यन्त निर्मम निष्ठुरतापूर्वक मन्द-मन्द मुस्कराने लगे। कोई उपाय न देखकर मैं उनके पाँव छूते हुए बोला—"मुझे जाने दीजिये! ऐसा घोर अमानुषिक अन्याय न कीजिये! अभी समय है, मैं उसे अभी पकड़कर ला सकता हूँ।

वह अकेली है, निपट अकेली! एकदम असहाय और अनाथ है। वह कहीं नहीं जा सकती। या तो गंगा जी में डूबकर आत्महत्या करेगी या ट्रेन से कटकर मर जायगी। भैया, ऐसा अनर्थ न कीजिये, इस भयंकर पाप का कोई प्रायश्चित्त न आपके लिए रहेगा, न मेरे लिये। मुझे उसे ढूँढ़कर लाने दीजिये, उसके बाद मुझे जो सजा देना चाहें उसे मैं प्रसन्नता के साथ स्वीकार कर लूँगा।''

भैया मेरी इस तरह की आवेग-भरी बातें सुनकर बड़े आराम से हँसे। बोले–''तुम अभी नादान बच्चे हो! वह कभी आत्महत्या नहीं करेगी इस बात की 'गारण्टी' तुम मुझसे लो। तुम क्या सचमुच यह समझे बैठे हो कि तुम्हें छोड़कर चले जाने से उसे दुःख होगा? इस तरह की मूर्खता की बात पर भूलकर भी विश्वास न करना। तुम्हारी उससे कैसी बनती थी, यह बात मुझसे छिपी नहीं है। मैं पहली ही बार उसके मुख की झलक देखते ही असलियत ताड़ गया था। उसके बाद जो कुछ देखा-सुना उससे मैं स्पष्ट समझ गया कि किस प्रकार की स्त्री से तुमने सम्बन्ध जोड़ा है और उसका परिणाम क्या होगा। यह न सोचना कि तुम्हीं उसके प्राणों के एकमात्र आधार हो। यही समझ लो कि तुम्हें वह कुछ दिनों के लिए अच्छा नाच नचा गयी है। हः हः हः! वह तुम्हारे दुःख से आत्महत्या करेगी! खूब!''

मेरा माथा भिन्नाने लगा था और आँखों के आगे एकदम अन्धकार छा गया था। न मुझमें किसी बात को ठीक तरह से सोचने-समझने की ताकत रह गयी और न कुछ करने-धरने की। शरीर में, मन में और मस्तिष्क में एक ऐसी अवश जड़ता छा गयी कि मैं एकदम परास्त होकर वहीं फ़र्श पर बैठ गया और दोनों हाथों से आँखें ढाँपकर घुटनों के नीचे मैंने अपना मुँह छिपा लिया।

भैया कहते चले गये–''तुम यही समझ लो कि तुम्हारे मन से एक बड़ा भारी काँटा उखाड़ दिया गया है। काँटे के चुभे रहने से उतना कष्ट नहीं होता जितना उसके उखाड़ने से होता है। पर चुभे रहने की तकलीफ सब समय बनी रहती है, और उखाड़ने से जो दर्द होता है वह थोड़े ही समय तक रहता है। मैं जानता हूँ कि इस समय तुम्हें कैसा दर्द हो रहा होगा, पर साथ ही यह भी जानता हूँ कि इस समय तुम मुझे कितना ही कोसो, पर पीछे मुझे धन्यवाद दोगे।''

उनका एक-एक शब्द मुझे ऐसा लग रहा था जैसे मेरी छाती पर हथौड़े से एक-एक कील ठोंकी जा रही हो। पर मैं न हिला, न डुला, न कुछ बोला।

•••

प्रायः दो घण्टे तक मैं उसी अवस्था में घुटनों में मुँह छिपाये बैठा रहा। मैं कैसे बताऊँ कि उस समय मैं क्या सोच रहा था! जिस प्रकार अगाध समुद्र में विभिन्न प्रकार के विचित्र जीव निर्द्वन्द्व भाव से तैरते रहते हैं, कभी एक-दूसरे के प्रति उदासीन होकर स्वतन्त्रतापूर्वक विचरण करते रहते हैं, कभी एक-दूसरे के संघर्ष में आते हैं और कभी एक-दूसरे को निगल जाने की फिराक में रहते हैं, उसी प्रकार मेरे मन के भीतर विचित्र चिन्ताएँ नाना रूप धारण करके एक अनोखी खलबली मचा रही थीं। मेरी भीतरी आँखें उन सब चिन्ताओं को समूर्त्त अवस्था में, विशेष-विशेष आकृतियाँ धारण किये हुए देख रही थीं। प्रत्येक आकृति की भीषणता अथवा वीभत्सता भी भिन्न-भिन्न प्रकार की थी। कोई अद्‌भुत नथने फैलाकर मेरा परिहास कर रही थी, कोई अपने तीखे दाँतों से मुझे काटने को आती थी, कोई अपने विकट दाढ़ खोलकर मुझे पकड़कर निगल जाना चाहती थी। कभी मेरे कानों में भैया के निष्ठुर व्यंग्य भरे ये शब्द गूँजते—"यह न सोचना कि तुम्हीं उसके प्राणों के एकमात्र आधार हो!" कभी शान्ति के आर्त्तक्रन्दन का स्वर विक्षुब्ध सागर के रोर की तरह भाँयँ-भाँयँ सायँ-सायँ शब्द से मुझे उद्विग्न करता था। कभी शान्ति की मूर्च्छित अवस्था का चित्र मेरी आँखों के आगे नाचने लगता, कभी भैया का पिस्तौल निकालकर मुझे देने का दृश्य किसी भौतिक स्वप्न की चक्रलीला की तरह मुझे विभ्रान्त करने लगता। पर इन सब अनिश्चित चिन्ताओं की ऊपरी सतह के नीचे एक विशेष चिन्ता की निश्चित धारा अविराम गति से बही चली जा रही थी। रह-रहकर केवल एक बात मेरे मर्म को अत्यन्त निर्ममता से आघात कर रही थी। वह यह कि शान्ति इस विशाल संसार में अकेली, एकदम अकेली पड़ गयी और निःसम्बल अवस्था में अनन्त काल तक निरुद्‌देश्य भटकने के लिए निकल पड़ी है। कल तक वह मेरी थी, आज वह किसी की भी नहीं है। जीवन-भर वह अथाह सागर में डूबती-उतराती रही। जब किसी तरह तीर पर पहुँची तो एक-एक तिनका चुन-चुनकर वह कितने प्रयत्न और कितनी कठिनाइयों के बाद अपने लिये एक नीड़ का निर्माण कर पायी थी। आज आँधी के एक प्रबल झोंके से वह नीड़ नष्ट-भ्रष्ट हो गया है, उसका एक-एक तिनका शून्य में बिखर पड़ा है और उसमें वास करनेवाली विहगी अपने छिन्न पंखों से फिर अपार सागर पार करने की असम्भव चेष्टा में उड़ान भरकर चल पड़ी है। सोच-सोचकर मेरे अन्तस्तल से एक आकुल क्रन्दन रह-रहकर मर्म को चीरता हुआ ऊपर उठ रहा था। अपनी परिस्थिति की इस नपुंसक विवशता पर मुझे सबसे अधिक दुःख हो रहा था कि सब-कुछ जान-बूझकर भी मैं निश्चेष्ट हूँ और शान्ति के उद्धार का कोई उपाय

नहीं कर पाता। शान्ति की इस ना-समझी का खयाल करके भी मैं अधीर हो उठा कि मुझे अपने निश्चय के सम्बन्ध में उसने तनिक भी आभास नहीं दिया और चुपचाप चली गयी। भैया की बातों से वह कितना ही क्यों न घबरा उठी हो, पर एक बार उसे इस सम्बन्ध में मेरे मन का भाव तो जानना चाहिए था! फिर सोचा कि मेरे मन का भाव अधिक जानकर वह क्या करती जबकि वह अपने प्रति मेरे नीच और निष्ठुर व्यवहार से भली-भाँति परिचित हो चुकी थी! भैया के आने के पहले ही मैंने जिस तरह की बातों से उसके मर्म को क्षत-विक्षत किया था उससे ही वह समझ गयी होगी कि मुझ-जैसे अधम का साथ पकड़कर उसने कैसी भूल की है। उस घटना के बाद ही भैया की बातें सुनकर मेरे साथ वह कैसे रह सकती थी! ठीक है! ठीक है! शिष्टता की आड़ में मैं आज तक अपने स्वभाव के लफंगेपन को छिपाये हुए था। उससे कुछ समय के लिए शान्ति भले ही धोखे में आ गयी हो पर अब जब उसकी पोल खुल गयी है तो—

"बेकार की चिन्ता के चक्कर में न पड़ो, नन्दकिशोर! निश्चित रूप से इस बात पर विश्वास कर लो कि जो कुछ भी हुआ है तुम्हारी भलाई के लिए ही हुआ है। उठो, नहा-धो लो! आज ही शाम की गाड़ी से तुम्हें मेरे साथ चलना होगा।"

भैया की इस बात से, मेरी चिन्ता का जो तार बज रहा था वह टूट गया और एक नया तार पिन्न-पिन्न करने लगा। आज ही शाम को गाड़ी से चलना होगा—मेरे उन्हीं परम-हितैषी भैया के साथ जिन्होंने मेरी परम प्रिय और चमर सत्त्व स्वप्न-सृष्टि को एक फूत्कार से शून्य में विलीन कर दिया है! नहीं, यह हरगिज नहीं होगा! मुझे चाहे जहन्नुम में जाना पड़े, पर भैया के साथ मैं कदापि नहीं जा सकता। पर मुझे तत्काल अपनी आर्थिक परवशता का स्मरण हो आया और मेरी रीढ़ से होकर बर्फ की तरह एक ठण्डी हवा सुरसुराती हुई चली गयी। हाय! मानवता के सब सिद्धान्त और समस्त आदर्श शुष्क धूलि-कणों की तरह उड़ जाते हैं जब सब प्रश्नों का मूल प्रश्न—आर्थिक प्रश्न—वज्रस्तम्भ की तरह बीच में आकर खड़ा हो जाता है! इच्छा होती थी कि अपने सिर के सब बालों को नोच डालूँ, पत्थर पर अपना सिर पटकूँ, छत पर से नीचे कूदकर आत्महत्या कर डालूँ। यह सोचकर मुझे बड़ा पछतावा हुआ कि भैया ने जब पिस्तौल निकाली थी तो उसे छीनकर मैंने तत्काल आत्महत्या क्यों न कर ली। साथ ही मेरा अन्तर्मन मेरा परिहास करते हुए मुझसे कह रहा था कि "तुम आत्महत्या करनेवाले जीव नहीं हो! अभी सौ पिस्तौलें भी गोली से भरी हुई तुम्हारे आगे रख दी जायँ तो तुम सौ कोस भागोगे। इतने बड़े कायर हो तुम! और तुम्हारे भैया भी इतने बड़े वीर नहीं हैं कि भरी हुई पिस्तौल तुम्हारे आगे बढ़ाते। वह केवल एक नाटक का तमाशा तुम्हें दिखा गये हैं!" सबसे अधिक दुःख मुझे यह जानकर हो रहा था कि मेरा बाह्य मन कैसा ही तर्क क्यों न करे, मेरा अन्तर्मन भैया के प्रस्ताव को मानने के लिए जैसे पहले से ही तैयार बैठा हुआ था! मनुष्य की विचित्र मनोवृत्तियों के रहस्य का पार पाना असम्भव है। मनोवैज्ञानिकों के सिद्धान्त के अनुसार होना तो यह चाहिए कि मेरे भीतरी मन

में ज़ो चक्र चल रहा है उससे मेरा बाह्य मन अपरिचित रहे। पर मेरा यह हाल था कि मैं अपने मन के दोनों स्तरों के क्रियाचक्रों को स्पष्ट देख रहा था और दोनों की भावनाओं को परस्पर-विरोधी जानते हुए भी दोनों में से किसी की भी सचाई का अविश्वास करना नहीं चाहता था।

•••

अन्त में उठना ही पड़ा। चित्त ऐसा अस्त-व्यस्त था कि नहाने-धोने की भी इच्छा नहीं थी। फिर भी किसी तरह स्नानादि से निवृत्त हुआ। सारे मकान का वातावरण मेरे लिये ऐसा भयावह और विषमय हो उठा था कि मेरा दम घुटा जा रहा था। इसलिए मैंने बाहर निकलने की ठानी, यद्यपि धूप बड़ी कड़ी थी। पर जब बाहर जाने लगा तो भैया ने फिर रोका और वज्र की तरह दृढ़ किन्तु शान्त स्वर में कहा—"आज तुम कहीं नहीं जा सकते। बैठे रहो, मैं रामलखन को भेजता हूँ, वह बाजार से खाना ले आयेगा। उसके बाद जाने की तैयारी करनी होगी।" मेरा विरोध निष्फल था, क्योंकि उन्होंने बाहर के दरवाजे पर भीतर से ताला लगाकर चाभी अपने पास रख ली थी। मैं एक शब्द भी न बोला और भीतर जाकर शान्ति के पलँग पर चुपचाप लेट गया। शान्ति अपने साथ अपने शरीर के वस्त्रों के अतिरिक्त एक भी चीज नहीं ले गयी थी। उसका बक्स भी ज्यों-का-त्यों पड़ा हुआ था और बिस्तर भी। शान्ति के पलँग पर लेटते ही हाहाकार-भरे शब्दों में विक्षुब्ध रोदन की एक ऐसी अशान्त लहर मेरे भीतर गरजती हुई, कुटिल तर्कों की चट्टानों से टकराती हुई उमड़ चली कि मैं विह्वल व्याकुलता से बिलबिला उठा। जब से मेरा शान्ति से परिचय हुआ था तब से एक-एक घटना मायालोक के विचित्र छाया-स्वप्न की स्मृति की तरह जागरित होकर मेरे मन और मस्तिष्क को आच्छन्न करने लगी। वे सब छाया-चित्र मिलकर कभी मुझे डंक मारते थे, कभी कण्टकित वेदना से विकल करते थे और कभी एक अपूर्व पुलक के संचार से मेरे मन को और आत्मा को एक अवर्णनीय सुखानुभव की स्निग्ध सरसता से सम्मोहित करते थे।

उन्हीं स्वप्न-स्मृतियों के जाल में जकड़ा हुआ मैं लेटा ही रहा। रामलखन बाजार से पूड़ियाँ और कचौड़ियाँ ले आया था, पर मैंने स्पष्ट शब्दों में कह दिया कि मैं एक टुकड़ा भी नहीं खाऊँगा। शाम को जब गाड़ी का समय निकट आया तो भैया ने बड़ी नम्रता से मुझसे अनुरोधपूर्वक कहा कि अब उठकर चलने की तैयारी करनी चाहिए। पर मैं न उठा और कह दिया कि मुझे बुखार आ रहा है। सचमुच मैं कुछ ज्वर का-सा अनुभव करने लगा था। भैया बड़े चिन्तित हुए। मालूम हुआ कि उन्हें सरकारी काम से जल्दी

शिमले पहुँचना था। वह स्वयं जाकर एक डॉक्टर को बुला लाये। डॉक्टर साहब ने देखकर कहा कि 'ब्लड प्रेशर' बढ़ गया है। 'आइस-बैग' का प्रबन्ध किया गया। एक नुसखा भी डॉक्टर साहब ने लिख दिया। भैया ने शिमले को तार भेज दिया कि वह कुछ अत्यन्त आवश्यक कारणों से अभी नहीं आ सकते हैं।

ज्वर साधारण था। दो दिन में तबीयत ठीक हो गयी। पर दो दिन में ही मैं काफी कमजोरी मालूम करने लगा था। तीसरे दिन सुबह अकस्मात् बलदेव आ खड़ा हुआ। भैया उसे भीतर मेरे पास ले आये थे और स्वयं बाहर चले गये थे—वह शायद अखबार पढ़ने में व्यस्त थे।

बलदेव को देखते ही मेरा सारा मन एक तीते स्वाद से विषमय हो उठा। दो दिन के मीठे ज्वर से जो विश्राम मुझे मिला था उससे मेरे मर्म के घाव की पीड़ा कुछ-कुछ शान्त हो गयी थी। पर बलदेव को देखते ही मुझे ऐसा मालूम हुआ कि किसी ने उस घाव को अपने पाँव के काँटेदार जूते से कुचलकर अधिकतर तीव्रता से उस भूली हुई वेदना को उभाड़ दिया। बलदेव मेरे पलँग के पास पड़ी हुई एक लोहे की कुर्सी पर बैठ गया। उसके मुख पर इस समय एक ऐसी गम्भीरता छायी हुई थी कि मालूम होता था जैसे एक रहस्यमय प्रेतलोक की अन्धकार-छाया ने उसे आच्छादित कर दिया है। मैं एक अज्ञात आशंका से पलँग पर उठ बैठा। अकारण ही मेरा हृदय इस तरह धक-धक धड़कने लगा जैसे कोई उसे भीतर से पकड़कर गेंद की तरह उछाल रहा हो। बलदेव स्थिर दृष्टि से मेरी ओर देख रहा था। उसकी उस निश्चल दृष्टि में प्रेतात्मा की हिंसक दृष्टि की तरह एक ऐसी भयावह तीक्ष्णता वर्तमान थी कि मुझे उसकी ओर देखने का साहस न हुआ। उसने एक शब्द भी मुँह से न निकाला और धीरे से अपने कुर्ते की जेब से कागज का एक टुकड़ा निकालकर उसी मर्मघाती दृष्टि से मेरी ओर देखकर उसे, मेरी ओर बढ़ा दिया। कागज के फड़फड़ाने के शब्द से मेरा हृदय भी उसी तरह फड़फड़ा उठा। मैंने काँपते हुए हाथ से उसे पकड़ा और खोलकर पढ़ने लगा—"मैं जा रही हूँ। मेरे लिये चिन्ता करना व्यर्थ है। मैं कहाँ जाऊँगी, यह मैं स्वयं नहीं जानती। भगवान् ने चाहा तो समय पर तुम्हें मेरा संवाद मिल ही जायगा—शान्ति।"

मैंने पूछा—"तुम जानते हो, वह कहाँ गयी?" मेरा गला रुँधा हुआ था और आवाज साफ नहीं निकल रही थी।

बलदेव ने पहले की ही तरह तीव्र दृष्टि से मुझे देखते हुए वज्र के समान दृढ़ कण्ठ से केवल कहा—"नहीं!"

उसके इस विचित्र कण्ठ-स्वर से आतंकित होकर मैंने कहा—"बलदेव, तुम्हें क्या हो गया है? तुम इस तरह मेरी ओर क्यों देख रहे हो और चुपचाप क्यों बैठे हो? बताते क्यों नहीं कि शान्ति जब तुम्हारे पास आयी तो उसके बाद वह कहाँ गयी और तुमसे क्या कह गयी?"

उसकी दृष्टि में अभी तक वही उत्कट तीव्रता वर्तमान थी। घृणा और हिंसा का ऐसा कठिन, कठोर मूर्तिमान् रूप मैंने अपने जीवन में कभी नहीं देखा। उसने अपनी जेब

से दस-दस रुपये के दो नोट निकालकर मेरे आगे पटक दिये। इसके बाद वह उठ खड़ा हुआ और बेहद रुखाई से बोला–"शान्ति देवी कहाँ गयी हैं यह मैं नहीं जानता और उनके बारे में जितना कुछ मैं जानता हूँ वह आपको नहीं बताऊँगा, क्योंकि वे सब बातें आपके मतलब की नहीं हैं।" यह कहकर, फिर एक बार वक्र दृष्टि से मुझे घूरकर चला गया।

मैं स्तब्ध होकर काठ के उल्लू की तरह देखता रह गया। जब वह बाहर सीढ़ियों से होकर नीचे जाने लगा तो मैं भी पलँग पर से कूदकर दौड़ता हुआ बाहर गया और सीढ़ियों के पास जाकर ऊपर से पुकारने लगा–"बलदेव! बलदेव!" उसने नीचे से एक बार इस तरह मुझे देखा जैसे मुझे अभी भस्म कर देगा और फिर बिना कुछ बोले चुपचाप चला गया।

बलदेव का इस तरह का व्यवहार देखकर मैं दंग रह गया। मेरी बड़ी इच्छा थी कि शान्ति के सम्बन्ध में उससे दो-चार बातें करके अपना जी ठण्डा करूँ। पर उसने प्रारम्भ से ही कुछ ऐसा भाव दिखाया कि मैं पहले तो कुछ समझ ही न पाया। जब वह चला गया तो मुझे ऐसा जान पड़ा कि जैसा घोर अपमान उसने मेरा किया है वैसा कोई किसी घृणित-से-घृणित व्यक्ति का भी नहीं कर सकता। मैं वहीं खड़े-खड़े सोचने लगा–"यह क्योंकर सम्भव हुआ? मेरे प्रति बलदेव के इस तरह के व्यवहार का मूल कारण क्या है? ठीक है! शान्ति ने उसके पास जाकर प्रत्येक बात की सूचना उसे दे दी है। बलदेव के सम्बन्ध में मेरे और उसके बीच जब-जब जिस तरह की बातें हुई हैं शान्ति ने उन सबका उल्लेख भी बलदेव से कर दिया है। स्पष्ट ही, सुख-दुःख की और भी बहुत-सी बातें शान्ति ने उसके साथ की हैं। अपने हृदय का सच्चा हाल वह मुझसे सदा छिपाती रही, पर बलदेव से उसने रत्ती-रत्ती करके सब बातें कह डाली हैं। मेरे मन में इतने दिनों तक जो सन्देह था वह सत्य से भी बढ़कर निकला। और मैं मूर्ख जान-बूझकर फिर भी इस बात पर विश्वास करने की चेष्टा करता आया था कि उसके बलदेव को चाहने की बात मेरे मन का केवल भ्रम है। पर आज मेरे भ्रम की सचाई का प्रत्यक्ष प्रमाण मिल गया। आश्चर्य है कि भैया एक ही दिन में शान्ति के असली स्वभाव को ताड़ गये, और मैं इतने दिनों तक अन्धकार में पड़ा रहा! और मजा यह कि बलदेव उलटा मुझसे नाराज है–जैसे मैं एक घोर दुराचारी और दुष्कर्मी होऊँ। उस नीच के प्रति मैंने बराबर सहानुभूति दिखायी, बराबर उसका सम्मान किया। मैंने ही शान्ति से उसकी प्रशंसा की और उसके यहाँ भी मैं ही शान्ति को ले गया। वह इन सब बातों के लिए मेरे प्रति कृतज्ञ होने के बदले उलटे मुझ ही पर रोब गाँठकर चला गया! मैंने अपने पैरों पर आप कुल्हाड़ी मारी। पर इसमें मेरा दोष क्या था? मैंने कभी स्वप्न में भी नहीं सोचा था कि शान्ति इस तरह से फिसल सकती है। इस अदनी-सी बात को मैं न समझ पाया (जिसे भैया पल-भर में समझ गये थे) कि जो स्त्री बिना किसी संकोच के एक पुरुष के साथ भाग सकती है वह उसी आसानी से उसे छोड़ भी सकती है। अपने को मैं आज तक

बड़ा बुद्धिमान् समझता था। इसी अहंकार का आज यह दण्ड मुझे मिला कि मैं आज सबसे अधिक मूर्ख सिद्ध हुआ! पर बलदेव को मेरा इस तरह अपमान करने का क्या अधिकार था? कृतघ्न कहीं का! मैंने संकट में उसकी सहायता करने की इच्छा से उसे रुपये दिये थे; उन्हें वह मेरे आगे पटक गया है। निश्चय ही शान्ति की सलाह से ही उसने ऐसा किया है। पर शान्ति गयी कहाँ? बलदेव ने उसे कहीं यहीं—इलाहाबाद में ही—किसी स्थान में छिपा तो नहीं रखा है। "मैं जितना-कुछ उनके बारे में जानता हूँ वह नहीं बताऊँगा, क्योंकि वे सब बातें आपके मतलब की नहीं हैं!" उसके इस कथन का अर्थ क्या है? स्पष्ट है! स्पष्ट है! पर कुछ भी हो, इन दोनों ने मिलकर मुझे अच्छा बेवकूफ बनाया! उफ़! यह भी हो सकता है कि उसने शान्ति को पहले इलाहाबाद से बाहर किसी निश्चित स्थान में भेज दिया हो, पीछे स्वयं वहाँ जाने का विचार किया हो। अच्छा, उसने रुपये का प्रबन्ध कहाँ से किया है? बीस रुपये मेरे दिये वापस कर गया है। शान्ति को भी राह-खर्च उसी ने दिया होगा। असल में वह जितना गरीब अपने को दिखाना चाहता है, उतना है नहीं। ये सब उसके हथकण्डे मालूम होते हैं। अपने प्रति लोगों की सहानुभूति आकर्षित करने का यह बड़ा चतुर उपाय है। बड़ा चण्ट मालूम होता है! शान्ति को भी उसने इसी उपाय से अपने वश में किया है। बड़ा बना है साम्यवादी! और उसके आत्म-सम्मान का दर्प देखा! लम्पट! व्यभिचारी! बदमाश!" सोचते-सोचते मेरा सिर चकराने लगा और मेरी आँखों के आगे चिनगारियाँ उड़ती हुई मालूम देने लगीं। किसी तरह अपने को सँभालकर मैं अपने कमरे में चला गया और पलँग पर चारों खाने चित लेट गया। क्रोध और प्रतिहिंसा की ज्वाला ने मुझे अन्धा कर दिया था। फल यह हुआ कि सारी परिस्थिति मेरे सामने एक दूसरे ही रूप में बदल गयी। शान्ति के प्रति अपने और भैया के व्यवहार के कारण घोर पश्चाताप के जिस भाव से मैं इस समय तक तिल-तिल करके दग्ध हो रहा था, उसका लेश भी मेरे मन में शेष न रहा। अपना प्रत्येक व्यवहार मुझे अत्यन्त उचित, न्यायसंगत और उच्च भावनाओं से प्रेरित जान पड़ने लगा, और यह विश्वास मेरे मन में घर करने लगा कि शान्ति का प्रत्येक आचरण अनौचित्यपूर्ण और 'तिरिया-चरित्र' की लोक-प्रसिद्ध विशेषताओं के अनुरूप था।

भैया ने भीतर आकर कहा—"तबीयत का क्या हाल है?"

मैं उठ बैठा और उनकी ओर पीठ करके बोला—"अब अच्छी है।"

"तो कब चलने का विचार कर रहे हो?"

"जब आप कहें।"

"आज और आराम कर लो। कल चलेंगे।"

इसके उत्तर में मैं कुछ न बोला। वह शायद 'मौनं सम्मति-लक्षणम्' जानकर चले गये।

•••

मकान का किराया चुकाकर, बोरिया-बँधना उठाकर दूसरे दिन मैं भैया के साथ कालका मेल में एक दूसरे दर्जे के डिब्बे में बैठकर शिमले के लिए रवाना हो गया।

कालका पहुँचकर स्टेशन पर जो चहल-पहल देखी उससे एक नये ही जीवन के उल्लास का आभास मेरे हृदय में समाने लगा। 'सीजन' शुरू हो गया था। आफिसों के छोटे-मोटे क्लर्कों से लेकर ऊँचे-ऊँचे पदों के कर्मचारियों तक सभी स्त्रियों और बाल-बच्चों सहित स्टेशन पर भीड़ लगाये हुए थे। केवल 'सैर' के लिए सफर करनेवाले विनोदप्रिय नर-नारियों की भी कमी नहीं थी। मुझे ऐसा जान पड़ने लगा जैसे मैं एक लम्बी मूर्च्छा के बाद जागा होऊँ। उस मूर्च्छा में असल सुखाभास भी था और तीखी कण्टकित वेदना भी। पर थी वह मूर्च्छा ही—क्योंकि जीवन की चहल-पहल और कोलाहल से उसने मुझे एकदम विच्छिन्न कर रखा था। आज बहुत दिनों बाद जब मैं जीवन के उस रंग-रहस्यमय कोलाहल के केन्द्र में आ खड़ा हुआ तो हृदय में एक अनोखे प्रकार की मीठी गुदगुदी का-सा अनुभव होने लगा। सुदूर क्षितिज में पहाड़ों की नीलांजन माया एक अज्ञात और अव्यक्त आशा की स्निग्ध और सुशीतल छाया-रेखा के विस्तार से मौन इंगित द्वारा मेरा स्वागत करती हुई-सी जान पड़ी।

हम लोग पहाड़ को जानेवाली एक छोटी गाड़ी में बैठे। गाड़ी बीच-बीच में सुरंगों को पार करती हुई जा रही थी। सुरंगों में इंजिन का जो धुआँ जमा होता था उससे जी मतलाने पर भी अगल-बगल के पहाड़ी दृश्यों को देखने से तबीयत हरी हो जाती थी। गाड़ी रेलवे-लाइन के जिस भाग को अपने पीछे छोड़ आती थी, ऊपर से वह एक विराट् और दीर्घाकृत सर्प की तरह पड़ी हुई दिखायी देती थी। कहीं वह चीड़ और देवदारु के घने पेड़ों की छाया के बीच में अपनी कुटिल चक्राकृति फैलाये हुए थी और कहीं भयंकर और गहरे खड्डों के ऊपर। गाड़ी यदि जरा भी लाइन से डिग जाय तो नीचे गिरकर यात्रियों सहित इस तरह चकनाचूर हो जाय कि काष्ठ का एक खण्ड और किसी यात्री की हड्डी-पसली का एक टुकड़ा भी साबुत न रहे। और यदि ऊपर से एक चट्टान अकस्मात् ढहकर गाड़ी के ऊपर आ गिरे तो उसके परिणाम की विकरालता के सम्बन्ध में कुछ कहना ही व्यर्थ है। मैं सोचने लगा कि यदि सचमुच ऐसा हो जाय तो कैसा हो! जीवन के समस्त उत्तरदायित्वों के भार से सदा के लिए मुक्ति मिल जाय, सभी झूठी आशाओं और व्यर्थ की आशंकाओं से छुट्टी पा जाऊँ; जीवन की कड़वी स्मृतियों का कोई कण्टक शेष न रहे और मीठी स्मृति...''मामा, देखो, देखो, फिर एक सुरंग आ रही है।'' एक पाँच वर्ष का दर्शनीय लड़का खिड़की से बाहर झाँकता हुआ

बोल रहा था। "बब्बू, तुम बड़े शैतान हो। बार-बार मना करने पर भी नहीं मानते। तुमसे कहा जा चुका है कि खिड़की से बाहर मुँह न निकालो, पर तुम सुनते नहीं। अब हम तुम्हें पीटेंगे।" यह कहकर एक प्रायः पच्चीस वर्षीया सुन्दरी उठी और दोनों हाथों से बच्चे को पकड़कर उठा ले गयी और अपने स्थान पर बैठकर उसने बच्चे को भी अपने पास बिठा लिया। इसके बाद बच्चे की पीठ पर हाथ फेरते हुए वह युवती बड़े प्रेम से बोली—"मौसी के यहाँ भी क्या इसी तरह की शैतानी करोगे?" युवती के पास ही बैठे हुए एक कोट-पैण्ट-धारी सज्जन ने मुस्कराते हुए कहा—"यह वहाँ शैतानी न भी करना चाहे तो राजू इसे कहाँ रहने देगा! वह भी एक नम्बरी नटखट लड़का है। क्यों बब्बू, तुम्हें राजू की कुछ याद है?" बब्बू अपनी दो सुन्दर भौंहों को ऊपर तानकर और अपनी स्निग्ध आँखों में कौतूहल का भाव झलकाकर बोला—"कौन राजू? जिसने उस बार आपके हाथ से घड़ी छीनकर तोड़ डाली थी?" कोट-पैण्ट-धारी सज्जन खिलखिलाकर हँस पड़े। युवती भी मन्द-मन्द हँसने लगी, और बोली—"बड़ा दुष्ट है, इसे अभी तक वह बात याद है!" कोट-पैण्ट-धारी महोदय ने कहा—"क्यों न हो, आखिर तुम्हारा ही बेटा है न! तुमने कल जिस बात की याद दिलायी वह मुझे अपने-आप सात जन्म तक भी कभी याद न आती। झगड़े की बात याद करने में तुम दोनों माँ-बेटे बड़े उस्ताद हो!"

युवती ने अपनी सुन्दर और सतेज आँखों में कृत्रिम क्रोध का भाव झलकाते हुए कहा—"बस, बस, महाशय जी, कृपा कीजिये! अब आगे कुछ न कहिये! दूसरों का नाम धरने में आप कैसे तेज हैं, यह बात किसी से छिपी नहीं है।"

इस बात का अनुमान सहज ही में लगाया जा सकता था कि दोनों पति-पत्नी हैं। दोनों के मुखों के हाव-भाव और बातों के ढंग से पता चल जाता था कि दोनों अपने वैवाहिक जीवन से केवल सन्तुष्ट ही नहीं, वरन् अत्यन्त सुखी हैं। दोनों की मीठे उलाहने से भरी बातें मुझे बड़ी प्रिय और रुचिकर लग रही थीं। मैं सोचने लगा—"ये दोनों इतने सुखी और सन्तुष्ट क्यों हैं? एक कारण अवश्य ही यह है कि दोनों के स्वभाव एक-दूसरे के अनुकूल हैं। पर क्या केवल यही एक कारण सुख और सन्तोष के लिए काफी है? मान लिया जाय, ये दोनों पति-पत्नी न होकर अविवाहित अवस्था में प्रेमिक-प्रेमिका का जीवन बिताते होते। क्या उस हालत में भी इन दोनों की बातों में वही सहज-स्वाभाविकता, वही निर्मुक्त हास्य और वही निर्द्वन्द्व भाव पाया जाता जो इस समय व्यक्त हो रहा है? असल बात यह है कि इन दोनों का प्रेम समाज के अनुशासन से निषिद्ध नहीं है, यह इस कारण कि दोनों विवाहित हैं। और वह विवाह भी ऐसा जिसने समाज की 'मर्यादा' का लंघन नहीं किया है—ऐसा मेरा विश्वास है। विवाह में इतनी बड़ी शक्ति है!—नहीं, मैं भूल कर रहा हूँ। यह शक्ति केवल विवाह की नहीं है। यदि शान्ति के साथ मेरा विवाह हो भी जाता तो क्या मैं इसी निर्द्वन्द्व और निर्मुक्त भाव से संसार के सामने निकल सकता? मुझे तो विश्वास नहीं होता। मैं तो यही समझता हूँ कि उस हालत में भी मैं शान्ति को लेकर किसी शहर के एक कोने में चोरों की तरह

छिपा रहता। असल में सर्वशक्तिमान् है समाज। जो विवाह समाज की 'मर्यादा-रक्षा' पूरी तरह नहीं कर पाता वह चोरों का विवाह है। विवाहित जीवन को सुखी बनाने की सबसे पहली शर्त यह है कि विवाह समाज के अनुशासन के अनुसार हो, उसके बाद दूसरी शर्त यह है कि पति-पत्नी की प्रकृतियाँ आपस में सामंजस्य स्थापित करनेवाली हों, वैषम्य बढ़ानेवाली नहीं। पर यह दूसरी शर्त अत्यन्त महत्त्वपूर्ण होने पर भी गौण ही है, प्रधान नहीं। क्योंकि पहली शर्त के पूरे हुए बिना सब व्यर्थ है।''

मुझे भैया की बात याद आयी। उन्होंने शान्ति से कहा था—''मैं नन्दकिशोर के साथ तुम्हारा विवाह कर देता, पर हमारे यहाँ समाज का अनुशासन बड़ा कड़ा है। हम कनौजिये हैं।'' ठीक है (मैंने मन-ही-मन कहा), हम कनौजिये हैं! अर्थात् कन्यकुब्जाः द्विजाः श्रेष्ठाः! इसलिए आर्यसमाज की एक अनाथ लड़की से विवाह कैसे कर सकते हैं! भैया ने ठीक ही किया जो समय पर मुझे सचेत कर दिया। नहीं तो, बहुत सम्भव था कि मैं शीघ्र ही शान्ति से विवाह कर लेता, और विवाह कर लेने के बाद अपनी भूल मालूम होने पर भी उससे पिण्ड छुड़ाना असम्भव हो जाता। सहसा मेरे विचार ने पलटा खाया और मुझे अपनी ही बात पर हँसी आयी। मेरे मन के भीतर से व्यंग्यपूर्ण अट्टहास के साथ कोई कहने लगा—''विवाह होने पर उससे पिण्ड छुड़ाना असम्भव हो जाता—उत्तरदायित्व का इतना बड़ा ज्ञान तुम्हें कब से हुआ? अरे मूर्ख! पिण्ड छुड़ाने की कल्पना जहाँ तुम्हारे मन में उत्पन्न हो गयी वहाँ किसी भी परिस्थिति में उसमें रुकावट डालनेवाला है कौन? तुम ऐसे त्यागी जीव नहीं हो कि उत्तरदायित्व का खयाल करके अपने को जीवन-भर की असुविधा के चक्कर में फँसाये रहो! शान्ति से तुम्हारा जिस तरह का सम्बन्ध स्थापित हो चुका था वह विवाहित जीवन के सम्बन्ध से किस अंश में कम था? पर उसे तुमने सम्बन्ध-विच्छेद के लिए विवश करने में कोई बात उठा नहीं रखी! तिस पर भी तुम अपने-आप अपने उत्तरदायित्व के ज्ञान की डींग मारते हो! खूब!''

यह अन्तर्वाणी मेरी सुप्त स्मृतियों को जागरित करने का प्रयत्न करके मुझे मर्मपीड़ा पहुँचाने लगी। मैं अपनी अन्तरात्मा की आवाज से कतराकर ऊपरी बातों का चिन्तन करने लगा। अपने मन के फोड़े के मुख-स्थान को मैं इस डर से स्पर्श नहीं करना चाहता था कि कहीं वह फूट न जाय! पर फोड़े पर हाथ लगाये बिना भी चैन नहीं मिल रहा था। इसलिए उसके इर्द-गिर्द के स्थानों को दबा रहा था। मैंने सोचा—''और जो कुछ भी हुआ, पर एक बात मेरी समझ में न आयी। शान्ति ने अविवाहित रूप से मेरे साथ वही सम्बन्ध रखने में किसी तरह की आपत्ति नहीं जतायी जो पति-पत्नी में रहता है, पर विवाह के लिए उसने कभी परोक्ष रूप से भी कोई इच्छा प्रकट नहीं की। इसका क्या रहस्य है? इससे तो स्पष्ट ही यह जान पड़ता है कि उसका विचार मेरे साथ स्थायी सम्बन्ध रखने का कभी नहीं रहा! और मैं मूर्ख यह सोचकर विकल हो उठा था कि मुझे छोड़कर चले जाने से संसार में उसका कोई आश्रय नहीं रहा! इतने बड़े भ्रम में मैं कैसे पड़ा रहा!'' सहसा मुझे उस दिन की याद आयी जब से उसके साथ मेरा

निश्चित सम्बन्ध—पति-पत्नी का-सा सम्बन्ध—स्थापित हुआ था। मुझे स्मरण हो आया कि इस तरह के सम्बन्ध को स्वीकृत करने के पहले शान्ति ने अपने भाव-प्रवेग से प्रेरित होकर मेरी दोनों हथेलियों पर अपना माथा टेक दिया था, मेरे प्रथम चुम्बन को उसने अत्यन्त मार्मिक रूप में ग्रहण किया था, और कहा था—"आज की इस बात के साक्षी भगवान् हैं, देखना, कहीं भूल न जाना!" उस रात उसने अपनी माँग में पहली बार सिन्दूर भरा था। उस समय मुझे उसका वह आचरण अनोखा और कुछ हास्यास्पद-सा भी लगा था। पर इस समय अकस्मात् बिजली की-सी झलक से उसका वास्तविक मर्म मेरे सामने प्रतिभासित हो उठा। मैं चौंक पड़ा और मेरे भीतर से एक कराह निकल पड़ी। मेरा सिर भन्नाने लगा और मुझे ऐसा जान पड़ा कि मैं चक्कर खाकर गिर पड़ूँगा।

गाड़ी घरर-घट्ट घरर-घट्ट शब्द से, घोर-मन्थर गति से पहाड़ के ऊपर चढ़ती जाती थी। पहाड़ों की ऊँचाई ज्यों-ज्यों बढ़ती चली जाती थी, गाड़ी का हाँफना भी त्यों-त्यों बढ़ता जाता था। कालका-शिमला रेलवे की वह छोटे आकार की गाड़ी मुझे एक दैत्यबाला की तरह जान पड़ती थी जो साध्यातीत परिश्रम से थकने लगी हो। धीरे-धीरे मेरी आँखें भी चिन्ता की थकावट के कारण झपने लगीं। भैया ह्वीलर के बुकस्टाल से जो जासूसी उपन्यास खरीद लाये थे उसी के पाठ में दत्तचित्त थे। मैं उनकी ओर पीठ करके लेट गया और थोड़ी ही देर बार सो गया। जब गाड़ी शिमला स्टेशन पर पहुँची तो भैया ने मुझे जगाया।

•••

भैया कैथू में रहते थे। यह स्थान माल रोड के नीचे एक खड्ड पर बसा हुआ है। काश्मीरी कुलियों के सिरों पर सामान लदवाकर हम लोग रिक्शा नामक प्रसिद्ध यान पर सवार हुए, जिसे खींचने के लिए पाँच मनुष्य जोते गये! रास्ते-भर हिचकोलों के कारण नाकों दम रहा। रिक्शा पर चढ़कर उतराई में जाना तो एक पूरी सजा है।

राम-राम करके किसी तरह बँगले पहुँचे। भाभी जी ने अपनी सहज-स्वाभाविक स्निग्ध मुस्कान से हम लोगों का स्वागत किया। मेरी छोटी बहन मीरा भी अपनी ससुराल से वहाँ आयी हुई थी। वह बच्चों के साथ भाभी जी के पीछे खड़ी थी। भैया की सर्वप्रथम सन्तान उषा थी। उसकी अवस्था बारह-तेरह वर्ष के करीब होगी। वह अपनी स्कूली पोशाक में थी। अर्थात् नीले रंग का एक घुटने तक का फ्राक और सफेद मोजे पहने थी। वह अपनी बड़ी-बड़ी सुन्दर आँखों से विस्मयपूर्ण प्रसन्नता के साथ मुझे देख रही थी। श्यामा उससे छोटी थी। उसकी अवस्था प्रायः नौ-दस वर्ष की होगी। वह भी उसी

तरह की फ्राक पहने थी। लज्जा उन सबसे छोटी थी। उसकी अवस्था सात वर्ष की थी। वह बन्द गले का एक लाल रंग का स्वेटर और हाफ पैण्ट पहने थी। उसके बाल कटे हुए होने के कारण उसकी शक्ल लड़कों की-सी जान पड़ती थी। श्यामा मीरा का एक हाथ पकड़े खड़ी थी और लज्जा दूसरा। भैया जब आगे बढ़े तो श्यामा और लज्जा ने 'पापा!' 'पापा!' कहकर उनका हाथ पकड़ लिया। पर दोनों मेरी ओर देख रहे थे। मैंने आज दो वर्ष बाद उन लोगों को देखा था। मुझे वे अवश्य ही पहचान रहे थे, पर मेरी दो वर्ष की अनुपस्थिति के कारण मुझसे कुछ सकुचाने लगे थे। मैंने भाभी जी को प्रणाम किया और मीरा ने भैया को और मुझे झुककर प्रणाम किया।

मैं बहुत थका हुआ था, इसलिए किसी से कुछ बोलने की तनिक भी इच्छा नहीं थी। नहाना चाहता था, पर शिमले में अभी काफी सर्दी मालूम हो रही थी और ठण्डे पानी से नहाने का साहस नहीं होता था। भाभी जी ने कहा कि पानी गरम करवा दिया जा सकता है, पर मैंने मना किया और हाथ-मुँह धोकर, कुछ खा-पीकर, जो कमरा मेरे लिये 'रिजर्व' था वहाँ जाकर पलँग पर चित लेट गया। पासवाले बँगले से अँगरेज छोकरों और छोकरियों की किलकारियों की तीखी आवाज कानों के पर्दे फाड़ रही थी। वे सब शायद किसी कौतुकप्रद खेल में व्यस्त थे। सामने की खिड़की से चीड़, बलूत और देवदारु के वृक्षों से छाये हुए ऊँचे पहाड़ का दृश्य बड़ा सुहावना लग रहा था। मैं शून्य मानसिक अवस्था में बहुत देर तक यथास्थित लेटा रहा।

शाम को अँधेरा होने के कुछ पहले भाभी जी ने आकर मेरे कमरे के दरवाजे पर खड़ी होकर पूछा—"लाला, क्या सो रहे हो?"

मैंने कहा—"नहीं, जगा हुआ हूँ। सोना चाहता था, पर नींद नहीं आती।"

भाभी जी मीरा को और बच्चों को साथ लेकर भीतर चली आयीं। मेरे पलँग के पास आकर एक कौच पर बैठ गयीं। मीरा भी वहीं बैठ गयी। उषा मीरा की गोद में बैठ गयी और लज्जा अपनी माँ के पास खड़ी हो गयी। मैं लेटा ही रहा।

भाभी जी ने पूछा—"तबीयत तो ठीक है?"

मैंने उदासीनता से कहा—"हाँ, ठीक ही है।"

कुछ देर तक चुप रहकर भाभी जी ने कहा—"इतने दिनों तक कहाँ गायब रहे, लाला? तुम्हारे भैया बहुत चिन्तित हो उठे थे। और मैं अपना हाल क्या बताऊँ! खैर। यह बात जाने दो। उम्मीद नहीं थी कि तुम आओगे।"

मैं चुप रहा। भाभी जी की आँखें कुछ सजल-सी हो आयी थीं। अथवा यह भी सम्भव है कि वह मेरी आँखों का भ्रम था और सन्ध्या के प्रायान्धकार में उनकी उज्ज्वल आँखों की झलक मुझे यों ही सजल दिखायी दी हो। भाभी जी ने फिर कहना प्रारम्भ किया—"अच्छा, लाला बताओ तो सही, इतने दिनों तक तुम कहाँ थे और क्या करते थे? जिस बात की अफवाह सुनने में आयी थी वह क्या सच थी?" इस बार उनके चेहरे पर व्यंग्यपूर्ण मुस्कान का स्पष्ट आभास मैंने देखा। इस अप्रिय विषय की चर्चा से मुझे ऐसा

लगा जैसे मेरे मर्म के दबे हुए घाव को बड़ी बेमुरौवती के साथ उँगली से खरोंच दिया गया।

मैं यह पूछने को उत्सुक था कि वह अफवाह क्या है। पर मीरा के सामने यह प्रश्न मैं न कर सका। मैंने दुःख, ग्लानि और लज्जा के भाव को दबाकर कहा—"केवल इतना ही जान लो भाभी, कि बनारस छोड़ने के बाद से अब तक मैं इलाहाबाद में था। वहाँ क्यों गया, समय आने पर तुम्हें इस बात का ठीक-ठीक पता चल जायगा, अभी मैं कुछ नहीं बताऊँगा। जिस अफवाह की बात तुमने कही, वह क्या थी मैं यह भी नहीं सुनना चाहता।"

श्यामा ने एक कुर्सी पर चढ़कर बटन दबाकर बिजली की बत्ती जला दी। उस प्रकाश में मैंने भाभी जी का मुख देखा। मातृत्व के एक परम मंगलमय सौन्दर्य का जो आभास मैं उनके मुख पर बराबर देखता आया था वह इस समय भी उसी चिर-अपूर्व रूप से झलक रहा था। बल्कि इस समय सरस विषाद की एक मृदुल छाया से उनके मुख की वह स्निग्ध शान्त छवि और भी अधिक मनोरम हो उठी थी।

मेरी बात सुनकर वह कुछ देर तक सकरुण मौन भाव से मेरी ओर देखती रहीं, फिर क्षीण स्वर में बोलीं—"लाला, तुम्हारा स्वभाव बहुत बदल गया है। कारण भगवान् जाने, पर ऐसे रूखे तुम पहले कभी नहीं थे।"

यह जानकर कि मेरी बात से भाभी जी के मन को कष्ट पहुँचा है; मुझे बहुत दुःख हुआ। मैं बचपन से ही भाभी जी को श्रद्धा और सम्मान की दृष्टि से देखता आया था और वह भी मुझसे अपने सगे छोटे भाई की तरह स्नेह रखती थीं। घर-भर में केवल वही एक ऐसी व्यक्ति थीं जिनसे मैं जी खोलकर बातें कर सकता था। पर इधर मेरे जीवन के चक्र ने ऐसा जटिल रूप धारण कर लिया था कि मैं भाभी जी के आगे भी अपने मन की गाँठें नहीं खोल सकता था। यदि खोल सकता तो मन पर से एक बड़ा भार उतर जाता। पर यह नहीं हो सकता, यह जानकर मेरा मन अधीर व्याकुलता से बिलबिला उठा। भाभी जी की बात सुनकर मुझे भी इस बात पर विश्वास होने लगा कि मेरा स्वभाव वास्तव में बदल गया है। दो वर्ष पहले जब मैं भाभी जी से मिला था, तब जीवन किन विचित्र रंगों की चित्रित माया मेरी आँखों के आगे भासित किया करता था! आकाश में, प्रकाश में, सन्ध्या की छाया में और प्रभात की माया में, अपने में और दूसरों में, आशा, उल्लास और उमंग की कैसी हिल्लोलित तरंगें अठखेलियाँ करती हुई मुझे दिखायी देती थीं! मैं सोचा करता था कि जीवन-सागर मेरे आगे रस से भरपूर पड़ा हुआ है—जितना चाहूँ पान कर सकता हूँ। अनन्त काल तक उस रस को पान करते रहने पर भी कभी उसमें तनिक भी कमी नहीं आने पावेगी। पर आज? कहाँ गया वह सागर? इतने शीघ्र सब रस सूख गये! मैंने सोचा कि जिसे मैं जीवनामृत का अनन्त सागर समझे बैठा था वह एक मिट्टी की गागर में भरी हुई कड़वी शराब के सिवा और कुछ नहीं था। उस शराब की दो-चार बूँदें पीते-न-पीते घड़ा ही फूट गया! पर इतना

बड़ा भ्रम मनुष्य को कैसे हो जाता है? नव-यौवन में जब तक वह जीवन के अनुभव-क्षेत्र से अलग मायालोक के एक विचित्र कोण से वास्तविक संसार का बाहरी रूप देखता है तो कौन ऐन्द्रजालिक उसकी आँखों के आगे भ्रमरी मरीचिका का मोहन-रूप झलका जाता है? वास्तविक जीवन के संस्पर्श में आते-न-आते वह क्यों उसे अनन्त प्रसारित मरुभूमि की धधकती हुई रेत के तट पर पटककर चिरकाल तक भटकने के लिए छोड़ देता है?

मैंने भाभी जी की बात का कोई उत्तर नहीं दिया। जीवन की मरुभूमि के जलते हुए बालू के कण उड़-उड़कर मेरी भीतरी आँखों में सुई की तरह चुभ रहे थे। मैं चुपचाप करवट बदलकर लेट गया। मीरा और भाभी जी कुछ देर तक बच्चों से बातें करती रहीं और फिर उठकर बच्चों को साथ लेकर वहाँ से चली गयीं।

•••

पन्द्रह-बीस दिन तक मेरा यह हाल रहा कि न मैं घर में किसी व्यक्ति से कुछ बोलता था न घर के बाहर ही निकलता था। प्रायः चौबीसों घण्टे अपने कमरे के भीतर बन्द रहता था। नौकर आकर नित्य अँगरेजी के नये-नये सामयिक पत्र मुझे दे जाता था, शायद भैया के आदेश से। मैं मोटे टाइपों में छपे हुए शीर्षकों को पढ़ता हुआ पत्र के सब पन्ने एक बार उलट जाता और फिर फेंक देता। मुझे ऐसा जान पड़ता था कि संसार में कोई भी विषय ऐसा नहीं रह गया है जो मेरे लिये कुछ भी महत्त्वपूर्ण हो। संसार का प्रत्येक मनुष्य, प्रकृति का प्रत्येक दृश्य, जीवन की प्रत्येक घटना मेरे लिये तुच्छ, अर्थहीन और निस्सार हो गयी थी। मुझे यह सोचकर आश्चर्य होता था कि संसार के इतने लोग बुढ़ापे तक किस आशा में जीवन का दुस्सह भार ढोते चले जाते हैं, जबकि मुझे बाईस वर्ष की अवस्था में ही रेगिस्तान की शून्यता और मृगतृष्णा की प्रवंचना के सिवा जीवन में और कुछ नहीं दिखायी देता। कभी मैं सोचता—''हमारे यहाँ के ऋषि-मुनियों की बातों का महत्त्व अब समझ में आ रहा है। वे जानते थे कि सारा संसार भ्रम में पड़ा हुआ है। 'अज्ञानेनावृतं ज्ञानं तेन मुह्यन्ति जन्तवः।' सब झूठा है, माया का सारा प्रपंच है।'' शंकराचार्य के जिस वैराग्य-स्तोत्र को मैं बनारस के छात्र जीवन में बड़े उल्लास के साथ पढ़ा करता था, जिसे पढ़कर मेरे मन में वैराग्य का भाव उदित होने के बदले अकारण ही जीवन का आनन्द जाग पड़ता था, वह याद पड़ने लगा और उसका असली तत्त्व अब मेरी समझ में आने लगा—का तव कान्ता कस्ते पुत्रः? संसारोऽयमतीव विचित्रः! भज गोविन्दम् भज गोविन्दम्! पर सबसे विकट बात यह थी

कि अब मैं गोविन्द को किसी तरह भी भज नहीं पाता था। एक अतलव्यापी संशय और अविश्वास के भाव से मेरी सारी आत्मा ओतप्रोत हो गयी थी। मुझे ऐसा जान पड़ा कि बलदेव ने मेरे अज्ञात में मेरे मन पर अपने विचारों का विषैला बीज बो दिया था, वह अब पनपने लगा है। रह-रहकर मुझे उसकी यह बात याद आती थी कि सृष्टि के सारे चक्र के पीछे एकमात्र शैतान की शक्ति काम कर रही है।

एक दिन मैं पलँग पर चित लेटा हुआ अपने जीवन की व्यर्थता पर विचार कर रहा था। अकस्मात् मुझे ऐसा जान पड़ा कि मेरा हृदय अपने स्थान से हटकर नीचे को गिरता चला जाता था। मेरे शरीर के भीतरी भाग का सारा यन्त्र एक विचित्र स्पन्दन से फड़फड़ा उठा। मुझे इस बात पर निश्चित रूप से विश्वास हो गया कि मैं मर रहा हूँ। ऐसा जान पड़ा कि मैं अनन्त शून्य में ऊपर से नीचे को उसी तरह डूबता जाता हूँ जिस तरह कोई गोताखोर पानी के नीचे डुबकियाँ लगाता चला जाता है। मैंने आँखें मूँद ली थीं और मेरा मन तोते की तरह रट लगा रहा था—"भज गोविन्दम्! भज गोविन्दम्!" केवल दो सेकेण्ड तक यह स्थिति रही होगी, पर इतने ही समय के भीतर मैं मृत्यु-लोक के तल तक पहुँचने के बाद उतराकर फिर से जीवन-लोक में वापस चला आया। विश्वास करने की बात नहीं है, पर मैं सच कहता हूँ कि जब मेरे प्राणों की गति लौट चली और मैं फिर से जीवित हो उठा तो मुझे ऐसा लगा जैसे किसी ने मुझे विशुद्ध आनन्द के प्रशान्त और निस्तरंग सागर की सैर कराके फिर से जीवन की रूखी-सूखी और कण्टकाकीर्ण भूमि में पटककर छोड़ दिया। कुछ देर तक मैं स्तब्ध अवस्था में लेटा रहा। इसके बाद धीरे-धीरे मेरा अन्तर एक अपूर्व ज्योति से उद्भासित हुआ-सा जान पड़ा। मुझे ऐसा लगा कि मृत्यु के रहस्य का द्वार मेरे लिये सदा को उद्घाटित हो गया। कैसा मंगलमय, चरम-निर्वाणमय, चिदानन्दनमय वह लोक है! मूर्ख संसार उसे भय का राज्य समझे बैठा है और जीवन के सौ-सौ प्रहारों और सहस्रों उत्पातों को सहन करते हुए भी मनुष्य रक्त-शोषी घृणित कीट की तरह उसी को जकड़े रहना चाहता है। मेरी अन्तरात्मा रह-रहकर किसी अज्ञात शक्ति को पुकारकर कहने लगी—"मुझे ले चलो! ले चलो! फिर उसी चिर-प्रशान्त लोक में ले जाकर मुझे अनन्त-काल के लिए वहीं छोड़ दो! जीवन की सारी व्यर्थता, चिन्ता, ग्लानि, लज्जा, सन्ताप और भय की सब भावनाओं को महामृत्यु के विमल, अतल सागर में डुबो दो!"

मैं स्पष्ट देख रहा था कि घर के सब लोग मेरी मानसिक अवस्था देखकर ऐसे घबराये हुए थे कि किसी को मुझसे कुछ बोलने का साहस नहीं होता था। भैया तो मेरे पास फटकते तक न थे। भाभी जी बीच-बीच में बच्चों को साथ लेकर मेरे कमरे में आती थीं और मेरी तबीयत का हाल पूछकर चुप रह जाती थीं। कुछ देर तक वहाँ बैठकर बच्चों के साथ बातें करते हुए शायद इस बात की प्रतीक्षा करती थीं कि मैं अपने-आप कुछ कहूँ। पर मैं पलँग पर लेटे-लेटे या तो कोई बेकाम का संवादपत्र उठाकर पढ़ने लग जाता या आँखें बन्द किये चुपचाप पड़ा रहता। कोई चारा न देखकर भाभी जी भी चुपचाप चली जातीं।

अपने चारों ओर के जीवन से एकदम विच्छिन्न होकर इस तरह दिनभर और रातभर पलँग पर लेटे रहने का फल यह हुआ कि मैं वास्तव में बीमार पड़ गया। पहले ही दिन ज्वर 105 डिग्री तक चढ़ गया। आश्चर्य की बात है कि इस बुखार से मुझे किसी तरह का कष्ट नहीं हुआ, बल्कि जिस समय ज्वर चरम सीमा में पहुँचा उस समय फिर एक बार मैंने मृत्यु के पूर्ण निर्वाणमय गहन सागर में गोते लगाकर डूबने और उतराने के आनन्द का अनुभव किया। मैं इस जीवन से दूर—बहुत दूर—पहुँचकर एक ऐसी विचित्र अनुभूति के लोक में चला गया था जिसे अतिजीवन की अनुभूति कहा जाय तो अत्युक्ति न होगी। दूसरे दिन ज्वर एकदम घट गया और मैं इस जीवन की चेतना से पीड़ित होकर छटपटाने लगा। तीसरे दिन ज्वर फिर बढ़ गया और उसी अलौकिक अति-जीवन के आनन्दातिरेक में मेरी सारी चेतना मग्न हो गयी। दस-बारह सप्ताह तक यही हाल रहा। बीच में एक दिन ज्वर छूट जाता था और फिर दूसरे दिन बढ़ जाता था। क्विनाइन खाते-खाते जब दोनों कानों में निरन्तर वीणा बजने लगी तब बुखार ने पिण्ड छोड़ा। सारा शरीर पस्त पड़ गया था और मन एकदम निश्चेष्ट हो गया था। पर इस बुखार से अपने मन में मैंने एक बड़ा भारी परिवर्तन पाया। निदारुण ग्लानि और असहनीय सन्ताप की जिस भावना को मैं इलाहाबाद से अपने साथ लाया था, वह जैसे किसी जादू की माया से एकदम तिरोहित हो गयी। मुझे आश्चर्य इस बात पर अधिक हो रहा था कि सारा शरीर थकित, मन क्लान्त और आत्मा परिश्रान्त होने पर भी एक निराली सुखालसमयी अनुभूति से मेरा सारा चित्त पुलकित हो रहा था। बीमारी के पहले, जीवन के प्रति वैराग्य का जो भाव मेरे अन्तर के कण-कण में व्याप्त होकर मृत्यु के प्रति मेरे मन में प्रबल आकर्षण का मोह पैदा कर रहा था, उसका लेश भी अब नहीं रह गया था। पारलौकिक जीवन के छायात्मक आनन्द की आशा के प्रति उदासीन होकर मेरी अन्तरात्मा इसी लोक के जीवन के प्रति एक अपूर्व ममता का अनुभव करने लगी। मुझे ऐसा जान पड़ता था जैसे युगों तक मृत्युलोक में विचरकर, वहाँ के अतीन्द्रिय आनन्दमय रस से छकने के बाद मैं फिर अपने जन्मलोक में लौट आया हूँ, जहाँ के जीवन से मैं उकता गया था। इस बार इस जीवन की प्रत्येक बात मुझे एकदम नयी लगती थी और प्रत्येक व्यक्ति में मैं दिलचस्पी लेने लगा था।

भाभी जी ने मेरी बीमारी में रात-दिन मेरे पास बैठकर मेरी जैसी शुश्रूषा की, वह वर्णनातीत है। उनके प्रति कृतज्ञता के भाव से मेरा हृदय गद्‌गद हो गया। बच्चों की देख-रेख, गिरस्ती के काम-काज, अपना खाना-पीना सब छोड़कर वह केवलमात्र मेरी परिचर्या में लगी रहीं। मेरी इच्छा हुई कि उनके दोनों पाँवों के नीचे अपना सिर रखकर उनकी धूलि से अपने को पवित्र करूँ, पर केवल अपनी आँखों में ही कृतज्ञता का भाव झलकाकर मैं रह गया।

•••

ज्वर छूटने के प्रायः एक सप्ताह की बात है। तीसरे पहर का समय था। मैं दूध पीने पर भी क्लान्ति का अनुभव करके पलँग पर लेट गया था और ऊँघ रहा था। घर-भर में सन्नाटा छाया हुआ था और मैं ऊँघता हुआ एक बड़ी मीठी उदासी का अनुभव कर रहा था। अकस्मात् एक भारी चीज के नीचे गिरने की आवाज से मैं चौंकता हुआ जाग पड़ा। बाहर कुछ आदमियों के पाँवों की आहट सुनायी दी। भाभी जी कह रही थीं—"इधर रखो, इधर!" मीरा किसी से कह रही थी—"भीतर चले आइये!" नौकरों में हड़बड़ी पड़ गयी थी। कोई धमाधम आवाज से इस कमरे में आता था, कोई उस कमरे में जाता था। मामला क्या है यह जानने की उत्सुकता हुई, पर कोई नौकर मेरे कमरे की तरफ नहीं आता था। कान लगाकर सुनने लगा कि किसी बात से कुछ पता चले। उस गुल-गपाड़े में जो दो-एक बातें ठीक तरह से सुन सका उससे इतना ही अनुमान लगा सका कि कुछ अतिथि बाहर से आये हुए हैं। उन अतिथियों में दो-एक महिलाएँ भी थीं ऐसा जान पड़ा। कुछ देर बाद कोलाहल शान्त हो गया। अकस्मात् किसी ने बगलवाले कमरे से मेरे कमरे के दरवाजे का पर्दा कुछ हटाया। मैंने उस ओर दृष्टि की तो मेरे आश्चर्य का ठिकाना न रहा। मीरा के साथ प्रायः उसी की उम्र की एक अपूर्व सुन्दरी लड़की उत्सुकता से मुझे झाँक रही थी। उस लड़की की सूरत से मैं भली-भाँति परिचित था, पर प्रथम दृष्टि में ही मैं यह न जान पाया कि यह वास्तव में है कौन? पर तत्काल ही मेरी स्मृति जाग पड़ी और मेरी आगरा यात्रा का सारा 'रोमान्स' मेरी आँखों के आगे सिनेमा के फिल्म की तरह चित्र-पर-चित्र उद्घाटित करने लगा। मीरा मुस्कराते हुए एक बार मेरी ओर देखकर फिर उसकी ओर देखते हुए धीरे से (पर इतनी स्पष्टता से कि मैंने सुन लिया) बोली—"तुमने अभी कहा था न कि भैया को तुम अच्छी तरह जानती हो तब भीतर चलती क्यों नहीं? चलो! यह कहकर वह उसे भीतर को ढकेलने लगी। पर जयन्ती ने बलपूर्वक प्रतिरोध किया और वह भीतर आने को किसी तरह राजी न हुई। अर्द्ध संकोच की मार्मिक दृष्टि से मेरा अन्तर एक बार चीरकर वह हलके झटके से मीरा का हाथ छुड़ाकर वहाँ से चली गयी।

आगरे में उसे जिस रूप में मैंने देखा था उससे आज की छवि में मैंने एक विशेष अन्तर पाया। आज नव-विकसित यौवन उसके मुख के प्रत्येक हाव-भाव में ऐसे उद्दाम प्रवेग से तरंगित हो रहा था कि वह चेष्टा करने पर भी उस तड़ित् प्रवाह को नियन्त्रित नहीं कर पाती थी—यह मैंने क्षण भर के दृष्टिपात से ही स्पष्ट देख लिया था। आगरे में मैंने उसका जो किशोरी-कुमारी का रूप देखा था उसमें तीव्रता अवश्य थी, पर ऐसा

सलोनापन, ऐसी रस-विह्वलता नहीं थी। मेरे सिर से पाँव तक विकल पुलक की मृदु-मृदु तरंगें हिलोरें मारने लगीं।

उषा और लज्जा के साथ दो और बच्चे कमरे के दरवाजे पर आकर खड़े हो गये और कौतूहलपूर्वक मेरी ओर देखने लगे। मैंने कहा—"कमल! बिरजू! आओ, चले आओ!" मुझे स्वयं आश्चर्य हो रहा था कि दोनों में से एक का भी नाम मैं नहीं भूला था। चारों बच्चे हँसते और किलकारियाँ भरते हुए वहाँ से भाग गये।

थोड़ी देर बाद भाभी जी एक महिला को साथ लेकर अर्थपूर्ण मुस्कान मुख पर झलकाती हुई मेरे कमरे में चली आयीं। महिला को देखते ही मैं पहचान गया। वह जयन्ती की सौतेली माँ—मिश्राणी जी—थीं। उन्हें देखकर मैं सारे शरीर में कम्बल अच्छी तरह लपेटकर उठ बैठा। वह जब मेरे पास आयीं तो मैंने उन्हें यथाशक्ति झुककर प्रणाम किया। भाभी जी ने उन्हें बड़े शिष्टाचार के साथ कौच पर बिठाया, और स्वयं भी उनके साथ बैठ गयीं।

मिश्राणी जी ने मेरी ओर देखकर कुछ संकोच-भरी संवेदना से कहा—"आप आज बहुत सुस्त दिखायी देते हैं।"

मेरे बदले भाभी जी ने उत्तर दिया—"लाला इधर जब से शिमले से आये हैं, तब से इनका जी एक दिन के लिए भी अच्छा नहीं रहा। दस-बारह दिन तक तो इनकी तबीयत ऐसी खराब रही कि हम सब लोग बहुत घबरा उठे थे। 105 डिग्री तक बुखार चढ़ जाया करता था।"

दुःख का भाव प्रकट करते हुए मिश्राणी जी ने कहा—"ओह! तभी इतने दुबले हो गये हैं। नहीं तो आगरे में जब आये थे तब—"

मिश्राणी जी कहते-कहते रुक गयीं। मैंने अनुमान से उनके रुकने का यह कारण लगाया कि आगरे में मेरा स्वास्थ्य बहुत सुन्दर था, इस बात को भाभी जी के आगे कहकर जताना उन्होंने शायद शिष्टाचार के विरुद्ध समझा,—कहीं इस तरह की बात से भाभी जी यह समझकर बुरा न मान जायँ कि उनके 'लाला' के स्वास्थ्य पर नजर लग गयी।

कुछ देर तक चुप रहने के बाद मिश्राणी जी ने कहा—"अब तो आपकी तबीयत ठीक है?"

इस बीच मीरा और जयन्ती फिर दरवाजे पर आकर खड़ी हो गयी थीं। मीरा आगे खड़ी थी और जयन्ती पर्दे की आड़ से भीतर को झाँक रही थी। दरवाजे की ओर देखते हुए मैंने अन्यमनस्क होकर मिश्राणी जी के प्रश्न के उत्तर में कहा—"जी हाँ।"

मेरी दृष्टि का अनुसरण करते हुए भाभी जी ने भी दरवाजे की ओर देखा और देखकर कहा—"कौन, जयन्ती है! आओ बहन, आओ! लजाती काहे को हो! क्या डर रही हो? पर यहाँ कोई बाघ भी तो नहीं है!" कहकर अपने परिहास से अपने-आप हँस पड़ीं!

मिश्राणी जी ने भी कहा—"लल्ली! चली आओ!"

इस बार मीरा बलपूर्वक उसका हाथ पकड़कर उसे प्रायः घसीटती हुई भीतर ले आयी और उसे मिश्राणी जी की बगल में बिठा दिया। एक मधुर लज्जा की झलक से जयन्ती का मुँह लाल हो आया। उस ललाई में एक ऐसी ताजगी थी कि मेरा हृदय भी उसकी मोहन-माया से रँग गया। उसे देखकर मेरे मन में एक निराली भावना उदित होने लगी। मैं सोचने लगा—"मेरे सामने जीवन का अनन्त विस्तार पड़ा हुआ है। दुःख, भय और मृत्यु की जो भावनाएँ इतने दिनों तक मेरे मन को जोंक की तरह जकड़े हुए थीं वे एक भयंकर दुःस्वप्न के सिवा और कुछ नहीं थीं। किसी अज्ञात शक्ति ने मेरे मन पर से काला पर्दा हटाकर, मुझे फिर से जीवित और जागरित लोक में लाकर उन्मुक्त प्रकाश के आगे खड़ा कर दिया।" इस विचार से रोमांच की तड़ित्-तरंग मेरे प्राणों में संचारित हो उठी। पर उस समय मैं यह न जान पाया कि मेरे अभ्यन्तर के गहनतम प्रदेश में जो घने बादल घिरे हुए हैं उन्हीं की रगड़ से यह बिजली पैदा हो रही है।

मीरा जयन्ती के पीछे खड़ी थी और दुष्टता के साथ मुस्कराती हुई उसके सिर पर से साड़ी हटाकर उसके जूड़े से खेलने लगी। जयन्ती उसकी इस शरारत से असन्तुष्ट होकर उसका हाथ हटाकर साड़ी को ऊपर सरका लेती थी, पर मीरा फिर-फिर उसे हटा देती थी। भाभी जी ने स्नेहपूर्वक मुस्कराते हुए मीरा से कहा—"क्यों नाहक लल्ली को तंग करती हो?" इस बात पर मीरा अकारण ही खिलखिलाकर हँस पड़ी।

जयन्ती अत्यन्त संकोच के साथ मुझे कनखियों से देख रही थी। उसकी लम्बी और खिंची हुई, सतेज और स्निग्ध आँखों का संकोचपूर्ण, पर साथ ही विस्मित भाव मेरे रोम-रोम में एक अनिर्वचनीय अनुभूति की पुलक का संचार कर रहा था। बाहर के कमरे में बच्चे किलकारियाँ मारते हुए उछल-कूद मचा रहे थे। एक दिन पहले सारा घर मुझे सूना मालूम होता था, और आज? आज केवल घर ही नहीं, सारा संसार मुझे सुख, सन्तोष, प्रेम और पुलक, आशा और आनन्द में भरपूर जान पड़ रहा था।

सहसा एक प्रौढ़ व्यक्ति ने भीतर प्रवेश किया। खद्दर का एक लम्बा कुर्ता और खद्दर का ही ढीला पाजामा पहने हुए उस नवागत व्यक्ति को बेधड़क भीतर घुसते देखकर पहले मैं आश्चर्य में पड़ गया; पर फिर तत्काल ही मैंने उन्हें पहचान लिया। वह जयन्ती के पिता कृष्णकुमार मिश्र थे। आज बहुत दिनों बाद उन्हें देखा था, और वह भी खद्दर की स्वदेशी-कट पोशाक में, इसलिए उन्हें प्रथम दृष्टि में ही मैं नहीं पहचान पाया था।

मिश्र जी को पहचानने पर मैं हाथ जोड़कर नमस्कार करता हुआ पलँग पर से उठकर खड़े होने की तैयारी करने लगा, पर उन्होंने मेरे पास आकर मेरे दोनों हाथ पकड़कर मुझे उठने से रोकते हुए कहा—"अरे! अरे! तुम यह क्या करते हो! बैठे रहो! बैठे रहो! आज मुद्दत के बाद तुम्हें देखा है। तुम्हारा चेहरा पहले से बहुत बदल गया है! सुस्त भी काफी दिखायी देते हो? मैंने सुना था कि तुम आगरे आये थे? मैं तब घर पर नहीं था। वापस आने पर जब मुझे तुम्हारे आने की बात मालूम हुई तो मुझे बड़ा अफसोस

हुआ कि तुमसे मुलाकात न हो सकी। खैर, यहाँ आने पर मुझे मालूम हुआ कि तुम्हारी तबीयत ठीक नहीं है। शिकायत क्या है? मलेरिया तो नहीं है? क्विनाइन ही इसकी एक दवा है। तुम्हारे भैया दफ्तर से कै बजे आते हैं? वह तो मजे में हैं? और सुनाओ। तुम आजकल क्या कर रहे हो? सुना था कि तुमने पढ़ना छोड़ दिया था। बात क्या हो गयी? चलो, इस बार हमारे साथ आगरे चलो। वहीं पढ़ोगे। चाहो तो प्राइवेट स्टूडेण्ट की हैसियत से भी वहाँ इम्तहान दे सकते हो।"

एक साँस में मिश्र जी इतनी बातें कह गये कि मैं उत्तर में क्या कहूँ, कुछ समझ ही में न आता था। मन्द-मन्द मुस्कराता हुआ मैं चुप हो रहा। मीरा ने दूसरे कमरे से एक कुर्सी लाकर उन्हें दी। पर वह खड़े ही रहे और कहने लगे—"अरे! तुमने बेकार इतनी तकलीफ की। मैं बैठूँगा नहीं। खड़े-खड़े नन्दकिशोर से दो बातें करने के लिए आया हूँ। फिर लेट जाऊँगा। बड़ी थकावट मालूम हो रही है। कालका से शिमले तक का सफर क्या है, एक आफत है। सारा अंजर-पंजर ढीला हो गया है। हाँ तो, नन्दकिशोर, तुम मजे में हो न? तबीयत तो ठीक है?"

मुझे हँसी आ रही थी पर मैं हँसा नहीं। शान्त भाव से बोला—"जी हाँ, आपकी कृपा से अब तबीयत ठीक ही है।" भाभी जी अंचल से मुँह ढाँपकर हँस रही थीं। जयन्ती सहमी और सकुचायी हुई एक बार मेरी ओर देखती थी, एक बार अपने पिता की ओर—शायद यह जानने के लिए कि उसके पिता के अनमने स्वभाव और वाचाल प्रकृति के सम्बन्ध में मेरे मन में क्या धारणा उत्पन्न हुई है। मैंने अपने मुख पर संयत और शान्त भाव झलकाने की चेष्टा करते हुए एक बार अर्थ-भरी दृष्टि से उसकी ओर देखकर उसे यह जताना चाहा कि "तुम घबराओ नहीं, तुम्हारे पिता जी के प्रति मेरे मन में वैसा ही सम्मान का भाव है जैसा तुम्हारे मन में।" मुझे, न जाने क्यों, ऐसा जान पड़ा कि जयन्ती मेरे मुख के भाव से सचमुच मेरे मन की बात जान गयी और उत्तर में स्निग्ध विह्वल दृष्टि से एक बार मेरी ओर देखकर मानो कहने लगी—"तुम्हारे प्रति मैं कृतज्ञ हूँ। तुम बड़े समझदार और सहृदय हो। तुम अपनी भाभी की तरह नहीं हो, जो पिता जी की बात पर अत्यन्त अशिष्टता के साथ अंचल से मुँह ढाँपकर हँस रही हैं।"

मिश्र जी ने कहा—"तब तो अच्छा ही है। कोई चिन्ता की बात न रही। हाँ तो, इस साल पास हो जाने के बाद तुम्हारा आगे पढ़ने का विचार है या नहीं?"

इस बार मिश्राणी जी न रह सकीं। बिगड़कर अपने पति से कहने लगीं—"क्या बहकी-बहकी बातें कर रहे हो? यह जानकर भी कि उन्होंने पढ़ना छोड़ दिया है, इस साल पास हो जाने के बाद की बात पूछी जा रही है! ऐसे अनमने स्वभाव के आदमी के साथ किसी भले आदमी के यहाँ जाना भी एक आफत है।"

इतने व्यक्तियों के बीच में अपनी पत्नी की उग्रता देखकर और अपनी भूल समझकर बेचारे मिश्र जी खिसिया गये और कहने लगे—"हाँ, ठीक है! ठीक है! मैं भूल ही गया था। तुमने तो इस साल इम्तहान ही नहीं दिया फिर पास होने का क्या सवाल

है। अच्छा! अच्छा! अब तुम आराम करो, मैं जाता हूँ। जरा लेटने का इरादा है।'' यह कहकर वह चले गये।

भाभी जी इस समय तक मुँह में कपड़ा ठूँसकर पीछे की ओर मुँह करके हँस रही थीं। मिश्र जी के चले जाने पर वह मुँह पर से कपड़ा हटाकर खिलखिलाती हुई मुक्त वेग से हँसने लगीं। हँसते-हँसते उनकी आँखों से आँसू निकल आये। जब कुछ शान्त हुईं तो हाँफती हुई कहने लगीं—''अरे बाप रे! मर गयी! मुँह में कपड़ा ठूँसे हुए मुझे ऐसा मालूम होता था कि मेरा दम ही घुट जायगा। बड़े भोले हैं बेचारे तुम्हारे मिश्र जी। और बहन (मिश्राणी जी को लक्ष्य करके उन्होंने कहा) तुम भी बड़ी अजीब हो। उन्हें एक जरा-सी बात के लिए डाँट बताने की क्या जरूरत थी? आग लगे मेरे स्वभाव पर! लाख कोशिश करने पर भी हँसी नहीं रोक पायी। बेचारे मन में क्या सोचते होंगे। कहते होंगे कि फलाँ आदमी की स्त्री कैसी निर्लज्ज है। उफ़!'' कहकर फिर एक बार वह खिलखिला पड़ीं।

भाभी जी की यह अशिष्टता मुझे बिलकुल अच्छी न लगी। जयन्ती की आँखों के भाव से मालूम होता था कि वह भी इस बात से अत्यन्त असन्तुष्ट है। पर मिश्राणी जी को भाभी जी का हँसना कुछ भी बुरा नहीं लगा, मुझे ऐसा जान पड़ा। वह बोलीं—''क्या करूँ बहन, वह बात ही इस तरह की करते हैं कि मुझसे रहा नहीं जाता। पता नहीं, कॉलेज में लड़कों को किस तरह पढ़ा पाते हैं। मुझे तो शक है कि वहाँ भी इसी तरह अनमने ढंग से ऊटपटाँग और बे-सिर-पैर की बातें करके लड़कों का वक्त खराब करते होंगे।''

मैंने कहा—''नहीं, आप यह कहकर मिश्र जी पर बड़ी ज्यादती कर रही हैं। उनके मुकाबले के विद्वान् प्रोफेसर यूनिवर्सिटियों में बहुत कम पाये जाते हैं। उनके विद्यार्थियों में से दो-एक को मैं जानता हूँ! उन लोगों के मुँह से भी मैंने मिश्र जी की बड़ी तारीफ़ सुनी है। इसमें सन्देह नहीं कि वह कुछ अनमने-से रहते हैं। पर विद्वानों के सम्बन्ध में इस तरह का स्वभाव एक गुण माना जाता है, अवगुण नहीं।''

मैंने काफ़ी गम्भीरतापूर्वक यह बात कही, और यद्यपि मैं मिश्राणी जी की ओर मुँह किये हुए था, तथापि कनखियों से बीच-बीच में जयन्ती की ओर भी देख रहा था—यह जानने के लिए कि मेरी बात का उस पर क्या असर होता है। उसकी आँखों में कृतज्ञता छलक उठी थी और उसके उदास चेहरे पर प्रसन्नता की दीप्ति छा गयी थी। भाभी जी ने बड़ी गम्भीरता से मेरी बात सुनी और सुनकर बड़ी सहृदयता के साथ बोलीं—''लाला की बात बिलकुल सच है। मिश्र जी सचमुच बड़े विद्वान् हैं। 'वह' भी (उनका आशय स्पष्ट ही भैया से था) उनकी बड़ी तारीफ़ किया करते हैं। ऐसा जान पड़ता है कि वह सब समय पोथियों की बड़ी-बड़ी बातें सोचते रहते हैं, इसीलिए बाहरी दुनिया की बातें उन्हें ठीक तरह से याद नहीं रह पातीं। ऐसा बमभोले और साथ ही विद्वान् पतिदेव जन्म-जन्मान्तरों के पुण्यों से तुम्हें मिले हैं, बहन!''

•••

मिश्र-परिवार के आने के दो-तीन दिन बाद ही मेरा शरीर बाहर घूमने-फिरने के योग्य हो गया। तन में और मन में मैं एक अवर्णनीय स्फूर्ति के संचार का अनुभव करने लगा। इस बात पर सन्देह करने का कोई कारण मुझे नहीं दिखायी दे रहा था कि जयन्ती के कारण ही यह चिकित्सा-चमत्कार सम्भव हुआ है। उसके अंग-अंग में इस बार जीवन और यौवन की जो तरंगें हिल्लोलित हो रही थीं वे मेरे मन को भी अनिवार्य वेग से आन्दोलित कर रही थीं। मेरे सामने वह कुछ बोलती न थी, पर उसकी विस्मित और उत्सुक आँखों की मौन वाणी मेरे मर्म को जो सन्देशा सुना रही थी उसकी अवज्ञा करने की सामर्थ्य मुझमें नहीं थी।

एक दिन मैं किसी काम से भाभी जी के कमरे में गया। भाभी जी उस समय वहाँ नहीं थीं। मीरा और जयन्ती बैठी हुई थीं। जयन्ती के सर पर से साड़ी नीचे खिसक गयी थी और कोनों पर क्लिपों से बँधे हुए उसके सुन्दर घुँघराले बाल माँग की दोनों ओर कन्धे की सफाई के कारण लहरों के आकार में बिहर रहे थे। वह टाट के एक चौकोर टुकड़े को अपने दोनों घुटनों पर रखकर एक सुई से उसके ऊपर सुन्दर-सुन्दर फूल काढ़ रही थी। मीरा भी उसके पास बैठी हुई यही काम कर रही थी और दोनों सखियाँ इस समय तक शायद धीमे स्वर से आपस में कुछ बातें कर रही थीं। मुझे देखते ही जयन्ती के मुख पर लज्जा की एक लघु लहर दौड़ गयी और उसने बड़ी शालीनता से बायें हाथ से हरे रंग की चौड़ी किनारीवाली खद्दर की साड़ी ऊपर को करके बालों को ढक लिया। मीरा दुष्टतापूर्वक मुस्कराती हुई बोली–"जयन्ती तुम्हारे ही लिये यह छोटा-सा कालीन तैयार कर रही है, भैया! जरा देखकर बताओ तो सही कि फूल कैसे बने हैं!"

जयन्ती का मुँह लज्जा से एकदम लाल हो आया और उसने "दुत!" कहकर टाट के टुकड़े को लपेट लिया।

इतने में भाभी जी वहाँ आ पहुँचीं। उन्होंने अपनी सहज मुस्कान के साथ पूछा–"लाला, चुप क्यों खड़े हो? और जयन्ती, तुम्हें क्या हो गया? इस तरह हाथ-पाँव समेटकर सिर नीचा किये क्यों बैठी हो?"

मीरा बोली–"देखो भाभी, मैंने भैया से कहा कि जयन्ती तुम्हारे ही लिये कालीन तैयार कर रही है, जरा फूलों को देखकर बताओ कि कैसे बने हैं, बस इसी बात से जयन्ती नाराज हो गयी है और कालीन लपेटकर इस तरह बैठ गयी है।"

भाभी जी की मुस्कान इस बात से अधिक खिल उठी। उन्हें यह अच्छा विनोद जान पड़ा। पर उन्होंने मीरा से कहा—"तुम भी कुछ कम दुष्ट नहीं हो। पर इसमें नाराज होने की कौन-सी बात है, मैं नहीं समझी। अरे, भगवान् ने चाहा तो आज न सही, फिर कभी जल्दी ही एक दिन तुम्हें लाला के लिए कार्पेट बुनना ही होगा, बहन!" अन्तिम वाक्य भाभी जी ने स्पष्ट ही जयन्ती को सम्बोधित करके कहा था और कहकर वह संकेत-भरी दृष्टि से एक बार कनखियों से मेरी ओर देखकर फिर जयन्ती की ओर देखने लगीं। जयन्ती ने उनकी यह बात सुनकर अपना सिर और भी नीचा कर लिया और मैं ऐसा घबराया कि तत्काल वहाँ से बाहर चला आया। आशा और आशंका के एक अवर्णनीय मिश्रित भाव से मेरा हृदय धड़कने लगा था।

उस दिन शाम को चाय-वाय पी चुकने के बाद मैं बाहर टहलने निकल पड़ा। जो सड़क नीचे ऐननडेल को जाती थी उसी को पकड़कर मैं बराबर आगे की ओर बढ़ता चला गया। इस बार मैं जब से शिमले आया था तब से आज पहली बार बाहर भ्रमण के लिए निकला था। इसलिए अगल-बगल के पहाड़ों का सारा दृश्य मुझे एकदम नया और मनोमोहक लग रहा था। सड़क एकान्त थी। दोनों ओर चीड़, देवदारु और बलूत के लम्बे-लम्बे वृक्षों की सघन छाया से पथ आच्छादित था। उन वृक्षों के पत्ते लम्बी और नुकीली सुइयों के गुच्छों की तरह जब हवा के झोंकों से मर्मर शब्द करते हुए हिलते थे तो ऐसा जान पड़ता था जैसे असंख्य हरे चँवर डुल रहे हों। झिल्लियों की अविरत झनकार का निरन्तर गीतस्वर एक अखण्ड शब्दजाल की विचित्र कविता का सृजन कर रहा था। बीच-बीच में इस ऐकान्तिक स्वर के अविरल प्रवाह के ऊपर पहाड़ के किसी अदृश्य कोने से पहाड़ी राग की अलौकिक धुन में बाँसुरी की तान तरंगित हो उठती थी। पपीहे की आर्त्त पुकार भी समय-समय पर वायुमण्डल को चीरती हुई मर्म में प्रवेश कर रही थी। पहाड़ी प्रान्तों में ग्रीष्म ऋतु में भी पपीहा 'पी' की पुकार से पागल रहता है। मुझे ऐसा अनुभव हो रहा था कि मैं किसी मायावन में विहर रहा हूँ और मेरे चारों ओर किसी रहस्यमय संसार का अदृश्य जीवन-चक्र चल रहा है। मैंने अपने मन को कुछ समय के लिए जान-बूझकर काव्यलोक में भरमा दिया और इस बात पर विश्वास करने की इच्छा हुई कि इस माया-राज्य की रानी और उसकी सुन्दरी सखियाँ मेरे आस-पास ही पहाड़ की किसी दरार के भीतर अपने अदृश्य रंगमहल में क्रीड़ा-कौतुक और रास-रंग में रत होंगी। अथवा यह भी हो सकता है कि वे अपने रंगमहल के झरोखों से झाँक रही होंगी। मैं उन्हें भले ही न देख पाऊँ, पर वे मुझे देख रही होंगी। क्या यह सम्भव नहीं है कि उनमें से कोई सखी प्रकट होकर प्रेमपूर्वक मेरा हाथ पकड़कर सम्मान के साथ मुझे रास्ता दिखाती हुई अपने विचित्र रहस्यमय विलास-भवन की ओर ले चले? सहसा मैं चौंक पड़ा। मैं दिवास्वप्न में मग्न होकर जिस रास्ते से होकर चला जा रहा था उसके नीचे, बिलकुल पास ही, पानी के एक छोटे-से सोते की बगल में देवदारु अथवा उसी जाति के पाँच-छह छोटे वृक्ष एकत्रित होकर एक सघन कुंज के रूप में स्थित

थे। कुछ खड़कने की-सी आवाज सुनकर उस तरफ जो मैंने देखा तो कल्पना में नहीं, वास्तव में पेड़ों की ओट के भीतर एक युवती नारी की अर्द्धव्यक्त मूर्ति देखकर मैं ऐसा चौंका जैसे मैंने कोई भूत देखा हो। मायामयी कल्पना का जिस तरह का तार उस समय मेरे मस्तिष्क में चल रहा था उससे पहले तो एक-आधे क्षण के लिए मुझे सचमुच यह विश्वास-सा हो गया कि मायाराज्य की कोई परी अपने रहस्य-निवास से मेरे स्वागतार्थ बाहर निकल आयी। पर स्वप्न भंग होने के प्रथम आश्चर्य के धक्के से मैं ज्यों ही सँभला त्यों ही मैंने जागरित आँखों से उस 'परी' की ओर गौर से देखना शुरू किया। देखा कि बरफ के समान झलझलाता हुआ सफेद ओढ़ना ओढ़े और नीले रंग के मखमल का सलवार पहने एक सुन्दरी युवती दो पेड़ों के बीच में खड़ी है। इस निर्जन और एकान्त स्थान में सघन कुंज की छाया में वह अकेली खड़ी क्यों है, यह जानने की अदम्य उत्सुकता मेरे मन में उत्पन्न हो गयी। बहुत दिनों से चलने का अभ्यास छूटा हुआ होने के कारण थकावट भी मालूम होने लगी थी। मैं पास ही एक टीले पर बैठ गया। कुछ ही देर बाद मैंने देखा कि उस निभृत-निकुंज-गृह से वह अलबेली युवती बाहर निकली और उसके पीछे एक कोट-पैण्ट-धारी युवक भी बाहर आया। मैंने मन-ही-मन मुस्कराते हुए सोचा कि ये दोनों वास्तव में काव्य-प्रेमी जीव हैं, क्योंकि प्रेमालाप के लिए ऐसा सुन्दर स्थान दूसरा मिलना कठिन था। दोनों ऊपर आकर, मेरे सामने से होकर, मेरी ओर एक झलक देखकर, मन्द-मन्द मुस्कराते हुए आगे निकल गये। मैं कह नहीं सकता कि दोनों नव-विवाहित पति-पत्नी थे, अथवा अविवाहित प्रेमिक-प्रेमिका। पर इस जोड़ी को देखकर, न जाने क्यों, एक स्निग्ध-मधुर और साथ ही उच्छ्वसित वेदना-भरी वसन्ती हवा का एक झोंका मेरे मन के भीतर बह गया। इस झोंके से ज्यों ही मेरा मन आन्दोलित हो उठा त्यों ही उसमें तरह-तरह की भावनाएँ लहराने लगीं। मैं सोचने लगा—"इतने दिनों तक कैसे भयंकर भ्रम का काला पर्दा मेरे मन पर पड़ा हुआ था! मैंने अभी तेईसवाँ वर्ष भी पार नहीं किया है, और इसी अवस्था में मुझे ऐसा जान पड़ने लगा था कि मेरे जीवन की सब आशाओं और आकांक्षाओं का अन्त हो गया है, और कोई विचित्रता, कोई नवीनता इस जीवन में मेरे लिये शेष न रही। मृत्यु की ऐसी घनघोर काली छाया मेरे मन पर पड़ गयी थी कि जीवन की कोई प्रकाश-रेखा मुझे कहीं नहीं दिखायी देती थी, और चेतना ऐसी जड़ हो गयी थी कि मृत्यु की उस छाया को ही मैं परम सत्य मानने लगा था और जीवन के प्रकाश के लिए कोई उत्सुकता मुझमें नहीं रह गयी थी। आज उस काली छाया का लेश भी मुझे कहीं नहीं दिखायी देता। आज समस्त मन प्रकाश की किरणों से समुज्ज्वल, उल्लास के उन्माद से चंचल और आशा के उच्छ्वास से पुलकित है।" जो आलोकमयी मेरे अन्तर में बैठकर अपनी किरण-छटा बिखेरती हुई मेरे रोम-रोम में पुलक का संचार कर रही थी, धीरे-धीरे उसकी प्रतिमा स्पष्ट-से-स्पष्टतर रूप से मेरी आँखों के आगे भासित होने लगी। आज जयन्ती को लक्ष्य करके भाभी जी ने जो इंगित किया था वह भी स्मरण हो आया। भाभी जी

के उस संकेत का क्या स्पष्ट अर्थ यह नहीं था कि जयन्ती से मेरे विवाह की बातचीत दोनों पक्षों के बीच चल रही है? मैं सोचने लगा–"अच्छा, मेरे शिमले आने के कुछ ही समय बाद जयन्ती का भी यहाँ चले आना क्या दैवयोग की बात है? असम्भव नहीं है। पर क्या यह भी सम्भव नहीं है कि भैया ने मेरी चित्तवृत्ति की धारा को उलटने के विचार से उपयुक्त अवसर पर उपयुक्त व्यक्ति को बुलाया हो? यही बात अधिक सम्भव जान पड़ती है। भैया बड़ी दीर्घदृष्टि रखते हैं, इस बात के अनेकों प्रमाण मुझे मिल चुके हैं। उनकी दृष्टि केवल दीर्घ ही नहीं है, बड़ी पैनी भी है। मुझे तो ऐसा जान पड़ता है कि मैं अपने को उतना नहीं समझा हूँ जितना वह मुझे समझ पाये हैं। इसीलिए उन्होंने मुझे शिमले लाकर और जयन्ती को भी यहाँ बुलाकर विवाह का यह षड्यन्त्र रचा है। षड्यन्त्र? हाँ, इसे षड्यन्त्र के सिवा और क्या कहा जा सकता है! यह तो स्पष्ट ही हो गया है कि विवाह की बात चल रही है, पर इसमें मेरी सम्मति लेने की कोई आवश्यकता ही इन लोगों ने नहीं समझी है! मैं हरगिज विवाह नहीं करने का–यह बात इन लोगों को समझ लेनी चाहिए। यह जरूर है कि जयन्ती का शील स्वभाव, रूपरंग मुझे अच्छा लगा है, पर इसके यह मानी तो नहीं हैं कि मैं उससे विवाह कर लूँ।" मन के भीतर के किसी अज्ञात कोने से ठहाका मारते हुए किसी ने प्रश्न किया–"क्या सचमुच जयन्ती से विवाह करने की इच्छा तुम्हारे मन में नहीं है?" बायीं ओर से एक रिक्शा खड़खड़ाता हुआ चला आ रहा था, उसी की आवाज से मैं चौंक पड़ा था, और मुझे ऐसा जान पड़ा कि कोई मेरे विचार से परिचित होकर व्यंग्यपूर्वक ठहाका मार रहा है। कुछ भी हो, पर अपने अज्ञात अन्तरवासी के उस प्रश्न से मैं कुछ समय तक स्तब्ध रह गया। मुझे कोई उत्तर नहीं सूझ पड़ा। कुछ सोचने के बाद मेरे मस्तिष्क से यह उत्तर निकला–"इसमें इच्छा और अनिच्छा का क्या प्रश्न है? मेरा कर्त्तव्य मुझसे कहता है कि इस जीवन में अब किसी से मैं विवाह नहीं कर सकता। खासकर जिस विवाह की बात भैया द्वारा तय हुई हो उसके लिए तो मैं किसी हालत में भी राजी नहीं हो सकता। शान्ति को उन्होंने जिस तरह अपमानित और लांछित करके भगाया था, वह बात मैं इस जन्म में कभी नहीं भूल सकता!" इस समय तक शान्ति की बात बराबर मेरे मन के भीतर दबी हुई थी, अथवा मैंने जान-बूझकर दबा रखा था। पर अब जब वह भीतर के आन्दोलन से ऊपर सतह पर आ पड़ी, तो तत्काल उसने व्यापक रूप धारण कर लिया और फिर एक बार एक सघन काली छाया के पर्दे ने प्रकाश की किरणों का पथ एकदम रोक दिया। भैया के इलाहाबाद आने के दो-तीन दिन पहले से लेकर शान्ति के अन्तर्धान होने के समय तक की एक-एक घटना काले-काले छायाचित्रों के रूप में मेरे आगे व्यक्त होकर एक भौतिक विभीषिका का भयावह दृश्य खड़ा कर रही थी। मैं उससे मुक्ति पाने, उसे भूलने का पूरा प्रयत्न करने पर भी पन्द्रह-बीस मिनट तक उस गहन अन्धकारमयी स्मृति के शिकंजे से अपने को न छुड़ा सका।

पर उस छाया ने जिस शीघ्रता से घनघोर रूप धारण किया था उसी तीव्रता से वह अकस्मात् अपने-आप फट भी गयी। शान्ति की मार्मिक स्मृति की जो तप्त किन्तु सुकुमार वेदना मेरे मन को मोम की तरह गलाने लगी थी वह फिर निर्भय कठोरता में बदल गयी। मैंने मन-ही-मन कहा—"शान्ति! वही शान्ति जो मुझे किसी भी संकेत से सूचित किये बिना ही मुझे छोड़कर चली गयी और अपना अन्तिम सन्देशा सुनाने के लिए बलदेव के पास गयी? मैं उतने दिन उसके साथ रहने पर भी उसके कूटचक्रों को नहीं समझ पाया, इसका कारण केवल यही था कि मैं जीवन के अनुभवों से अनभिज्ञ था। और शान्ति ने मेरी इस अनुभवहीनता से भरपूर लाभ उठाया। पर अनुभवियों से उसके चरित्र की असलियत कहाँ छिपी रह सकती थी? भैया एक ही दिन में भाँप गये कि वह किस कोटि की स्त्री है! उस वक्त मैं भैया की बातों से अवश्य नाराज हुआ था, पर अब समझ में आ रहा है कि उनकी दृष्टि बिजली के वेग से कैसी गहराई पर जाती है। और उनकी दीर्घदर्शिता के बारे में कहना ही क्या है! इस विषय में मैं जितना सोचता हूँ उतना ही आश्चर्य होता है! कैसे मौके से और किस स्वाभाविक ढंग से उन्होंने जयन्ती को मेरे निकट ला दिया है! आखिर मेरे भाई हैं, मेरे मन की बात वह नहीं समझेंगे तो कौन समझेगा? और, सबसे बड़ी बात यह है कि मेरी भलाई का ध्यान उन्हें मुझसे भी अधिक है। तिस पर जीवन के सम्बन्ध में उनका अनुभव कितना बढ़ा-चढ़ा है, इस बात के प्रमाण पग-पग पर मिल ही रहे हैं। और मुझे भी इधर काफी अनुभव हुआ है। शान्ति की चिन्ता में मैं घुल-घुलकर मरना नहीं चाहता! भाड़ में जाय कर्त्तव्य का तकाजा! क्या कर्त्तव्य है और क्या अकर्त्तव्य, यह मैं खूब समझने लगा हूँ। इस तरह के थोथे नीति-वाक्यों के फेर में मैं अब पड़ने का नहीं। अभी मेरे सामने मुक्त यौवन और विस्तृत जीवन-क्षेत्र पड़ा हुआ है। अभी मैंने जीवन देखा ही क्या है? यौवन के अलस सुखमय रस के एक कण का भी अनुभव अभी मुझे अच्छी तरह नहीं हुआ है। जो बात बीत चुकी है उसके लिए मैं क्यों रोऊँ? क्यों पछताऊँ? रस का जो प्याला सामने पड़ा हुआ है उसे पहले छक लूँ, पीछे रोने-पछताने के लिए काफी समय रहेगा।"

इसी तरह की चिन्ताओं में काफी देर तक मग्न रहकर मैं उस टीले पर से उठा और चलने लगा। कुछ दूर आगे चलकर ऊपर का रास्ता पकड़ा। हाँफते हुए, बड़ी कठिनाई से चढ़ाई पार की और सेसिल होटल के सामने पहुँचा। वहीं एक बेंच पर बैठकर सुस्ताने लगा। कुछ-कुछ अँधेरा होने लगा था और एक छोर से दूसरे छोर तक बिजली की बत्तियाँ जगमगा उठी थीं। यह स्थान राग-रंग के प्रेमी स्त्री-पुरुषों के गमनागमन से सब समय गुलजार रहता है। राजा-रईसों, रानियों-महारानियों, ऊँचे-ऊँचे सरकारी पदों पर नियुक्त अँगरेज और उनकी स्त्रियों आदि के आने-जाने का ऐसा ताँता वहाँ पर लगा हुआ था कि वह होटल एक विराट् मधुचक्र की तरह लगता था, जिसकी चारों ओर, भीतर, बाहर ये मधुलोभी जीव मँडरा रहे थे। रिक्शावाले घोड़ों से भी अधिक मुस्तैदी, फुर्ती और उत्साह के साथ सवारियों को वहाँ पर उतार रहे थे और वहाँ से ले जा रहे थे। मैं अनमने भाव

से यह सब देख रहा था और यह सारा दृश्यचक्र मेरे मन में अपने रंग-बिरंगी डोरों से एक अजीब माया-जाल बुन रहा था। बीच-बीच में नीचे की किसी सड़क से पहाड़ी रागिनी में बजती हुई बाँसुरी की निराली तान प्राणों में एक विचित्र वेदना तरंगित करती जाती थी। मेरा मस्तिष्क ऐसा थका हुआ था कि मैं न कुछ सोच रहा था, न कुछ समझ रहा था। केवल इतनी ही चेतना मुझे थी कि मेरी आँखों के आगे एक बहुरंगी मायावी दृश्य भासमान हो रहा है, और कर्ण-कुहरों से होकर अन्तर में मायालोक का एक अपूर्व उदास-मधुर सुर गुंजरित हो रहा है। मैं बैठा हुआ आधी मुँदी हुई आँखों से झूम-सा रहा था।

अकस्मात् किसी ने "हल्लो!" कहकर मेरी पीठ पर हाथ रखा। मैं चौंककर अपनी अर्द्ध-स्वप्नावस्था से जाग पड़ा। आँखों को पूरी तरह से खोलकर देखा। देखते ही मेरे मन में प्रसन्नता छा गयी। मेरे सामने एक कोट-पैण्टधारी दुबला-पतला, गोरे रंग का 'फैशनेबुल' युवक खड़ा था। उसका नाम था कैलाशनाथ। आज प्रायः तीन वर्ष बाद मैंने उसे देखा था। उसने विचित्र रूप से मुस्कराते हुए कहा—"कहो, क्या नींद आ रही थी? यहाँ कब आये?" जब वह मुस्कराता था तो उसकी आँखों के नीचे से होकर गालों तक गहरी झुर्रियाँ पड़ जाती थीं और नाक की दोनों ओर से होकर होंठों के कोनों तक दो टेढ़ी रेखाएँ इस तरह अंकित हो जाती थीं कि उसके मुच्छविहीन मुख को एक विचित्र रूप दे देती थीं।

मैं उठ खड़ा हुआ और बदले में मैंने भी उसके कन्धे पर हाथ रखकर सस्नेह मुस्कराते हुए कहा—"मुझे यहाँ आये प्रायः एक महीना हो गया। तुम कब आये?"

वह अपने गरम पैण्ट की जेबों में दोनों हाथ डालकर कुछ अकड़ता हुआ-सा खड़ा हो गया और बोला—"मुझे यहाँ अभी दो दिन से ज्यादा नहीं हुए। इस साल मेरा इरादा यहाँ आने का नहीं था। मैं काश्मीर जाने की तैयारी कर रहा था। पर सरप—की लड़की ने जिद करते हुए कहा कि 'तुम्हें हर हालत में हम लोगों के साथ शिमले चलना होगा।' वे लोग इसी होटल में ठहरे हुए हैं। मैं भी यहीं ठहरा हूँ। चलो न, मेरे साथ भीतर चलो, यहाँ क्या बैठे हो!"

मैंने कहा—"मैं भीतर चलकर क्या करूँगा! जिस श्रेणी के लोगों से तुम्हारा हेल-मेल है, उनसे मेरा कोई सरोकार नहीं है। मेरे चलने से तुम्हारे राग-रंग में बाधा पहुँचने के सिवा और कोई लाभ नहीं होगा।"

कैलाश ने अँगरेजी में स्नेह की डाँट बताते हुए कहा—"अरे, क्या पागलों की-सी बात करते हो! तुम्हें चलना ही होगा।"

एक रिक्शावाला बोल उठा—"साहब, हम लोगों का भाड़ा मिल जाय।"

"डैम यू! चिल्लाता काहे को है? ठहरे रहो! अभी देता है।"

उसके मुँह से हिन्दी की अँगरेजी अदायगी सुनकर मेरी हँसी रोके न रुकती थी, पर कहीं वह यह न सोचे कि रिक्शावालों के सामने मैंने उसका अपमान किया है, यह सोचकर मैंने कुछ देर के लिए अपना मुँह फेर लिया।

उसने मेरा हाथ पकड़ा और कहा–"चलो!" और एक तरह से मुझे बलपूर्वक खींचकर अपने साथ ले गया।

जब हम लोग होटल के दरवाजे पर पहुँचे तो रिक्शावाले ने पीछे से कहा–"साहब, भाड़ा!" उसकी ओर न देखकर जेब से दो रुपये निकालकर कैलाश ने नीचे फेंक दिये।

•••

कैलाश ने हाईस्कूल में तीन-चार वर्ष तक मेरे साथ पढ़ा था। हाईस्कूल की पढ़ाई जिस साल समाप्त होने को थी उस साल वह परीक्षा देने के पहले ही भाग खड़ा हुआ। उसके सगे-सम्बन्धियों ने बहुत खोज-खबर की, पर कहीं उसका पता न लगा। प्रायः दो वर्ष बाद मैंने उसे एक दिन अचानक बनारस में देखा। नेपाल के किसी राना के साथ वह रियासती पोशाक में एक मोटरकार में बैठा हुआ चला जा रहा था। रास्ते में मुझे देखकर उसने मोटर खड़ी करवायी और हाथ के इशारे से मुझे अपने पास बुलाया। बड़े प्रेम से मिला और दूसरे दिन मेरे हॉस्टल में आ उपस्थित हुआ। बहुत बातें हुईं। मालूम हुआ कि वह इस बीच बहुत-सी रियासतों के चक्कर काट चुका है और काफी रुपया कमाकर काफी से ज्यादा फूँक चुका है। वह गर्व के साथ कह रहा था कि उसे शराब पीने की लत पड़ चुकी है, और अपनी और भी दो-एक लतों की बात उसने कही कि मैं सुनकर आतंकित हो उठा। मनुष्य के स्वभाव में कभी-कभी ऐसा आकस्मिक परिवर्तन आ जाता है कि देखकर आश्चर्य होता है। जब कैलाश मेरे साथ हाईस्कूल में पढ़ता था तब उसके समान सीधे स्वभाव का कोई दूसरा लड़का मुझे नहीं दिखायी देता था। दर्जे में वह मेरे सिवा कभी किसी से कुछ बोलता न था। प्रायः सभी लड़के उसे खूब बनाया करते थे। पर वह किसी के परिहास से न चिढ़ता था और न किसी की बात का कोई उत्तर ही देता था। जब वह इण्ट्रेन्स क्लास में पहुँचा तो अकस्मात् उसका ठाठ-बाट, रूप-रंग, शील-स्वभाव, आकृति-प्रकृति आदि सभी बातों में आश्चर्यजनक परिवर्तन दिखायी देने लगा। धोती और कुर्ते के बदले अब वह कोट-पैण्ट पहनने लगा। पहले वह अपने बालों को न कटाता था, न उनमें तेल लगाता था, न कभी कंघी करता था; अब उसके बालों की सुन्दरता देखने ही योग्य थी। पहले उसके मुँह पर मक्खियाँ भिनका करती थीं; अब उसका चेहरा स्वच्छता और स्निग्धता के कारण चमकने लगा था। अब भी वह बहुत कम लोगों से बातें करता था, पर अब किसी को उसे बनाने का साहस नहीं होता था। स्कूल में यह अफवाह गरम हो उठी थी कि किसी वेश्या की लड़की से उसकी आसक्ति हो गयी है। जब सालाना इम्तहान के दिन निकट आये

तो वह अचानक शहर से ही गायब हो गया। मालूम हुआ कि वह उसी वेश्या की लड़की के साथ भाग गया है। उसके पतन का यह सब हाल सुनने पर भी, न जाने क्यों, उसके प्रति मेरे मन में जो एक प्रकार की ममता का-सा भाव उत्पन्न हो गया था, वह घटने के बजाय और बढ़ गया, यद्यपि दुःख भी कुछ कम नहीं हुआ।

इस घटना के दो वर्ष बाद जब वह मुझे बनारस में मिला तो उसे रियासती साफा, शेरवानी और चूड़ीदार पाजामा पहने हुए देखकर मेरे आश्चर्य का ठिकाना न रहा। बनारस में चार दिन तक उससे मिलता रहा। इसके बाद वह फिर गायब हो गया। उसी साल वह बड़े दिनों में दिल्ली में मिला। खद्दर के कपड़े पहने था। लोगों ने कहा कि दिल्ली के असहयोगी नेताओं के बीच में उसने अपने लिये एक विशेष स्थान बना लिया है। किसी ने कहा कि वह असहयोगी नहीं, कट्टर साम्यवादी हो गया है। मेरे पूछने पर उसने कहा कि वह कांग्रेस और साम्यवाद दोनों को समान रूप से अपनाये हुए है। उससे घनिष्ठ रूप से परिचित एक सज्जन ने, जो बड़े परिहासप्रिय मालूम होते थे, कहा—"साम्यवाद-वाम्यवाद कुछ नहीं, वह रहस्यवाद के चक्कर में पड़ा हुआ है।"

कुछ भी हो, वह नयी दिल्ली के एक होटल में बड़े ठाठ से रहता था। उसके यहाँ खद्दरधारी स्त्री-पुरुषों का ताँता सब समय लगा रहता था। मैंने इस बात पर गौर किया कि स्त्रियों के साथ विशेष ढंग से बातें करके उन्हें अपनी ओर आकर्षित करने की कला में वह बड़ा निपुण था। सम्भवतः उसकी आकृति-प्रकृति में भी कुछ ऐसी विशेषता थी जो स्त्रियों को उसकी ओर खींचती थी। उसने कुछ युवतियों से मेरा भी परिचय कराया था, पर उनमें से किसी का भी स्वभाव मेरे अनुकूल नहीं था, इसलिए मैंने अभिवादन के अतिरिक्त कभी किसी से कोई बात नहीं की।

उसी साल गरमियों में जब मैं शिमला गया तो वह फिर मिला। उसी की जबानी मैंने सुना कि वह जालसाजी के एक मामले में जेल जाते-जाते बच गया। उन दिनों उसकी आर्थिक स्थिति बड़ी खराब थी और वह 'समर हिल' में अपने परिचित किसी पंजाबी मित्र के यहाँ रहता था।

इसके बाद आज उसे इस रूप में देखा। वास्तव में इस 'रहस्यवादी' जीव के जीवन का चक्र बड़ा रहस्यमय रूप धारण करता चला जाता था। उसके पतन का इतिहास अत्यन्त घृणित होने पर भी उसके बात-व्यवहार में एक ऐसा जादू था जो मुझे प्रतिबार बरबस आकर्षित करता था। इसके अतिरिक्त यह बात भी ध्यान देने योग्य है कि स्कूली जीवन में किसी व्यक्ति से जब मित्रता का घनिष्ठ सम्बन्ध एक बार स्थापित हो जाता है, तो वह फिर हजारों विरोधी कारणों के होते हुए भी जीवन-भर कभी नहीं छूटता—बल्कि बाधाएँ उसे और अधिक उभाड़ती हैं।

•••

होटल में सुरम्य वेश-भूषा से सुसज्जित स्त्रियों और अप-टु-डेट फैशन के दामी कपड़े पहने हुए पुरुषों की भीड़ लगी हुई थी। मुझे अपने साधारण कपड़ों के कारण बड़े संकोच का अनुभव हो रहा था। कैलाश का कमरा सबसे ऊपर की मंजिल में था। सुन्दर रूप से सुसज्जित बड़ा ठाठदार कमरा था। मैं खिड़की से बाहर झाँकने लगा। सारा शिमला बिजली की असंख्य बत्तियों की जगमगाहट से परीलोक का एक विचित्र दृश्य आँखों के आगे खड़ा कर रहा था। होटल की इस ऊँचाई से यह जो शोभा आज मैंने देखी वह अपूर्व थी। काफी देर तक मैं खिड़की के पास खड़ा-खड़ा इस दृश्य की रमणीक मनोमोहकता से मुग्ध होता रहा। सहसा कैलाश ने मेरा हाथ पकड़कर सोचते हुए कहा–"अम्याँ, तुम भी अजीब आदमी हो! इतने दिनों बाद मिले हो, बैठकर गपशप करने के बजाय यहाँ खड़े हो। क्या देख रहे हो? बिजली की रोशनी कभी देखी नहीं क्या? आओ बैठो, कुछ अपनी सुनाओ, कुछ हमारी सुनो।" कहकर उसने एक कौच पर मुझे बिठा दिया और खुद भी बगलवाले सोफा पर बैठ गया। इसके बाद फिर अकस्मात् उठ खड़ा हुआ और बिजली की घण्टी का बटन दबाकर उसने एक 'ब्वाय' को बुलाया। इसके बाद उसने मुझसे पूछा–"कहो, क्या पिओगे? शेरी, शैम्पेन, ह्विस्की, ब्राण्डी या और कोई दूसरी–"

मैंने बिगड़कर कहा–"तुम मूर्ख हो। मैंने अपने जीवन में कभी शराब नहीं छुई, और न कभी छूने का इरादा ही है।" वह हँसने लगा और बोला–"अच्छा, शराब न सही, 'कोल्ड ड्रिंक' से तो तुम्हें कोई परहेज न होगा! या है?"

"नहीं, इस चीज से कोई परहेज नहीं है।"

"अच्छा, मांस तो खाते ही होगे?"

"कभी नहीं।"

"अण्डा?"

"सिर्फ एक बार खाया था–आमलेट के रूप में, वह भी धोखे से।"

"आज फिर खा लो, धोखे से न सही, जान-बूझकर ही सही!'

पर मैं राजी न हुआ। फिर सोचा कि मेरे जीवन का भीतरी चक्र जब इतना बदल गया है तो बाह्याचार में भी परिवर्तन होने में क्या हानि है! पर संस्कारों के कारण लाचार था। अन्त में मैंने 'विशुद्ध' आलू-चाप का प्रस्ताव कैलाश के सामने रखा।

कैलाश ने कहा–"पहले 'ड्रिंक' चले, फिर खाना मँगाया जायगा।"

अपने लिये उसने 'जानी वाकर' और मेरे लिये 'विमटो' का आर्डर दे दिया। बोतलें आयीं। उसने 'विमटो' से मेरा गिलास भरा और ह्विस्की और सोडा से अपना। मेरे गिलास से अपना गिलास मिलाते हुए एक घूँट पी लेने के बाद उसने कहा—"जानते हो मित्र, मैंने तुम्हारे लिये खासतौर से 'विमटो' क्यों मँगाया?"

मैंने कहा—"नहीं।"

"इसका रंग मुझे बहुत पसन्द है। एक खूब बढ़िया पुरानी शराब की तरह इसका रंग है। शराबी को साथी की बड़ी आवश्यकता होती है। मैंने देखा कि शराब पीने में तो तुम मेरा साथ नहीं दे सकते, पर यह चीज तुम्हारे हाथ में देखकर मैं कल्पना से यह समझ लेता हूँ कि तुम मेरा साथ दे रहे हो।" यह कहकर वह परिपूर्ण प्रसन्नता के साथ हँसा।

दो-एक घूँटें लेने के बाद ही उसका चेहरा काल्पनिक अथवा वास्तविक प्रसन्नता के कारण तमतमाने लगा था। उसकी काल्पनिकता में बाधा न डालने के उद्देश्य से मैं भी रुक-रुककर थोड़ा-थोड़ा करके 'विमटो' पीने लगा। उसने नौ सौ निन्यानबे नम्बर का स्टेट एक्सप्रेस सिगरेट का एक डिब्बा खोलकर मेरे आगे बढ़ाया। मैं सिगरेट पीने का आदी नहीं था, पर मित्रों के बीच में दो-चार बार पी चुका था। वर्तमान वातावरण में उसे अस्वीकार करने की इच्छा नहीं हुई। एक सिगरेट उठा ली। उसने एक अपने मुँह में रखकर दोनों की सिगरेटें जलायीं।

जब वह कुछ देर बाद तरंग में आया तो बोला—"अच्छा यह तो बताओ, तुम आजकल करते क्या हो? अभी तक क्या पढ़ाई के ही चक्कर में हो?"

"नहीं।"

"तब?"

"कुछ नहीं, आवारा फिरा करता हूँ।"

"शादी हो चुकी?"

"नहीं।"

"तब करते क्यों नहीं। अगर करना चाहो तो मैं एक लड़की का पता तुम्हें बताऊँ। एक ही नहीं, मैं कइयों को जानता हूँ, पर एक को खास तौर से जानता हूँ।"

मैं कुछ बोला नहीं, पर प्रश्न-भरी दृष्टि से उसकी ओर देखने लगा। उसने कहा—"वह कानपुर में 'टेन्थ' में पढ़ती है। उसके बाप कान्यकुब्ज हैं—सुकुल हैं। एडवोकेट हैं। मैं कानपुर जब जाता हूँ उन्हीं के यहाँ ठहरता हूँ। लड़की का नाम है लक्ष्मी। वह तो मुझ ही से शादी करना चाहती है—पर मैं इस बन्धन में पड़ना नहीं चाहता।"

मैंने पूछा—"उसने तुमसे स्पष्ट शब्दों में कहा है कि वह तुम्हीं से शादी करना चाहती है?"

"नहीं, उसने कहा नहीं है, पर उसकी बातों के रंग-ढंग से तो इतना अन्दाज लग ही सकता है!"

मैंने कहा—"देखो कैलाश, मैंने सुना है कि शराब के नशे में झूठी बात मुँह से नहीं निकलती। पर मालूम होता है तुम्हारी झूठ बोलने की आदत पुरानी बीमारी की तरह तुम्हारी रग-रग में समा गयी है और अब किसी प्रकार छूटना नहीं चाहती। कोई भी भले घर की लड़की तुम्हारे साथ विवाह करने को कभी राजी न होगी, यह बात मैं शर्तिया कह सकता हूँ।" शराब पी रहा था वह, और नशा होने लगा था मुझे। इसीलिए मैं तैश में आकर इस तरह की बात बेधड़क कह गया।

पर आश्चर्य है कि वह मेरी बात से बिलकुल नाराज नहीं हुआ। विचित्र ढंग से हँसते हुए कहने लगा—"अरे यार, झूठ ही सही, इस समय मौज में हूँ, मुझे अपने मन की कह लेने दो और सुनते जाओ। इसमें तुम्हारा हर्ज ही क्या है?"

मैंने कहा—"अच्छा, कहो, अब मैं तुम्हें किसी भी बात पर नहीं टोकूँगा।"

"दूसरी लड़की है बरेली में। पर वह मुझे कुछ पसन्द नहीं है। देखने-सुनने में अच्छी है। उसके बाप के पास पैसा भी काफी है। पर लड़की कुछ पढ़ी-लिखी नहीं है।"

मैं चुप हो रहा। वह कहता गया—"चौथी है जिला रायबरेली में। उसके बाप किसी एक ताल्लुकेदार की 'इस्टेट' के मैनेजर हैं। वह कुछ पढ़ी-लिखी भी है, पर है बदसूरत। पाँचवीं—हाँ, मैं तो उसे भूल ही गया था। वह लड़की हर तरह से तुम्हारे लायक है। सुन्दरी है, पढ़ी-लिखी है, गाती भी बहुत अच्छा है। उसके पिता प्रोफेसर हैं—आगरे में।"

मेरा हृदय बेतहाशा धड़कने लगा। मैं कुछ न कहकर आँखें फाड़-फाड़कर उसकी ओर देखता रहा गया। उस लड़की का नाम पूछने का साहस मुझे नहीं हुआ। कैलाश या तो मेरी अत्यधिक उत्सुकता देखकर जान-बूझकर इस सम्बन्ध में आगे फिर कुछ न बोला, या किसी दूसरी कल्पना में मग्न हो जाने के कारण उस विषय को भूल गया। इतने में 'ब्वाय' आया। कैलाश ने अपने लिये एक 'कटलेट' और मेरे लिये मेरी ही इच्छा के अनुसार 'विशुद्ध' आलू-चाप का आर्डर दिया।

जब चाप आया तो छुरे से काटकर काँटे से एक टुकड़ा मुँह में डालने के बाद मैंने कहा—"अच्छा, तुम विवाह क्यों नहीं करना चाहते? आखिर इसका कोई कारण तो होगा ही!"

"कारण बहुत-से हैं," कहकर उसने काँटे से कटलेट का एक टुकड़ा मुँह में डाला। मैं चुप हो रहा। कुछ देर बाद वह अपने-आप कहने लगा—"पहला कारण तो यह है कि विवाह के बन्धन में पड़ जाने से मेरे घूमने-फिरने की सुविधाएँ जाती रहेंगी। दूसरा कारण—अब तुमसे क्या छिपाऊँ—यह है कि मैं एक लड़की को बहुत चाहता हूँ और वह भी मुझे चाहती है। एक तरह से मैं उसे वचन भी दे चुका हूँ कि उसी से शादी करूँगा। पर बहुत-सी ऐसी बातें हैं जिनकी वजह से मैं उससे शादी नहीं कर सकता। वह मुझे बराबर चिट्ठियाँ भेजती रही है, पर मैंने मुश्किल से दो चिट्ठियाँ उसे अब तक भेजी होंगी।"

उसकी बात सुनकर मेरा सिर चक्कर खाने लगा। मैं सोचने लगा कि कहीं वह लड़की आगरेवाली तो नहीं है? "उसके पिता प्रोफेसर हैं—सुन्दरी है, पढ़ी-लिखी है, गाती

भी बहुत अच्छा है।" पर जयन्ती को तो मैंने कभी गाते नहीं सुना। आगरेवाली वह लड़की जयन्ती नहीं तो फिर कौन है? वह क्या कैलाश को पत्र लिखने का साहस कर सकती है! असम्भव है! पर मैं जयन्ती को अभी कितना जानता हूँ! न जाने कैलाश से किस हद तक उसकी घनिष्ठता रह चुकी है! इसी तरह की बातें सोचते-सोचते मेरा माथा गरम होने लगा। मैं रह न सका, अधीर होकर मैंने पूछा—"आखिर वह लड़की कौन है, कहाँ रहती है, उसका क्या नाम है बताते क्यों नहीं?"

एक घूँट ह्विस्की की लेकर उसने आवेश के साथ कहा—"उस लड़की का नाम है डोरा कपूर। उसके पिता हिन्दू हैं और माँ है स्काच। वे लोग सिंगापुर में रहते हैं। मैं सिंगापुर पाँच महीने रह चुका हूँ। उन्हीं लोगों के साथ रहता था। कुछ ही दिनों के मेल-मिलाप से लड़की और उसके माँ-बाप सभी मुझे चाहने लगे थे। लड़की जैसी सुन्दरी है, उसका स्वभाव भी वैसा ही अच्छा है। उसके 'लव लेटर्स' मैं तुम्हें अभी दिखा सकता हूँ।" यह कहकर वह तैश में आकर सहसा उठ खड़ा हुआ और एक सूट-केस खोलकर उसने चिट्ठियों का एक पुलिन्दा लाकर मेरे सामने रख दिया। पहले मैंने पढ़ने से इन्कार किया, पर जब देखा कि मेरे इस व्यवहार से नशे की उस हालत में उसकी भावुकता को चोट पहुँच रही है तो मैंने पढ़ना शुरू कर दिया। तीन-चार पत्र पढ़ने के बाद मुझे मालूम हुआ कि लड़की चाहे कोई भी हो, उसे दरअसल बहुत चाहती है।

मैंने कहा—"जब लड़की तुम्हें इतना चाहती है, और तुम भी उसे चाहते हो तो विवाह कर क्यों नहीं लेते?"

"बहुत-सी बातें हैं, नन्दकिशोर, बहुत-सी बातें हैं! तुम अभी नहीं समझोगे। तुमने तो अभी डोरा की ही चिट्ठियाँ पढ़ी हैं। और भी तो बहुत-सी लड़कियाँ हैं जिन्होंने मुझे फेर में डाल रखा है! किस-किस के साथ शादी की जाय! मैंने तो यह निश्चय कर लिया है कि जो मुझे कम-से-कम डेढ़ लाख रुपये दहेज में देगा उसी की लड़की से शादी करूँगा। और भाई, शादी करने के बाद अपने रहन-सहन का स्टैण्डर्ड बनाये रखने के लिए रुपया चाहिए या नहीं? अभी तो मेरी यह हालत है कि आज सेसिल होटल में हूँ तो कल ही यह नौबत आ सकती है कि मुझे धर्मशाले की शरण लेनी पड़े। इस हालत में शादी का सवाल उठ ही कैसे सकता है! आज मैं पन्द्रह रुपया रोज किराया दे रहा हूँ, कल तुमसे पन्द्रह पैसे कर्ज माँगने आऊँ तो तुम्हें आश्चर्य होगा। पर मैं जानता हूँ कि यह असम्भव नहीं है। ऐसा कई बार हो चुका है!"

उसकी बात सुनकर मुझे क्रोध भी आ रहा था, दुःख भी हो रहा था, पर साथ ही हँसी भी कुछ कम नहीं आ रही थी। मैंने सोचा कि जिस व्यक्ति ने उसे परिहास में रहस्यवादी बताया था उसने कितना सच कहा था!

कुछ भी हो, यह जानकर मुझे सन्तोष अवश्य हुआ कि जिस लड़की को उसने विवाह का वचन दिया है वह सिंगापुर की डोरा है, आगरे की जयन्ती नहीं। पर उसने यह भी तो कहा था कि "और भी बहुत-सी लड़कियाँ हैं जिन्होंने मुझे फेर में डाल रखा है!" इसलिए मेरा वहमी मन पूरी तरह से निश्चिन्त नहीं हो पाया था। मैं सहसा पूछ

बैठा—"आगरे के किसी प्रोफेसर की लड़की का जिक्र तुमने किया था। उसका नाम क्या है, बता सकते हो?"

उसने उत्साह के साथ कहा—"क्यों नहीं बता सकता? उसका नाम है जयन्ती। वह प्रोफेसर मिश्र की लड़की है! अच्छी तरह जानता हूँ।"

"उससे भी क्या तुम्हारे विवाह की बातचीत चली थी?" यह प्रश्न करते हुए मेरा गला काँप रहा था।

"मिश्र जी की स्त्री मेरी मौसी लगती हैं। उनकी लड़की से मेरी शादी का कोई सवाल ही कैसे उठ सकता है।"

मैंने चैन की साँस ली।

कैलाश इस समय तक काफी पी चुका था, फिर भी नशे का कोई विशेष लक्षण मैंने उसके बात-व्यवहार में नहीं पाया। पर उसकी आँखों में उल्लास अवश्य छलक रहा था और असाधारण प्रसन्नता से मुख उद्दीप्त हो रहा था। खा-पी चुकने के बाद वह एक कौच में मेरी बगल में बैठ गया और एक हाथ में सिगरेट लेकर और दूसरा हाथ मेरे कन्धे पर रखकर बोला—"आज तुम्हें देखकर तबीयत खुश हो गयी, भाई!"

मैंने अचानक, न जाने क्या सोचकर, उससे पूछा—"आजकल तुम करते क्या हो! इतना रुपया उड़ाने के लिए तुम्हें मिल कहाँ से जाता है?"

वह हँसने लगा। बोला—"रुपया कमाने के बहुत से फन मुझे मालूम हैं। पर तुम्हारे समान महात्माओं को यह बताना मैं ठीक नहीं समझता कि वे क्या हैं और कैसे हैं। तुम्हें अभी सिर्फ इतना ही बताये देता हूँ कि आजकल मैं एक मशहूर इन्श्योरेन्स कम्पनी का खास एजेण्ट हूँ। खास एजेण्ट से मेरा मतलब क्या है, यह बात तुम अभी नहीं समझोगे। पर इतना तुम जान लो कि मैं एक महीने में तीन लाख से कम का 'बिजनेस' कम्पनी को नहीं देता। इसके आलावा और भी बहुत-से काम मैंने अपने हाथ में ले रखे हैं।"

"जैसे?"

"जैसे एक काम यही है कि मैं एक फिल्म कम्पनी खोलने जा रहा हूँ। कम्पनी का नाम रजिस्टर्ड करवा चुका हूँ। अब दो-चार राजा-महाराजाओं की इजाजत लेकर उनके नाम डाइरेक्टर्स की लिस्ट में घुसेड़ दूँगा। उसके बाद दो-एक सेठों को गाँठकर उन्हें बेवकूफ़ बनाने के फेर में हूँ। हमारी फिल्म कम्पनी की ऐक्ट्रेसेज सभी भले घरों की लड़कियाँ रहेंगी! दो-तीन को तो मैं पहले ही राजी कर चुका हूँ। सरप—जिनके साथ मैं यहाँ आया हूँ, पब्लिक फील्ड में काफी नामी हैं। उनकी लड़की भी मेरी कम्पनी की ऐक्ट्रेस बनने को तैयार है। हमारी कम्पनी फिल्मी दुनिया में तहलका मचा देगी, इसका मुझे पूरा विश्वास है। पिछली बार मेरी जो कम्पनी फेल कर गयी उस तजर्बे का पूरा फायदा मुझे उठाना है।"

मैं उसकी बातें सुनकर स्तम्भित रह गया। मैंने पूछा—"पिछली बार तुमने अपनी गाँठ से कितने रुपये लगाये थे?"

वह विचित्र ढंग से हँसा और हँसने से उसकी आँखों के नीचे से होकर गालों तक जो झुर्रियाँ पड़ीं वे भी मुस्कराती हुई-सी जान पड़ीं। उसने कहा—"तुम पूरे भोले बाबा हो। दुनिया के किसी चक्कर में अभी तक नहीं पड़े न, इसीलिए! अरे भाई, इतनी-सी भी बात तुम अभी तक नहीं समझ पाये। मैं अपनी गाँठ से एक फूटी कौड़ी भी क्यों लगाता! मेरा दिमाग, मेरी अक्ल, मेरी सूझ, इतना क्या कुछ कम है जो मैं कोई कम्पनी खड़ी करने के लिए अपनी गाँठ का पैसा भी लगाऊँ? लगावें वे जो आँख के अन्धे और गाँठ के पूरे हैं, और ऐसे लोगों की कमी दुनिया में नहीं रहती, यह बात तुम मानते ही होगे। ऐसे ही लोगों को फाँसकर बेवकूफ बनाकर बीच में स्वयं मजा उड़ाते रहना मेरा काम है। अब बात समझ में आयी, मित्र?"

मैंने कहा—"खूब समझा भाई, अब अधिक न समझाओ!"

कुछ सोचकर वह बोला—"अच्छा, यह तो बताओ, तुम अपनी जिन्दगी का बीमा कब कराने जा रहे हो?"

मैंने आश्चर्य से पूछा—"जिन्दगी का बीमा? कैसा बीमा? मैं बीमा क्यों कराऊँ?"

वह फिर उसी विचित्र ढंग से हँसा। मैं देख रहा था कि शराब के जिस नशे को उसने प्रारम्भ में अपनी इच्छा-शक्ति से दबा रखा था, वह उसकी अपनी बात की तरंग से पूर्ण रूप से जाग पड़ा था। वह बोला—"मैं कहता न था कि तुम पूरे भोले बाबा हो, यानी पक्के गावदी हो? माफ करना, इस वक्त मैं मौज में हूँ।—अरे भाई, जिन्दगी का क्या ठिकाना है। तुम आज हो, पर आश्चर्य नहीं कि कल ही इस दुनिया से कूच कर जाओ! पर नहीं, मैं अण्ड-बण्ड बक रहा हूँ। मेरा मतलब यह है कि जल्दी ही तुम्हारी शादी होगी। पति के मरने के बाद हिन्दू घर की स्त्री एकदम अनाथ हो जाती है, यह तो तुम जानते ही हो। इसलिए अपनी विधवा पत्नी को दर-दर भटकने से बचाना चाहो तो उसके लिए तुम्हें कुछ छोड़ जाना चाहिए। पर नहीं, मैं क्या कहने जा रहा था, और क्या कह रहा हूँ! मैं कहना चाहता था कि जिन्दगी का बीमा सिर्फ मरने के लिए ही नहीं किया जाता, जीने के लिए भी किया जाता है। जीते रहोगे तो वाह-वाह, मर जाओगे तो वाह-वाह—तुम्हारे दोनों हाथ में लड्डू हैं।"

इतने में बाहर से किसी ने दरवाजा खटखटाया। कैलाश ने अँगरेजी में कहा—"अन्दर चले आओ।"

दरवाजा खुला। एक अँगरेज, जिसकी अवस्था तीस से अधिक होगी, भीतर झाँककर अँगरेजी में बोला—"मुझे अफसोस है कि मैंने आप लोगों की बातों में विघ्न डाल दिया। मिस्टर डूबे (कैलाश को लक्ष्य करके उसने कहा), आपसे दो मिनट के लिए मैं कुछ बातें करना चाहता हूँ।"

कैलाश ने उससे कहा कि यदि कोई 'कान्फिडेन्शियल' बात न हो तो वह भीतर आ सकता है। वह चला आया। कैलाश ने उसे बैठने को कहा। वह हम लोगों के सामने एक कुर्सी पर बैठ गया। कैलाश ने हम दोनों का आपस में परिचय कराया। मालूम

हुआ कि वह ऐंग्लो-इण्डियन है और उसका खानदानी नाम ऐण्डरसन है। उसका बाप कलकत्ते के दो-एक जूट मिलों का डाइरेक्टर रह चुका था और काफी रुपये छोड़कर मरा था। बेटेराम रईसी करते हैं और शिमले में स्वास्थ्य-सुधार के लिए आये हुए हैं। मुझसे दो-एक बातें करने के बाद वह कैलाश से अपने मतलब की बात करने लगा। वह एक लाख का बीमा कराना चाहता था। काम की बात से कैलाश का नशा तत्काल उसके काबू में आ गया और उसने धारा-प्रवाह अँगरेजी में ऐण्डरसन साहब को जीवन-बीमा के लाभ और अपनी बीमा कम्पनी की विशेषता पर ऐसा प्रभावोत्पादक व्याख्यान दिया कि मैं दंग रह गया। मैं उसी दम समझ गया कि सेसिल होटल में ठहरकर प्रतिदिन पन्द्रह रुपया किराया वह योंही नहीं दे रहा है। प्रायः तीस मिनट तक उसने साहब से बातें कीं और उसे करीब-करीब राजी कर लिया। ऐण्डरसन साहब जब बीच-बीच में कैलाश को सम्बोधित करते हुए 'मिस्टर डूबे' कहता था तो मुझे हँसी आती थी और मैं मन-ही-मन कहता था—"मिस्टर डूबे या तुम डूबे कौन जानता है!"

साहब के चले जाने के कुछ ही देर बाद फिर किसी ने दरवाजा खटखटाया। कैलाश ने फिर कहा—"चले आओ!" इस बार दरवाजा खुला तो हलके गुलाबी रंग की साड़ी पहने हुए एक नवयुवती खड़ी दिखायी दी। कैलाश ने कहा—"भीतर चली आओ, इन्द्रा!" इन्द्रा एक अपरिचित व्यक्ति को कैलाश के साथ बैठा हुआ देखकर भी बेझिझक भीतर चली आयी और तिरछी आँखों से एक बार मेरी ओर देखती हुई कैलाश से बोली—"आज दिनभर तुम कहाँ गायब रहे? ममी, तुमको याद कर रही थी!" कहकर वह लम्बी-पतली नाजनीन 'इन्द्रा' अपने बायें कान के लोलक के हीरे को झलझलाती हुई नागिन-सी बल खाकर एक सोफा में बैठ गयी, और मुझे फिर एक बार वक्र दृष्टि से घूर गयी। न जाने क्यों, उसे देखते ही मेरे सिर से पाँव तक आग-सी लग गयी। कैलाश ने हम दोनों का परिचय कराया। मालूम हुआ कि वही सरप—की लड़की है। आज सन्ध्या से कैलाश की तरह-तरह की बातें सुनते-सुनते मेरा मिजाज गरम हो गया था, इसलिए सहसा फैशन की पुतली इस लड़की को काट खाने की इच्छा मेरे मन में उत्पन्न हो गयी। मैंने जानबूझकर डंक मारने के उद्देश्य से कहा—"मुझे यह जानकर बड़ी प्रसन्नता हुई कि आप फिल्म ऐक्ट्रेस बनने जा रही हैं।" उसने आश्चर्य से पहले मेरी ओर देखा, और फिर कैलाश की ओर। धीरे-धीरे उसके गोरे मुख पर एक लालिमा छा गयी। पर वह कुछ बोली नहीं।

मैंने फिर कहा—"आपका रूप-रंग, चाल-ढाल और शरीर की बनावट देखकर मुझे विश्वास होता है कि इस लाइन में आप शीघ्र ही बड़ी तरक्की कर जायँगी।"

उसका चेहरा और अधिक लाल हो आया—मैं कह नहीं सकता कि लज्जा से, या क्रोध से अथवा प्रसन्नता से। कैलाश ने आँख के इशारे से इस सम्बन्ध में अधिक बोलने से मुझे मना किया। काफी देर हो चुकी थी। मैं चलने की आज्ञा लेकर उठ खड़ा हुआ। कैलाश इन्द्रा से वहीं बैठे रहने के लिए कहकर बाहर दरवाजे तक मुझे पहुँचाने आया।

दरवाजे पर उसने धीरे से कहा–"मुझे मालूम है कि जयन्ती तुम लोगों के यहाँ आयी हुई है। प्रोफेसर साहब मुझे पहले ही लिख चुके थे। उनसे मेरी खत-किताबत चलती रहती है। कल जनरल पोस्ट आफिस के पास मैंने उन्हें देखा था।"

मैं ऐसा स्तम्भित रह गया जैसे मेरे सिर पर गाज गिरी हो। मैंने मन में सोचा कि इस विचित्र व्यक्ति के 'रहस्यवाद' की थाह पाना वास्तव में कठिन है। मैंने पूछा–"तुमने यह बात इस समय तक मुझसे क्यों छिपायी कि तुम्हें जयन्ती के यहाँ आने की खबर है?"

उसने अपनी रहस्यमयी मुस्कान से गालों पर रेखाएँ खींचते हुए कहा–"मैं यह जानना चाहता था कि जयन्ती की चर्चा चलने पर तुम स्वयं उसके आने की खबर मुझे सुनाना चाहते हो या नहीं। कुछ भी हो, तुम्हारी जिन्दगी का बीमा कराने के लिए मैं एक दिन जल्दी ही तुम्हारे यहाँ आऊँगा। अच्छा, नमस्कार!" कहकर एक रहस्यमय मुस्कान से एक बार मेरी ओर देखकर वह मेरे उत्तर का इन्तजार न करके ऊपर चला गया।

•••

एक विचित्र विभ्रान्ति के कारण अन्यमनस्क-सा होकर मैं 'माल' की ओर चलने लगा। कैलाश के कमरे में मैंने जो बातें सुनीं, जो कुछ देखा, वे सब मेरे मस्तिष्क को भूत की तरह दबा रहे थे। शराब पी थी उसने, नशा हुआ होगा उसे, पर उस नशे की प्रतिक्रिया का अनुभव मुझे होने लगा। रिक्शा के कुली "खबरदारी! खबरदारी!" कहते हुए रिक्शा को झनझनाते और घण्टी को खनखनाते हुए मेरी बगल से होकर बड़े वेग से चले जा रहे थे। रिक्शों पर बैठे हुए अँगरेज पुरुष और स्त्रियाँ विचित्र-विचित्र वेश पहनकर और अनोखे स्वाँग रचकर सम्भवतः किसी गुप्तवेषी नृत्य में सम्मिलित होने के लिए चले जा रहे थे। उन्हें देखकर मेरे चक्कर खाते हुए मस्तिष्क पर भूत-प्रेत और डाकिनी-प्रेतिनी की छायामूर्तियों के उच्छृंखल भौतिक नृत्य का उपद्रव-सा मचने लगा। मैं सोचने लगा कि इस संसार में क्या जाग्रत और क्या स्वप्नावस्था में सब समय केवल रहस्यमयी छायामूर्तियों के नृत्य और भौतिक आत्माओं के अर्थहीन कोलाहल के सिवा और किसी बात की वास्तविकता का अस्तित्व नहीं है–उसके अतिरिक्त और जो कुछ भी दिखायी या सुनायी देता है वह मनुष्य का केवल मिथ्या भ्रम है।

जब कैथू को जानेवाली सड़क के पास पहुँचा तो उस ओर को मुड़कर उतराई में गिरता-पड़ता हुआ चलने लगा। शरीर और मन दोनों बहुत थक गये थे। राम-राम करके किसी तरह डेरे पर पहुँचा। बँगले के दालान पर पहुँचते ही एक स्वर्गीय संगीत की तरंग ने मेरे मरे हुए मन को किसी जादू के अपूर्व स्पर्श से जिला दिया। भीतर जाकर अपने कमरे के पास पहुँचा तो मैंने बगलवाले कमरे के पर्दे के भीतर से झाँककर देखा कि जयन्ती हारमोनियम बजाती हुई गा रही है, और उसे घेरकर घर की और बाहर की कुछ स्त्रियाँ बैठी हुई सुन रही हैं। संगीत-कला की दृष्टि से सोचा जाय तो जयन्ती के गाने में बहुत-सी त्रुटियाँ थीं। उसके गले में भी कोई विशेषता नहीं थी। पर यह सब होने पर भी उसके गाने ने मेरे मन पर उस समय जो अलौकिक प्रभाव डाला, उसका एक कारण शायद मेरी उस समय की मानसिक अवस्था थी, और दूसरा कारण यह था कि जयन्ती के समान गुमसुम लड़की किसी व्यक्ति के भी सामने निस्संकोच गा सकती है, यह बात मेरी कल्पना के अतीत थी। रंग में भंग हो जाने के भय से मैंने उस कमरे में प्रवेश नहीं किया और दबे पाँव अपने कमरे में चला गया। बत्ती बिना जलाये ही कपड़े उतारकर मैं चुपचाप पलँग पर लेट गया। जयन्ती मग्न होकर गा रही थी। गीत खम्माच राग में बँधा हुआ था और उसकी शब्दावली इस प्रकार थी–

पनघट मुरलिया बाजे, सखी!
स्तिमित युवतिगन,
ठाढ़ी अचेतन,
पुलकित सब तन–
मुरलिया बाजे, सखी!

यह मैं जानता था कि इस गान की शब्द-योजना नयी जान पड़ने पर भी काफी प्राचीन थी। पता नहीं, जयन्ती को यह गाना किसने सिखाया। जब मैं बहुत छोटा था, तब एक बार पिता जी के मुँह से मैंने यह गाना सुना था। मुझे याद आया कि तब भी वह मुझे बहुत पसन्द आया था–यद्यपि उस समय मैं उसका अर्थ ठीक तरह से नहीं समझा था। और आज इतने वर्षों बाद अचानक, अप्रत्याशित रूप से ऐसे व्यक्ति के मुँह से उसे फिर एक बार सुना जो...! मैं स्तब्ध होकर वह गाना सुन रहा था और मेरी आत्मा रह-रहकर एक अव्यक्त विकलता से विह्वल हो रही थी। मेरे अन्तरतम प्रदेश के किसी अत्यन्त गहन, अज्ञात और निपट अन्धकारमय कोने से एक व्याकुल क्रन्दन रह-रहकर उमड़ने लगा था। न जाने क्यों! क्योंकि न तो उस गाने के अर्थ में ही कोई विशेषता थी, और जैसा कि मैं पहले ही कह चुका हूँ, न गायिका की संगीत-कला में कोई विशेष मोहिनी थी। सम्भवतः बचपन के निरुद्वेग, शान्त और स्निग्ध जीवन की सुकुमार स्मृतियाँ मेरे मन में जागरित हो गयी थीं–केवल बचपन की ही नहीं–मुझे ऐसा जान पड़ता है कि उससे भी बहुत पीछे, जन्मान्तर की कोई दबी हुई वेदना किसी अव्यक्त और रहस्यमय प्रेरणा से मेरे अन्तर्मन में जाग उठी थी। मैं दिनभर का

थका-माँदा पक्षी सन्ध्या को अपने नीड़ में लौटकर इस प्रकार किसी अज्ञात आवेग के उद्वेलन के लिए तैयार नहीं था। मेरी आँखें बरबस भर-भर आती थीं।

अकस्मात् जयन्ती ने उस गाने को बन्द कर दिया। उसके साथ ही मेरी उमड़ी हुई वेदना के उद्वेल प्रवाह का तार भी झन-झन-झनन के शब्द से टूट गया। इस बात से मुझे प्रसन्नता ही हुई। क्योंकि मेरा थकित हृदय उस वेदना के भार को अधिक सहन कर सकने के उपयुक्त नहीं रह गया था। मैं कान लगाकर बगलवाले कमरे में होनेवाली सब बातें सुन रहा था। वहाँ बैठी हुई महिलाओं ने मुक्तकण्ठ से जयन्ती के गाने की प्रशंसा की और एक और गाना सुनाने के लिए आग्रह करने लगीं। उनकी बात मानकर जयन्ती ने एक फिल्मी दुनिया का प्रेम-सम्बन्धी गाना शुरू कर दिया। 'दुत!' कहकर मैं मन-ही-मन हँसा। पर सच पूछें तो यह बाजारू गाना पिछले गाने के प्रभाव के लिए एक बड़ा अच्छा 'ऐण्टी-डोट' सिद्ध हुआ। इस गाने में जयन्ती की निपुणता निर्विवाद रूप से प्रमाणित हुई और जब गाना समाप्त हुआ तो श्रोत्रियों ने अपना गद्‌गद भाव प्रकट किया!

संगीत-समारोह समाप्त होने पर बाहर से आयी हुई महिलाएँ चली गयीं। मैं पलँग पर लेटा ही रहा। जयन्ती के गाने की बात सोचते-सोचते मेरा मन भटकते-भटकते बहुत दूर चला गया था। अकस्मात् काले भूत की तरह एक बात की याद मेरे मन में जाग पड़ी और कल्पना के जिन रंग-बिरंगे डोरों से एक मधुर-स्वप्नमय जाल मेरा मन बुन रहा था वे सब पल में काले पड़ गये। मुझे याद आया कि कैलाश ने 'आगरे के प्रोफेसर साहब की लड़की' का उल्लेख करते हुए कहा था कि 'वह गाती भी बहुत अच्छा है।' पीछे उसने निश्चित रूप से यह स्वीकार किया था कि वह लड़की जयन्ती ही है और वह उसे खूब अच्छी तरह जानता है। केवल इतना ही नहीं, वह जयन्ती की गतिविधि से इस हद तक परिचित है कि उसके यहाँ आने की खबर उसे जयन्ती के शिमला पहुँचने के पहले ही प्रोफेसर साहब के पत्र से मालूम हो गयी थी! मैं सोचने लगा—"जयन्ती के जिस गाने को मैंने चोरों की तरह अपने कमरे में छिपकर सुना उसे वह अवश्य ही कैलाश के सामने निस्संकोच भाव से गा चुकी है। तभी तो कैलाश ने कहा था कि वह गाती भी बहुत अच्छा है। और मैं यदि उस कमरे में चला जाता, जहाँ वह गा रही थी, तो वह क्या फिर गाती! कभी नहीं, इस बात का मुझे पूरा विश्वास है। मेरे सामने गाना तो दर-किनार, वह मुँह से एक शब्द तक नहीं निकालती। इसका अर्थ क्या यह नहीं है कि वह मुझे लफंगा समझती है? अच्छा, यह धारणा क्यों उसके मन में जम गयी है कि मैं लफंगा हूँ? मेरे चेहरे से, मेरे हाव-भाव से या मेरी बातों से क्या सचमुच लफंगापन प्रकट होता है? हो सकता है।" सोचते-सोचते, पता नहीं क्यों, मुझे वास्तव में अपने लफंगेपन पर विश्वास होने लगा। मुझे स्वयं अपने प्रति घृणा होने लगी। पर ज्यों-ज्यों मेरे मन में अपने प्रति घृणा का भाव बढ़ता जाता था, त्यों-त्यों जयन्ती के प्रति क्रोध और आक्रोश के भाव भी प्रबल होते जाते थे। मैंने सोचते हुए मन-ही-मन कहा—"माना कि मैं एक नम्बरी लफंगा हूँ। मुझसे घृणा करना जयन्ती के

लिए स्वाभाविक है। मैं उसे दोष नहीं देता। पर कैलाश? वह क्या वास्तव में उतना ही शरीफ है जितना कि जयन्ती उसे समझती होगी? इसमें तो सन्देह के लिए कोई गुंजाइश ही नहीं है कि कैलाश को वह बहुत सभ्य और शिष्ट समझती है। नहीं तो वह उसके सामने निस्संकोच गाती ही क्यों? पर यह कैसे मान लिया जाय कि उसने कैलाश के सामने गाया ही होगा! कैसे मान लिया जाय? अच्छी तरह से मान लिया जाय; कैलाश ने जयन्ती के सम्बन्ध में जो कुछ कहा है, उससे सब-कुछ स्पष्ट हो चुका है। पर ठहरो, क्या तुम कहना चाहते हो कि कैलाश शरीफ नहीं है, और तुम...?" मैंने अपने मन से जब यह प्रश्न किया तो मुझे तत्काल स्मरण हो आया कि सेसिल होटल में इन्द्रा के साथ मैं किस असभ्यता से पेश आया था और कैलाश का व्यवहार उसके प्रति कैसी शिष्टता का था। मैंने सोचा—"अपने इसी गुण से तो वह इतने सभ्य कुटुम्बों की स्त्रियों से हेल-मेल बढ़ाने में समर्थ हुआ है। जयन्ती उसे यदि आदर की दृष्टि से देखे और मुझे लफंगा समझे तो यह स्वाभाविक ही है।" मैं स्मरण करने की चेष्टा करने लगा कि जयन्ती के साथ मैं कब किस रूप में पेश आया हूँ। सोचते-सोचते तब की बातें एक-एक करके मुझे याद आने लगीं जब मैंने आगरे में पहली बार उसे देखा था। बिरजू के हाथ में मैंने दो नोट दिये थे, और जब जयन्ती के कहने पर उसने उन्हें वापस कर दिया था तो मैंने अभिमानवश उन नोटों को फाड़कर उनके टुकड़े-टुकड़े कर डाले थे। मेरा यह व्यवहार लफंगेपन का नहीं तो और क्या था?

भाभी जी ने मेरे कमरे में आकर बत्ती जलायी। मुझे पलँग पर लेटे देखकर आश्चर्य से बोलीं—"यह क्या? तुम किस समय आये? और बिना बत्ती जलाये अँधेरे में क्यों लेटे हो? तबीयत तो ठीक है?"

मैंने कहा—"तबीयत बिलकुल ठीक है। घूमकर आया था, योंही लेट गया।"

"गाना सुना था?"

"हाँ।"

"कैसा अच्छा गाती है!"

"हाँ, अच्छा ही गाती है।"

मेरी उदासीनता देखकर भाभी जी को आश्चर्य हो रहा था। कुछ देर तक चुप रहकर उन्होंने कहा—"खाना सब लोगों के साथ बैठकर खाओगे या—"

"मैं खाके आया हूँ, भाभी जी! इस समय मैं कुछ नहीं खाऊँगा!"

"यह क्या? कहाँ खाया? तुम झूठ-मूठ बातें बना रहे हो।"

"नहीं, मैं खाके आया हूँ—होटल में—असल बात यह है कि मुझे भूख नहीं है।"

भाभी जी कुछ देर तक चुपचाप खड़ी रहीं और गौर से मेरी ओर देखती रहीं। इसके बाद उदास चेहरा बनाकर चली गयीं। जाने के पहले मेरे कहने पर वह बत्ती बुझा गयीं। मैं चुपचाप लेटा रहा और बेसिर-पैर की बातें सोचते-सोचते सो गया।

•••

तीन-चार दिन बाद की बात है। मैं अपने कमरे में लेटे-लेटे एक उपन्यास हाथ में लेकर पढ़ रहा था। तीसरे पहर का समय था। नौकर ने आकर खबर दी कि एक साहब मुझसे मिलना चाहते हैं और एक विजिटिंग कार्ड मेरे सामने रख दिया। मुझसे मिलनेवाला शिमले में कैलाश के सिवा दूसरा कोई नहीं हो सकता, यह मैं जानता था। मैंने उसे अपने ही कमरे में बुला लिया।

आज कैलाश के पोशाक-पहनावे का ठाठ ही कुछ दूसरा था। बढ़िया विलायती सर्ज की शानदार नयी सूट उसके शरीर में ऐसी 'फिट' बैठी थी कि कहीं से बाल बराबर भी 'क्रीज' बिगड़ने नहीं पायी थी। नार्देम्टन का बना हुआ चमचमाता हुआ जूता अपनी शान अलग दिखा रहा था। बाँयें हाथ में घड़ी और उँगली में कीमती पत्थर से जड़ी हुई अँगूठी का ठाठ निराला था। मेरी सारी आत्मा उसे देखकर जल उठी। फिर भी मैंने यथाशक्ति शान्त भाव प्रकट करते हुए उसे एक कुर्सी पर बैठने को कहा और स्वयं पलँग पर ही बैठा रहा।

उसने बहुत धीमी आवाज में कहा—''क्या सो रहे थे?''

''नहीं, योंही लेटे-लेटे एक उपन्यास पढ़ रहा था।''

''जरा देखूँ, कौन-सा उपन्यास है।''

मैंने पुस्तक उठाकर उसके हाथ में देते हुए कहा—''एक साधारण लेखक की लिखी हुई है।''

उसने पुस्तक के दो-चार पन्ने उलटकर पूछा—''तुम्हें अँगरेजी के कौन-कौन 'नावेलिस्ट' सबसे ज्यादा पसन्द हैं?''

साहित्य में मेरी दिलचस्पी कभी नहीं रही, और इधर कुछ ही दिनों से मैंने अपने जीवन में प्रथम बार उपन्यास पढ़ना आरम्भ किया था। फिर भी अँगरेजी भाषा के नामी उपन्यासकारों के नाम सुन रखे थे। इसलिए उनके नाम बता दिये।

उसने कहा—''मुझे तो अँगरेजी के दो नावेलिस्ट पसन्द हैं—रेनाल्ड्स और एडगर वालेस। रेनाल्ड्स ने प्रेमियों के और वालेस ने जासूसों के जो चक्कर दिखाये हैं उनकी तारीफ करनी ही पड़ती है! क्यों? तुम्हारी क्या राय है?''

मैंने कहा कि चूँकि मैंने दोनों में से किसी भी लेखक की कोई रचना नहीं पढ़ी है, इसलिए मैं कोई राय नहीं दे सकता।

कैलाश ने कहा—''अच्छा, मारो गोली रेनाल्ड्स को, और वालेस को भी। यह तो बताओ कि तुमने अपना लाइफ इन्श्योर कराने के बारे में क्या विचार किया है? कितने हजार की पालिसी लोगे?''

"पालिसी? कितने हजार की? यह सब तुम क्या कह रहे हो?"

"अरे भाई, अपनी जिन्दगी का बीमा कराओगे या नहीं? उस रोज होटल में मैंने तुम्हें उतना समझाया, पर तुम फिर ऐसा भाव जताते हो जैसे कुछ जानते ही नहीं।"

"ओः! जिन्दगी का बीमा! अब समझा—तुम शायद उसी करामात का जिक्र कर रहे हो जो मेरी 'विधवा स्त्री' को अनाथ और असहाय होने से बचा सकती है! क्यों? यही तो तुमने उस रोज कहा था?"

कैलाश मेरी बात से अत्यन्त कातर हो उठा। बोला—"अरे राम! राम! यह तुम क्या कहते हो! ऐसा मैंने कब कहा? इस तरह की कोई बात कही भी होगी तो तुम जानते ही हो कि उस समय मैं किस 'मूड' में था। जिन्दगी का बीमा लोग इसलिए नहीं करवाते कि वे जल्दी मर जावें और अपने उत्तराधिकारी को मालामाल कर दें। यह तो अपने बुढ़ापे के सुख के लिए किया जाता है!"

मैंने कहा—"तुम झूठ कहते हो। अपनी जान का बीमा लोग केवल इसी लोभ से करवाते हैं कि उनके मर जाने पर उनके उत्तराधिकारी को लाभ हो। वर्मा इन्श्योरेन्स कम्पनियों को कोई कौड़ी मोल को न पूछता—एक-से-एक बैंक पड़े हुए हैं। पर इस बारे में तुमसे बहस करना बेकार है। तुम केवल यह जानकर निश्चिन्त रहो कि मैं विवाह कभी नहीं करूँगा, इसलिए मेरी 'पत्नी' के विधवा और 'बच्चों' के अनाथ होने का कोई डर नहीं है।"

कैलाश मार्मिक आश्चर्य के भाव से कुछ समय तक मेरी ओर देखता रह गया। इसके बाद दबी हुई जबान से उसने कहा—"देखो नन्दकिशोर, मुझे इस बात का बड़ा दुःख है कि मैंने तुम्हारे आगे 'इन्श्योरेन्स' की चर्चा चलायी। मैं स्वप्न में भी कभी तुम्हारे अमंगल की कोई बात नहीं सोच सकता। तुमने अगर मेरे प्रस्ताव से यह विचार किया हो कि विवाह न करोगे, तो मैं हजार बार तुमसे क्षमा चाहता हूँ। पर मेरा विश्वास है कि तुम मेरे प्रस्ताव से चिढ़कर नहीं, बल्कि पहले से ही विवाह करने या न करने के सम्बन्ध में अपना विचार निश्चित कर चुके हो। अगर यह बात है तो भी मैं तुमसे प्रार्थना करूँगा कि कभी भूल से भी विवाह न करने की बात न सोचना। तुम्हारे स्वभाव से मैं थोड़ा-बहुत परिचित हूँ। मेरा पूरा विश्वास है कि केवल विवाह से ही तुम्हारे जीवन में स्थिरता आ सकती है। जितनी जल्दी विवाह करो उतना अच्छा है। जितनी देर करोगे तुम्हारे जीवन की गति भी उतनी ही अनिश्चित बनती जायगी।"

मैंने देखा कि कैलाश के समान मनमौजी व्यक्ति भी 'जीवन की गति' के सम्बन्ध में सोच सकते हैं! इस बात पर मुझे पहले हँसी आयी। पर तत्काल मेरी हँसी आश्चर्य के भाव में परिवर्तित हो गयी। कैलाश की आँखों में एक अस्पष्ट पर गहन स्वप्न की-सी छाया घिर आयी थी। होटल में मैंने उसका चंचल और मनमौजी रूप ही देखा था। अन्तस्तल के भावों की कोई गहरी छाया उसकी आँखों में कभी व्यक्त हो सकती है, इस बात की कल्पना इसके पहले मैं नहीं कर सकता था। उसके चेहरे का

सारा भाव ही अकस्मात् बदल गया था, और वह पहले से बहुत सुन्दर दिखायी देने लगा था। इस बात का अनुमान लगाने में मुझे देर न लगी कि स्त्रियाँ उसमें कौन-सा आकर्षण पाती हैं। कुछ देर तक किसी अज्ञात भाव की विह्वलता से मौन रहकर उसने कहा—''मैं अपने जीवन के अनुभव से तुमसे यह बात कह रहा हूँ। मैं मानता हूँ कि तुम्हें भी जीवन में तरह-तरह के अनुभव हो चुके होंगे। पर अभी तक तुमने मेरी तरह अनिश्चितता और अस्थिरता के भँवरों में गोते नहीं खाये होंगे—ऐसा मेरा विश्वास है। मेरे जीवन की इस अनिश्चितता का कारण क्या है, अनुमान कर सकते हो? पर मैं किस बात से किस बात पर आ गया। कुछ भी हो, मैं फिर एक मित्र के नाते तुमसे इस बात के लिए अनुरोध करता हूँ कि अगर तुम्हारे भैया और भाभी की चेष्टा से कहीं तुम्हारे विवाह की बात पक्की हो जाय तो अवश्य कर लेना। मौका चूकना नहीं, वर्ना जीवन-भर पछताओगे।''

नौकर एक 'ट्रे' में चाय और कुछ खाने की चीजें ले आया था। मैंने कहा—''अच्छा, इस बात पर फिर सोचूँगा। अभी चाय तो पी ली जाय।'' कहकर मैं कपों में चाय डालने लगा।

कैलाश ने कहा—''तुम मेरी बात को हँसी में टालना चाहते हो। खैर। अच्छा, यह तो बताओ, प्रोफेसर साहब क्या अभी यहीं होंगे। उनसे एक बार मिलना था।''

''उम्मीद तो यही है कि वह अभी यहीं होंगे। चाय पी लें, फिर उसके बाद मैं तुम्हें उनके पास ले चलूँगा।''

•••

चाय पी चुकने पर मैं कैलाश को प्रोफेसर साहब के पास ले गया। प्रोफेसर साहब एक सोफा पर आराम से बैठे हुए अखबार पढ़ रहे थे। मिश्राणी जी एक बड़े बक्स में से अपनी साड़ियों को निकालकर उन्हें फिर से तह करके सजाकर रखने के काम में व्यस्त थीं। जयन्ती बाहर की तरफ दरवाजे के पास खड़ी थी और शायद सामनेवाले पहाड़ के दृश्य की शोभा निहारने में मग्न थी। बच्चे बाहर दालान में खेल रहे थे।

मिश्र जी ने जब दो व्यक्तियों को भीतर प्रवेश करते देखा तो आँखों का चश्मा उतारकर गौर से कैलाश की ओर देखने लगे, और जब उसे पहचान लिया तो कैलाश के नमस्कार का उत्तर देते हुए हड़बड़ाते हुए उठ खड़े हुए। कैलाश का हाथ पकड़कर एक कुर्सी पर उसे बिठाते हुए प्रसन्न होकर गद्गद भाव में बोले—''कहो कब आये? कहाँ ठहरे हो? अबकी तुम्हारा चेहरा बहुत बदल गया है। मैंने मन में सोचा कि मेरे

कमरे में यह साहब कौन घुस आया। मैं बहुत घबरा उठा था। जब चश्मा उतारा तब तुम्हें पहचाना। हिःहिःहिः!" कहकर मिश्र जी विचित्र रूप से हँसने लगे।

यद्यपि मैं मिश्र जी की अन्यमनस्क प्रकृति से परिचित हो चुका ही था, तथापि यह बात मुझे बहुत नागवार मालूम हुई कि कैलाश का हाथ पकड़कर उन्होंने कुर्सी पर बैठाया और मुझे बैठने तक को नहीं कहा। अभिमान के कारण मैं खड़ा ही रहा। कैलाश को देखकर मिश्राणी जी अपनी साड़ियाँ सजाने का काम छोड़कर उठ खड़ी हुईं। कैलाश ने उन्हें प्रणाम किया। मैंने इस बात पर गौर किया कि मिश्राणी जी कैलाश को देख उतनी प्रसन्न नहीं हुईं जितना मिश्र जी हुए थे। उन्होंने साधारण भाव से पूछा—"कब आये कैलाश?"

मिश्र जी ने कहा—"यही तो मैं भी पूछ रहा हूँ कि कब आये?"

मिश्राणी जी ने कुछ बिगड़कर कहा—"तुम अपनी बातों से आदमी को ऐसा उलझा देते हो कि जवाब देने का अवकाश कहाँ देते हो! तुम्हें सिर्फ प्रश्न करने से मतलब रहता है, उत्तर मिले या न मिले, तुम्हारी बला से। हाँ, कैलाश कब आये?"

कैलाश ने कुछ दबी हुई जबान से अत्यन्त नम्रता के साथ कहा—"मुझे यहाँ आये एक हफ्ते से ज्यादा हो गया।"

मिश्र जी ने आश्चर्य से कहा—"एक हफ्ता! इतने दिनों तक हम लोगों से मिले—"

मिश्राणी जी ने किंचित् क्रोध से मिश्र जी की बात बीच ही में काटते हुए पूछा—"कहाँ ठहरे हो?"

'सेसिल होटल में।"

"लल्ला, खड़े क्यों हो? इस बगलवाली कुर्सी पर बैठ जाओ।" मिश्राणी जी ने मेरी ओर देखकर मुझे यह आदेश दिया। इस समय उनके मुख का गम्भीर भाव देखकर मैं भी घबरा गया था, इसलिए बेतकल्लुफ चुपचाप उनकी बतायी हुई कुर्सी पर बैठ गया।

मेरा ध्यान प्रारम्भ से ही जयन्ती की ओर था। मैं इस बात पर गौर कर रहा था कि जिस समय से उसने कैलाश को देखा था उस समय से उसके मुख के भावों में अद्भुत परिवर्तन हो गया था। उसका चेहरा एकदम पीला पड़ गया था, और उसकी आँखों में एक निराली चंचल व्याकुलता, एक अनोखी बेचैनी का भाव व्यक्त हो रहा था। मुझे ऐसा जान पड़ा कि सर से पाँव तक उसका सारा शरीर काँपने लगा था। शायद इसी कारण वह दरवाजे के पास ही एक दीवार के सहारे खड़ी हो गयी। कैलाश भी बीच-बीच में प्रश्न-भरी दृष्टि से उसे देख रहा था।

पर यह रहस्य मेरी समझ में तनिक भी नहीं आता था कि कैलाश को देखकर जयन्ती इस कदर घबरा क्यों उठी? मिश्राणी जी का रुख भी ध्यान देने योग्य था। कैलाश को देखते ही उनके स्वभाव में कुछ चिड़चिड़ापन-सा आ गया था। कुछ भी हो, यह देखकर मुझे प्रसन्नता ही हुई कि कैलाश को देखकर जयन्ती का मुख उल्लास से उद्दीप्त न होकर एक अनोखी वेदना से विकल हो उठा। यद्यपि उस वेदना का कारण

क्या है, यह जानने की अदम्य उत्सुकता मेरे मन में पैदा हो गयी थी, फिर भी उसके कारण मेरा मन उतना अस्थिर नहीं हुआ, जितना तब होता जब मैं यह देखता कि कैलाश को देखकर जयन्ती आनन्द से विभोर हो पड़ी है।

पर मिश्र जी कैलाश को देखकर प्रारम्भ से ही परम प्रसन्न हो उठे थे और मिश्राणी जी की ठण्डी बातों से भी उनके आनन्द का उत्साह ढीला पड़ना नहीं चाहता था। मिश्र जी ने कहा—"होटल में क्यों ठहरे हो? यहीं हम लोगों के साथ क्यों नहीं आ जाते? क्यों बिरजू की माँ, तुम्हारी क्या राय है?"

बिरजू की माँ ने उत्तर दिया—"कैलाश ऐसा बेवकूफ नहीं है कि होटल की स्वाधीनता और आराम छोड़कर यहाँ आना चाहे।"

उनकी इस बात से मैंने यही अनुमान लगाया कि वह किसी कारण से नहीं चाहतीं कि कैलाश हम लोगों के साथ आकर रहे।

मिश्र जी ने कैलाश से पूछा—"होटल का भाड़ा कितना देते हो?"

"पन्द्रह रुपया रोज।"

"पन्द्रह रुपया महीना! तब तो कुछ महँगा नहीं है। क्यों बिरजू की माँ!"

बिरजू की माँ ने कहा—"तुम तो अब ऊँचा भी सुनने लग गये हो! पन्द्रह रुपया महीना नहीं, पन्द्रह रुपया रोज कह रहा है।"

"ऐं, पन्द्रह रुपया रोज! क्या कहती हो! क्यों कैलाश, क्या तुम सचमुच होटल में इतना अधिक भाड़ा देते हो? तब तो होटल का मालिक निश्चय ही बड़ा बदमाश और लुटेरा है।"

कैलाश ने म्लान मुस्कान के साथ कहा—"जी नहीं। होटल का मैनेजर बड़ा शरीफ आदमी है। उस होटल में किराया सभी से उसी हिसाब से लिया जाता है। वहाँ सभी बड़े-बड़े आदमी ठहरते हैं।"

"तब तुम बेकार इतना रुपया भाड़ा देकर वहाँ क्यों रहते हो?"

बिरजू की माँ ने कहा—"जिसमें उतना भाड़ा देने की सामर्थ्य है और जो बड़े आदमियों के साथ रहना पसन्द करता है वह वहाँ क्यों नहीं रहेगा? तुम्हारे लिये इतना भाड़ा चुकाना बेकार हो सकता है, पर जो वहाँ रहता है वह किसी मतलब से ही वहाँ रहता होगा।" उनकी बात से आक्रोश का भाव झलकता था, अथवा व्यंग्य का, अथवा ईर्ष्या का, मैं निश्चित रूप से कुछ कह नहीं सकता। पर इतना स्पष्ट था कि इन तीनों भावों में से एक की पुट उनकी बात में अवश्य थी, जिसके कारण कैलाश के मुख में मुर्दनी-सी छा गयी थी। यद्यपि वह एक कृत्रिम मुस्कान से अपने मुख के असली भाव को छिपाने की चेष्टा कर रहा था, तथापि उस चेष्टा से उसकी दीनता अधिक परिस्फुट हो रही थी।

जयन्ती की घबराहट मुझे अधिकाधिक बढ़ती हुई मालूम दे रही थी। वह भीत और चकित हरिणी की तरह कभी अपनी माँ की ओर देखती थी, कभी कैलाश की ओर, कभी

अपने पिता की ओर और कभी मेरी ओर। उसके मुख के इस विभ्रान्त भाव के कारण उसके सौन्दर्य का आकर्षण सौगुना अधिक बढ़ गया था। उसे देख-देखकर मेरे हृदय में एक अपूर्व हर्ष का उन्माद समा गया और मेरी शिरा-शिरा में रक्तधारा उन्मुक्त, उच्छृंखल वेग से तरंगित होकर मुझे विभोर करने लगी। इस अनोखे उन्माद के उद्वेलन से मैं उस समय ऐसा आत्मविस्मृत हो गया कि जयन्ती की तत्कालीन व्याकुलता के प्रति (चाहे उस व्याकुलता का कारण कुछ भी रहा हो) सहानुभूति का भाव अणुमात्र परिमाण में भी मेरे मन में जागरित नहीं हुआ। इस सम्बन्ध में कोई विचार ही मेरे मन में नहीं उठा कि जयन्ती के मुख की उस समय की वह मदन-मोहिनी माया उसके मर्म के निष्ठुर निपीड़न के कारण बाहर व्यक्त हो पड़ी है, और उस माया से मोहाच्छन्न होकर उसी में निमग्न हो जाना और उसके मूल कारण--जयन्ती की तत्कालीन मर्मवेदना--की अवज्ञा करना घोर बर्बरता है।

कैलाश निश्चय ही मन-ही-मन समझ रहा होगा कि आज वह अच्छी साइत में बाहर नहीं निकला। मिश्राणी जी की उपस्थिति में वह स्पष्ट ही अस्थिरता का अनुभव कर रहा था! कुछ देर तक सब लोग चुप बैठे रहे। अचानक कैलाश उठ खड़ा हुआ और मिश्र जी की ओर हाथ जोड़ता हुआ बोला--"इस समय आज्ञा दीजिये, फिर कभी मौका मिला तो और एक बार आपके दर्शन करूँगा।"

मिश्र जी उठ खड़े हुए और बोले--"अरे, अरे यह क्या! इतनी जल्दी चलने लगे! कुछ देर और बैठो। चाय तो पी लो! जाओ बेटी, भीतर जाकर किसी से चाय लाने के लिए कह दो।"

कैलाश ने कहा--"मैं नन्दकिशोर के साथ चाय पी चुका हूँ। अब नहीं पीऊँगा। इस समय आज्ञा दीजिये।" कहकर उत्तर की प्रतीक्षा न करके एक बार मिश्र जी की ओर और एक बार मिश्राणी जी की ओर हाथ जोड़कर और बिजली के वेग से एक बार जयन्ती की ओर देखकर वह बाहर निकल पड़ा। मैं भी उसे फाटक तक पहुँचाने के उद्देश्य से उसके साथ हो लिया।

•••

फाटक तक उसे पहुँचाकर जब मैं उससे विदा होने लगा, तो वह मेरा हाथ खींचकर कुछ दूर और आगे ले गया। मैं केवल कमीज, धोती और चप्पल पहने था। शिमले की सड़कों पर कोई 'भला' आदमी इस तरह बाहर नहीं निकलता। कैलाश के ठेठ विलायती ठाठ की तुलना में मेरा वह पहनावा और भी विचित्र लगता था। दो अँगरेज युवतियाँ

सामने हमारी तरफ को चली आ रही थीं और शायद मेरा वेश देखकर खिलखिला रही थीं। चलते हुए कैलाश ने मुझसे कहा—"देखो नन्दकिशोर, यह मौका अगर तुमने हाथ से जाने दिया, तो जीवन भर पछताओगे। ऐसी अच्छी लड़की तुम्हें फिर कभी नहीं मिल सकती।"

मैंने चौंककर पूछा—"कौन लड़की?"

"कौन लड़की? यही जयन्ती और कौन? वह हर तरह से केवल तुम्हारे ही योग्य है। और तुम्हें भी उससे अच्छी लड़की कभी कहीं कोई दूसरी नहीं मिलेगी, इस बात का मुझे पक्का विश्वास है। इसीलिए मैं कहता हूँ कि अगर तुम दोनों का सुख चाहते हो तो अवश्य उससे विवाह कर लो—बिना किसी भी झिझक के।"

मैंने कुछ देर चुप रहने के बाद कहा—"यही बात कहने के लिए क्या तुम मुझे इतनी दूर घसीट लाये?"

"हाँ; क्यों? क्या तुम्हें मेरी बात अच्छी नहीं लगी? तो उसके लिए मैं क्षमा चाहता हूँ।"

"नहीं, नहीं, मेरा यह मतलब नहीं था। बल्कि तुमने जो बात कही उसकी सचाई को मैं स्वयं कुछ दिनों से महसूस करने लगा हूँ! पर—"

"इस बात में 'पर—वर' के लिए अब कोई गुंजाइश नहीं है, नन्दकिशोर! अगर तुम्हें इस बात पर पूरा विश्वास हो गया है कि उसके साथ विवाह होने से तुम्हारा और उसका दोनों का जीवन सुखी होगा, तो बिना किसी दुविधा के हर हालत में, तुम्हें विवाह कर लेना चाहिए।"

मैं स्नेहपूर्वक मन्द-मन्द मुस्कराने लगा, मुझे उस समय ऐसा लगा कि कैलाश से बढ़कर मेरा सच्चा स्नेही संसार में शायद ही कोई हो। मेरे मन की अज्ञात आकांक्षा का जो तार एकदम ढीला पड़ा हुआ था उसे कैलाश ने अपनी इच्छाशक्ति से कसकर फिर एक बार मधुर झनकार के योग्य बना दिया था। उस दिन होटल में उसकी बातों से, व्यवहार से और रंग-ढंग से जो कटुता मेरे मन में उत्पन्न हो गयी थी, उसका लेश भी इस समय मेरे मन में ही नहीं रह गया था।

मैंने कहा—"तुम ठीक कहते हो कैलाश, पर इधर कई कारणों से मैं भाग्यवादी हो गया हूँ। भाग्य को मंजूर होगा तो उसके साथ मेरा विवाह होकर ही रहेगा—संसार की कोई शक्ति नहीं टाल सकती। और यदि भाग्य ने न चाहा, तो—"

"इस बीसवीं सदी में भी तुम भाग्य का सहारा पकड़कर चलना चाहते हो? धिक्कार है तुम पर! मन को दृढ़ करके बार-बार उससे कहो—जयन्ती से विवाह करना ही होगा! करना ही होगा! करना ही होगा! तुम स्वयं अपने भाग्य हो।"

मैं चुप हो रहा। चढ़ाई में चलते हुए आवेग के साथ बोलने के कारण कैलाश का दम कुछ फूलने लगा था, इसलिए वह एक देवदारु के पेड़ के सहारे दम लेने के इरादे से ठहर गया। कुछ देर सुस्ताने के बाद उसने कहा—"देखो मित्र, मैं जो बात तुमसे

कह रहा हूँ, वह बहुत समझ-बूझकर। मान लो जयन्ती का विवाह तुमसे न होकर किसी ऐसे व्यक्ति से हो जिसके लिए स्त्री केवल स्त्री है—मेरा मतलब तुम समझ गये न?—जो स्त्री की कोमल भावनाओं और सुकुमार मनोवृत्तियों को उपयुक्त कोमलता के साथ स्पर्श करना नहीं जानता, तो उसकी क्या दशा होगी, जरा सोचो तो सही! इसीलिए मैं तुमसे अनुरोध करता हूँ कि तुम अवश्य उससे विवाह कर लो। मैं तुम्हारे स्वभाव से भी बहुत-कुछ परिचित हूँ और—और उसके स्वभाव का भी थोड़ा-बहुत ज्ञान मुझे है।'' यह कहकर वह जेब से एक सिगरेट निकालकर पीने लगा।

मैं कुछ भी न बोला। जब वह सिगरेट प्रायः आधी पी चुका तो उसने कहा—''तुमने कुछ बताया नहीं कि मेरी बात के सम्बन्ध में तुमने क्या विचार किया।''

मैंने कहा—''अभी मैंने कुछ भी विचार नहीं किया। इस समय मेरा जी ठीक नहीं है। चित्त जरा ठिकाने पर आ जाय तो फिर इस सम्बन्ध में अच्छी तरह से विचार करूँ। इस समय मैं चलता हूँ। नमस्कार। हाँ, तुमने जो बात मुझे सुझायी है उसके लिए मैं तुम्हें धन्यवाद देता हूँ। नमस्कार!''

यह कहकर मैं बँगले की ओर वापस चला गया। चलते-चलते मैं सोचने लगा—''जो व्यक्ति रेनाल्ड्स और एडगर वालेस के उपन्यासों में दिलचस्पी लेता है वह एक नारी-हृदय की सुकुमार मनोवृत्तियों के प्रति क्या वास्तव में इस हद तक अनुभूतिशील हो सकता है जितना कि कैलाश ने अपने को दिखाना चाहा है?'' कैलाश के बाहरी स्वभाव से जिस हद तक मैं परिचित था उससे तो इस बात पर विश्वास करना कठिन मालूम होता था। पर न जाने क्यों, उसकी एक-एक बात किसी जादू के अस्त्र से मेरे हृदय को चीरकर मेरी अन्तरात्मा को स्पर्श कर गयी थी। पर जयन्ती की सुकुमार मनोवृत्तियों से वह परिचित हुआ कैसे? उसके प्रति उसकी ऐसी प्रबल सहानुभूति का कारण क्या हो सकता है?

और मेरे सम्बन्ध में उसकी यह धारणा क्यों बद्धमूल हो गयी कि केवल मैं ही जयन्ती के योग्य हूँ? इस बात पर मुझे हँसी भी आ रही थी और आश्चर्य भी हो रहा था!

सोचते-सोचते मुझे जयन्ती की घबराहट की बात याद आयी। कैलाश को देखते ही उसका चेहरा पीला क्यों पड़ गया? जैसी मार्मिक वेदना की प्रगाढ़ छाया उस समय उसके मुख पर अंकित हो गयी थी वैसी मैंने जीवन में उसके पहले केवल एक बार देखी थी—शान्ति के मुख पर; जब बलदेव के प्रति उसके मनोभाव के सम्बन्ध में मैंने अत्यन्त निष्ठुर और कटु व्यंग्य किया था, उस समय। उसके बाद ही वह विह्वल होकर धरती पर पछाड़ खाकर फूट-फूटकर रोयी थी। शान्ति की याद आते ही मेरा मन एक बार किसी अनन्त अन्धकारमय लोक के अगाध सागर में डूबता हुआ आत्मरक्षा के लिए छटपटाने लगा। कुछ समय के लिए मैंने आँखें मींचकर उस स्मृति की निदारुण वेदना की भयंकरता को अन्तस्तल के गहन गह्वर के भीतर ढकेलकर ऊपर से ढकना लगाकर उसे बन्द कर दिया।

इसके बाद मैं फिर सोचने लगा कि जयन्ती की व्याकुलता कैसी ही मार्मिक क्यों न रही हो, पर कैलाश जब तक मिश्र जी के साथ बैठा रहा तब तक वह भी उसी कमरे में खड़ी रही—वहाँ से हटकर किसी दूसरे कमरे में चली नहीं गयी। साथ ही इस बात पर भी मेरा ध्यान जा रहा था कि कैलाश के आने पर न तो जयन्ती ने उसे प्रणाम किया और न कैलाश ही उससे एक शब्द बोला, यद्यपि वह बीच-बीच में प्रश्न-भरी दृष्टि से उसकी ओर देख रहा था, जिसका क्या मौन उत्तर उसने जयन्ती से पाया, यह वही जाने। कैलाश के प्रति मिश्राणी जी की व्यंग्योक्तियाँ भी ध्यान योग्य थीं। सारा चक्कर मुझे कभी तो रहस्यमय लगता था, कभी अत्यन्त साधारण और विशेषत्वहीन जान पड़ता था। पर आज के दिन की सब बातों और सब अनुभवों में से एक बात रह-रहकर मेरी सब भावनाओं के ऊपर उठ-उठकर मुझे विकल कर रही थी और एक मोहाच्छन्नता के संचार से मेरे सारे शरीर को, समस्त मन को और सारी आत्मा को विवश करती जाती थी। कैलाश ने कहा था कि "जयन्ती हर तरह केवल तुम्हारे ही योग्य है। उसके साथ विवाह होने से तुम्हारा और उसका, दोनों का जीवन सुखी होगा।" उसने यह जो बात मुझे सुझायी थी उसकी सत्यता की परख करने की शक्ति मुझमें नहीं रह गयी थी और मेरा मन दूसरी सम्भावनाओं के प्रति एकदम विमुख होकर अन्धभाव से इस बात को परिपूर्ण सत्य के रूप में ग्रहण करने के लिए उतावला हो उठा था। बहुत सम्भव है, मेरे भीतर जो आकांक्षा बहुत दिनों से अज्ञात रूप से दबी पड़ी थी, उसका समर्थन कैलाश की बात में मिल जाने के कारण उसका जादू मुझ पर चल गया था।

कुछ भी हो, कैलाश से बिदा होने के बाद जब मैं घर पहुँचा, तो जयन्ती के वेदना-क्लिष्ट मुख का वह अपरूप सौन्दर्य निरन्तर मेरी आँखों के आगे भासित होने लगा जिसकी अपूर्व मादक मोहकता आज मैंने कैलाश की उपस्थिति में व्यक्त होते देखी थी। उस समय जयन्ती की आँखों में, उसके मुख की सारी छवि में विषाद, करुणा, उत्सुकता तथा भय की भावनाओं का कैसा अनोखा, जादू-भरा सम्मिश्रण झलक उठा था! जयन्ती को इतने दिनों से मैं देख रहा था, पर मर्म को चीरकर भीतर अपनी छाप अंकित कर देनेवाली जो छवि मैंने आज देखी उसे जीवन-भर भूल नहीं सकता—ऐसा पक्का विश्वास मेरे मन में जम गया।

•••

अपने कमरे में पहुँचकर, एक कौच पर लेटकर मैं इसी तरह के विचारों में मग्न हो रहा था। अचानक भाभी जी ने भीतर प्रवेश किया और आते ही कहा—"चला गया तुम्हारा वह साथी!"

उनके कण्ठ में मुझे रूढ़ता का-सा आभास मिला। मैंने कहा–"हाँ, चला गया। क्यों, कुछ काम था क्या?"

भाभी जी अकारण ही खिलखिला उठीं और बोलीं–"तुम भी कभी-कभी बड़ी बेतुकी बातें करते हो, लाला! ऐसे 'लोफर' से (पता नहीं यह शब्द भाभी जी ने कब कहाँ से सीखा था) मुझे क्या काम हो सकता है? और एक बात मैं तुमसे भी कहे देती हूँ, (यहाँ पर भाभी जी के मुख पर गम्भीरता छा गयी) ऐसे आदमी के साथ हेल-मेल बढ़ाना तुम्हारे लिये भी अच्छा नहीं है।"

मैंने आश्चर्य से पूछा–"क्यों?"

"इसलिए कि वह आदमी अच्छा नहीं है।"

"तुम क्या उसे जानती हो?"

"जानती नहीं हूँ, पर उसके बारे में मैंने जो कुछ सुना है–"

मैंने बीच ही में उनकी बात काटते हुए कुछ कुढ़कर कहा–"इसी बीच तुम उसके बारे में सुन भी चुकीं? किसने तुमसे कहा?"

"मिश्राणी जी ने। वह तुमसे बहुत नाराज हैं।"

मेरे आश्चर्य और परेशानी का कुछ ठिकाना न था। मैंने चकित भाव से कहा–"मिश्राणी जी मुझसे नाराज हैं? क्यों?"

"इसलिए कि तुम उन लोगों को इत्तला दिये बिना ही अपने साथी को लेकर एकदम भीतर चले गये।"

"यह बात है! पर कैलाश तो उनके घर का आदमी है। मिश्राणी जी उसकी मौसी लगती हैं।"

"गलत बात है। मिश्राणी जी कहती हैं कि उनके मायके के पास ही कैलाश की ननसाल है। बस, सिर्फ इतनी-सी बात मालूम होने पर कैलाश ने उनको 'मौसी' कहना शुरू कर दिया।"

मैंने मन-ही-मन कहा–"खूब!" प्रकट में कहा–"पर मिश्र-परिवार से उसका हेल-मेल तो काफी है। मिश्र जी तो उसे देखकर ऐसे प्रसन्न थे कि फूले नहीं समाते थे। मिश्राणी जी की नाराजगी का कारण मेरी समझ में नहीं आया।"

भाभी जी ने कहा–"मिश्र जी की क्या कहते हो, वह तो बमभोले आदमी हैं। कोई भी 'लोफर' या गुण्डा उन्हें मीठी-मीठी, चिकनी-चुपड़ी बातों के फेर में डालकर उनका सर्वस्व लूट सकता है, तिस पर भी वह उस गुण्डे को गले से लगाने से बाज नहीं आवेंगे और अपने घर ठहरने के लिए अनुरोध करेंगे।"

भाभी जी की बात में किसी विशेष इंगित का आभास पाकर मैंने पूछा–"तुम किस गुण्डे की बात कह रही हो? क्या किसी गुण्डे ने सचमुच कभी मिश्र जी को लूटा है?"

"मिश्राणी जी कहती थीं कि तुम्हारे इसी साथी ने एक बार एक बोगस ('लोफर' के बाद भाभी जी के मुँह से 'बोगस' शब्द सुनकर मुझे उस परेशानी की हालत में भी

हँसी आ रही थी) कम्पनी खोलकर मिश्र जी से पाँच-पाँच सौ के तीन 'शेयर' बेचकर उनसे डेढ़ हजार रुपये खसोट लिये। वह कम्पनी कभी खुली भी या नहीं, खुली तो कब और कैसे खतम हुई इस बात का कुछ भी पता मिश्रजी को अब तक नहीं है। सिर्फ इतना ही मालूम है कि मिश्र जी के उन डेढ़ हजार रुपयों में से एक कौड़ी भी उन्हें अभी तक नहीं मिली। सुना है कि तुम्हारा यह कैलाश और भी बहुत-से लोगों को अपने जाल में फँसा चुका है। जालसाजी के कारण वह जेल भी जा चुका है। यह भी सुना है कि वह शराब बहुत पीता है, और—और—इसी तरह के और भी बहुत-से बुरे धन्धों में और बुरी सोहबत में फँसा हुआ रहता है। इसी कारण मिश्राणी जी उससे घृणा करती हैं।"

मैंने कहा—"तब तो जरूर मुझसे गलती हुई और इस बात के लिए मैं मिश्राणी जी से माफी माँगना चाहता हूँ। कहाँ हैं वह?"

"तुम्हारे जाने की जरूरत नहीं है; मैं स्वयं उनके पास जाकर तुम्हारी तरफ से माफी माँग लूँगी और उन्हें समझा दूँगी कि तुम्हें किस तरह धोखा हुआ है।" कहकर भाभी जी चली गयीं।

•••

जयन्ती मेरे सामने कभी किसी तरह की भी बात मुँह से नहीं निकालती थी। उसका वह वज्र मौनभाव कभी-कभी मुझे अत्यन्त पीड़ित करने लगता था। पर साथ ही उसका आकर्षण उसके उस अखण्ड मौनव्रत के कारण मेरे लिये कई गुना अधिक बढ़ गया था। उसकी अन्तरात्मा मुझे कई रहस्यमय स्तरों के आवरण से ढकी हुई जान पड़ती थी, और प्रत्येक स्तर अपनी निराली विशेषता और मोहकता से पूर्ण होगा, ऐसा विश्वास मेरे मन में जम गया था। कभी-कभी यह अदम्य इच्छा मेरे मन में उत्पन्न हो जाती थी कि उसकी आत्मा के प्रत्येक स्तर को छील-छीलकर देखूँ और प्रत्येक स्तर के रहस्य का उद्घाटन करूँ। वह दुर्निवार कौतूहल बीच-बीच में भूत की तरह मेरे सिर पर सवार हो जाता था, पर मेरे पास जादू की कोई कुंजी न होने के कारण अपनी असमर्थता से परास्त होकर मैं जी मसोसकर रह जाता था।

पहले मुझे यह सोचकर आश्चर्य हुआ कि आगरे में जयन्ती मेरे सामने केवल बोलती ही न थी, उसने मुझसे बातें भी की थीं, और शिमले में आते ही उसका संकोच इस हद तक बढ़ गया है कि मेरे सामने दूसरों से भी वह कभी कोई बात नहीं करती—एक शब्द तक मुँह से नहीं निकालती! पर बाद में मुझे याद आया कि आगरे में जयन्ती मुझसे बोलने के लिए विवश थी। मिश्र जी घर पर नहीं थे और

मिश्राणी जी स्वभाव में कैसी ही ढीठ क्यों न हों, एकदम अपरिचित अतिथियों के आगे बढ़कर उनसे बात नहीं कर सकती थीं। इसलिए जयन्ती को कर्त्तव्यवश मुझसे बोलने को बाध्य होना पड़ा था। अन्यथा उसके स्वाभाविक मौनभाव का यथेष्ट आभास आगरे में ही मुझे मिल गया था।

सबसे अधिक आश्चर्य की बात यह थी कि वह मौनभाव जयन्ती को सुहाता था। मौन को भी कला का रूप दिया जा सकता है, इस बात का अनुभव मुझे पहले-पहल जयन्ती को देखकर हुआ। कलात्मकता उसके स्वभाव के अणु-अणु में वर्तमान थी, जो उसकी प्रत्येक गतिविधि, हाव-भाव और वेश-भूषा में, सहज सुन्दर रूप में, बिना किसी कृत्रिम चेष्टा के, प्रतिपल व्यक्त होती रहती थी। वह साधारण-से-साधारण साड़ी पहनती तो ऐसा जान पड़ता कि उससे अच्छी और कोई दूसरी साड़ी हो ही नहीं सकती। जब उसका सिर साड़ी से ढका रहता, तो ऐसा अनुभव होने लगता कि नारी के देवीत्व के सम्बन्ध में इससे अधिक जीवित और साकार कल्पना कोई कलाकार नहीं कर सकता; और जब साड़ी सिर पर से अलग रहती और उसके केशों की निरावरण शोभा सघन अलक-जाल के रूप में लहराती हुई दिखायी देती, तो नाग-कन्या के समान जयन्ती का उस समय का रूप हृदय में एक उद्दाम मादकता और एक अनिर्वचनीय सम्भ्रम और श्रद्धा का भाव एक साथ उत्पन्न करने लगता।

उसके मुख की गम्भीरता का भाव भी असाधारण था। उसके गाम्भीर्य में निर्जीवता का लेश नहीं रहता था, बल्कि एक सतेज भाव की तीक्ष्णता-सा वह सब समय स्फुरित रहता था। और उसकी तनी हुई, पर छोटी, अधखुली-सी आँखों का विद्युत्-स्फुरण! जब कभी वह अपनी स्वभावतः विस्मित दृष्टि की किरणों को किसी व्यक्ति की ओर केन्द्रित करती तो ऐसा जान पड़ता जैसे 'एक्सरे' की तरह उसके शरीर के बाह्यावरण को भेदकर उसके मर्म का अणु-अणु देख लेगी!

उसकी मुस्कान जितनी ही दुर्लभ थी (तीन-चार दिनों में कभी एक बार, कुछ क्षणों के लिए मैं उसे मुस्कराते हुए देख पाता था) उतनी ही विचित्र भी थी। जब वह मीरा के साथ होती तभी उसका मुस्काना सम्भव होता था। उसकी मुस्कान में एक मुक्त हृदय के हर्ष या उल्लास की अभिव्यक्ति नाम को भी नहीं पायी जाती थी। उसमें व्यक्त होता था अपने बड़प्पन की अनुभूति का गर्व, और साधारण मानव-समाज के प्रति घृणा का एक हलका-सा आभास। पर क्यों यह घृणा? इस मौनप्रिय नागकन्या के इस नीरव दर्प का कारण क्या है? क्यों वह सुख-दुःखमयी विविध वासनाओं के आलोड़न से पीड़ित हम मर्त्यलोक के जीवों के जीवन-चक्र को इतना ही हेय और तुच्छ समझती है? उसकी अपनी अनुभूतियाँ कैसी हैं? सुख-दुःख के सम्बन्ध में उसके मनोभाव क्या हम लोगों से बिलकुल भिन्न हैं? प्रेम के पीड़न और वासना के विस्फूर्जन का कोई प्रभाव क्या कभी उसके मन पर नहीं पड़ सकता? उसके हृदय की चट्टान किस कठोर धातु से निर्मित है जो सौ-सौ तरंगों के उस पर टकराने पर भी कणमात्र नहीं छीजती?

इस तरह के प्रश्न मुझे उस दिन से अधिक विकल करने लगे जिस दिन कैलाश ने मुझे सुझाया था कि जयन्ती केवल मेरे ही योग्य है। जयन्ती मेरे योग्य हो सकती है, पर प्रश्न तो यह है कि जयन्ती मुझे अपने योग्य समझती है या नहीं? आश्चर्य है कि इस सम्बन्ध में कोई शंका मेरे मन में कैलाश से मिलने के पहले नहीं उठी थी। पर जब से कैलाश ने मुझे अपनी 'योग्यता' पर विश्वास दिलाया, तब से, न जाने क्यों, मुझे यह भय होने लगा कि मैं जयन्ती के योग्य नहीं हूँ, और जयन्ती भी इस सत्य से परिचित हो गयी है। पहले मेरी अन्तश्चेतना में यह विश्वास समाया हुआ था कि यदि मैं जयन्ती से विवाह करने को तैयार हो जाऊँ तो वह इसे अपना परम सौभाग्य समझेगी। मैं कह नहीं सकता कि इस प्रकार की धारणा मेरे अज्ञात मन में क्यों बिना किसी कारण या प्रमाण के अपने-आप समा गयी थी। पर कैलाश की बातें सुनने के बाद जब मैं इस प्रश्न पर गहराई से विचार करने लगा, तो अकस्मात् बिजली की-सी झलक से एक दूसरा ही सत्य मेरी आँखों के आगे प्रतिभासित हो उठा। मुझे अपने इतने दिनों के भ्रम पर आश्चर्य होने लगा। जिस दिन मैंने जयन्ती को पहले-पहल देखा था तब से लेकर उसके आज तक के प्रत्येक हाव-भाव, प्रत्येक बात-व्यवहार की स्मृति को जागरित करके मैंने ध्यानपूर्वक विचार करना प्रारम्भ किया, तो एक भी ऐसी बात या घटना मुझे याद नहीं आयी जिसके आधार पर यह विश्वास करने की गुंजाइश होती कि जयन्ती मुझे चाहती है। इस विषय पर मैं जितना ही सोचता था उतनी ही मेरी परेशानी बढ़ती जाती थी। जब कभी किसी दुर्लभ क्षण में मुझे देखकर उसके मुख पर मुस्कान की एक झिलमिली आभा झलक उठती तो उस समय भी मैं इस बात पर गौर करता कि उसकी आँखों के नीचे से लेकर उसके होंठों तक घृणा अथवा व्यंग्य की एक अस्पष्ट छाया प्रसारित हो गयी है। कैलाश जब मिश्र जी से मिलने आया था तो उस समय जयन्ती के मुख पर किसी अज्ञात पीड़न का एक प्रगाढ़ चिह्न अंकित हो गया था, इस बात का उल्लेख मैं पहले ही कर चुका हूँ। उस समय भी जब वह बीच-बीच में मेरी ओर देखती थी, तो उसकी आँखों में और होंठों के आस-पास अव्यक्त घृणा के अस्फुट लक्षण मुझे दिखायी दिये थे। पर इसी अपरिस्फुट घृणा अथवा व्यंग्य के भाव के कारण ही उसके मुख की अभिव्यक्ति में एक अपूर्व, अवर्णनीय आकर्षण की विशेषता पायी जाती थी, जिससे मेरे मन का उन्माद दिन-पर-दिन बढ़ता ही चला जाता था।

जयन्ती के स्वभाव के सम्बन्ध में एक और आश्चर्य की बात मैंने पायी। मुझे इस बात पर पूरा विश्वास है कि यदि उसका कोई अन्तरंगतम व्यक्ति उसे यह सुझाता कि "तुम संसार से—जिसमें नन्दकिशोर भी शामिल है—घृणा करती हो," तो उसे इस बात पर उतना ही आश्चर्य और अविश्वास होता जितना सुबह को शाम बताये जाने पर। अपने स्वभाव की इस अव्यक्त घृणा से वह वैसी ही अपरिचित थी जैसे लकवे से पीड़ित व्यक्ति लकवे के आक्रमण के स्थान पर स्पर्श की संज्ञा से एकदम अपरिचित रहता है।

मैं पहले ही कह चुका हूँ कि जयन्ती के स्वभाव की इन्हीं सब विशेषताओं के कारण मेरे मन का मोह उसके प्रति दिन-दिन बढ़ता चला जाता था। और कैलाश ने मुझे बार-बार विवाह के लिए प्रेरित करने की चेष्टा करके मेरे मन में एक अनोखी बेचैनी का बीज बो दिया था। कैलाश की इच्छा-शक्ति की प्रेरणा से मेरे मस्तिष्क में केवल 'विवाह-विवाह-विवाह' की रटना शुरू हो गयी, और मेरी आन्तरिक इच्छा या अनिच्छा की कुछ परवा न करके इस अनोखी धुन ने मेरी खोपड़ी के भीतर एक विचित्र ताण्डव मचाना प्रारम्भ कर दिया। मेरी समझ ही में नहीं आता था कि यह जो पागलपन बिना किसी पूर्व-सूचना के अकस्मात् एक भूत की तरह मेरे सिर पर सवार हो उठा है उसे झाड़ने का क्या उपाय किया जाय।

"विवाह! जयन्ती के साथ विवाह! इसका अर्थ यह है कि यही जयन्ती जो इस समय मेरे इतने निकट होने पर भी मुझसे इतनी दूर है, मेरी दासी बनकर रहेगी और अपने अज्ञात गर्व और अव्यक्त घृणा के भावों के कुचले जाने पर आँधी के वेग से विच्छिन्न लता की तरह एकमात्र मेरे चरणों का आश्रय पाकर विवश होकर उनसे लिपटी रहेगी! इस भावना में कितना सुख है! मैं अवश्य उससे विवाह करूँगा, अवश्य करूँगा। एक बार इस बेत की तरह नमनीय तथापि संयम की दृढ़ता से कुटिल-कठोर लता को जी भरकर तोड़-मरोड़कर सामाजिक बन्धन के मजबूत डोरे से बाँध दूँगा, ताकि वह फिर कभी बेत की तरह छिटककर अपना सिर ऊँचा न करने पावे। मैं विवाह करूँगा!" मन-ही-मन इस तरह की बातें करता हुआ मैं विवाह के बाद के जीवन की रंगीन कल्पनाओं में निमग्न हो गया। सोचते-सोचते अचानक मेरा ध्यान इस बात पर गया कि मेरे चाहने से ही जयन्ती मुझे ब्याह दी जायगी इसका क्या ठिकाना! भाभी जी ने दो-एक बार भले ही इस ओर इंगित किया हो, पर मिश्र जी और उनकी गृहिणी वास्तव में जयन्ती को मुझे सौंपने को तैयार हैं, यह मैंने पहले ही कैसे मान लिया? यह शंका उत्पन्न होने पर भी मेरी अन्तरात्मा जानती थी कि शंका निर्मूल है। पर प्रश्न यह था कि मैं स्वयं अपने मुँह से इस चर्चा को कैसे चलाऊँ। भाभी जी कुछ दिन पहले तक हँसी-ठट्ठे के बहाने इस विषय की चर्चा छेड़ दिया करती थीं, पर इस सम्बन्ध में मेरा टेढ़ा रुख देखकर उन्होंने परिहास के रूप में भी अब कुछ कहना छोड़ दिया था। मुझे स्मरण हो आया कि एक दिन भाभी जी ने जब मेरे विवाह की बात चलायी थी तो मैंने उन्हें कुछ कड़े शब्दों में फटकार दिया था। पर अब बात ही दूसरी थी, और मैं भाभी जी को अपने विचार-परिवर्तन से परिचित कराने के लिए छटपटाने लगा।

•••

एक दिन मैंने लज्जा-संकोच सब त्यागकर साहसपूर्वक स्वयं चर्चा चलाने का प्रयास किया। भाभी जी को एकान्त में पाकर मैंने दो-एक फालतू बातों के बाद पूछा—"जयन्ती के विवाह के सम्बन्ध में मिश्र जी ने क्या सोचा है?"

भाभी जी ने अपनी स्वाभाविक स्निग्ध मुस्कान के साथ उत्तर दिया—"वह किसी योग्य वर की तलाश में हैं।"

"योग्य वर के सम्बन्ध में उनका आदर्श क्या है?"

"यही कि वह नौजवान हो, सुन्दर हो, पढ़ा-लिखा हो और कमाऊ हो।"

मैं स्वभावतः अपने को नौजवान भी समझता था, सुन्दर भी और पढ़ा-लिखा भी। पर अन्तिम शर्त की पूर्ति में मैं शत-प्रतिशत फेल हो जाता था। बेत की जिस कुर्सी पर मैं बैठा हुआ था, उस पर अपने शरीर को अच्छी तरह जमाने की चेष्टा करता हुआ मैं भाभी जी के पाँवों की ओर देखता हुआ बोला—"क्या वर का कमाऊ होना वह जरूरी समझते हैं?"

भाभी जी ने प्रश्न-भरी दृष्टि से एक बार मेरी ओर देखा। उनकी आँखों के नीचे और होंठों पर व्यंग्य का एक हलका-सा आभास मुझे दिखायी दिया। उन्होंने कहा—"वर कमाऊ नहीं होगा तो अपनी जोरू को कहाँ से खिलावेगा, क्या पहनावेगा?"

एंक अकारण क्रोध, असन्तोष और कटुता के भाव से मेरा मन अस्थिर हो उठा! मैं कह नहीं सकता कि वह क्रोध किस पर था, असन्तोष किसलिए था और कटुता कैसी थी। कुछ भी हो, इन तीनों मिश्रित भावों की विरसता को मैंने व्यंग्य के रूप में उगलने का प्रयत्न किया। मैंने एक विकृत मुस्कान का भाव अपने मुख पर लाने की चेष्टा करते हुए कहा—"क्यों, मिश्र जी क्या उसे घर-जमाई नहीं बनावेंगे? जहाँ तक मुझे मालूम है, उन्नाव में उनकी खासी अच्छी जमींदारी है, और प्रोफेसरी से उन्हें जो कुछ मिलता है वह एक तरह से घाते में ही समझो।"

जिस समय मैंने भाभी जी के कमरे में प्रवेश किया था उस समय वह नीचे कालीन पर बैठी हुई एक नये मेजपोश पर फूल काढ़ रही थीं। वह मेजपोश मय सुई और तागे के अभी तक उनके बायें घुटने पर रखा था। उसे उठाकर बैठे-ही-बैठे एक पासवाले टेबिल पर रखकर उन्होंने कहा—"हो सकता है। मुझे इतनी खबर नहीं है। पर जहाँ तक मेरा अनुमान है मिश्राणी जी किसी को घर-जमाई बनाने के झगड़े में नहीं पड़ना चाहतीं। उनके अपने बाल-बच्चे भी तो हैं।" यह बात भाभी जी ने बिना किसी व्यंग्य के कही। मेरे लिये उस विषय की चर्चा को आगे बढ़ाने का कोई चारा नहीं रहा—व्यंग्य

का एक सहारा था, उसे भाभी जी ने वास्तविक रूप में ग्रहण करके जड़ ही से काट डाला। मैंने सोचा था कि जयन्ती के विवाह की बात छिड़ते ही वह एक बार वास्तव में या परिहास में अवश्य ही मेरे विवाह की बात चलावेंगी। पर पता नहीं, आज उनका रुख क्यों बदला हुआ था। पर जो बेचैनी मुझे भीतर-ही-भीतर सता रही थी, वह यों ही शान्त होनेवाली न थी। कोई चारा न देखकर अन्त में मैंने निर्लज्जता का आश्रय लिया। कुर्सी के डण्डे को नाखून से खुरचते हुए भाभी जी के पैर के अँगूठे के नाखून की ओर दृष्टि करके–(उनके मुख की ओर देखने का साहस मुझे नहीं हुआ) मैंने अस्वाभाविक और कृत्रिम हँसी का भाव प्रकट करते हुए कहा–"अच्छा, भाभी, मुझे अपनी एक बात का अर्थ समझाओ। मुझे याद है, तुमने कुछ दिन पहले एक बार जयन्ती से कहा था कि 'आज न सही, फिर कभी तुम्हें लाला के लिए कालीन काढ़ना ही होगा।' इस बात से तुम्हारा मतलब क्या था, जरा बताओ तो सही।"

इस बार भाभी जी की आँखों में कृत्रिम आश्चर्य का भाव झलक उठा। उन्होंने अपनी तीक्ष्ण दृष्टि से एक बार मेरे अन्तर की असली बात जानने की चेष्टा की। इसके बाद धीरे-धीरे उनकी आँखों में, होंठों में और ठुड्डी में आशाजनित हर्ष का एक अर्द्ध-विकसित भाव व्यक्त हो उठा। उन्होंने अत्यन्त उत्सुकतापूर्वक कहा–"सच्ची बात बताऊँ? तो सुनो; उस बात से मेरा मतलब यह था कि उस समय मुझे आशा थी कि जयन्ती के साथ तुम्हारा विवाह हो जायगा?"

मेरा कलेजा धक से रह गया। अपनी घबराहट को छिपाने का व्यर्थ प्रयत्न करते हुए मैंने कहा–"उस समय तुम्हें आशा थी तो फिर निराशा का क्या कारण हुआ?" इस आशंका से मेरा हृदय धड़क रहा था कि भाभी जी कहीं यह कारण न बता दें कि किसी दूसरे व्यक्ति के साथ उसकी सगाई हो गयी है। पर उन्होंने जो उत्तर दिया उससे मेरी घबराहट जाती रही। उन्होंने कहा–"निराशा का और कोई कारण नहीं है, कारण है केवल तुम्हारा हठ। तुमने जब विवाह न करने का पक्का इरादा ही कर लिया है–"

उनकी बात बीच ही में काटते हुए मैंने कहा–"ठहरो, ठहरो! तुमने यह कैसे समझ लिया कि मैंने विवाह न करने का पक्का इरादा कर लिया है? उन दिनों मेरा जी ठीक नहीं था और अपने विषय की कोई भी बात मुझे अच्छी नहीं लगती थी।"

भाभी जी का स्निग्ध-गम्भीर मुख अकृत्रिम उल्लास की दीप्ति से दमक उठा। अप्रत्याशित प्रसन्नता के कारण वह उठ खड़ी हुईं और पास ही एक कौच पर जाकर बैठ गयीं। मेरी ओर एकटक देखते हुए उन्होंने कहा–"तो लाला, अब तो तुम्हारा जी ठीक है न? अब तो तुम्हारे विवाह की बात चलायी जा सकती है! क्यों?"

मैंने लज्जा के कारण सिर नीचे को कर लिया और कुर्सी के एक स्थान पर दो छेदों के बीच की बुनावट को उँगली से तोड़ने की चेष्टा करता हुआ, भाभी जी की ओर न देखकर बोला–"अब की बात दूसरी है।"

भाभी जी ने अपनी स्वाभाविक स्निग्धता के साथ कहा–"देखो लाला, मिश्राणी जी कब से इस बात के लिए पीछे पड़ी हुई हैं। वह भरसक जयन्ती का विवाह तुम्हारे ही

साथ करना चाहती हैं। तुम्हारे भैया की और मेरी आँखें भी जयन्ती की ओर बहुत दिनों से लगी हुई थीं। तुम्हारे भैया ने कितनी ही बार मुझसे कहा है कि 'नन्दकिशोर का विवाह अगर जयन्ती से हो जाय तो मुझे इतनी प्रसन्नता होगी जितनी अपने विवाह के समय भी नहीं हुई।'

भाभी जी की अन्तिम बात सुनकर मैंने सिर जरा ऊपर को उठाया और मृदुमन्द मुस्कान से उनकी ओर देखने लगा। मेरी मुस्कान का इंगित समझकर वह भी खूब हँसीं। पर यह हँसी भावुकता की सरसता से स्निग्ध थी, इसलिए उनकी आँखों में आनन्द के आँसू भी झलकने लगे थे। उनके हर्षोद्वेग के दो कारण मुझे दिखायी दिये। एक तो उनके मन में अपने विवाह के समय की सुख-स्मृतियाँ जाग पड़ी होंगी, दूसरे मेरा रुख अच्छा देखकर मेरे विवाह के सम्बन्ध में उन्हें आशा की झलक दिखायी देने लगी थी।

भाभी जी साड़ी के अंचल से अपनी भींगी आँखों को पोंछती हुई फिर कहने लगीं—"सच कहती हूँ लाला, तुम विवाह के लिए राजी हो जाओ, तो तुम्हारे भैया को और मुझे जो सुख मिलेगा उसकी कल्पना भी तुम नहीं कर सकते। और मिश्र जी और मिश्राणी जी भी—"

यहाँ पर मेरा सारा संकोच अकस्मात् न जाने कहाँ विलुप्त हो गया। मैं पूरी तरह भाभी जी के सामने मुख करके अत्यन्त निर्लज्ज धृष्टता के साथ कह बैठा—"हाँ, सभी प्रसन्न होंगे, सिवा उस लड़की के जिसका विवाह होगा।"

भाभी जी क्षण-भर के लिए चकित दृष्टि से मेरी ओर देखती रह गयीं। उन्होंने कहा—"ऐसी बात क्यों कहते हो, लाला? जिससे तुम्हारा विवाह होगा वह लड़की अपना परम सौभाग्य समझेगी। तुम्हारे जैसे वर हमारे समाज में कितने हैं? तुममें किस बात की कमी है? नौजवान हो, देखने में सुन्दर हो, पढ़े-लिखे हो, समझदार हो—"

"पर कमाऊ तो नहीं हूँ। कहकर मैंने भाभी जी की वाग्धारा को हँसी में उड़ाने की चेष्टा की।

पर भाभी जी का उत्साह यों ही ठण्डा नहीं किया जा सकता था। उन्होंने कहा—"तुम्हें कमाने की जरूरत ही क्या है। भगवान् की कृपा से घर में इतनी काफी जमींदारी है जितने से तुम, तुम्हारी स्त्री और तुम्हारे बाल-बच्चे बड़े आराम से और ठाठ से अपना निर्वाह कर सकते हैं। तुम्हारे भैया हर साल नयी-नयी जमीन खरीदकर जमींदारी बढ़ाते जाते हैं। कोई देख-भाल करनेवाला न होने से सारी जमींदारी का सत्यानाश हुआ जा रहा है। जो आदमी आजकल देख-भाल कर रहा है वह तुम्हारे किसी एक मामा का कोई रिश्तेदार है। पिछले साल हम लोग जब घर गये थे, तो तुम्हारे भैया उसके बदइन्तजामी से बहुत नाराज थे। तुम अगर और कुछ न करके घर में बैठकर जमींदारी सँभाल लो तो जिन्दगी-भर तुम्हारे लिये किसी बात की कमी नहीं रहेगी। तुम्हारे भैया केवल तुम्हारे ही लिये जमीन-जायदाद बढ़ा रहे हैं। तुम्हारे सिवा हम लोगों का है कौन! केवल तीन लड़कियाँ हैं, वे भी समय आने पर एक-एक करके कहीं-न-कहीं ब्याह दी

जावेंगी। उसके बाद फिर हम लोगों को करने को क्या रह जायगा? कुछ भी नहीं। भाग्य में जब एक लड़के का मुख देखने का सुख नहीं बदा है तो उसके लिए क्या कर सकते हैं! (यहाँ पर भाभी जी का मुख एकदम म्लान हो आया) पूजा-पाठ, जप-तप में कोई बात मैंने उठा नहीं रखी है, कई बार मानताएँ मान चुकी हूँ, कोई फल नहीं होता तो मैं क्या करूँ! (यहाँ पर भाभी जी ने अपनी गीली आँखों को अंचल से पोंछा) पर अब मुझे इस बात का कोई विशेष दुःख भी नहीं है। व्यर्थ के दुःख का भार सिर पर लेने से लाभ ही क्या है! अगर तुम विवाह कर लो और भगवान् की कृपा से तुम्हारे कोई लड़का हो जाय तो मैं अपनी सब मनोकामनाओं को सिद्ध हुआ समझ लूँगी। तुम एक बार सिर्फ कह दो कि 'मैं जयन्ती से विवाह करने को तैयार हूँ', बाकी सब भार, सारी जिम्मेदारी मैं अपने ऊपर लेती हूँ, बोलो, राजी हो? बोलो!'' यह कहकर भाभी जी अत्यन्त उत्सुकता से मेरी ओर देखने लगीं—जैसे इसी एक प्रश्न के उत्तर पर उनके समस्त जीवन की सार्थकता अथवा व्यर्थता निर्भर करती हो।

मैंने कहा—''पर भाभी, तुमने कभी इस बात पर भी विचार किया है कि मेरे साथ विवाह होने से जयन्ती अपने को सुखी समझेगी या नहीं? मुझे तो ऐसा जान पड़ा है कि वह मुझे नहीं चाहती।'' कहते ही निदारुण ग्लानि के भाव ने मुझे धर दबाया। मैंने अपने-आपको सम्बोधित करते हुए मन-ही-मन कहा—''मूर्ख! भाभी जी के सामने किसी स्त्री के चाहने-न-चाहने के सम्बन्ध में बातें करते हुए तुम्हें लज्जा नहीं आती? चुल्लू भर पानी में डूब मरो!''

भाभी जी कुछ समय तक मेरी ओर इस तरह देखती रहीं जैसे वह मेरे प्रश्न का अर्थ कुछ समझीं नहीं। फिर उन्होंने शायद मेरी बात का यह अर्थ लगाया कि मैं देवर की हैसियत से उनके आगे परिहास की बातें कर रहा हूँ इसलिए उन्होंने मुस्कराने की चेष्टा करते हुए कहा—''लाला, ठठोली की बातें इस समय रहने दो। जो बात मैंने तुमसे पूछी है उसका जवाब क्या नहीं दोगे?''

मैंने संकोच के कारण सिर कुछ नीचे कर लिया था; पर जब मैंने देखा कि भाभी जी ने मेरी बात को जान-बूझकर या अनजान में बिलकुल टाल दिया तो मेरे संकोच ने निर्लज्ज ढिठाई का रूप धारण कर लिया। मैंने कहा—''नहीं भाभी, मैं सच कह रहा हूँ, ठठोली नहीं करता। तुमसे यह बात छिपी न होगी कि इस युग में लड़की की इच्छा के बिना उससे विवाह करना पाप समझा जाने लगा है। जब तक मैं यह निश्चित रूप से न जान लूँ कि जयन्ती अपने माता-पिता के दबाव से नहीं, बल्कि अपनी आन्तरिक इच्छा से मेरे साथ विवाह करने को राजी है, तब तक मैं तैयार नहीं हो सकता।''

भाभी जी के होंठों के सिरों पर व्यंग्य-भरी मुस्कान फड़कने लगी। पर, सम्भवतः स्थिति की जटिलता समझने के कारण, उन्होंने तत्काल अपने मुख के भाव को गम्भीरता में बदल दिया और स्नेहपूर्ण शब्दों में डाँट बताते हुए कहने लगीं—''तुम कैसी बातें करते हो, लाला? जयन्ती तुम्हें चाहती है या नहीं, यह भी भला क्या पूछने की बात

है! वह तुम्हारे समान वर को न चाहे, यह बात क्या किसी तरह सम्भव हो सकती है? वह नादान बच्ची नहीं है कि किसी आदमी के गुण-अवगुण की परख करना न जाने। इस बात की चिन्ता एकदम छोड़ दो। मेरा पूरा विश्वास है कि वह मन-ही-मन देवताओं को मना रही होगी कि तुमसे उसका विवाह हो जाय।"

भाभी जी की बात सुनकर मैं चुप हो रहा। तरह-तरह के विचार मेरे मस्तिष्क में दौड़ने लगे। मुझे चुप देखकर भाभी जी ने फिर कहा—"तो बोलो, तुम राजी हो न? मैं मिश्राणी जी के पास जाकर आज ही शाम को इस बारे में बातचीत चलाना चाहती हूँ।"

"मैं सोचकर कल तक तुम्हारी बात का निश्चित उत्तर दूँगा!" यह कहकर मैं उठ खड़ा हुआ और अपने कमरे में जाकर कपड़े पहनकर बाहर हवाखोरी के लिए निकल पड़ा।

•••

"वह मन-ही-मन देवताओं को मना रही होगी कि तुमसे उसका विवाह हो जाय।" चलते-चलते मैं भाभी जी के इन शब्दों की जुगाली करने लगा—उन्हें चबाकर, चूसकर, नाना रूपों से उनका रस लेता हुआ उन्हें निगलने लगा। फिर भी मेरा अन्तःकरण इस बात पर विश्वास नहीं करना चाहता था कि जयन्ती सचमुच मुझे इस हद तक चाहती होगी। उसकी मुखाकृति में मैं समय-समय पर विभिन्न हाव-भावों का प्रदर्शन देख चुका था। पर इस समय उसके एक निश्चित रूप की छाया मेरी आँखों के आगे खड़ी हो गयी। यह छाया मुझे पहले भी कई बार विभ्रान्त कर चुकी थी। धनुषटंकार के समान उसकी भौंहों के तनाव, और तीखी तथा तिरछी दृष्टि के खिंचाव में भय, विस्मय, घृणा और उत्सुकता का मिश्रित भाव, और उसके फड़कते हुए पतले-पतले होंठों के इर्द-गिर्द खेलनेवाली अस्पष्ट मुस्कान में एक रहस्यमय व्यंग्य का आभास मुझे स्पष्ट दिखायी दे रहा था। मैं इस छाया को मन से हटाने का जितना ही प्रयत्न करता था उतना ही वह स्पष्ट-से-स्पष्टतर रूप में मेरे आगे प्रतिभासित होती जाती थी। आश्चर्य की बात यह थी कि जब-ज़ब मैंने जयन्ती को प्रत्यक्ष रूप से देखा, तब-तब उसके मुख पर उस समय के लिए यह भय और भ्रान्ति उत्पन्न करनेवाला रहस्यमय भाव न जाने कहाँ लुप्त हो जाता था। उस समय मेरी आँखों में न जाने जादू का कौन-सा पर्दा पड़ जाता था; मैं एक अपूर्व, अलौकिक सौन्दर्य की मोहिनी माया से स्तम्भित होकर रोमांचित अवस्था में उसकी ओर देखता रह जाता था। उस समय स्वर्ग की देवी के समान उसके मुख पर एक दिव्य और प्रशान्त भाव का अस्पष्ट सम्मिश्रण मुझ पर कृपा-किरणों की वर्षा

करता हुआ जान पड़ता था। पर ज्यों ही वह मेरे सामने से हटकर चली जाती, त्यों ह उसके रूप की वही भौतिक छाया, जिसका वर्णन मैं पहले कर चुका हूँ, मुझे भय-चकित करने लगती थी। इस रहस्य का कारण क्या हो सकता है, यह जानने को अधीर होन पर भी मैं किसी निश्चित सिद्धान्त पर नहीं पहुँच सका। इसके मूल में क्या मेरी ह शंकित मनोवृत्ति काम कर रही थी या मेरा अन्तर्मन अज्ञात रूप से जयन्ती के व्यक्तित्व का बाह्यावरण भेदकर उसके भीतर के वास्तविक रूप की झलक देखने में समर्थ हो गय था? कारण कुछ भी हो, पर इतना निश्चित है कि जयन्ती ने मेरे मन में हर्ष औ विस्मय, मादकता और भय, उत्सुकता और शंका के भाव एक साथ पैदा कर दिये थे

मुझे याद आया कि इस बार जयन्ती जिस दिन शिमला पहुँची थी उस दिन व मीरा के साथ मेरे कमरे में दरवाजे तक आयी थी और फिर, सम्भवतः संकोच के कारण बाहर ही खड़ी रह गयी थी। इस पर मीरा ने उससे कहा था—"तुम तो कहती हो वि मैं तुम्हारे भैया को जानती हूँ, तब—" मैं सोचने लगा कि वास्तव में जयन्ती मुझे किस हद तक और किस रूप में जानती है? उसके मन की एक-एक बात स्पष्ट रूप से कैस पढ़ी जा सकती है? अभी तक उसके मनोभावों की कल्पना मैं केवल अनुमान द्वारा क रहा हूँ। पर एक मनुष्य की भीतरी दुनिया की बातों के सम्बन्ध में दूसरे मनुष्य क अनुमान कभी अभ्रान्त नहीं हो सकता। मनुष्य की बुद्धि अत्यन्त सीमित है। वह अपा रहस्यमय मानव-मन के अगाध सागर की कुछ हिलोरों की झलक भले ही देख ले, प उसकी थाह पाना उसके लिए एकदम असम्भव है।

इसी तरह की बातें सोचता हुआ मैं ऐननडेल से होता हुआ प्रायः डेढ़ मील आग तक चला गया। वहाँ एक बेंच पर कुछ देर तक सुस्ताने के बाद फिर घर की ओर लौ चला। घर पहुँचने पर कुछ देर बाद खाना आ गया। खाना खाकर मैं लेट गया औ लेटते ही ऊँघने लगा। उस अर्द्धनिद्रित अवस्था में मेरे मन की आँखें अकस्मात् परिपूर्ण रूप से जाग पड़ीं और भाभी जी से जिस तरह की बातें मैंने तीसरे पहर की थीं वे मुझ अत्यन्त लज्जाजनक जान पड़ने लगीं। निपट ग्लानि की अनुभूति से मेरा सारा मन तिक्त हो उठा। मुझे ऐसा लगा कि इतने दिनों तक जो अस्वास्थ्यकर मानसिक भोजन मेरे भीतर संचित होता जाता था उसे मैं भाभी जी के सामने उगल आया। क़ै करने के बाद जिस प्रकार सारा मुँह विस्वाद हो उठता है, मेरा मन सन्ध्या से ही उसी तरह की अरुचि के अनुभव से विरस हो उठा था; पर इस समय उस ओर मेरा ध्यान नहीं गय था।

रातभर स्वप्नों में उसी निदारुण ग्लानि की वेदना मुझे बेचैन करती रही। दूसरे दिन मौका देखकर मैं भाभी जी के पास गया। भाभी जी आज भी मेजपोश काढ़ने में व्यस्त थीं। भीतर जाकर एक कुर्सी पर बैठते ही मैंने कहा—"भाभी जी, कल जो-कुछ मैंने तुमसे कहा वह सब हँसी में कहा था। मैं इस समय इसलिए आया हूँ कि कहीं तुम मेरी उन बातों को सच न मान लो।" कहकर मैंने सिर कुछ नीचे को कर लिया औ

कनखियों से भाभी जी की ओर देखने लगा। भाभी जी का मुख एकदम फीका पड़ गया। उन्होंने स्वप्न में भी यह कल्पना न की होगी कि उनकी परम प्रिय आशा पर अकस्मात् इस तरह वज्रपात होगा। कुछ क्षण तक स्तब्ध रहने के बाद उन्होंने कहा—"देखो लाला, तुम्हारे विवाह के सम्बन्ध में मैं बीच में निराश हो चुकी थी, पर कल तुम्हारी बातें सुनकर मेरा यह हाल था कि प्रसन्नता के कारण मुझे रात को नींद तक न आयी। तुम्हारे भैया से भी मैंने सब हाल कह दिया है। उनको ऐसी खुशी हुई है कि मुझसे वह बहुत देर तक इसी विषय पर बातें करते रहे—क्या-क्या तैयारियाँ करनी होंगी, विवाह शिमले में होगा या घर जाना अच्छा रहेगा, छुट्टी के लिए अभी अर्जी देनी पड़ेगी, आदि-आदि। पर अब जब उन्हें मालूम होगा कि तुम फिर अपनी पुरानी जिद्द पर आ गये हो, तो उनके मन को कैसी चोट पहुँचेगी, तुम सोच सकते हो।"

मैं सिर ऊपर को करके कुर्सी पर अकड़कर बैठ गया। पता नहीं, इस तरह बैठने की कौन-सी आवश्यकता मुझे अकस्मात् महसूस हुई। मैंने कुछ कटुता के साथ कहा—"पता नहीं, भाभी, तुम लोग क्यों मेरे विवाह के लिए इतने उत्सुक हो। मेरी इच्छा होगी तो मैं विवाह करूँगा, नहीं होगी तो नहीं करूँगा। मेरे सुख और दुःख से सम्बन्ध रखनेवाली बातों को तुम अपने सुख-दुःख की बातें क्यों समझे बैठी हो, यह बात मेरी समझ ही में नहीं आती।"

भाभी जी मेरी बात से मर्माहत-सी होकर अत्यन्त व्याकुल दृष्टि से मेरी ओर देखने लगीं। फिर बोलीं—"लाला, इस बात का कोई उत्तर मैं तुम्हें नहीं दे सकती। तुम ठीक ही कहते हो—जो बात तुम्हारे मन को ठीक जँचे उसी को मानकर चलने का तुम्हें पूरा अधिकार है।" कहकर वह निदारुण अभिमानवश अपना मेजपोश काढ़ने के काम में फिर से जुट गयीं।

यह वार्त्तालाप अकस्मात् इस रूप में समाप्त हो जायगा इस बात की कल्पना मैंने कतई नहीं की थी। अपनी बात पर मुझे बड़ा पश्चात्ताप होने लगा। असल बात यह थी कि मैं ठीक तरह स्वयं अपने मन की बात नहीं जान पाया था कि मैं वास्तव में क्या चाहता हूँ। मैं किसी तरह भी इस इरादे से भाभी जी के पास नहीं आया था कि विवाह की चर्चा को एकदम बन्द कर दूँ। मेरे अन्तर्मन ने अभी यह आशा नहीं छोड़ी थी कि जयन्ती के साथ मेरा विवाह होगा। यह बात भी अब प्रायः निश्चित ही दिखायी देती थी कि जयन्ती से मेरा विवाह होने या न होने की बात मेरी ही इच्छा या अनिच्छा पर निर्भर करती है। यह सब जानते हुए भी तब मैंने आज क्यों भाभी जी से वैसा कहा? यह केवल मेरे विकृत मन के मूर्खतापूर्ण अभिमान के औद्धत्य-प्रदर्शन की प्रवृत्ति का फल था। अपनी बात पर मुझे स्वयं अपने ऊपर क्रोध तो आया ही, साथ ही भाभी जी का मानपूर्ण मौनभाव देखकर उन पर भी कुछ कम क्रोध न आया। इसके अतिरिक्त भैया, जयन्ती, कैलाश, मिश्र जी, मिश्राणी जी—सबके प्रति मेरे मन में अकारण विद्रोह का भाव उत्पन्न हो गया।

अकस्मात् श्यामा हाँफती हुई भीतर आयी और भाभी जी से कहने लगी–"ममी, बिरजू ने उषा की गुड़िया छीन ली है।" मेरा सारा क्रोध निरपराध श्यामा पर बरस पड़ा। मैंने उसका हाथ पकड़कर उसे अपनी ओर खींचा और उसका बायाँ कान ऐंठते हुए कहा–"तुझे माँ को 'ममी' कहते हुए शरम नहीं मालूम होती? बड़ी आई है 'ममी' कहनेवाली! भाभी, तुमने और भैया ने मिलकर बच्चों की आदत खराब कर डाली है। इस तरह की अँगरेजी शिक्षा का फल अन्त में कभी अच्छा नहीं होगा, यह मैं तुमसे कहे देता हूँ।"

श्यामा का मुँह लज्जा और अपमान के कारण एकदम लाल हो आया। ममी कहना भी कोई अपराध है और वह अपराध भी इतना बड़ा कि उसके लिए कान ऐंठने तक की सजा दी जा सकती है, यह बात स्पष्ट ही उसकी कल्पना के अतीत थी। मैं आज तक एक दिन के लिए भी कभी घर के बच्चों से प्रेम से नहीं बोला था, और अकस्मात् इस रूप में मैंने अपना 'मत' प्रकट किया। भाभी जी ने एक बार इस तरह मेरी ओर देखा जिससे स्पष्ट था कि मेरी वह हरकत उन्हें केवल अनुचित ही नहीं अत्यन्त अशिष्ट और असभ्य मालूम हुई। उनकी उस दृष्टि से मैं तत्काल समझ गया कि इस घर में किसी का कान ऐंठना एक अक्षम्य अपराध समझा जाता है। श्यामा न रोयी, न चिल्लायी। जब मैंने उसका हाथ छोड़ दिया तो वह अत्यन्त अपमानित और असहाय व्यक्ति की तरह सिर नीचा किये चुपचाप वहाँ से चली गयी। भाभी जी भी कुछ न बोलीं और अपने काम में दत्तचित्त हो गयीं। अब लज्जा और अपमान का अनुभव करने की बारी मेरी थी, गुस्सा पीकर मैं वहाँ से उठकर चला गया।

•••

तब से चार-पाँच दिन तक भाभी जी से मेरा बोलचाल बन्द रहा। न वह मेरे कमरे में आती थीं, न मैं उनके कमरे में जाता था। जब कभी बाहर-भीतर आते-जाते उनसे मुलाकात हो जाती तो मुझे देखकर वह नजर बचा लेती थीं और उन्हें देखकर मैं। मैंने देखा कि भावी जीवन के स्वप्न का जो एक विराट् स्तूप मैंने निर्मित किया था वह मूलतः ढहने को है। दोष मेरा ही था, यह बात मैं अच्छी तरह समझे हुए था। भाभी जी के अकृत्रिम स्नेह और सौहार्द की उपेक्षा करके मैं उनके साथ अत्यन्त हीनतापूर्वक पेश आया, इस बात की ग्लानि मुझे मार्मिक पीड़ा पहुँचा रही थी। मेरे प्रति भाभी जी का मान अत्यन्त उचित ही था। पर अब प्रश्न यह था कि उन्हें कैसे मनाया जाय। व्यक्तिगत रूप से उनके पास जाकर क्षमा चाहने का साहस मुझमें नहीं था, यद्यपि मैं

जानता था कि यही सबसे अच्छा और उचित उपाय है। और कोई चारा न देखकर अन्त में मैंने यह निश्चय किया कि एक पत्र लिखकर भाभी जी से अपने अपराध के लिए क्षमा-प्रार्थना करूँ। रात में सोने के पहले कमरे के सब किवाड़ बन्द करके मैं पत्र लिखने बैठा। दो-तीन मजमून लिखकर फाड़ डाले। अन्त में जो पत्र निश्चित रूप से लिखा उसका सार इस प्रकार से है—''भाभी, मैंने अपनी कड़वी बातों से और नीचतापूर्ण व्यवहार से तुम्हारे हृदय को कष्ट पहुँचाया है। मैं इसके लिए तुमसे आन्तरिक क्षमा चाहता हूँ। मैं जानता हूँ कि तुम्हारा मेरे प्रति कैसा सच्चा स्नेह है। जिस दिन तुमने पहले-पहल हमारे घर में पदार्पण किया उसी दिन से मैं मन-ही-मन तुम्हें अपनी माता के रूप में ग्रहण कर लिया था। तुम तो जानती ही हो, अपनी असली माँ का मुख देखने के सौभाग्य से मैं एक प्रकार से जन्म से ही वंचित रहा हूँ। मेरे पैदा होने के चार-पाँच मास बाद ही माँ की मृत्यु हो गयी थी। इसलिए जब से मैंने तुम्हें पाया तब से एक कितने बड़े अभाव की पूर्ति मेरे जीवन में हुई, इसकी कल्पना शायद तुम न कर सकोगी, क्योंकि तुम्हारी माता जी अभी तक जीवित हैं। भाभी! मेरे विकृत स्वभाव और मेरी ऊटपटाँग बातों का खयाल न करके मुझे सदा क्षमा कर दिया करो। मैं बहुत दुःखी हूँ और तुम्हारी करुणा के योग्य हूँ। मेरे विवाह के सम्बन्ध में तुम जैसा कुछ भी कहोगी मैं उसी के अनुसार चलने का वचन देता हूँ। अन्त में फिर एक बार तुमसे क्षमा की प्रार्थना करता हूँ—तुम्हारा अभागा देवर।''

पत्र लिखकर दो-तीन बार पढ़कर मैंने कुछ हिचकिचाहट के साथ लिफाफे में बन्द कर दिया। बन्द करने के बाद मन-ही-मन पत्र के मजमून को दुहराता रहा। कभी पत्र की बातें मुझे छिछली भावुकता से भरी और थोथी लगने लगती थीं, कभी बड़ी गम्भीर और मर्मस्पर्शी। पत्र भाभी जी को दूँ या न दूँ, और दूँ तो कैसे दूँ, इस तरह की चिन्ताओं और द्विविधाओं में मेरा चित्त डाँवाँडोल होने लगा। एक बार फाड़ने ही को था, पर फिर न जाने क्या सोचकर रह गया। पत्र को हाथ में छिपाकर मैं अपने कमरे के दरवाजे के पास खड़ा हो गया और इस बात की प्रतीक्षा करने लगा कि भाभी जी यदि अकेली मेरे और सामनेवाले कमरे के बीच के रास्ते से होकर गुजरें तो उनके हाथ में चुपचाप वह पत्र दे दूँ। भाभी जी दो-तीन बार उस रास्ते से होकर गयीं और मेरी ओर केवल एक बार कनखियों से देखकर मुँह फेरकर चली गयीं। मुझे पत्र देने का साहस न हुआ। अन्त में चौथी बार भी जब उन्हें किसी काम से उस रास्ते से होकर जाना पड़ा तो मैंने लज्जा-संकोच एक घूँट में पीकर एक सेकेण्ड के लिए उनका रास्ता रोककर वह पत्र उनके हाथ में बिना कुछ बोले दे ही दिया और फिर लपककर अपने कमरे में वापस जाकर किवाड़ बन्द करके प्रायः हाँफता हुआ कौच में लेट गया। मुझे ऐसा अनुभव हो रहा था जैसे मैं घोर दुष्कर्म करके आया होऊँ। गनीमत यही थी कि भाभी जी को पत्र देते समय कोई व्यक्ति उस रास्ते से होकर नहीं आया। पर भाभी जी पत्र पढ़कर अपने मन में मुझे कितना चंचल-चित्त, भावुक, हीन और मूर्ख समझेंगी। छी-छी। मैं आज तक अपनी प्रकृति की गम्भीरता और अपनी बुद्धिमत्ता के गर्व से इतराया रहता था। आज भाभी जी के आगे मेरी ओछी प्रकृति का पोल-प्रकाश हो गया!

प्रायः दो घण्टे तक मैं स्वेच्छित कारावास में बन्द रहकर जमीन-आसमान की बातें सोचता रहा। इसके बाद अचानक किवाड़ खटखटाने का शब्द सुनकर मैं इस तरह चौंक पड़ा जैसे भूतों ने आकर मेरा कमरा घेर लिया हो। मैंने न तो यह पूछा कि कौन है, न दरवाजा ही खोला। कौच में चुपचाप बैठकर दरवाजे की ओर कान लगाये रहा। दरवाजा जोर से भड़भड़ाया जाने लगा, मगर मैं हिला तक नहीं, केवल किसी अनिश्चित विपत्ति का सामना करने के लिए भीतर-ही-भीतर शक्ति बटोरकर चौकन्ना हो रहा था। अन्त में भाभी जी की स्नेहपूर्ण डाँट का शब्द सुनायी दिया—"लाला, दरवाजा खोलते क्यों नहीं, क्या अभी से सोने की तैयारी करने लगे!"

मैं काँपते हुए हृदय से उठा और लड़खड़ाते हुए दरवाजे के पास जाकर मैंने चिटखनी खोल दी। भाभी जी ने अपनी चिर-परिचित मन्द-मधुर मुस्कान से प्रवेश किया। उनके पीछे एक नौकर एक थाली में खाना लेकर चला आया।

भाभी जी ने उसी सहज मुस्कान से साथ कहा—"क्या आज भूखे ही सोने का विचार कर रहे थे?"

मैंने मारे शर्म के भाभी जी की ओर अच्छी तरह देखा तक नहीं, और मुँह नीचा कर के अस्पष्ट शब्दों में प्रायः नकियाकर कहा—"नहीं, यों ही लेटा था। पर आज मुझे भूख भी नहीं है, मैं इस समय कुछ खाऊँगा नहीं।"

"वाह, यह कैसे हो सकता है! आज जयन्ती ने तुम्हारे ही लिये खास तौर से तरकारी बनायी है। एक दिन गुच्छी की तरकारी का जिक्र चल पड़ा था। मैंने कह दिया कि 'लाला गुच्छी की तरकारी बहुत पसन्द करते हैं, पर हमारे महाराज उसे बनाना नहीं जानते।' बस, जयन्ती ने मेरी वह बात गाँठ बाँध ली। कल सुबह से कह रही थी कि बाजार से गुच्छी मँगायी जाय। मैंने मँगाकर उसे सौंप दी थी। उसने अपने हाथ से इसे तैयार किया है। जरा चखो तो सही, कैसी अच्छी बनी है!"

मेरे लिये यह अनुरोध टालना असम्भव था। नौकर ने टेबिल पर थाली रख दी थी। मैं एक कुर्सी पर बैठकर खाने लगा। भाभी जी खड़ी रहीं। वास्तव में गुच्छी बहुत ही लजीज बनी थी। पर भाभी जी के पूछने पर कि कैसी बनी है, मैंने उत्साह न दिखाकर कहा—"अच्छी ही बनी है, पर सबसे अच्छा मुझे जिमीकन्द का अचार लगा है। वह किसने बनाया?"

मुझे मालूम था कि भैया जिमीकन्द का अचार बहुत पसन्द करते हैं, और भाभी जी इस चीज को किसी के भरोसे न छोड़कर स्वयं अपने हाथ से, बड़ी तरकीब से तैयार करती हैं। मेरी बात का इंगित समझकर उन्होंने लज्जा-मधुर हास के साथ कहा—"चलो, तुम्हें सदा हँसी की सूझती है!" मैं गम्भीरता प्रदर्शित करते हुए बोला—"नहीं भाभी, मैं सच कहता हूँ, अचार बहुत अच्छा बना है।"

"अच्छा, अच्छा, ये बातें फिर होंगी, पहले खाना तो खा लो। अभी तक केवल दो ही पराठे खा सके हो? अचार और लाऊँ? कचनार की कली का अचार इंजीनियर साहब के यहाँ से आया है, बहुत अच्छा बना है। मैं लाती हूँ।" कहकर भाभी जी चली गयीं। स्पष्ट ही उन्हें अपने सामने अपनी प्रशंसा सुनते हुए संकोच का अनुभव हुआ था।

खा-पी चुकने के बाद मैं लेट गया और सोने की चेष्टा करने लगा। पर नींद किसी तरह नहीं आती थी। "जयन्ती ने तुम्हारे ही लिये खास तौर से तरकारी बनायी है", भाभी जी की यह बात एकतारा के स्वर में निरन्तर मेरे कानों में गूँजती रही।

•••

विवाह में अब कोई रुकावट नहीं रह गयी थी। मेरे मनोविकारों की सब बाधाएँ एक-एक करके दूर हो गयी थीं, और बाहर तो पहले से भी कोई विघ्न नहीं था। अगहन में विवाह होने की बात पक्की हो गयी। मिश्र-परिवार जुलाई के महीने तक शिमले में रहा। इसके बाद वे चले गये। मैं सितम्बर तक वहीं रहा। बाद में भैया और भाभी के साथ दिल्ली चला गया। मीरा मेरे विवाह के समय आने का वादा करके अपनी ससुराल चली गयी।

भैया का इरादा दिल्ली से ही विवाह करने का था, पर भाभी जी ने घर से ही करने की राय दी। इसलिए दिल्ली जाते ही भैया ने दो महीने की छुट्टी ले ली और हम लोग घर के लिए रवाना हो गये।

कई वर्षों बाद मैं घर आया। इस बार वहाँ का सारा वातावरण मुझे एकदम नया अनोखा लगा। बचपन से मैं जिन लोगों के साथ परिचित था, उनमें से बहुतों को नहीं पाया। मेरे साथ के लड़कों में से कुछ अभी तक यूनिवर्सिटियों में पढ़ रहे थे, कुछ इधर-उधर नौकरी की तलाश में भटक रहे थे। बड़े-बूढ़ों में से कुछ मर चुके थे, कुछ मरने की तैयारी कर रहे थे। जिन लड़कियों के साथ मैं बचपन में खेलता था वे सब अपनी-अपनी ससुराल चली गयी थीं। सुना कि उनमें से अधिकांश बाल-बच्चों को लेकर गिरस्ती के जंजाल में पूरी तरह से जकड़ी हुई हैं। तीन-चार लड़कियाँ विधवा होकर मायके वापस आ चुकी थीं। वे स्नेहपूर्वक सकुचाती हुई मुझसे मिलीं; पर मुझे उन्हें देखकर रोना आता था। जिस उमंग और उल्लास को साथ लेकर मैं घर आया था, घर पहुँचने पर वह आधे से अधिक ठण्डा पड़ गया। पता नहीं क्यों, यहाँ का सारा वातावरण मुझे एक अव्यक्त करुण विषाद से आच्छन्न जान पड़ने लगा।

जब से विवाह की बात पक्की हुई थी, तब से मेरे मन में यह दृढ़ विश्वास जमा हुआ था कि विवाह होते ही मैं नये जीवन के जिस आँगन में पाँव रखूँगा वहाँ चिदानन्दमय लोक की कुंजी मुझे सहज ही में प्राप्त हो जायगी और फिर दुःख, दैन्य और परिताप का लेश भी मेरे मन के किसी भी कोने में नहीं रह जायगा; एक नयी

स्फूर्ति, नयी तरंग और नये उन्माद के संचार से मेरे प्राण हिल्लोलित हो उठेंगे। पर गाँव में आते ही मुझे इस सम्बन्ध में यथेष्ट सन्देह होने लगा। एक अव्यक्त आशंका का पूर्वाभास मुझे उदास करने लगा। वह आशंका क्या थी और कैसी थी, यह मैं भी कुछ नहीं बता सकता था; पर रह-रहकर वह मेरे मन के स्थिर जलाशय में एक बुदबुदमयी हिलोरे की तरह तल प्रदेश से ऊपर उठकर अपने विकल क्रन्दन के उच्छ्वास से मेरे अन्तःकरण में सिहरन पैदा कर देती थी।

विवाह की तैयारियाँ बड़ी टीम-टाम से हुईं। भैया ने जमींदारी का प्रबन्ध जिन महाशय को छोड़ रखा था वह मेरी एक दूर से रिश्ते की मामी के चचेरे भाई या ऐसे ही कुछ थे। नाम उनका था शिवसेवक त्रिपाठी। अवस्था उनकी छब्बीस-सत्ताईस साल के करीब होगी। उनके अन्तर की बात राम जाने, पर जब हम लोगों से मिले, तो बड़े शिष्ट, नम्र और सज्जन जान पड़े। प्रत्येक काम में वह खड़े रहते थे और हाथोंहाथ करवा देते थे। भाभी जी को एक सेकेण्ड की फुर्सत नहीं रहती थी। तड़के से लेकर आधी रात तक एक मिनट के लिए भी दम न लेकर काम में जुटी रहती थीं। पर उन्हें थकावट नाम को नहीं मालूम होती थी। उनका स्वास्थ्य अच्छा नहीं था, पर मेरे विवाह के उत्साह ने उन्हें अतिमानुषी शक्ति प्रदान कर दी थी। गाँव-भर की स्त्रियाँ सुबह से लेकर शाम तक हमारे घर में आकर भीड़ लगाये रहती थीं। उनमें से कुछ काम करती थीं, कुछ बकवास और कुछ झगड़ा। सब मिलकर दिनभर ऐसा कोलाहल मचाये रहतीं कि दूर से मालूम होता जैसे असंख्य कौवे किसी बरगद के पेड़ में बसेरे के लिए जमा होकर काँव-काँव कर रहे हों।

बैठक में भैया के पास गाँव-भर के पुरुष आकर जमा होते थे, जैसे कोई खासा दरबार लगा हो। मुझे ये सब तैयारियाँ काटे खाती थीं। मैं सोच रहा था कि बिना किसी आडम्बर के जयन्ती का और मेरा गठजोड़ा करके कोई ब्राह्मण मन्त्र पढ़ देता, बस। उसके बाद जयन्ती को साथ लेकर कुछ समय के लिए किसी एकान्त स्थान में रहने की सुविधा मुझे प्राप्त हो जाती। सामाजिकता और लौकिकता का वह सारा चक्कर मुझे एकदम व्यर्थ जान पड़ रहा था।

गाँव-भर में एक भी व्यक्ति ऐसा नहीं था, जिससे बेतकल्लुफ होकर अपने मन की दो-चार बातें करने में मुझे सुख प्राप्त होता। गाँव का युवक-सम्प्रदाय मुझसे मिलने के लिए बहुत उत्सुक रहता था, पर मैं भरसक सबसे कतराकर अलग रहने की कोशिश करता। कभी गोमती के किनारे-किनारे बड़ी दूर तक अकेला टहलता रहता, कभी किसी निर्जन पेड़ की छाँह में बैठकर घण्टों वहीं बिता देता। वहाँ अपनी खयाली दुनिया में विचरते हुए तरह-तरह की बातें सोचता। कभी सोचता कि मैं विवाह के लिए राजी क्यों हो गया। मेरी मति कैसे फिर गयी! क्यों यह मूर्खता भूत की तरह मेरे सिर पर सवार हो गयी! मेरी अन्तरात्मा से एक आवाज उठकर मेरे एक कान में फुसफुसाया करती कि "इस विवाह का बन्धन तुम्हारे जीवन को कभी सुखी नहीं बना सकता।" पर तत्काल एक दूसरी आवाज उठकर दूसरे कान में कहने लगती—"तुम भाग्य के बड़े

धनी हो, जयन्ती के समान असाधारण नारी से जिसका विवाह हो जाय, संसार में उसके बराबर सुखी दूसरा कोई बिरला ही हो सकता है!"

सोचते-सोचते अन्त में मैं इस निर्णय पर पहुँचता कि किसी विशेष बात से सुखी या दुःखी होना प्रत्येक मनुष्य की प्रकृति पर निर्भर करता है। सांसारिक तथा सामाजिक परिस्थितियों की जो सुविधाएँ मुझे प्राप्त हैं, उन्हें पाकर अधिकांश मनुष्य अपने को निर्विवाद रूप से सुखी मानेंगे। इन सुविधाओं के होते हुए जयन्ती जैसी विशिष्ट स्त्री से किसी का विवाह हो, तो वह अवश्य ही अपने को सप्तम स्वर्ग में पहुँचा हुआ पावेगा। पर मेरी बात ही कुछ दूसरी थी। जयन्ती यदि एक असाधारण स्त्री थी, तो मैं भी एक अप-साधारण पुरुष था। 'अप-साधारण' शब्द का कुछ और अर्थ लगाकर कोई यह न समझे कि मैं साधारण मनुष्यों से बहुत ऊँचा उठा हुआ था। हो सकता है कि कुछ विशेष बातों में मेरे मन और मस्तिष्क ऊँचे उठे हुए हों, पर बहुत-सी बातों में मैं साधारण मनुष्यों से बहुत नीचे—एकदम नीचे गिरा हुआ था। यह बात थोड़ी-बहुत उस समय भी मेरी समझ में आ गयी थी और इस समय तो मेरी प्रकृति का यह भेद मेरे आगे बहुत अच्छी तरह खुल गया है।

कुछ भी हो, गोमती के किनारे बैठे-बैठे मैं सोचता—"यौवन के तीर पर पहुँचते-न-पहुँचते मेरे मन में अपने और संसार के प्रति असन्तोष की यह भयंकर जीवन-शोषी भावना क्यों समा गयी? कोई प्रत्यक्ष कारण न होते हुए भी सब समय मेरे भीतर, जान में या अनजान में, एक आत्मनाशी अस्थिरता, एक तूफानी अशान्ति क्यों व्याप्त रहती है? जीवन का आनन्द, जिसके सम्बन्ध में मैंने पुस्तकों में बहुत पढ़ा है, मेरे आगे अपना क्षीण आभास तक क्यों प्रकट नहीं होने देता? इधर कुछ समय से सर्वत्र विषाद, सर्वत्र निराशा, केवल विनाश और विध्वंस का मँडराना ही मुझे क्यों नजर आता है? मेरी व्यक्तिगत आत्मा जिन तत्त्वों से बनी है उनमें किस विश्व-विद्रोही दानवी शक्ति के तूफानी बीज छिपे हैं, जो बाहर निकलने का समुचित मार्ग न पाने के कारण मेरे मनोभावों को नाना रूपों से अस्त-व्यस्त करके उन्हें विकृत बनाते चले जाते हैं?" मेरे मनोभावों की विकृति की इस विचित्रता पर गौर कीजिये कि जयन्ती से विवाह मैं इसलिए करने नहीं जा रहा था कि मैं अपने एकांगीण जीवन की अपूर्णता को पूर्ण करूँ, बल्कि इसलिए कि मुझे उस तेजस्विनी नारी के स्वभाव में एक शान्त और संयत तथापि दुर्दमनीय गर्व का जो भाव दिखायी दिया था उसे अकारण ही चूर-चूर करने की एक प्रतिहिंसापूर्ण भावना मेरे मन में समा गयी थी। इस बात का उल्लेख मैं पहले भी कर चुका हूँ। जो व्यक्ति इस तरह की भावना से प्रेरित होकर विवाह करने को तैयार हो; वह वैवाहिक जीवन से सुख की आशा ही कैसे कर सकता है? उस आत्मघाती जीव के लिए अपने अन्तर के ही विनाश के बीजों से पल-पल दग्ध होकर पीड़ित होते रहने के सिवा और चारा ही क्या है?

जिस विचित्र प्रकार की प्रतिहिंसा की भावना से प्रेरित होकर विवाह के लिए तैयार होने की बात मैंने लिखी है, उसे पढ़कर बहुत-से पाठक अविश्वासपूर्वक मुँह बिचकाते

हुए यह कहेंगे कि इस तरह की अस्वाभाविक मनोवृत्ति वास्तविक जगत् के मनुष्यों में कभी नहीं पायी जा सकती। पर जो लोग अनुभवी हैं, जिन्होंने जीवन की गहराई में पैठकर उसके विभिन्न दृष्टिकोणों का निरीक्षण करके, उसके विविध पहलुओं का अध्ययन किया है, उन्हें यह समझने में देर न लगेगी कि एक विशेष श्रेणी के व्यक्तियों के भीतर जीवन की एक विशेष अवस्था में इस तरह के मनोभाव का उत्पन्न होना अस्वाभाविक नहीं, बल्कि पूर्णतः स्वाभाविक है।

मेरे असन्तोष का एक और कारण था। बचपन से ही मेरे मन में बड़े-बड़े हौसले पैदा हो गये थे। महत्त्वाकांक्षा के बीज मेरे मन में पहले से ही थे। पर कुछ बाहरी और कुछ भीतरी कारणों से मैं अपनी एक भी उच्चाकांक्षा की सफलता की ओर कदम न बढ़ा सका। पुरातत्त्व की ओर मेरा झुकाव सबसे अधिक था। संसार में सभ्यता का जन्म पहले-पहल कहाँ और किस रूप में हुआ, प्राचीन सभ्यता की धाराएँ किन कारणों से किन विशिष्ट गतियों की ओर प्रभावित हुईं; सभ्यता के किन तत्त्वों के निर्माण से साधारण मानव सहस्रों सामाजिक बन्धनों का दास बन गया और आततायियों के राजनीतिक चक्रों का ऐसा शिकार बन गया कि इतने युगों के बाद भी अभी तक अपना सिर तनिक भी नहीं उठा पाया है; एक ओर मनुष्य को जड़ता और असभ्यता की परिस्थिति से उन्नति के चरम शिखर की ओर ले जाने और दूसरी ओर उसे चिरकालीन पराधीनता और असहायता के गढ़े में ढकेलकर अत्यन्त निर्ममता से पीस डालने के उपायों की उत्पत्ति का मूल कारण क्या रहा है, और वे उपाय प्रारम्भ में कब, कैसे और कहाँ कार्य रूप में परिणत हुए; इन सब बातों की खोज एक ऐसे ढंग से करने की इच्छा मेरे मन में बहुत दिनों से थी, जो एकदम नया और मौलिक हो। पर इस सम्बन्ध में अपनी सारी शक्ति मैंने अपने विश्वविद्यालय के साथियों से बेकार की बहस करने में नष्ट कर दी। उसके बाद मैं जीवन के जिस चक्कर में पड़ा उससे मेरी रही-सही शक्ति भी जाती रही। अब जीवन-भर आवारा फिर कर निकम्मा बने रहने के अलावा और किसी बात की आशा मुझे नहीं दिखायी देती थी। यदि मेरे भीतर की दानवी शक्ति उचित मार्ग पर चलती, तो मैं या तो पुरातत्त्व अथवा इतिहास के क्षेत्र में क्रान्ति मचाता, या समाज-सुधारक अथवा देशोद्धारक बनकर एक मान्य नेता के पद का प्रयासी होता। ऐसा होने से—मेरे भीतर के धुएँ की और आग की ज्वालाओं को बाहर निकलने का रास्ता मिल जाने से—मेरे जीवन में स्थिरता आ जाती। पर उस आग और धुएँ के बद्ध रहने से मैं केवल अपनी अन्तरात्मा को जलाने और धुँधलके से ढकने में समर्थ हुआ; ज्वालाकण मेरे ही भीतर बिखरकर रह गये। फल यह हुआ कि अब मेरी दग्ध आत्मा जहाँ-जहाँ भी अपना हाथ डालती थी, वहीं विध्वंस की सम्भावना मुझे दिखायी देती थी। पढ़ाई समाप्त होने के पहले ही यूनिवर्सिटी छोड़कर लक्ष्यहीन जीवन बिताने का निश्चय-सा करके मैंने पतन के गढ़े की ओर पहला कदम रखा। उसके बाद शान्ति से घनिष्ठता बढ़ाकर उसे अपने प्रेम के जाल में फँसाकर, उसकी नौकरी छुड़ाकर, उसके स्थिर, निश्चित जीवन में एक तूफान पैदा करके मैंने उसे चरका दे दिया, और उस

तूफान में उसे निपट असहाय अवस्था में अज्ञात दिशा में बह चलने के लिए छोड़ दिया। अब जयन्ती की बारी थी। न जाने क्यों, मेरी अन्तरात्मा के किसी कोने से रह-रहकर यह आवाज आती थी कि जयन्ती के साथ विवाह के लिए तैयार होकर तुम उसके प्रति घोर अन्याय कर रहे हो, और एक बहुत बड़े पाप का बोझ अपने सिर पर ले रहे हो। कभी-कभी मन में यह तरंग पैदा होती थी कि अभी समय रहते सँभल जाना अच्छा है—चुपचाप भागकर कहीं लापता हो जाना चाहिए। पर यह तरंग उठते ही एक दुर्निवार शक्ति उसे तत्काल दबाकर मुझे यह जता देती कि चाहे प्रलय आ जाय, पर तुम जयन्ती से विवाह करके ही रहोगे!

फिर मैं सोचता—''विवाह करके ही रहूँगा, तो इसमें हर्ज ही क्या है? विवाह कौन नहीं करता? संसार में इतने आदमी विवाहित जीवन बिताकर शान्ति और सुख के साथ नियमपूर्वक गृहस्थ-धर्म का पालन कर रहे हैं, तो क्या मैं भी उन्हीं की तरह जीवन नहीं बिता सकता! जयन्ती में और जो गुण हैं सो तो हैं ही, साथ ही वह गिरस्ती के धन्धों में भी बड़ी निपुण है। वह अपनी योग्यता से मेरी अस्थिर आत्मा की अनिश्चित भाव-धारा को गृहस्थाश्रम के पवित्र बन्धनों द्वारा बाँधकर स्थिर और निश्चित बना देगी।''

पर मैं वास्तविकता की कितनी ही उपेक्षा करूँ, मेरा भीतरी मन इस भुलावे में नहीं आ सकता था। मैं अपने अनजान में यह महसूस कर रहा था कि मैं जिस तरह का निकम्मा, असांसारिक और अनावश्यक आदमी हूँ—अँगरेजी में जिसे कहते हैं Superfluous man उस तरह के आदमी से कभी किसी भी प्रकार के बन्धन में बँध रहना (चाहे वह बन्धन कैसा ही पवित्र और स्वर्गीय क्यों न हो) सम्भव हो ही नहीं सकता।

कुछ भी हो, मैं अपनी इस भीतरी आवाज को बार-बार दबाते रहने की चेष्टा करता रहता, और जिस दिन जयन्ती से प्रथम बार शुभ प्रेम मिलन होगा, उस दिन की याद करके तरह-तरह के रंगीन स्वप्नों में अपने मन को डुबोते रहने का प्रबल प्रयास करता।

●●●

आखिर बड़े इन्तजार के बाद वह 'शुभ दिन' आ ही पहुँचा।

विवाह बड़े धूम-धाम से हुआ। पर मुझे प्रारम्भ से अन्त तक सब रस्मों की अदायगी बड़ी नीरस और जी को थकानेवाली मालूम हुई। सारा कर्मकाण्ड और आडम्बर देखकर मेरे सिर में दर्द होने लगा। लड़की की विदाई के समय मिश्र जी अपने आँसुओं को न रोक सके। मुझे एक एकान्त कमरे में ले जाकर टपाटप आँसू गिराते हुए बोले—

"देखो नन्दकिशोर, तुम काफी सयाने और समझदार हो। मेरी बेटी के स्वभाव से तुम भली-भाँति परिचित हो, फिर भी बिना अपनी तरफ से कुछ कहे जी नहीं मानता। वह इस हद तक संकोच करनेवाली है कि कोई उसे जहर पिला दे, तो भी तुम कभी उसके मुँह से एक शब्द भी इस विषय में नहीं सुनोगे। इसलिए–"

मैंने बीच ही में उनकी बात काटकर कहा–"पर माफ कीजियेगा, मैं आपको इस बात का विश्वास दिलाता हूँ कि मेरे घरवालों में से कभी कोई भी उसे जहर नहीं पिलावेगा।"

"अरे राम! राम! तुम यह कैसी बात करते हो। मैंने यह कब कहा कि तुम्हारे घरवालों में से कभी कोई जहर–उफ़!" कहकर मिश्र जी मारे घबराहट के काँपते हुए दोनों हाथ दोनों तरफ फैलाकर पास ही एक पलँग पर बैठ गये।

मैंने देखा कि मुझसे बड़ा अन्याय हुआ है। बेचारे बेटी की बिदाई के समय विछोह के दुःख और स्नेह की फाँस से विकल होकर मुझसे उसके सम्बन्ध में दो-एक बातें कहकर अपना जी कुछ हलका करने के इरादे से मुझे एकान्त में लाये थे, और मैंने जान-बूझकर या अनजान में उनकी बात का विकृत अर्थ लगाकर उन्हें चोट पहुँचायी। मैंने निष्कपट भाव से अपनी बात के लिए दुःख प्रकट करते हुए कहा–"सच मानिये, मैंने आपका जी दुखाने के लिए वह बात नहीं कही, मैंने तो यों ही हँसी में कहा था।"

मिश्र जी बोले–"दोष तुम्हारा नहीं है, दोष मेरे ही भाग्य का है! भाग्य ने मुझे एक ऐसी बेटी का बाप बनाया जिसकी माँ उसे बचपन में ही छोड़कर चल बसी। इसमें शक नहीं कि बिरजू की माँ उसे बराबर अपनी ही बेटी की तरह मानती आयी है, पर इससे क्या हुआ! फिर भी फ़र्क तो रह ही जाता है! अगर उसकी माँ आज जीवित होती तो मुझे तुमसे कुछ कहने की जरूरत ही न रह जाती। वह अपने-आप तुम्हें समझाती, और इस तरह समझाती कि तुम उसकी बात के कायल हुए बिना कभी न रहते। पर कुछ भी हो, अब इस विषय की चर्चा व्यर्थ है। मैं पहले ही कह चुका हूँ कि तुम समझदार हो, इसलिए तुमसे अधिक कुछ कहने-सुनने की आवश्यकता है भी नहीं!" यह कहकर मिश्र जी पलँग पर से कुछ कठिनाई से उठे! ऐसा मालूम होता था जैसे उनकी कमर टूट गयी हो। उनके मुख के भाव पर इस बार मैंने अच्छी तरह से गौर किया। उनके सारे मुँह पर ऐसी मुर्दनी छा गयी थी कि मालूम होता था जैसे अभी-अभी कब्र से कोई प्रेतात्मा उठ खड़ी हुई हो। उन्हें इस रूप में देखकर एक अस्पष्ट हाहाकार का मर्मर-क्रन्दन मेरे भीतर जाग पड़ा। बिजली की झलक से उनके मन की तत्कालीन स्थिति मेरी आँखों के आगे स्पष्ट प्रभासित हो उठी। प्रायः बीस वर्ष से जो लड़की प्रतिदिन, प्रतिपल उनके सुख-दुःख की साथी रही है, वह आज जब प्रथम बार उनसे बिदा होकर दूसरे के घर, दूसरे के सुख-दुःख की साझी बनने जा रही है, उसके बिछोह की वेदना कितनी मार्मिक होगी, इसका अनुमान मैं अच्छी तरह करने लगा।

मिश्र जी वहाँ से उठकर जयन्ती के पास गये। जयन्ती उनसे लिपट-लिपट खूब बिलबिलाकर रोयी। मिश्र जी टपाटप आँसू गिराते जाते थे और कहते जाते थे–"रोओ

मत बेटी, भगवान् की कृपा से तुम बड़े अच्छे घर में जा रही हो। वहाँ तुम बड़े सुख से रहोगी।"

इसके बाद जयन्ती मिश्राणी जी के गले मिलकर खूब रोयी। मिश्राणी जी भी रो रही थीं और बिना कुछ बोले उसकी पीठ पर हाथ फेरती जाती थीं। बच्चे व्याकुल दृष्टि से कभी माँ की ओर देखते थे, कभी पिता की ओर, कभी जयन्ती की ओर और कभी मेरी ओर। उनकी समझ ही में नहीं आ रहा था कि जिस उत्सव में इतनी चहल-पहल रही, उसकी परिणति के समय इस कदर रोने-धोने का कौन-सा कारण आ खड़ा हुआ। मेरा जी एक तो विवाह की रीति-रस्मों की अदायगी से यों ही घबराया हुआ था, तिस पर यह दृश्य देखकर मैं अत्यन्त खिन्न हो उठा और मन में ऐसी ग्लानि हुई, जैसे मैं किसी घोर अपराध में मिश्र जी और मिश्राणी जी, भैया और भाभी जी का साझी होऊँ।

किसी तरह जी कड़ा करके, धैर्य का सहारा लेकर मैं इस कष्टकर भावना को दबाता रहा।

दूसरे दिन बारात घर पहुँची। भाभी जी की प्रसन्नता का ठिकाना न था। जैसे सारे जीवन की तपस्या का फल उन्हें प्रत्यक्ष रूप से प्राप्त हो गया हो। उनकी आँखें स्नेह और हर्ष से भर-भर आती थीं। उन्होंने जयन्ती को बार-बार गले से लगाया और उसकी पीठ पर और सिर पर हाथ फेरकर शायद मन-ही-मन आशीर्वाद देती रहीं।

दिनभर घर में चहल-पहल मची रही। मैं उस कोलाहल से उकता गया था, और इस बात की प्रतीक्षा में था कि भीड़ छँटे और शोर थमे, तो मैं शान्तिपूर्वक अपनी नयी स्थिति को समझने की चेष्टा करूँ। इसके अलावा उस मोहिनी से मैं एकान्त में मिलने के लिए उत्सुक हो रहा था जिसने मेरे जीवन के प्रांगण में प्रथम बार वास्तविक रूप में प्रवेश किया था।

आखिर सुहाग की रात आ ही पहुँची। मेरे मन में हर्ष और विस्मयजनित भय का एक अनोखा द्वन्द्व चल रहा था। मेरे भीतर बहुत दिनों से यह आशा अपना माया-चक्र चलाती आयी थी कि जयन्ती से प्रथम मिलन की रात में मेरे जीवन में एक निराली अनुभूति के साथ एक अभूतपूर्व परिवर्तन आ खड़ा होगा। पर जब वास्तव में वह रात आयी, तो मेरी सारी आशा व्यर्थ सिद्ध हुई। जयन्ती ने या तो संकोच या उदासीनता के कारण मुझसे अधिक बातें नहीं कीं। पर इस कारण उसके प्रति मेरा मोह और अधिक बढ़ गया।

दूसरे दिन भाभी जी जब मुझसे मिलीं, तो अर्थ-भरी मुस्कान से बोलीं—"तुम्हारी आँखों से मालूम होता है कि रात में तुम्हें अच्छी तरह नींद नहीं आयी।"

मैंने कहा—"मेरी आँखों ने तुम्हें धोखा दिया है, भाभी। कल रात मैं जितना सोया, उतना कभी नहीं सोया था।"

भाभी जी ने मेरी इस यथार्थ बात को सम्भवतः परिहास ही समझा। क्षण-भर तक चुप रहकर उन्होंने कहा—"लाला, आखिर तुम गिरस्ती के जंजाल में फँस ही गये!"

"यह सब तुम्हारी कृपा का फल है, भाभी! तुमसे मेरी स्वाधीनता देखी न गयी।" कहकर मैं भी व्यंग्यपूर्वक मुस्कराया।

"मेरी कृपा का फल नहीं, जनाब, यह उस मोहिनी के रूप-जाल का प्रभाव है, जिसने बहुत दिनों से तुम्हारी नींद-भूख हराम कर रखी थी।"

"रूप-जाल वूप-जाल कुछ नहीं, भाभी, सच पूछो तो यह सब भाग्य का षड्यन्त्र है!"

भाभी जी ने मेरी आँखों की ओर गौर से देखकर मेरे मन का भाव ठीक-ठीक जानने की चेष्टा की, और उसके बाद कहा—"षड्यन्त्र-वड्यन्त्र कुछ नहीं लाला, यह कहो कि तुम्हारा सौभाग्य जग गया है। तुम फिर अपने पुराने विचारों के फेर में पड़ने का ढंग दिखा रहे हो। तुम्हारी इस तरह की बातें सुनकर मुझे बड़ा डर मालूम होने लगता है। अब तुम्हारा विवाह हो गया है; अब तुम्हें एक गृहस्थ और सांसारिक मनुष्य की तरह बातें करनी चाहिए।" यह कहकर भाभी जी अपने काम पर चली गयीं।

मीरा आ गयी थी। जयन्ती दिनभर उसी के साथ रही। मेरी इच्छा उससे एकान्त में दो-चार बातें करने की थी। पर वह जान-बूझकर मुझसे कतरा रही थी, और मेरे पास फटकती न थी। विवाह के पूर्व से ही मेरे मन में एक बात की उत्सुकता सबसे अधिक थी—वह यह कि जयन्ती से खुलकर बातें करने का अवसर कब प्राप्त होगा। इतनी समझदार और साथ ही इतना कम बोलनेवाली स्त्री मैंने अपने जीवन में कोई दूसरी देखी ही नहीं। मीरा को मैं बड़ी भाग्यशालिनी समझता था कि घर-भर में केवल उसी से वह घुल-घुलकर बातें करती थी। मैं सोचने लगा कि विवाह होने पर भी यदि मुझे उसके मुँह से दो-चार बातें सुनने की सुविधा ही प्राप्त न हो सकी, तब तो यह पाप का बोझ मैंने नाहक अपने सिर पर उठाया! मेरी अधीरता बढ़ती जाती थी और साथ ही क्रोध भी। पर वह क्रोध किस पर उतारता, और कैसे?

•••

प्रायः एक सप्ताह तक यही हाल रहा। जयन्ती भरसक मुझसे कतराती रही, और अपने मन की एक भी बात उसने कभी किसी इशारे से भी नहीं जतायी। एक सप्ताह बाद वह धीरे-धीरे खुलने-सी लगी। एक दिन रात को खाना खाने के बाद अपने कमरे में बैठकर उसका रुख कुछ अच्छा देखकर मैंने उससे जो पहला प्रश्न किया वह इस प्रकार था—"अच्छा, जयन्ती, अपनी अन्तरात्मा को साक्षी करके सच बताना कि मेरे साथ विवाह होने से तुम प्रसन्न हो या नहीं?" जयन्ती पलँग पर बैठी हुई थी और उसके पाँव नीचे फ़र्श पर थे। अपने दाहिने पैर के अँगूठे से फ़र्श पर बिछी हुई कालीन को खुरचती हुई, नीचे की ओर मुँह करके वह बोली—"भला यह भी कोई प्रश्न है!"

जिस बात को पूछने के लिए मैं इतने दिनों से उत्सुक था उसके उत्तर में जब मैंने इस तरह की टालमटोल की बात सुनी तो मेरी अधीरता हद दर्जे तक बढ़ गयी। मैं पलँग पर से उठकर जयन्ती के पलँग पर उसकी बगल में आकर बैठ गया। मुझे अकस्मात्, बिना किसी पूर्व सूचना के, अपनी बगल में बैठते देखकर वह कुछ सहम-सी गयी और कुछ हटकर बैठ गयी। मुझे यह बात भी नागवार मालूम हुई, और मैंने इससे अपने को अपमानित हुआ समझा। क्रोध को दबाने का व्यर्थ प्रयास करते हुए मैंने कहा–"मैं कोई साँप हूँ या बिच्छू, जो तुम्हें छूते ही काट खाऊँगा?"

जयन्ती उसी तरह नीचे की ओर मुँह करके बोली–"मैंने यह कब कहा!"

यह छोटा-सा उत्तर सुनकर मेरे मन की आग और अधिक भड़क उठी। पर मैंने भरसक अपने को सँभाला, क्योंकि मैं जानता था कि जिस प्रश्न का ठीक उत्तर मैं चाहता हूँ क्रोध प्रदर्शित करने से उसका हल होना असम्भव हो जायगा। आज मैं अपनी उस समय की मानसिक अवस्था का वर्णन करते हुए यह बात खूब अच्छी तरह से समझ रहा हूँ कि जयन्ती से जो प्रश्न मैंने किया था वह वास्तव में कितना मूर्खतापूर्ण था, और उसका उत्तर पाने के लिए जो बेकरारी मेरे मन में पैदा हो गयी थी वह कितनी हास्यास्पद थी। पर उस समय तो मेरा यह हाल था कि मुझे ऐसा मालूम होता था जैसे केवल उस एक प्रश्न के उत्तर पर मेरे जीवन और मरण की बात निर्भर करती हो।

मैंने बाहरी तौर से शान्त भाव धारण करके जयन्ती के कन्धे पर हाथ रखा। मेरे हाथ रखते ही उसने अपने शरीर को इस तरह सिकोड़ा जैसे कनखजूरे की तरह कुछ कीड़े मेरी उँगलियों के रूप में उसके कान के नीचे सुरसुराने लगे हों। मेरी उँगलियाँ उस समय ऐसी सजग और सचेत हो रही थीं कि जयन्ती के शरीर की प्रत्येक प्रतिक्रिया का अनुभव ठीक उसी प्रकार कर रही थीं, जिस प्रकार कोई डॉक्टर या वैद्य नब्ज देखकर रोगी का भीतरी हाल मालूम करता है। मारे क्रोध और अपमान के मुझे रुलाई-सी आने लगी। मैं मन-ही-मन भाभी जी को कोसते हुए कहने लगा–"भाभी, तुमने इस विवाह के लिए उत्साह दिलाकर मुझे कहीं का न रखा। मेरे मन में जो अस्पष्ट आशंका पहले से ही उठ रही थी, तुमने अपने सरल स्वभाव के कारण उसकी अवज्ञा की, और जयन्ती जैसी जटिल-प्रकृति नारी के मन का भेद जानने की परवा न करके मुझे ऐसे बेढब दलदल में ढकेल दिया कि अब से उससे उबरने की जितनी ही कोशिश करूँ उतना ही अधिक उसके भीतर धँसता चला जाऊँगा।"

अपने प्रति जयन्ती की अव्यक्त घृणा का अस्पष्ट आभास मुझे पहले ही मिल चुका था, इस बात का उल्लेख मैं कर चुका हूँ, पर वह घृणा इस हद तक तीव्र हो सकती है कि मेरी छाया से ही वह दूर भागने लगे, और मेरे स्पर्शमात्र से उसके शरीर में अरुचि के कारण काँटे खड़े हो उठें, इस बात की कल्पना मैंने स्वप्न में भी नहीं की थी। भाभी जी ने एक दिन कहा था कि "गुच्छी की तरकारी जयन्ती ने खास तौर से तुम्हारे ही लिये बनायी है।" भाभी जी ने जयन्ती की उस तत्परता को वास्तव में उसी रूप में ग्रहण

किया था, और मुझे खुश करने के लिए झूठ बात बनाकर कहने का विचार उनका कतई नहीं था। मैं भी उनकी स्थिति में यही विश्वास करता कि जयन्ती ने गुच्छी की तरकारी अपने हाथ से बनाने के लिए जो उत्साह प्रकट किया वह केवल मेरी ही रुचि का खयाल करके। और सच पूछा जाय तो मेरा विश्वास वास्तव में था भी वैसा ही, और आज इतने अनुभवों के बाद भी उस सम्बन्ध में मेरा वह विश्वास अभी तक वैसा ही बना हुआ है। जयन्ती के स्वभाव की इसी तरह की परस्पर-विरोधी बातों ने ही तो मुझे अजीब चक्कर में डाल दिया था, और आज भी जब मैं उन सब बातों पर विचार करता हूँ, तो मेरा सिर घूमने लगता है। जरा सोचने की बात है कि एक ओर तो वह मुझे अपनी ओर अधिकाधिक आकर्षित करने की चेष्टा में इस हद तक तत्पर रहे कि मेरे खास पसन्द की तरकारी को अपने हाथ से बनावे, और दूसरी ओर मुझसे यहाँ तक घृणा करे कि वश चलने पर मुझे अपने पास फटकने तक न देने का भाव दिखावे! और मजा यह कि यह सब चारित्रिक लीला निहायत भोलेपन और शान्त तथा संयत स्वभाव की आड़ में!

गुच्छी की तरकारीवाली बात का जो उल्लेख मैंने किया है उसे पढ़कर विज्ञ पाठक अवश्य ही यह मत प्रकट करना चाहेंगे कि ऐसी तुच्छ बात पर इतना महत्त्व आरोपित करना हास्यास्पद है। पर मैं जीवन के नाना चक्रों के फेर में पड़कर दीर्घ अनुभव के बाद इस परिणाम पर पहुँचा हूँ कि रात-दिन के जीवन की छोटी-से-छोटी, तुच्छ-से-तुच्छ बातों से मनुष्य की यथार्थ प्रकृति का वास्तविक परिचय प्राप्त होता है। बड़ी बातों से मानव-चरित्र की ऊपरी सतह का परिचय मिलता है, और छोटी बातें उसके मर्म में छिपी हुई विशेषताओं को प्रकाश में लाती हैं।

कुछ भी हो, मैं जयन्ती के कन्धे पर हाथ रखे ही रहा। मैं अपने मन का भाव उस पर तनिक भी प्रकट नहीं होने देना चाहता था, इसलिए अपने कण्ठ-स्वर को भरसक कोमल बनाकर मैंने कहा—"देखो जयन्ती, तुमने मेरे प्रश्न को यों ही टाल दिया। पर उसका ठीक उत्तर पाये बिना मुझे क्षण-भर के लिए भी चैन नहीं मिल सकता। मैं तुम्हें कितना चाहता हूँ, इसकी तुम कल्पना भी नहीं कर सकतीं; पर तुम मुझे चाहती हो या नहीं, इस सम्बन्ध में मैं बड़े सन्देह में हूँ। एक बार स्पष्ट रूप से मुझे बता दो। या तो कह दो—'हाँ, मैं तुम्हें चाहती हूँ, या साफ़ कह दो कि 'मैं नहीं चाहती।' तुम्हारा उत्तर चाहे मेरे पक्ष में हो या विपक्ष में, उससे मुझे तसल्ली हो जायगी। मेरे मन में संशय का जो काँटा गड़ा हुआ है, वह निकल जायगा। बोलो! उत्तर दो!" यह कहकर मैं उसकी पीठ थपथपाने लगा।

जयन्ती ने मेरी ओर न देखकर कहा—"आपका प्रश्न सुनकर इतनी लज्जा मालूम होती है कि मैं क्या बताऊँ।"

मन-ही-मन में यद्यपि जल रहा था, तथापि मैंने बाहर से अपना रूप बिलकुल ही बदल डाला और बच्चों की तरह उसे पुचकारते हुए बोला—"देखो जयन्ती, ऐसा अन्धेर भी न करो। मेरी उत्सुकता तुम्हें मिटानी ही होगी। एक बार मैं तुम्हारे मुँह से

सुन लूँ कि तुम मुझे चाहती हो, तो देख लेना मैं कितना उछल पड़ता हूँ। मेरे हर्ष का पारावार नहीं रहेगा। मैं जानता हूँ कि ये सब बच्चों की-सी बातें हैं, पर क्या करूँ, मेरा मन नहीं मानता। और अगर मैं स्पष्ट रूप से जान जाऊँ कि मुझसे विवाह करके तुम प्रसन्न नहीं हो, तो–तो–''

मैं रुक गया। इसके आगे कुछ कहते न बन पड़ा। जयन्ती ने इस बार मेरी ओर मुँह किया, और बड़ी उत्सुक और प्रश्न-भरी दृष्टि से मेरी ओर देखने लगी–जैसे वह यह जानने के लिए बेचैन हो कि 'तो' के बाद मैं क्या कहना चाहता हूँ। पर मेरे मुँह पर जैसे ताला लग गया हो। मुझे चुप देखकर उसने फिर मुँह फेर लिया और बहुत धीरे से बोली–''मेरे मुँह से जिस तरह की बात सुनकर आपके मन में प्रसन्नता हो, मेरा वही उत्तर समझ लीजिये। क्यों व्यर्थ में अपना मन खराब करते हैं!''

इस उत्तर को सुनकर मैं परास्त हो गया। मन-ही-मन कहने लगा–''इस पहेली-बुझौवल की कोई हद भी है!'' उसी दम जयन्ती के पलँग पर से उठकर अपने पलँग पर जाकर लेट गया, और कम्बल ओढ़कर उससे अपना मुँह ढाँपते हुए बोला–''तुम जब सोने लगोगी तो बत्ती बुझा देना। मुझे नींद आ रही है।''

●●●

दूसरे दिन जयन्ती को उसके मायके पहुँचाने का प्रस्ताव उठा। मैंने जयन्ती से एकान्त में पूछा–''क्या तुम मायके जाने के लिए बड़ी उत्सुक हो?''

उसने कहा–''जैसा आप कहेंगे वैसा करूँगी।''

मैंने भाभी जी के पास जाकर कहा–''भाभी, क्या जयन्ती को मायके भेजना जरूरी है?''

''कायदा तो यही है कि बहू जब पहली बार ससुराल आती है तो उसे शीघ्र ही बिदा कर दिया जाता है और फिर गौना होने तक नहीं बुलाया जाता।''

''पर अगर कोई यह कायदा न मानना चाहे?''

भाभी जी मुस्कराने लगीं और बोलीं–''सिर्फ़ दो दिन साथ रहने से प्रीति इस हद तक बढ़ गयी!''

मैंने मन-ही-मन कहा–''मेरी प्रीति की रीति ही निराली है, भाभी, तुम इसे नहीं समझ सकतीं।'' प्रकट में बोला–''तुम्हारी देवरानी बड़ी भयंकर जादूगरनी है, भाभी! अब तुमसे क्या छिपाऊँ, मन्त्र फूँककर उसने मुझे इस तरह वश में कर लिया है कि क्या करूँ! और अब मुझे बेबसी की हालत में छोड़कर कतराकर भाग निकलना चाहती

है। पर मैंने भी कच्ची गोलियाँ नहीं खेली हैं। मैं उसे यों ही न जाने दूँगा। जब आयी है, तो अब दो-तीन महीने मेरे साथ ही रहेगी।''

भाभी जी का मुँह कुछ गम्भीर हो आया। कुछ देर सोचकर बोलीं—''तुम्हारी अगर ऐसी इच्छा है, तो क्या हर्ज है। जयन्ती रह जायगी। यह कायदा पुराना हो चला है। यह जमाना सुधार का है। मिश्र जी को लिख दिया जायगा कि जयन्ती अभी नहीं आ सकती; तुम इस बात की कुछ चिन्ता न करो।'' भाभी जी ने शायद सोचा होगा कि मुझ जैसा बन्धनहीन प्राणी किसी भी बहाने से बन्धन में रह सके तो अच्छा ही है।

भाभी जी को मन-ही-मन धन्यवाद देते हुए मैं जयन्ती के पास जाकर बोला—''भाभी जी की आज्ञा है कि तुम यहीं रहोगी।''

जयन्ती ने म्लान मुख से मेरी ओर देखकर कहा—''पर पिता जी बड़े निराश होंगे!''

मैंने कहा—''जब तुम्हारे पिता जी तुम्हें मुझे सौंप चुके हैं, तो उन्हें चाहिए कि तुम्हारे प्रति ममता यदि त्याग न सकें तो कम कर दें।''

जयन्ती अंचल से आँसू पोंछने लगी। पर मैंने अपना जी कड़ा कर लिया, और अपने निश्चय से न टला।

भैया की छुट्टी जब खतम हो चली, तो वह दिल्ली जाने की तैयारी करने लगे। भाभी जी ने प्रस्ताव किया कि जयन्ती को साथ लेकर मैं भी उन्हीं के साथ दिल्ली चलूँ। पर मैंने घर ही रहने का विचार किया। मैं कुछ समय के लिए जयन्ती के साथ मुक्त वातावरण में स्वच्छन्द रूप से रहना चाहता था। भाभी जी के बहुत कहने पर भी मैंने उनकी बात न मानी। वे लोग जब चले गये, तो घर में मेरा एकच्छत्र राज्य कायम हो गया। मीरा भी अपनी ससुराल चली गयी थी, और घर पर मेरे और जयन्ती के अलावा केवल तीन प्राणी और रह गये थे—एक नौकर, एक नौकरानी और एक रसोइया।

भाभी जी और मीरा के चले जाने पर तीन-चार रोज तक जयन्ती बहुत उदास रही। पर शीघ्र ही उसने नयी परिस्थिति को स्वाभाविक रूप से ग्रहण कर लिया। बल्कि मेरे प्रति उसकी रुखाई भी पहले की अपेक्षा धीरे-धीरे कम होने लगी। मैं भी उसे हर तरह प्रसन्न रखने की चेष्टा करने लगा। यद्यपि बीच में कभी-कभी उसके स्वभाव के निरालेपन से मैं जल उठता था, तथापि उसका वही निरालापन मुझे अपनी ओर अधिकाधिक आकर्षित भी करता था। उसके रूप का आकर्षण भी दिन-पर-दिन तीव्र-से-तीव्रतर होता जाता था, यद्यपि वह बार-बार अपना स्वास्थ्य अच्छा न रहने की शिकायत करती थी।

मैंने एक नाव का प्रबन्ध कर लिया और जयन्ती को साथ लेकर समय-समय पर गोमती की सैर करते रहने का नियम बना लिया। हमारे मैनेजर साहब—पण्डित शिवसेवक त्रिपाठी—को किसी काम से लखनऊ जाना था। मैंने उनसे हारमोनियम, तबला, कैरम का सामान, ताश आदि विनोद की कुछ आवश्यक चीजें मँगा लीं। जब ये चीजें आ गयीं, तो मैं कभी नाव में हारमोनियम बजाकर गाता, कभी जयन्ती से गाने के लिए अनुरोध करता। प्रारम्भ में कुछ दिनों तक तो वह मेरे बार-बार प्रार्थना करने

पर भी किसी तरह गाने को राजी न हुई, पर एक दिन प्रातःकाल जह हम नाव में सवार होकर मीठी धूप का आनन्द लूटते हुए चले जा रहे थे और गाँव से आगे निकल गये थे, तो जयन्ती ने न जाने किस तरंग में आकर अपने-आप हारमोनियम पर हाथ फेरना शुरू कर दिया। कुछ देर तक वह एक गत बजाती रही। उसके बाद अकस्मात् उसने भैरवी में गाना शुरू कर दिया—"अकेली न जइयो राधे जमुना के तीर।" प्रभात की शीतल वायु के मन्द झकोरों से उसकी चूर्ण-अलकें मृदु-मृदु दोलित हो रही थीं, पलकें झूम-झूम पड़ती थीं, उसका सारा मन, सारी आत्मा एक अलौकिक उन्माद के रस में परिपूर्ण रूप से निमग्न होकर भाव-विभोर हो रही थी। मैं मन्त्र-मूढ़ के समान विह्वल होकर उसकी उस समय की अपरूप छवि को निहार-निहारकर एक अवर्णनीय मधुर-वेदना की पुलक से विकल हो रहा था, और उस स्वर्गीय संगीत की स्वर-लहरी में अपनेपन को बहाकर सब सुध-बुध खोये बैठा था। मेरे मन की आँखें, जो कुछ समय से मेरे भीतर के गहन अन्धकार में बन्द पड़ी थीं, एकाएक खुल गयीं और उनके आगे एक निराली, चित्रमय रंगीनी-सी छा गयी। और जयन्ती का जो रूप उस समय मेरे सामने आया उसने मेरी सब पिछली कटुताओं को एकदम डुबो दिया।

गाना समाप्त होते ही किसी के कलहास्य की मृदु-मन्द किलकारी से मैं चौंक पड़ा। मेरे स्वप्न का मोह अकस्मात् टूट पड़ा। मैंने सिर उठाकर देखा, जयन्ती मेरी ओर देखकर हँस रही है। मैंने लज्जित होकर पूछा—"क्यों क्या बात है? तुम्हें हँसी क्यों आयी?" उसने अपूर्व स्निग्धता-भरी मुस्कान अपने मुँह में झलकाते हुए कहा—"आपको देखकर हँस रही हूँ। आप सिर नीचे को करके ऊँघ-से रहे थे। क्या नींद मालूम हो रही है? कल रात शायद अच्छी तरह नींद नहीं आयी। चलिये, लौट चलें। आप घर चलकर आराम कीजिये।"

इतने दिनों के बाद आज मैंने जयन्ती को पहली बार हँसते हुए देखा। मेरे जीवन का यह एक स्वप्न था कि उसे मैं कभी हँसते हुए देखूँ। विवाह के बाद उसका रुख देखकर मैं इस स्वप्न की सफलता के सम्बन्ध में निराश हो चला था। पर आज आकस्मिक और अप्रत्याशित रूप से वह स्वप्न जब सफल हुआ—और वह भी ऐसे सुन्दर, स्वाभाविक सामंजस्य के साथ—तो मुझे तत्काल ऐसा भान हुआ कि जयन्ती का वास्तविक और सहज रूप यही है; आज तक मैंने जिन-जिन रूपों में उसे देखा है वे सब मेरे विकृत मस्तिष्क की अप्राकृतिक कल्पना की उपज थे।

•••

जब हम लोग लौटकर घर पहुँचे, तो मैंने कहा—"जयन्ती, तुम्हारे स्वभाव की शालीनता देखकर मैं पहले से ही मुग्ध था, पर यह मुझे नहीं मालूम था कि तुम्हारे स्वभाव में कविता इस हद तक कूट-कूटकर भरी हुई है। तुम मुझे इस समय काव्यलोक की एक परी-सी लग रही हो।"

मेरी बात सुनकर वह खिलखिलाकर हँस पड़ी और हँसते-हँसते पलँग पर लोट-पोट हो गयी। यदि उस समय मेरी मानसिक अवस्था अपने स्वाभाविक स्तर पर होती, तो मुझे यह बात समझने में देर न लगती कि आज सुबह से ही जयन्ती अपने सहज रूप में नहीं है, बल्कि हिस्टीरिया के आकस्मिक फिट की तरह एक अस्वाभाविक भाव-उन्मादना उसे तरंगित कर रही है। उसी फिट का ही असर था कि उसे नाव में गाने की अपूर्वकल्पित उमंग ने धर दबाया था, और इस समय उसका खिलखिलाना और हँसते-हँसते लोट-पोट हो जाना भी उसी अस्थायी उन्माद का फल था। इस समय मैं खूब अच्छी तरह से समझ रहा हूँ कि विवाह के समय से अथवा उसके कुछ पहले से जो एक अज्ञात अवसाद और उदासी की भावना ने उसके मन को आच्छन्न कर रखा था, आज उसके उन्मुक्त उल्लास की हिल्लोलित उच्छृंखलता उसी की प्रतिक्रिया थी। उसके जिस भाव की अभिव्यक्ति को मैं उसके जीवन का सहज-स्वाभाविक रूप समझ रहा था, वह वास्तव में उसका घोर अस्वाभाविक रूप था। पर उस समय तो मेरी मायाच्छन्न आँखों के आगे भ्रम का ऐसा सुन्दर, सुकोमल, रंगीन जाल तना हुआ था कि मैं वास्तविकता की ओर भूलकर भी ताकना नहीं चाहता था। आज उसे प्रसन्न देखकर मेरे हर्ष का पारावार नहीं था। मैंने उसके पलँग पर जाकर उसका हाथ पकड़कर उसे उठाकर अपने पास बिठाया और उसके कन्धे पर हाथ रखकर बोला—"जयन्ती तुम सचमुच आज बहुत सुन्दर दिखायी दे रही हो।"

उसने धीरे से मेरा हाथ हटाते हुए बड़े नाज के साथ कहा—"जाइये, आपकी बातें बड़ी अजीब होती हैं! आज मैं सुन्दर दिखायी दे रही हूँ, इसका अर्थ तो स्पष्ट ही यह होता है कि आज से पहले मैं एकदम कुरूप दिखायी देती थी! क्यों? और यह जानने पर भी कि मैं कुरूप हूँ, आपने मुझसे विवाह कर ही लिया!"

अकस्मात् उसका मुख गम्भीर हो गया। मैं उसे बीच ही में टोककर कुछ कहने को तैयार हो गया था, फिर मुझे यह जानने की उत्सुकता हुई कि वह क्या कहना चाहती है, और उसके मन में कौन-सी बात दबी पड़ी है। इतने दिनों के बाद आज बड़े मौके से उसका मौनभाव भंग हुआ था, इसलिए बीच ही में विघ्न डालकर उसका मुँह बन्द

कर देना चतुराई का काम न होता। मेरे कौतूहल ने जोर मारा और मैं एकान्त मन से उसकी बात पूरी तरह से सुनने के लिए तैयार होकर चुप्पी साधे बैठा रहा। वह कहने लगी—"आपने अपने एक प्रश्न का उत्तर देने के लिए मुझसे कई बार हठ किया। आज आप भी मेरे एक प्रश्न का ठीक-ठीक उत्तर दीजिये। आपने क्या सचमुच मेरे साथ इस कारण विवाह किया कि आप मुझसे प्रेम करते हैं? या आपके मन में कोई और बात छिपी हुई थी? सच-सच बताइये!"

उसकी उत्तेजित आँखों से एक स्वाभाविक दीप्ति स्फुरित हो रही थी। मैं घबरा उठा। क्षण काल के लिए मुझसे कुछ बोलते न बना, जैसे मेरे मुँह पर ताला लग गया हो। उसका यह प्रश्न ऐसा आकस्मिक और अप्रत्याशित था, जिसके उत्तर के लिए मैं कतई तैयार न था। पर मेरा मोह भंग होने में देर न लगी। मेरे मन में सोयी हुई क्रोध और हिंसा की भावना चोट खाये हुए सर्प की तरह जाग उठी। उसकी ओर स्थिर दृष्टि से देखकर मैंने दृढ़ शब्दों में कहा—"देखो जयन्ती, अगर तुम सच बात सुनना ही चाहती हो तो सुनो। जिस समय भाभी जी ने पहले-पहल मुझे तुम्हारे साथ विवाह की बात सुझायी थी, उस समय मैं सचमुच तुमसे प्रेम करने लगा था। साथ ही तब मेरे मन में यह विश्वास भी अकारण ही जम गया था कि तुम मुझसे भी अधिक चाहती हो। पर पीछे जब मैं तुम्हारे प्रत्येक हाव-भाव पर बड़ी बारीकी से गौर करने लगा तो मेरे मन में धीरे-धीरे यह सन्देह बढ़ता चला गया कि तुम मुझे नहीं चाहती हो, बल्कि घृणा की दृष्टि से देखती हो। यह सन्देह भी मेरे मन में पहली भावना की ही तरह बिना किसी प्रत्यक्ष कारण के घर कर गया, और अभी तक वह वैसा ही बना हुआ है। इस तरह का सन्देह होने पर भी मैं तुम्हारे साथ विवाह के लिए राजी क्यों हो गया, यह पूछने का तुम्हें पूरा अधिकार है। पर सच पूछो तो मैं स्वयं ही नहीं जानता कि मैंने तुमसे विवाह क्यों किया। यह सन्देह होने पर कि तुम मुझसे घृणा करती हो, मेरे मन से भी तुम्हारे प्रति प्रेम का भाव हट जाना चाहिए था; पर मुझे इस बात का भय है कि वह अभी तक हटा नहीं। पर इस प्रेम में शान्ति नहीं है। वह मुझे तिल-तिल करके जला रहा है। इस जलन की प्रतिक्रिया मेरे मन में विवाह के पहले से ही होने लगी थी। इसलिए यह कहना कि मैंने तुमसे प्रेम के लिए विवाह किया है, सरासर झूठ होगा। और अगर मैं इस सम्बन्ध में झूठ बोलता भी, तो तुम विश्वास न करतीं; क्योंकि इस बात का पता मुझे अच्छी तरह लग गया है कि तुम्हारी दृष्टि बड़ी पैनी है। फिर भी विवाह चाहे मैंने किसी भी कारण से किया हो। (असल में यह भाग्य का चक्र था, होनहार थी,—आजकल मैं पक्का भाग्यवादी हो उठा हूँ), पर इतना विश्वास मैं तुम्हें दिलाता हूँ, कि मेरे मन में तुम्हारे प्रति अब भी चाह बनी हुई है। पर इस भावना के साथ एक दूसरी भावना भी है। वह क्या है और कैसी है, मैं ठीक तरह से कुछ कह नहीं सकता, पर इतना अवश्य जानता हूँ कि वह सुख बढ़ानेवाली नहीं, बल्कि बेचैनी पैदा करनेवाली भावना है।"

जयन्ती आँखें फाड़-फाड़ उन्माद-ग्रस्त की-सी तरह एकटक मेरी ओर देखकर मेरा 'लेक्चर' सुन रही थी। एक छोटी-सी बात के उत्तर में इतना बड़ा व्याख्यान उसे सुनना पड़ेगा, शायद इस बात की कल्पना उसने नहीं की थी। और वास्तव में इस तरह का भावपूर्ण, लम्बा दास्तान देहात के एक एकान्त मकान के भीतर पलँग पर बैठकर नव-विवाहिता पत्नी को सुनाने की अपेक्षा यदि स्टेज पर किसी अभिनेत्री को सुनाया जाता, तो अधिक शोभा पाता। पर मैं मजबूर था। मैं जब तैश में आकर बोलता जाता था, तो प्रत्येक वाक्य के बाद ही मुझे ऐसा अनुभव होता था कि मेरे मुँह से ठीक बात नहीं निकल रही है। मैं कहना चाहता था कुछ और कह बैठता था कुछ और। भाग्य-जगत् की कोई एक अज्ञात शक्ति जैसे मेरे मुँह से मेरी बात छीनकर अपनी बात कहला रही थी। भविष्य में जो भयंकर घटना होनेवाली थी, मेरे न चाहने पर भी उसका बीज मेरे ही द्वारा बोया जा रहा था। मैंने अपने अनजान में ध्वंस के राजमार्ग पर पाँव रख लिया था और निश्चित पगों से, बड़ी तीव्र गति से उसकी ओर बढ़ता चला जाता था। मेरी एक-एक बात जयन्ती का प्रत्येक व्यवहार अनिवार्य भावी दुर्घटना की ओर हमें अधिकाधिक वेग से ढकेलते जाते थे; और बाहरी बातें भी उस विनाश-चक्र की द्रुत परिणति के लिए सहायक सिद्ध हो रही थीं।

नौकर ने आकर सूचना दी कि खाना तैयार है। मैं उठ खड़ा हुआ। जयन्ती ने कहा कि उसे भूख नहीं है, और वह आज खावेगी नहीं। पर मैंने उसका हाथ पकड़कर बलपूर्वक उसे उठाया और कहा—"तुम्हें खाना ही होगा; तुम नहीं खाओगी तो मैं भी नहीं खाऊँगा।" मुझे भय था कि कहीं वह फिर से अपने स्वाभाविक मौन और उदास भाव में डूब न जाय। इसके अलावा मैं अपनी लेक्चरबाजी के प्रभाव से घबरा उठा था, और भरसक उसे हलका करना चाहता था।

जयन्ती ने अनिच्छा से खाना खाया। मैंने भी सामान्य तौर पर ही भोजन किया। खा-पीकर जब हम दोनों अपने कमरे में वापस आये, तो मैंने तरह-तरह की बातों से जयन्ती को हँसाने की चेष्टा की, और यह जताना चाहा कि अपने 'लेक्चर' में मैंने जो-कुछ कहा था, वह केवल परिहास के सिवा और कुछ नहीं था।

मैंने कहा—"मैं तो केवल तुम्हें यह दिखाना चाहता था कि मैं कितना बड़ा वक्ता हूँ, और इच्छा करने पर अपने श्रोताओं को किस हद तक आतंकित करके उनके रोएँ खड़े कर सकता हूँ। पर तुम तो मेरी प्रत्येक बात को वास्तविक समझकर मुँह फुलाये बैठी हो!"

जयन्ती काफी देर तक चुप बैठी थी; पर मेरी इस बात के उत्तर में वह बोल उठी—"मैंने आपकी किसी भी बात को न वास्तविक समझा है, न अवास्तविक। सच पूछिये तो मैं आपकी किसी भी बात का ठीक अर्थ ही न समझ पायी!"

उसकी यह बात सुनकर क्षण-भर के लिए मेरा मन खिन्न हो उठा। मैं यह समझकर उसे मनाने में लगा हुआ था कि मेरी बातों से उसके हृदय को बड़ी चोट पहुँची है, पर

जब उसने कहा कि वह मेरी बातों का अर्थ ही न समझ पायी, तो अपने निशाने की व्यर्थता का खयाल करके मुझे दुःख होना स्वाभाविक था। क्योंकि सच पूछा जाय, तो मैंने अपने अनजान में उसे डंक मारने के लिए ही वह 'व्याख्यान' बघारा था। उस समय मैं अपने उद्‌देश्य को ठीक तरह से समझा नहीं था, पर अब स्पष्ट रूप से मैं उसकी वास्तविकता को समझ रहा हूँ।

पर वह दुःख केवल क्षण-भर के लिए ही रहा। दूसरे ही क्षण मैं अकस्मात् इस तरह ठठाकर हँस पड़ा कि जयन्ती चौंककर मेरी ओर देखने लगी। मैं क्यों हँसा, इसका कोई निश्चित कारण मैं नहीं बता सकता। केवल इतना बता देना चाहता हूँ कि एकाएक जयन्ती की आँखों में बिजली के वेग से एक ऐसा भाव झलकता हुआ दिखायी दिया था जिससे मुझे यह विश्वास हो गया कि मेरे डंक का उस पर काफी असर पड़ चुका है, भले ही वह मुँह से उसे स्वीकार न करना चाहे। अपने उद्‌देश्य की सफलता का जब मुझे निश्चय हो गया, तो सारी बात को एक अट्‌टहास में टाल जाने की रीति ही मैंने सबसे बेहतर समझी।

उस अट्‌टहास के सिलसिले में ही हँसते हुए मैंने कहा—''खूब! अर्थ न समझने की तुमने एक ही कही! तुम सचमुच बड़ी ही भोली हो जयन्ती! चलो, हटाओ, इन सब बातों में क्या धरा है! आओ एक बाजी 'कैरम' खेलें!''

यह कहकर मैंने कैरम-बोर्ड निकालकर टेबिल पर रखा। जयन्ती ने धीरे से कहा—''मुझे नींद लग रही है, मैं सोऊँगी।'' मैंने उसकी पीठ पर हाथ रखकर धीरे से थपथपाते हुए कहा—''यह हो नहीं सकता। आज हम लोगों के राग-रंग का दिन है। सुबह से ही तुमने अपने गाने से मेरे मन को तरंगित कर दिया है। आज बहुत दिनों के बाद मेरे मन में उल्लास समाया है, उसे क्या यों ही ठण्डा कर दोगी? चार दिन की जिन्दगी है, दो दिन की जवानी है। इन दो दिनों में हँसते-खेलते रहना चाहिए, या मन मारे, मौन साधे, उदास बैठे रहना चाहिए? चलो! उठो!''

जयन्ती की आँखों में व्यंग्यात्मक मुस्कान की एक झलक दिखायी दी, जिसे देखकर मेरा हृदय वास्तव में पुलकित हो उठा।

•••

खेल आधा भी न हो पाया था कि नौकर ने आकर कहा—''त्रिपाठी जी के यहाँ से बहू जी आयी हैं।

जयन्ती हड़बड़ाकर उठ खड़ी हुई और बाहर चली गयी। थोड़ी देर में एक महिला का हाथ पकड़कर वह भीतर आयी। महिला एक हरे रंग की साड़ी के ऊपर रेशमी रंग का एक चादर ओढ़े थीं। नाक में एक छोटा-सा फूल और पाँवों में पायजेब पहने थीं। घूँघट से उनका कपाल ढका हुआ था पर आँखें दिखायी दे रही थीं, जिनसे उन्होंने एक बड़ी तीखी दृष्टि से मेरी ओर देखा। जयन्ती उन्हें साथ लाते हुए एक बार मेरी ओर देखकर दुष्टतापूर्वक मुस्करायी। वह मेरे कमरे के बगलवाले कमरे में ले गयी।

दोनों कमरों के बीच में काठ का 'पार्टीशन' था, और एक कमरे की बात दूसरे कमरे में साफ सुनायी देती थी। मैं पलँग पर लेटे-लेटे कान लगाकर सुनने लगा।

नवागता महिला को मैंने कहते सुना—"मैं कई दिनों से तुम्हारे यहाँ आने का विचार कर रही थी बहन, पर आ नहीं सकी। मैंने सोचा था कि तुम जल्दी ही मैके चली जाओगी। जब मैंने सुना कि तुम यहीं हो, मैके नहीं गयी, तो मुझे बड़ी खुशी हुई। अच्छा बहन, तुम मैके क्यों नहीं गयी? 'उन्होंने' रोक लिया होगा! क्यों?"

"नहीं जीजी, उन्होंने नहीं रोका, मैं स्वयं अपनी इच्छा से यहीं रह गयी।"

"अभी से ससुराल से इतना प्रेम हो गया! तुम धन्य हो, बहन! मेरा ब्याह हुए इतने वर्ष हो गये, पर अभी तक मैके के लिए छटपटाती हूँ। पर तुम बड़ी सुखी हो। भगवान् ने तुम्हें बड़ा अच्छा घर और वर दिया। मैंने सुना है कि तुम दोनों जने नाव में बैठकर नदी की सैर करने जाया करते हो। क्या यह सच है?"

"हाँ, सच है!" जयन्ती बड़ी धीमी आवाज में बोल रही थी।

"आहा! कैसी सुखी हो तुम! तुम्हारा जन्म सफल है!"

"क्यों जीजी, इसमें जन्म सफल होने की कौन-सी बात है! अगर नाव में चढ़ने से ही जन्म सफल हो जाता है, तो आप भी एक दिन आकर अपना जन्म सार्थक कर जावें। बल्कि आप रोज आया करें, मैं रोज आपको नाव में बिठाकर सैर करा लाऊँगी।"

"रहने भी दो, बहन! क्या तुम्हारे कहने से बात पक्की हो गयी।"

"मैं 'उन्हें' राजी कर लूँगी। 'वह' कभी 'न' नहीं कहेंगे!"

"पर तुम्हारे 'उनके' राजी होने से क्या होता है, जब हमारे घर के राजी हों तब तो!"

"मैं 'उनसे' कहूँगी, 'वह' त्रिपाठी जी को राजी कर लेंगे।"

"क्या बात करती हो, बहन! तुम 'उन्हें' नहीं जानतीं, इसीलिए ऐसा कह रही हो। घर से कभी एक कदम भी बाहर मुझे पाँव नहीं रखने देते। सुना है कि रामचन्द्र जी जब वन में शिकार करने जाते थे और सीता को कुटिया में अकेली छोड़ जाते थे, तो कुटिया से कुछ दूर बाहर एक रेखा खींच जाया करते थे, जिससे वह उस रेखा को लाँघकर बाहर न निकलने पावें। रामचन्द्र जी ने तो फिर भी सीता को उस रेखा तक बाहर निकलने की आज्ञा दे रखी थी, पर हमारे 'घर' के जब बाहर जाते हैं तो मुझे भीतर बन्द करके बाहर से ताला लगा जाते हैं। कई दिनों से खुशामद करने के बाद आज बड़ी मुश्किल से वह मुझे एक महरी के साथ तुम्हारे यहाँ भेजने पर राजी हुए हैं।"

"यह आप क्या कहती हैं, जीजी, भीतर बन्द करके बाहर से ताला लगा जाते हैं! मेरी समझ में यह बात कुछ आयी नहीं!"

"समझ में कैसे आयेगी, बहन! हमें तो समझते-समझते इतने बरस हो गये हैं, इसलिए! तुम्हें तो पूर्व जन्म के पुण्य से देवता के समान पति मिले हैं, नहीं तो मर्द सभी एक-से होते हैं। अभी दो साल पहले की बात है, इसी गाँव में एक नये मास्टर स्कूल में पढ़ाने के लिए आये। पहले कुछ दिनों तक वह अकेले ही रहे। बाद में अपनी घरवाली को भी साथ लेते आये। किसी भले आदमी ने उन्हें एक मकान मुफ्त में रहने के लिए दे दिया। उनकी घरवाली के साथ न उसकी सास थी, न ननद। वह और उसके पति, केवल दो जने उस मकान में रहते थे। वह अभी लड़की ही थी। उम्र सोलह-सत्रह साल के करीब रही होगी। मैंने केवल एक बार उसे देखा था। बड़े शान्त स्वभाव की और गम्भीर मालूम होती थी। मास्टर साहब जब स्कूल में पढ़ने जाते, या कहीं टहलने चले जाते, तो अपनी घरवाली को भीतर बन्द करके बाहर ताला लगा जाते। कुछ दिनों के लिए उन्होंने चौके-बर्तन का काम करने के लिए कहार का एक लौंडा रखा था। लौंडा अठारह-उन्नीस बरस का रहा होगा। बड़ा सीधा छोकरा था। पर मास्टर साहब बड़े शक्की मिजाज के आदमी थे। उन्होंने कुछ दिन बाद उसे अलग कर दिया और उसकी तनख्वाह भी नहीं दी। उनकी घरवाली दिनभर भीतर अकेली बन्द पड़ी रहती। इतनी-सी छोकरी अभी उसके हँसने-खेलने के ही दिन थे। मेरी इतनी उम्र हो गयी, पर अभी तक दिन में अकेले भीतर बैठे-बैठे जी घबराने लगता है। कभी-कभी तो मैं बेहद डर जाती हूँ, और दिन-दहाड़े भूतों को देखने लगती हूँ। भूत-वूत कुछ नहीं, खाली अपना खयाल है, पर खयाल हो चाहे कुछ हो, डर तो लगता ही है! वह बेचारी किस तरह रहती होगी, मैं यही सोचती हूँ। पर रह भी न सकी। एक दिन जब मास्टर स्कूल से घर आये, तो उन्हें मकान से धुआँ निकलता हुआ दिखायी दिया। उन्होंने शायद सोचा होगा कि छोकरी चाय बनाने के लिए आग जला रही होगी। ताला खोलकर जब भीतर गये तो सारा मकान धुएँ से भरा हुआ था। उसके बाद उन्होंने जो हाल देखा, उससे सिर पीटकर रह गये।"

जयन्ती ने घबराहट के साथ पूछा—"क्यों, क्या हुआ?"

"होगा और क्या, छोकरी ने अपने सिर पर और कपड़ों पर मिट्टी का तेल डालकर चूल्हे में बैठकर अपने बदन में आग लगा दी थी, और मास्टर के घर पहुँचने तक जलकर मर चुकी थी। मास्टर ने शोर मचाया। गाँव के सब लोग दौड़कर वहाँ पहुँचे। मैं भी महीनों बाद 'उनके' साथ बाहर निकली, और मास्टर के यहाँ गयी। और भी बहुत-सी औरतें आयी हुई थीं। उस छोकरी को मैंने देखा। उफ़! बहन, उसका चेहरा ऐसा भयानक दिखायी देता था कि कुछ पूछो मत। सारा मुँह अच्छी तरह से जली हुई लकड़ी की तरह एकदम काला पड़ गया था। आँखें, होंठ, दाँत सब काले दिखायी देते थे। बीच-बीच में बड़े-बड़े चकत्ते के-से दाग पड़ गये थे, जिससे उसका कालापन और भी विकट मालूम

होता था। सिर के बाल जल जाने से खोपड़ी का चमड़ा भी जल गया था और भीतर की गुद्दी फटकर बाहर निकल आयी थी; साक्षात् प्रेतिनी–''

सहसा जयन्ती एक दिल दहलानेवाली हौलनाक आवाज मुँह से निकालकर चीख उठी, और जिस प्रकार कोई बच्चा अकस्मात् एक भयंकर जन्तु को सामने देखकर बिलबिला उठता है, उसी प्रकार बिलखती हुई कहने लगी–''बस करो जीजी! आगे कुछ न कहो जीजी! तुम्हारे पैरों पड़ती हूँ, जीजी!''

''अरे क्या गजब हुआ!'' कहकर त्रिपाठी जी की स्त्री भी घबराहट से चिल्ला उठीं। मैं पलँग पर से कूदकर दौड़ता हुआ गया। भीतर जाकर जो दृश्य मैंने देखा उससे मेरी रूह काँप उठी। जयन्ती फ़र्श पर लम्बी होकर हाथ-पाँव छटपटा रही थी; उसके मुँह से फेन निकल रहा था, आँखें दो गोलियों की तरह उछलकर बाहर को निकल आयी थीं। वह मृगी का चक्कर था। पर उस समय मुझे यह नहीं मालूम था कि वह मृगी रोग के प्रथम लक्षण हैं। इसके पहले मैंने कभी किसी को इस तरह का 'फिट' आते न देखा था। इसलिए मैं यह सोचकर आतंकित हो उठा कि जयन्ती के प्राण निकल रहे हैं। फिर भी मैंने अपने होश ठिकाने रखे। ऐसे संकट के अवसरों पर जो स्वाभाविक अन्तःप्रेरणा जाग पड़ती है उसने मेरी सहायता की। मैंने त्रिपाठी जी की स्त्री से कहा–''आप किसी नौकर से कहकर थोड़ा-सा पानी मँगा दें।'' वह चली गयीं। मैंने जयन्ती का सिर अपनी गोद में रखा और उसके कपाल को, हाथों को और पाँवों को सहलाने लगा। वह मुँह से 'गों-गों' शब्द निकालती हुई फेन गिराती जाती थी। थोड़ी देर में नौकर एक लोटे में पानी ले आया। मैं थोड़ा-थोड़ा करके पानी हाथ में लेकर उसके सिर पर और कपाल पर उसे छपछपाने लगा। मैंने नौकर से किसी डॉक्टर को, और यदि डॉक्टर न हो तो किसी वैद्य को बुला लाने के लिए कहा।

काफी देर बाद जयन्ती के मुँह से फेन निकलना बन्द हुआ, और उसकी आँखें भी धीरे-धीरे अपनी स्वाभाविक अवस्था में लौट आयीं। मैंने घबराहट, करुणा और स्नेह से भरी आवाज में धीरे से पुकारा–''जयन्ती!'' जयन्ती ने करवट बदलकर मेरी ओर देखा। मेरी पलकें बरबस आँसुओं से भींग गयी थीं। मेरी गोद में उसी तरह लेटे-लेटे उसने धीरे से अपना अंचल उठाकर मेरी आँखें पोंछते हुए कहा–''छी-छी! आप रोते हैं! मुझे कुछ नहीं हुआ। मैं भली-चंगी हूँ।'' उसके इस स्नेहपूर्ण तिरस्कार से मेरी आँखें और अधिक उमड़ आयीं। त्रिपाठी जी की घरवाली, उनके साथ आयी हुई महरी, मेरी नौकरानी, और रसोई बनानेवाला महराज–सब उस कमरे के आस-पास तमाशाइयों की तरह खड़े थे। पर इस समय किसी के सामने किसी तरह की लज्जा या संकोच का भाव न मेरे मन में उत्पन्न हो सकता था, न जयन्ती के मन में।

जयन्ती स्पष्ट ही बहुत कमजोरी मालूम कर रही थीं। वह फिर एक बार करवट बदलकर, आँखें बन्द करके मेरी गोद में इस तरह लेट गयी जैसे सो जाना चाहती हो। मैं अपनी नौकरानी की सहायता लेकर उसे धीरे से उठाकर अपने कमरे में ले गया, और वहाँ उसे उसके पलँग पर आराम से लिटा दिया। मैं उसके सिरहाने पर बैठा रहा। सामने की भीड़ मुझे कुछ अच्छी नहीं मालूम हो रही थी, इसलिए मैंने नौकरानी से कहा–''तुम

लोग सब सामने से हट जाओ। यहाँ तुम लोगों का इस समय कोई काम नहीं है। जरूरत पड़ने पर बुला लूँगा। और देखो, त्रिपाठी जी की बहू को इनके घर पहुँचा दो।''

मुझे श्रीमती त्रिपाठी महाशया पर बड़ा क्रोध आ रहा था। उन्हीं के कारण जयन्ती को 'फिट' आया था। इसलिए उनकी उपस्थिति मुझे बहुत खल रही थी। वह अपने-आप चली गयीं।

प्रायः डेढ़ घण्टे बाद नौकर एक वैद्य महाशय को लेकर आया। मैंने झल्लाकर नौकर से कहा—''क्या तुझे कोई डॉक्टर नहीं मिला?''

वह बोला—''सरकार, यहाँ सिर्फ एक डाक्टर हैं—होमियोपैथी—वह इस वक्त कहीं इलाज के लिए गये हुए हैं। इन बैदजी को ले आया हूँ। बड़े नामी बैद हैं सरकार, बहुत-से मरते हुए मरीजों को—''

''चुप, चुप, गधा कहीं का, तुझसे इतनी बातें कौन पूछता है! जा अपना काम कर!''

वैद्य जी मेरा रुख देखकर घबरा उठे। दरवाजे से आगे बढ़ने की उन्हें हिम्मत नहीं पड़ती थी। मैंने उनकी ओर न देखकर कहा—''चले आइये!'' इसके बाद अपने क्रोध को कुछ शान्त करके मैंने उन्हें जयन्ती के 'फिट' का पूरा दास्तान सुनाया। वह बड़ी गम्भीरतापूर्वक सुनते रहे। जब सब सुन चुके तो बोले—''क्या मैं नाड़ी देख सकता हूँ?'' मैंने कहा—''अवश्य! क्यों नहीं! लीजिये, देखिये!'' यह कहकर मैं जयन्ती का हाथ धीरे से उठाकर उनके हाथ में दे दिया। नब्ज देखकर वैद्य महाशय ने कहा—''इन्हें बुखार भी है। पर चिन्ता की कोई बात नहीं है। जल्दी अच्छा हो जायगा। यह कहकर उन्होंने जेब में हाथ डालकर तीन पुड़िया निकाली। मैंने मन-ही-मन सोचा कि ये महाशय भी खूब हैं! रोगी को बिना देखे, रोग के लक्षण बिना मालूम किये पहले से ही पुड़िया तैयार कर लाये हैं! पर उनसे मैंने कुछ कहा नहीं और चुपचाप पुड़िया ले लीं। वैद्य जी ने पुड़ियों के सम्बन्ध में हिदायत देते हुए कहा—''एक पुड़िया अभी गुनगुने पानी के साथ दे दीजियेगा, उसके बाद एक पुड़िया रात में और एक पुड़िया कल सुबह दीजियेगा। यह न सोचिये कि मैं बिना लक्षण मालूम किये पहले से ही दवा तैयार करके लाया हूँ। नौकर की बातों से मुझे पता लग गया था कि यह मृगी का 'फिट' है। इस रोग का इलाज मुझे और भी कई बार करना पड़ा है।''

मैंने फ़ीस देनी चाही, पर उन्होंने नहीं ली, और कहा कि रोगी के स्वस्थ हो जाने के बाद वह फ़ीस लिया करते हैं। उनकी इस बात से मेरे मन पर कुछ अच्छा प्रभाव पड़ा। उनके चले जाने पर जब जयन्ती ने कुछ देर बाद आँखें खोलीं, तो कुछ असमंजस के बाद मैंने अन्त में वैद्य जी की दवा उसे दे ही दी। दवा देने के एक घण्टे के बाद जयन्ती काफी स्वस्थ दिखायी दी। पता नहीं यह वैद्य जी की दवा का असर था या स्वाभाविक नियमों के अनुसार बला अपने-आप टल गयी थी। जयन्ती उठ बैठना चाहती थी, पर मैंने हठपूर्वक उसे लेटे ही रहने दिया। रात को मैंने फिर वैद्य जी की दवा दी, और सुबह को फिर। दूसरे दिन जयन्ती पूर्ण रूप से स्वस्थ हो उठी। मैंने चैन की साँस ली।

•••

संकट टल गया, पर उसने मेरी आँखें खोल दीं। मैं जयन्ती को इस हद तक चाहता हूँ, यह मैं स्वयं नहीं जानता था। पर संकट के समय मुझे मालूम हुआ कि जयन्ती मेरे जीवन का एक मुख्य अंग बन चुकी है। मेरे आँसू देखकर जयन्ती को भी शायद इस बात का आभास मिल गया था। इसलिए उस समय मैंने अपने प्रति उसके व्यवहार में बड़ा परिवर्तन पाया। आज तक जो एक विचित्र प्रकार की रुखाई और व्यंग्यात्मक भाव मैं उसके बर्ताव में पाता था, वह एकदम विलीन-सा हो गया, और उसके स्थान में उसका एक अपूर्व स्नेहात्मक रूप मेरे आगे प्रकट होने लगा।

इस दिन जब हम दोनों नाव में सैर कर रहे थे, तो उसने स्निग्ध मुस्कान के साथ कहा—"अगर मैं उस 'फिट' के कारण मर जाती, तो आपको बहुत दुःख होता न?"

उसके इस प्रश्न से मेरा भाव कुछ गम्भीर हो आया। मैंने कहा—"मैं पहले सोचता था कि मेरा हृदय बड़ा कठोर है। इस बात का मुझे घमण्ड था कि चाहे अपने ऊपर, चाहे अपने सगे-सम्बन्धियों में से किसी के ऊपर किसी घोर विपत्ति का पहाड़ टूट पड़े, तो भी मैं विचलित होकर धीरज नहीं खोऊँगा। पर प्रथम परीक्षा में ही मैं फेल हो गया।"

जयन्ती कुछ देर तक अपनी मर्मभेदी दृष्टि से मेरी ओर देखती रही; इसके बाद सहज, स्वाभाविक रूप से बोली—"इतने दिनों के परिचय से मैं आपको जितना समझ पायी हूँ, उससे आपकी प्रकृति के सम्बन्ध में मेरे मन में एक विशेष धारणा जम गयी है।"

मैंने अत्यन्त उत्सुकता, और साथ ही उत्कण्ठा के साथ कहा—"क्या धारणा जमी है, बताओ तो सही!"

"बुरा तो न मानेंगे?"

"नहीं, जयन्ती, तुम बेधड़क कहो; मैं सच कहता हूँ, बिलकुल बुरा नहीं मानूँगा। मेरे सम्बन्ध में तुम्हारी धारणा क्या है, यह जानने के लिए मैं, कब से उत्सुक हूँ, जानती हो? जब से मैंने तुमको पहली बार, आगरे में देखा था! तुम्हारी सच्ची राय सुनकर मुझे कभी दुःख न होगा। हाँ, यदि अब इतना कहकर न बताओगी तो अवश्य मैं बहुत बुरा मानूँगा।"

जयन्ती ने कहा—"तो सुनिये आप में बहुत-से अच्छे गुण हैं, कुछ गुण तो असाधारण हैं। आपका हृदय बाहर से चट्टान से भी कठोर मालूम होने पर भी भीतर वह मोम से अधिक कोमल है। कर्त्तव्याकर्त्तव्य का ज्ञान भी आपका बहुत बढ़ा-चढ़ा है। पर--पर—आपके स्वभाव में एक बड़ा भारी दोष है!—"

"वह क्या?" मैंने अत्यन्त अधीरता से पूछा।

"वह यह कि आप बड़े अहंकारी हैं। आपका अहंभाव हद दर्जे तक आगे बढ़ा हुआ है। यह एक दोष आप में ऐसा जबर्दस्त है, जो कभी-कभी आपके सब गुणों को ढक देता है। केवल यही नहीं; इसके कारण आपके जीवन में अक्सर अशान्ति और बेचैनी छायी रहती होगी, ऐसा मेरा विश्वास है।"

मैं कुछ समय तक स्तब्ध होकर चुप बैठा रहा और जयन्ती की सतेज आँखों की पुतलियों के स्पन्दन पर गौर करके उसके मन की गहराई की थाह पाने की चेष्टा करता रहा। अन्त में एक लम्बी साँस लेकर बोला–"तुम ठीक कहती हो, जयन्ती, मुझमें दरअसल यह एक बड़ा भारी ऐब है। पर, दिल्लगी देखो कि जो बात तुमने मेरे सम्बन्ध में कही है, ठीक उसी तरह की धारणा तुम्हारे सम्बन्ध में मेरे मन में रही है। अब मेरी समझ में आया कि तुम्हारे और मेरे बीच कभी-कभी जो असन्तोष का भाव उत्पन्न हो जाया करता है, जो अनबन हो जाती है, उसका कारण क्या है। पति और पत्नी को समानधर्मी होना चाहिए, इस सिद्धान्त में कितनी भूल है, इसका अनुभव मुझे अब हो रहा है। दो समान-धाराएँ जब एक बिन्दु पर आकर मिलती हैं, तो चुम्बक और बिजली के नियम के अनुसार वे एक-दूसरे को आकर्षित न करके तिरस्कृत करती हैं, इसका सजीव प्रमाण मुझे मिल रहा है। इसके लिए मैं तुम्हें कतई दोष नहीं देता। मैं केवल भाग्य के रहस्यमय चक्र का एक उदाहरण दे रहा हूँ।"

यद्यपि मैंने बहुत नम्र होकर बड़ी शालीनता के साथ अपनी बात कहने का प्रयास किया था, तथापि मेरी ध्वनि से मेरे आहत अभिमान का भाव बरबस प्रकट हो गया। इसकी प्रतिक्रिया स्वभावतः जयन्ती के मन में भी हुई। उसकी विचित्र आँखों में एक अलौकिक तेज प्रदीप्त हो उठा। उसने शान्त, संयत, तथापि दृढ़ शब्दों में कहा–"आपकी बात का खण्डन करना मैं नहीं चाहती, वह सत्य हो सकती है। पर एक बात मैं आपके ध्यान में लाना चाहती हूँ। वह यह कि अभिमान और अहंभाव दोनों अलग-अलग हैं। आप में अभिमान तो है ही, पर अहंभाव भी हद दर्जे तक है, यह मैं पहले ही कह चुकी हूँ। इस अहंभाव की तृप्ति के लिए आप चाहते हैं कि जिस स्त्री से आपका सम्बन्ध हो वह पूर्ण रूप से आपकी होकर रहे, उसका कुछ भी स्वतन्त्र रूप से अपना कहने को न रहे; उसका शरीर, उसका मन, उसकी प्रत्येक वासना, प्रत्येक कामना, आपकी इच्छा की बलि हो जाय; उसके भीतर छिपी हुई कोई गुप्त-से-गुप्त प्रवृत्ति उसकी अपनी होकर न रहे; वह सब-कुछ बिना किसी असमंजस के आपके पैरों तले समर्पित कर दे। सीता के युग में पौराणिक काल में, यह प्रकृति विरुद्ध बात भले ही सम्भव रही हो, पर किसी भी वास्तविक युग में वह सम्भव नहीं हो सकती।"

मेरे ऊपर एकाएक बिन बादल के गाज-सी गिरी। मैं अकृत्रिम आश्चर्य से विभ्रान्त होकर उसकी ओर देखता रह गया। जयन्ती की उन्मादग्रस्त आँखों में वेदना, क्रोध, घृणा और करुणा का एक अनोखा मिश्रण झलकने लगा। वह कहती चली गयी–"सीता का आदर्श चरित्र वास्तविक रहा हो चाहे न रहा हो, पर नारी-जाति ने एक वास्तविक

बात की शिक्षा उससे अवश्य पायी है। वह यह कि वह चाहे अपना मन और प्राण पूर्णरूप से पुरुष को समर्पित कर दे, तो भी पुरुष के अहंभाव को सन्तुष्ट करने में वह समर्थ नहीं हो सकती, पुरुष उससे इसके बाद भी 'कुछ और' चाहता है, और अगर इस 'कुछ और' को भी वह किसी असम्भव और अलौकिक उपाय से प्राप्त कर ले, तो वह फिर 'कुछ और' चाहेगा! सीता को अपनी यह भूल बाद में मालूम हुई थी, और जब मालूम हुई, तो उसके नारीत्व का आत्म-सम्मान जाग पड़ा, और तब उसने राम को आत्म-समर्पित करने की अपेक्षा पृथ्वी के विवर में समा जाना अधिक उचित समझा। आप में भी सनातन पुरुष के सभी उच्चकोटि के दोष वर्तमान हैं, और इन दोषों में सबसे बढ़कर वही है जो मैं पहले बतला चुकी हूँ—अहंभाव की ज्वाला बुझाने के लिए प्रकृति के सब तत्त्वों को (जिसमें स्त्री भी एक है) पूर्ण रूप से होम करने की प्रबल आकांक्षा। पर इस अप्राकृतिक आकांक्षा की तृप्ति कभी सम्भव नहीं है, इसलिए आपके मन में अशान्ति और असन्तोष के भाव सदा बने रहेंगे, और जिस-जिसके संसर्ग में आप रहेंगे, उसके जीवन में भी आप बेचैनी के बीज बोते चले जावेंगे।''

उस रोज मैं अपने लेक्चर से घबरा रहा था, पर आज जयन्ती ने एकदम अप्रत्याशित रूप से वह लेक्चर मुझे दिया कि मेरा रोआँ-रोआँ विस्मय की विकलता से सिहर उठा। मुझे मालूम था कि जयन्ती शिमले में अकेले में पुस्तकें पढ़ती रहती थी। पर मैंने सोचा था कि वे सती-सावित्री की कहानियाँ, पाकशास्त्र, गृहविज्ञान आदि विषयों की पुस्तकें होंगी। मुझे क्या खबर थी कि वह घर के सभी काम-काज करने के साथ ही चुपचाप जीवन और दर्शन के बड़े-बड़े गहन तत्त्वों का भी अध्ययन करती रहती है! मुझे याद आया कि उसके पिता फ़िलासफ़ी के अध्यापक हैं। उन्होंने उसकी रुचि इस ओर बढ़ायी होगी।

पर उसने मेरे चरित्र का ऐसा सूक्ष्म अध्ययन कैसे किया? मेरी सारी अन्तरात्मा को वह आईने में उतारकर मेरे सामने रखकर जैसे मुँह चिढ़ाना चाहती हो, मुझे ऐसा मालूम होता था। लेक्चर देने के बाद शायद अपनी आकस्मिक वाग्धारा के अविरत प्रवाह से वह स्वयं लज्जित-सी हो उठी, और मेरी ओर से मुँह फेरकर नदी की तरंगों का आघात-प्रतिघात देखने लगी। पर मेरा ध्यान न तरंगों की तरफ था, न उसकी तरफ! मेरे मन की आँखों के आगे उसकी प्रत्येक बात मूर्तिमान् होकर सजीव रूप में नाच रही थी, और कानों के कुहरों में सैकड़ों मजीरों का सम्मिलित स्वर बजाकर मेरी चेतना को उसके अश्रुत ताल और लय की अप्रतिहत तरंग में बहा ले जाना चाहती थी।

•••

हम दोनों काफी देर तक चुप बैठे रहे। नाव के खेने से पानी में निरन्तर जो 'छप-छप' शब्द हो रहा था वह मेरे हृदय में उमड़ी हुई चिन्ता-तरंगों को विचित्र रूप से आलोड़ित कर रहा था। जयन्ती पानी में बहती हुई बेत की एक पतली-सी टूटी शाखा पकड़कर उसका सिरा पानी में डुबोकर उससे बननेवाले आवर्त-चक्रों का निरीक्षण करती हुई, सम्भवतः अपनी चिन्ता-धारा को उन्हीं आवर्त-चक्रों की रेखाओं के अनुरूप संचालित करती जाती थी। अन्त में मैंने उस स्तब्ध मौन को भंग करते हुए कहा–"जयन्ती, आज तुम्हारी बात ने मेरी आँखें खोल दी हैं। मैं तुम्हारी दृष्टि की अन्तर्भेदी मार्मिकता देखकर चकित हूँ। तुम्हारी अन्तिम बात ने खास तौर से मुझे विलचित किया है। तुमने कहा है कि मैं जिस किसी के भी संसर्ग में रहूँगा उसी के जीवन में बेचैनी के बीज बोता चला जाऊँगा। तुम्हारी इस बात से मुझे एक ऐसे व्यक्ति की याद आयी है, जिसकी स्मृति इतने दिनों तक मेरे मन के भीतर दबी हुई पड़ी थी। उसे मैं एक दिन के लिए भी भूला नहीं, पर तुम्हारे संसर्ग में आने से मेरा मन उसे भूलने का बहाना करके अपने-आप को ठग रहा था।"

जयन्ती अकृत्रिम उत्सुकता से अपनी दोनों लम्बी, तनी हुई आँखों को पूर्णतया विस्फारित करके मेरी ओर देखती रही।

मैंने कहा–"इतने दिनों तक मैंने उसकी चर्चा किसी भी रूप में तुम्हारे आगे नहीं चलायी, उसका नाम तक कभी तुम्हारे सामने मेरे मुँह से न निकला। पर आज तुम्हारी बात ने मेरे हृदय को तल से सतह तक इस तरह हिला दिया कि अब तुमसे कुछ छिपाना असम्भव हो गया है। उसे मैं बहुत चाहता था, और मेरा विश्वास था कि मैं उसके लिए सहज ही अपने प्राण दे सकता हूँ। उसने भी मेरे प्रेम की सचाई पर विश्वास करके कुल, मान, सांसारिक स्थिति, भविष्य की चिन्ता–सब-कुछ त्यागकर मुझे आत्म-समर्पण किया और मेरे साथ निकल भागी।"

जयन्ती मेरे एकदम निकट आकर बैठ गयी। मैं उसकी आँखों के, उसके मुख के प्रत्येक भाग के सूक्ष्म-से-सूक्ष्म परिवर्तन पर गौर कर रहा था। मेरे इस नये और अप्रत्याशित अस्त्र के वार को वह किस रूप में ग्रहण करती है यह जानने की अत्यन्त प्रबल उत्सुकता मेरे मन में समायी हुई थी। जयन्ती ने अधीर होकर पूछा–"फिर? फिर क्या हुआ?"

"हम दोनों का महीनों तक साथ रहा। दोनों एक-दूसरे को जी-जान से चाहते थे, फिर भी किसी के मन में चैन नहीं था। इस बेचैनी का बीज मेरी उसी स्वार्थ की मनोवृत्ति

ने बोया जिसे तुमने 'अहंभाव' नाम दिया है; यह बात आज मेरी समझ में स्पष्ट रूप से आ रही है। पर उस समय मैं अन्धा था, और समझता था कि शान्ति (उसका यही नाम था) अपनी नारी-प्रकृति के संकीर्ण घेरे को लाँघ न सकने के कारण मेरे उदार-प्रेम की असीमता को ठीक तरह से समझ नहीं पा रही है, और अपने को उस असीमता में विलीन करने के बदले मुझी को अपने संकीर्ण मनोभाव के दलदल में ढकेलना चाहती है।''

''फिर क्या हुआ?'' यह प्रश्न पूछते समय जयन्ती की विस्मय-उत्सुक आँखों में एक असीम संवेदना और निश्छल करुणा का भाव छलक रहा था।

मैंने कहा–''होता क्या! वही हुआ जो होना था; मेरे अन्ध स्वार्थ को जो उचित दण्ड मिलना चाहिए था वही मिला। पर मेरे मन की इस जड़ता का कुछ खयाल तो करो कि उस दण्ड से भी उसमें चेतना न आयी, और आज–

''पर यह तो बताओ कि हुआ क्या?'' जयन्ती अपनी अधीरता को छिपा नहीं पाती थी।

मैंने कहा–''मैंने बात-बात में उसे परेशान किया, बात-बात में उस पर सन्देह किया। उसके प्राणों की ममता को मैं ठीक तरह से समझ नहीं पाया। अन्त में जब समझा, तो काफी देर हो चुकी थी, और तार टूट चुका था। उस टूटे हुए तार को अलग करके मैं नया तार जोड़ लेता, पर भाग्य का चक्र कुछ दूसरी ही गति से चल रहा था। अचानक भैया आ पहुँचे, और उन्होंने उसे ऐसी खरी-खोटी सुनायी कि वह मुझे कोई सूचना, किसी तरह का कोई आभास दिये बिना ही किसी अज्ञात दिशा को चल दी। इच्छा हुई कि आकाश फाड़कर, पाताल खोदकर उसे खोज निकालूँ, और उससे कहूँ–'केवल एक बार के लिए मुझे क्षमा कर दो! अब से मुझसे तुम्हारे बारे में कभी कोई भूल न होगी; अब मैं तुम्हें खूब अच्छी तरह समझ गया हूँ।' पर एक ऐसी वज्र-कठिन जड़ता ने मेरे मन, प्राण और शरीर को बाँध दिया कि मैं हिल न सका। भैया जिस समय मेरे डेरे पर पहुँचे, उस समय वह धरती पर पछाड़ खाकर, छाती फाड़कर रो रही थी। उसके रोने की वह दिल दहलानेवाली आवाज अभी तक मेरे कानों में गूँज रही है!'' कहकर मैं कुछ समय के लिए अन्यमनस्क-सा होकर शून्य दृष्टि से देखता रह गया। जब कुछ चैतन्य हुआ तो मैंने देखा कि जयन्ती मन्त्र-मुग्ध-सी होकर मेरी ओर देख रही है।

क्या मैंने शान्ति का उल्लेख अपने अनजान में जयन्ती के मन को चोट पहुँचाने के लिए नहीं किया था? चाहे किसी भी उद्‌देश्य से मैंने उसका उल्लेख किया हो, पर उसकी चर्चा चलते ही अपनी भावधारा में मैं ऐसा डूब गया था कि मुझे और किसी बात का ज्ञान ही नहीं रहा। उस समय के लिए मेरे मन में न जयन्ती का अस्तित्व रह गया था, न अपनी तत्कालीन परिस्थिति का। मेरी इस तन्मयता का जयन्ती पर ऐसा प्रभाव पड़ा कि मुझे आश्चर्य हुए बिना न रहा। वह गद्‌गद होकर विह्वल भाव से बोली–''मैं उसके बारे में कुछ भी नहीं जानती हूँ। पर सिर्फ इतनी ही बात उसके मुँह

से सुनकर मुझे न जाने क्यों, ऐसा लग रहा है कि वह अगर कहीं मिल जायँ तो उनके दोनों पैरों को छूकर उनकी धूल आँखों में लगाऊँ। क्या किसी उपाय से उनका पता लग सकता है?"

मैंने एक लम्बी साँस लेकर कहा—"कोई उपाय नहीं है, कोई उपाय हो भी तो मुझे सूझता नहीं। और यदि किसी अलौकिक संयोग से पता लग भी जाय तो उससे कोई लाभ मैं नहीं उठा पाऊँगा। न वह अब मेरे पास आयेगी, न मैं उसके पास जा सकूँगा। मुझे इस सम्बन्ध में यह अनुभव होता है कि एक ऐसे वज्रशाप का प्रकोप मेरे सिर पर सवार है, जो मुझे अब उससे कभी मिलने नहीं देगा।"

जयन्ती विभ्रान्त दृष्टि से मुझे देख रही थी। मेरी अन्तर्व्यथा का ऐसा मार्मिक रूप इसके पहले कभी उसके आगे व्यक्त नहीं हुआ था। शायद इसलिए आज की कहानी से मेरे सम्बन्ध में उसकी चिन्ता-धारा मूलतः आलोड़ित हो उठी थी।

•••

उस दिन से जयन्ती मौके-बेमौके बार-बार शान्ति के सम्बन्ध में तरह-तरह के प्रश्न मुझसे करने लगी। उसकी इस उत्सुकता में ईर्ष्या का लेश भी मैंने नहीं पाया, इस कारण मेरे आश्चर्य का ठिकाना न था। क्योंकि उसके समान आत्माभिमानिनी नारी अपने पति के परस्त्री-प्रेम की कहानी सुनकर अन्तर्दाह का अनुभव करने के बजाय विह्वल हो उठे, यह बात मेरी कल्पना के अतीत थी। वह शान्ति के सम्बन्ध में मेरी बातें सुनकर एक-एक शब्द को घोलकर पीती थी, और घण्टों तक एक ही तरह की बातें सुनते रहने पर भी तनिक भी नहीं उकताती थी। उसकी इस गद्गद उत्सुकता से मुझे अपने हृदय का बहुत दिनों का भार हलका करने का बहुत अच्छा सुयोग मिल गया। जिस दिन मैं शान्ति से पहले दिन मिला था, तब से अन्तिम मिलन तक की कहानी मैंने उसे कई बार कई रूपों से सुनायी। हमारे कथोपकथन की जो-जो बातें मुझे याद आतीं, उन्हें एक-एक करके मैं उसे सुनाता। अपने पिछले जीवन की, अपने माँ और भाइयों के सम्बन्ध की जो-जो बातें शान्ति ने मुझसे कही थीं उन्हें भी मैंने जयन्ती के आगे वर्णित किया। जयन्ती किसी तरह भी अघाती न थी, और नये-नये प्रश्नों के छल से मेरी स्मृति को उकसाती जाती थी।

जब से शान्ति की चर्चा चली, तब से उसके मनोभाव में एक अपूर्व परिवर्तन मुझे दिखायी देने लगा। मुझे ऐसा अनुभव होने लगा जैसे हम दोनों के हृदयों के टूटे शीशे किसी अज्ञात, मधुर और साथ ही मार्मिक वेदना की आँच में गलकर एक रूप में मिलित होने लगे हैं।

एक दिन दोपहर को हम दोनों खा-पीकर बैठे हुए थे। कैरम खेलने के इरादे से मैंने बोर्ड को टेबिल पर रखकर गोटियों को लगाते हुए कहा—"जयन्ती, मैंने समझा था कि शान्ति की चर्चा से तुम्हारे मन में डाह पैदा होने लगेगा।"

जयन्ती व्यंग्यपूर्वक मुस्कराने लगी। बोली—"डाह! मैं सोचती थी कि आप मेरे स्वभाव को जान गये हैं। मैं किसी से डाह नहीं कर सकती; हाँ घृणा कर सकती हूँ। डाह समान क्षेत्र में होता है, अपने से नीचे या कुछ ऊँचे स्तरवाले लोगों से डाह नहीं किया जाता। पर शान्ति देवी मुझसे इतने ऊँचे स्तर पर हैं कि उनके पैरों-तले मेरा सारा अभिमान चूर होकर बिखर पड़ेगा, इसका मुझे ध्रुव विश्वास है। उन्हें मैंने अभी तक देखा नहीं है, न कभी इस जीवन में देखने की आशा है, फिर भी मुझे ऐसा लगता है कि मेरे प्राणों के इतने निकट दूसरा कोई व्यक्ति आज तक आ नहीं सका। आप पुरुष होकर भी उनके महान् व्यक्तित्व को समझ नहीं पाये, यह आश्चर्य है! पर मैं गलती कर रही हूँ; आप पुरुष होने के कारण ही उनकी महत्ता को ठीक तरह से समझने में असमर्थ रहे। क्योंकि कोई भी पुरुष किसी भी स्त्री को कभी अपने से श्रेष्ठ मानने को तैयार नहीं हो सकता। आपका दम्भ आपके मार्ग में सदा—पर मैं व्यर्थ की बातें बक रही हूँ, आप में बहुत-से ऐसे गुण हैं, जो दूसरों में मुश्किल से पाये जाते हैं, यह मैंने पहले भी एक बार आपसे कहा था। फिर भी—"

"एक बाबू बाहर से आये हैं।" हम दोनों ने चौंककर देखा—मैकू (मेरा नौकर) दरवाजे पर खड़ा था।

मैंने कहा—"बाबू! बाहर से आये हैं! कौन हैं? कहाँ से आये हैं?"

"क्या जानें, सरकार! मैंने नाम पूछा, पर उन्होंने नहीं बताया। कहा कि बाबू को नीचे भेज दो। सूट-बूट पहने हैं। मालूम होता है, स्टेशन से आये हैं। साथ में सामान है—बिस्तर है, और दो-एक बकस हैं।"

मेरा कलेजा धक से हो गया। कौन हो सकता है, इस प्रश्न के उत्तर में बहुत-से व्यक्तियों की कल्पना मेरे मन में उदित हो सकती थी। पर अत्यन्त आश्चर्य की बात है कि बिना कुछ सोचे-विचारे, एक पल में एक विशेष व्यक्ति के आने की सम्भावना मेरे मन में जाग पड़ी और मैं शंकित हो उठा। मनुष्य का मन कभी-कभी ऐसी अदृश्य बातों की यथार्थ कल्पना कर लेता है कि सोचकर विस्मय से विभ्रान्त हो जाना पड़ता है। कैरम की गोटियों को हाथ के एक धक्के से, बोर्ड में बिखेरकर बाहर जाकर मैंने देखा तो ठीक वही व्यक्ति खड़ा था, जिसकी कल्पना मैंने की थी। कैलाश के सिवा और कौन मेरी एकान्त शान्ति (या अशान्ति), में बाधा डालने के लिए बिना सूचना दिये इस तरह अकस्मात् आता! मुझे देखकर वह टोप सिर पर से उतारकर अपने गालों की झुर्रियों को एक विचित्र घृणित रूप से परिस्फुट करके व्यंग्यपूर्वक मुस्कराता हुआ बोला—"आदाब-अर्ज है! कहिये जनाब, क्या हाल है? खैरियत तो है? आप तो हमें ऐसे भूल गये कि विवाह के मौके पर निमन्त्रण के बतौर एक 'फार्मल लेटर' तक आपने भेजने की कृपा न की। पर यहाँ भी एक ही काँइयाँ हैं। हमसे आप बच नहीं सकते। दावत लेकर ही छोड़ेंगे। इसीलिए आये हैं।"

मेरे सिर से लेकर पाँव तक आग लग रही थी। इच्छा होती थी कि एक तमाचा उसके गाल पर जड़ दूँ। उसका बेहूदा ढंग से मुस्कराना, व्यंग्यपूर्वक बात करना मुझे बहुत नागवार मालूम हो रहा था। पता नहीं क्यों, आज उसे देखते ही मेरे मन में असह्य घृणा, क्रोध और भय का एक मिश्रित भाव जागरित हो उठा था। फिर भी मैंने अपने को स्थिर रखने की चेष्टा की। डॉक्टरी प्रेस-क्रिप्शन के एक अत्यन्त कड़वे 'मिक्श्चर' की तरह उस भाव को चुपचाप एक घूँट में पी गया। बाहर से कृत्रिम प्रसन्नता का भाव जताते हुए मैंने उसकी पीठ पर हाथ रखा। हाथ रखते ही मेरा रोम-रोम घृणा से जर्जरित हो उठा। आज यह मेरा नया अनुभव था। इसके पहले मैंने कई बार उसकी पीठ पर और कन्धे पर हाथ रखा था, पर कभी ऐसी विरसता की अनुभूति ने मेरे शरीर में अरुचि के काँटे नहीं खड़े किये थे।

मैंने झूठमूठ की शिष्टता दिखाते हुए कहा–''भाई, क्षमा करना, गलती हुई, तुम्हें निमन्त्रण-पत्र नहीं भेजा जा सका। चलो, भीतर चलें।''

जब हम जीने से होकर ऊपर आये, तो जयन्ती ने आँखों की एक विचित्र झलक से कैलाश की ओर देखा, और फिर वह दूसरे कमरे में चली गयी। उसने घूँघट काढ़ा यह तो मैं नहीं कह सकता, पर हाँ, उसने कैलाश को मेरे साथ देखकर अवश्य किसी अज्ञात संस्कारवश साड़ी को सिर पर से नीचे को खींचा था। कैलाश ने कुछ गम्भीरता के साथ कहा–''जयन्ती, मुझे देखकर चली क्यों गयी? मुझसे पर्दा करने लगी! आश्चर्य है! छुटपन से मैं उसे जानता हूँ। मिश्र जी के परिवार से मेरा बिलकुल घर का-सा सम्बन्ध रहा है और आज जयन्ती, जिसे मैंने अँगरेजी पढ़ाई है, गाना सिखाया है, मुझसे पर्दा करना चाहती है! खूब!'' यह बात उसने काफी ऊँची आवाज में कही थी, शायद इसलिए कि जयन्ती सुन ले।

पर मैं यह सोच रहा था कि शिमले में इस तरह की साफ-साफ बात उसने एक बार भी मुझसे नहीं कही कि जयन्ती को वह उसके बचपन से जानता है, और उसने उसे पढ़ना-लिखना सिखाया है। उसने जो-कुछ कहा था उससे मैं केवल यही समझा था कि उसने जयन्ती को देखा-भर है; उससे उसका बोलचाल भी रहा है, यह मैं नहीं जानता था, यद्यपि किसी अज्ञात कारण से इस सम्बन्ध में मेरे मन में सन्देह होने लगा था। शिमले में जब वह मिश्र जी से मिलने के बहाने हमारे बँगले में आया था, तो वह जयन्ती से एक शब्द भी न बोला था; और जयन्ती तो तब किसी से भी विशेष कुछ न बोलती थी। पर कैलाश को देखकर जयन्ती के मुख के भाव में एक ऐसी विचित्र घबराहट व्यक्त हो उठी थी जिससे मेरे मन में कुछ कौतूहल उत्पन्न हुआ था, पर विशेष नहीं। कैलाश भी तब बीच-बीच में एक विशेष उत्सुकता और प्रश्न-भरी दृष्टि से जयन्ती की ओर देखता था। पर इसका कारण मैंने यह लगाया था कि एक सुन्दरी नवयुवती को इस तरह उत्सुकतापूर्वक देखना किसी भी युवक के लिए स्वाभाविक है। फिर भी, यह सब होते हुए भी, मेरे मन में एक क्षीण कौतूहल इस सम्बन्ध में उत्पन्न

हुआ था कि कैलाश जयन्ती को किस रूप में जानता है। आज उसने जब स्पष्ट शब्दों में कहा कि वह जयन्ती को छुटपन से जानता है, और उसका शिक्षक भी रह चुका है, तो मेरा कौतूहल कुछ बढ़ा। कुछ तो इस कौतूहल के निवारण के विचार से और कुछ यह दिखाने के उद्देश्य से कि मैं ईर्ष्यालु पति नहीं हूँ, और पर्दा-प्रथा का घोर विरोधी हूँ, मैं जयन्ती के पास गया और उसके राजी न होने पर भी मैं एक प्रकार से बलपूर्वक उसका हाथ पकड़कर अपने कमरे में ले आया। जयन्ती संकोच और भय का-सा भाव जताती हुई सिर नीचा करके एक कुर्सी पर बैठ गयी। मैं और कैलाश सामने एक कौच पर बैठ गये। मैंने ज़यन्ती को लक्ष्य करके कहा—"कैलाश कहता है कि वह तुम्हें तब से जानता है जब तुम छोटी बच्ची थीं, और उसने तुम्हें पढ़ाया-लिखाया भी है। ऐसी हालत में उससे पर्दा करना तुम्हें शोभा नहीं देता।"

जयन्ती ने आँख जरा ऊपर को करके तिरछी नजर से कैलाश की ओर देखा। कैलाश ने सयानेपन के साथ मुस्कराकर कहा—"अभी तक इसका बचपन नहीं गया, नहीं तो इतने संकोच की क्या जरूरत थी!"

मैंने कृत्रिम मुस्कान की झलक मुख पर लाने की चेष्टा करते हुए कहा—"गुरु के सामने शिष्या इस तरह झेंपे—यह अचरज कहुँ सुना न दीखा!"

मुझे इस समय ठीक स्मरण नहीं आता कि यह बात मैंने व्यंग्य के बतौर कही थी या साधारण रूप से! पर मेरी इस उक्ति का जबर्दस्त प्रभाव जयन्ती पर पड़ा, ऐसा मालूम हुआ। पल में उसका सारा संकोच हवा हो गया। वह कन्धा सीधा करके बैठ गयी और मेरी ओर देखकर दृढ़तापूर्वक बोली—"झेंपने का कोई ठीक सवाल नहीं है। पर सब समय सबके साथ क्या बोलना ही होगा? मैं तो ऐसा नहीं समझती!" यह कहकर उसने फिर एक बार तिरछी चितवन से कैलाश की ओर देखा। उस चितवन में सान पर चढ़े हुए चाकू की-सी तीक्ष्णता थी। कैलाश के चेहरे का रंग कुछ समय के लिए एकदम फीका पड़ गया। पर वह बहुत जल्दी सँभल गया और बात को परिहास में उड़ाने की चेष्टा करते हुए बोला—"तुम भी अजीब आदमी हो, नन्दकिशोर! अरे भाई, उसे इस समय यहाँ पकड़ लाने की जरूरत ही क्या थी? वह ठीक तो कहती है। न जाने किस समय किसका जी कैसा रहता है!"

इस बार जयन्ती ने सीधी दृष्टि से कैलाश की ओर देखा। उसके मुख पर गम्भीरता की एक गहन छाया वर्तमान थी, पर इसके सिवा कुछ और भाव भी था। वह भाव क्या था? आशंका या उत्सुकता? तिरस्कार या सत्कार? कौन कह सकता है! पर भाव कुछ भी रहा हो, इस बार उसने स्पष्ट रूप से कैलाश को लक्ष्य करके कहा—"मेरा जी बिलकुल अच्छा है, मैं अपनी इच्छा से ही यहाँ आयी हूँ। मैंने जो बात कही उसका यह अर्थ कदापि न था। फिर भी—" कहकर वह चुप हो गयी। उसकी फड़कती हुई भौहों और आँखों की अस्थिर चितवन में फिर से एक बार घबराहट के चिह्न व्यक्त हो उठे। वह एक बार प्रश्नभरी दृष्टि से कैलाश की ओर देखती थी और तत्काल भीता हरिणी के समान मेरी ओर आँखें फिरा लेती। उसकी इस अस्थिरता के कारण मेरा हृदय भी बरबस कुछ अशान्त-सा हो उठा।

मैंने दूसरे विषय की चर्चा चलाने के उद्देश्य से कैलाश से कहा—''यह तो मैंने पूछा ही नहीं कि तुम आज आये कहाँ से हो?''

''मैं आगरे से आ रहा हूँ। वहाँ किसी 'बिजनेस' से गया हुआ था।'' यह कहकर उसने जयन्ती की ओर देखा। आगरे का नाम सुनकर स्वभावतः जयन्ती के मन में उत्सुकता उत्पन्न हुई होगी। पर उसने कैलाश की ओर एक झलक देखकर आखें फिरा लीं। यह नहीं पूछा कि वह वहाँ उसके पिता जी से मिला था या नहीं। उसके बदले मैंने पूछा—''वहाँ तुम मिश्र जी से तो अवश्य ही मिले होगे?''

''हाँ, मिला था। मिश्र जी को इस बात पर बड़ा आश्चर्य और दुःख हो रहा था कि जयन्ती को बिदा नहीं किया गया।'' उसने फिर एक बार अर्थभरी दृष्टि से जयन्ती की ओर देखा।

जयन्ती अकस्मात् उठ खड़ी हुई। ''मैं चाय का बन्दोबस्त करती हूँ,'' कहकर वह चली गयी।

मैंने सोचा कि निश्चय ही इस चर्चा से उसका दबा हुआ दुःख जाग पड़ा है। मायके जाने के लिए वह विशेष उत्सुक थी, यह बात उसने यद्यपि कभी एक दिन के लिए भी स्पष्टतया प्रकट नहीं की थी, तथापि परोक्ष रूप से इस सम्बन्ध में वह विशेष आग्रह जता चुकी थी। पर मैंने उसे न जाने देने का दृढ़ निश्चय कर लिया है, यह देखकर वह इतने दिनों तक किसी तरह अपनी आकांक्षा को दबाये हुए थी। आज कैलाश की बात से निश्चय ही मायकेवालों को—विशेष करके अपने सरल-हृदय पिता की स्मृति जाग पड़ने से उसे दुःख होना स्वाभाविक था।

पर इस बात से मुझे बड़ी बेचैनी हो रही थी कि मिश्र-परिवार से कैलाश की इतनी घनिष्ठता क्यों? शिमले में मैंने मिश्राणी जी का जैसा रुख उसके प्रति देखा था, उससे मैंने यह अनुमान लगाया था कि वह कैलाश से कतई प्रसन्न नहीं हैं। भाभी जी से उन्होंने कैलाश के सम्बन्ध में जिस तरह की बातें की थीं उनसे मालूम हुआ था कि मिश्र जी से कैलाश ने रुपये के मामले में एक प्रकार से जुआचोरी की है। पर यह बेशरम यह सब होने पर भी उनसे मिलता रहता है! इसके इस बेहयापन के कारण ही जयन्ती शायद इससे नहीं बोलना चाहती। यह सोचकर मैं मन-ही-मन जयन्ती की प्रशंसा करने लगा। पर रह-रहकर एक बात मेरे कलेजे में बेत मार रही थी। वह यह कि जयन्ती जब कैलाश की ओर देखती थी, तो उसकी दृष्टि में चाहे और कोई भी भाव व्यक्त हुआ हो, पर उसमें घृणा का लेश भी नहीं था। उसमें संकोच था, भय था, कौतूहल था, पर घृणा नहीं। जयन्ती की प्रकृति से परिचित होने पर मेरे मन में एक तरह से यह धारणा जम-सी गयी थी कि वह किसी भी व्यक्ति से घृणा करने का सहज अधिकार रखती है। फिर जो व्यक्ति वास्तव में घृणा के योग्य है उसके सम्बन्ध में कहना ही क्या है! मेरा यह विश्वास था कि कैलाश के समान उत्तरदायित्व-शून्य और सिद्धान्तहीन व्यक्ति किसी भी समझदार के लिए या तो घृणा का पात्र है या दया का! पर उसके प्रति जयन्ती का भाव इन दोनों में से एक भी न था। उसका भाव

कैसा था, इस सम्बन्ध में मैं पहले ही अपना मत प्रकट कर चुका हूँ। उसमें घबराहट की प्रधानता थी। पर घबराहट क्यों? इसका कोई प्रत्यक्ष कारण मुझे नहीं दिखायी देता था, इसलिए मेरे मन की विकलता और भी अधिक बढ़ गयी थी। जयन्ती की वह घबराहट स्पष्ट न थी। कोई दूसरा व्यक्ति कभी उस पर गौर न कर पाता। पर मैं प्रारम्भ से ही उसकी प्रत्येक बात, प्रत्येक व्यवहार, प्रत्येक भाव-भंगिमा की छानबीन बड़ी बारीकी से करता आया था, और उसके अन्तर-रहस्यों का उद्घाटन ही उस समय मेरे जीवन का प्रधान लक्ष्य बन गया था।

जयन्ती के चले जाने के प्रायः बीस मिनट बाद मेरे नौकर मैकू ने आकर कैलाश से कहा—"बहू जी पूछती हैं कि आप पहले स्नान कीजियेगा या चाय पीजियेगा?"

कैलाश की रेल की यात्रा से मुरझाये हुए चेहरे पर सुमधुर प्रसन्नता की एक लालिमा दौड़ गयी। इसका कारण समझने में मुझे देर न लगी। "बहू जी पूछती हैं" इन तीन शब्दों ने उसके चित्त पर जादू का-सा असर कर दिया। ऐसा मैं क्यों समझा, इसका कारण मैं नहीं बता सकता। पर मुझे दृढ़ विश्वास हो गया कि उसके मुख के उस भाव-परिवर्तन का दूसरा कोई कारण हो नहीं सकता। यद्यपि 'बहू जी' के इस 'पूछने' में कोई असाधारण या अस्वाभाविक बात नहीं थी, तथापि यदि सच पूछा जाय तो मुझे भी वह बात जयन्ती की साधारण प्रकृति के कुछ खिलाफ-सी लगी।

कैलाश ने चीनी की-सी मिठास से मुस्कराकर कहा—"उनसे कह दो कि पहले हम चाय पीयेंगे, उसके बाद स्नान करेंगे।"

चाय आयी और उसके साथ काजू, किशमिश, बादाम, अखरोट आदि मेवे भी आये। सहसा मुझे उस दिन की याद आयी, जिस दिन जयन्ती को मैंने आगरे में पहली बार देखा था। उस दिन भी उसने चाय के साथ इसी तरह के मेवे मेरे साथियों के लिए भेजे थे। उस दिन की सुमधुर वेदना-भरी पुलक-स्मृति मेरे मन में आलोड़ित हो उठी। उस दिन के प्रथम परिचय से मेरे अनुभवहीन नवयौवन के निभृत कुंज में एक अज्ञात वंशी की जो अपूर्व स्वर-लहरी तरंगित हो उठी थी उसने मेरे पूर्व जीवन से मूलतः मेरा सम्बन्ध-विच्छेद करा दिया था, और एक निराले अनभूतपूर्व जीवन के प्रांगण में मुझे लाकर खड़ा कर दिया था। इस एकदम नये जीवन के रस ने मेरी अन्तरात्मा में एक अवर्णनीय मादकता का संचार अवश्य किया था, पर उस मादकता का स्वाद पाने के बाद से ही मेरे अज्ञात में एक अनोखी अशान्ति का चक्रजाल मेरे चारों ओर तनने लगा था। मैं सोचने लगा कि आज उस जाल ने मुझे अपने विविध फन्दों से ऐसा जकड़ लिया है कि घोर विभ्रान्ति के फेर में पड़ने के कारण मैं पहले का 'मैं' ही नहीं रह गया हूँ! बनारस के छात्र-जीवन का वह निष्कलुष आनन्दमय निराला भावलोक जादूगर के इन्द्रजाल की तरह कहाँ विलीन हो गया! क्या किसी भी उपाय से पूर्व जन्म के विकल पुलकमय प्रेम की अजान स्मृति के समान प्रिय वह जीवन फिर कभी लौट सकता है? हाय, जयन्ती! तुमने अपने अनजान में मेरे जीवन की धारा को द्विधा विभक्त करके एक को दूसरे से ऐसे विच्छिन्न कर दिया है जैसे सूर्य की गति दिन से रात को अलग

कर देती है। पर दिन से रात का विच्छेद होने पर भी दिन का पुनरावर्तन होता है। क्या इसी तरह मेरा खोया हुआ दिन फिर नहीं आवेगा? नहीं, इस जीवन में यह सम्भव नहीं है!

कुछ काल के लिए इसी तरह की कल्पना-धारा मेरे भीतर तरंगित होकर पहाड़ी नदी के समान मेरे मन में स्थान-स्थान पर अटके हुए पाषाणों को विचलित करने की चेष्टा करती रही, पर अपनी उद्दाम चेष्टा में बार-बार विफल होकर केवल उन पत्थरों पर पछाड़ खाकर विक्षुब्ध गर्जन से अश्रान्त क्रन्दन करने लगी।

उन मेवों को देखकर एक और बात मेरे मन में जाग पड़ी, जिस पर मेरा ध्यान बाद में गया। वह यह कि जयन्ती ने जब से मेरी गिरस्ती के सब कामों का भार अपने हाथ में लिया था तब से उसने केवल एक दिन मुझे चाय के साथ मेवे खाने को दिये थे, यद्यपि मुझे मालूम था कि उसने लखनऊ से मेवे मँगाकर रखे हैं। फल, मिठाई या इसी तरह की कोई और चीज मुझे मिलती थी, पर मेवे नहीं। तब आज अचानक खास तौर से मेवे ही क्यों निकाले गये? मुझे सहज ही में यह सन्देह होने लगा कि जयन्ती जब किसी पर विशेष कृपा प्रदर्शित करना चाहती है तब उसे खास तौर से मेवे खिलाती है। आगरे में जब उसने मुझे मेवे खाने को दिये थे, तब निश्चय ही वह मुझ पर प्रसन्न थी। यहाँ आकर जिस एक विशेष दिन उसने मुझे मेवे खिलाये थे, सम्भवतः उस दिन किसी विशेष (अज्ञात) कारण से वह मुझ पर प्रसन्न थी। मैं अपने मस्तिष्क की नसों को कुंचित करके याद करने की चेष्टा करने लगा कि उस विशेष दिन जयन्ती का मेरे प्रति कैसा भाव रहा। अकस्मात् बिजली की झलक से मुझे याद आया कि जिस दिन उसने नाव में गाना गाया था उसी दिन सुबह उसने चाय के साथ मुझे मेवे खाने को दिये थे। तब क्या इन मेवों के साथ उसके जीवन की कोई विशेष स्मृति जड़ित है? यह प्रश्न मेरे मन में उठ ही रहा था कि कैलाश ने बिना छिलके के काजू का एक टुकड़ा मुँह में डालकर अत्यन्त तृप्ति के साथ कहा--"जयन्ती को मालूम है कि मैं चाय के साथ मेवों को खास तौर से पसन्द करता हूँ। यह बात वह अब तक नहीं भूली है। अब तो मैंने देखा है कि मिश्र जी के यहाँ चाय के साथ मेवे खिलाने का रिवाज-सा चल पड़ा है, पर पहले-पहल मेरे सुझाने पर ही उन्होंने मेवे मँगाने शुरू किये थे।"

मेरा कलेजा धक से रह गया। कैलाश ने जैसे मेरे मन का प्रश्न सुनकर उसका उत्तर दिया हो! मैं अक्सर आश्चर्य के साथ सोचता हूँ कि प्रकृति में कभी-कभी ऐसी काकताली--अँगरेजी में जिसे कहते हैं 'कान्फिडेन्स'--क्योंकर सम्भव हो जाती है? एक के मन के प्रश्न का उत्तर दूसरा आदमी कभी-कभी तत्काल क्यों दे बैठता है? 'टेलीपैथी' के किस विचित्र रहस्यमय नियम के अनुसार ऐसा भावसाम्य संघटित होता है?

मुझे अपने मन की इस सूक्ष्म जागरूकता पर भी कुछ कम विस्मय नहीं हुआ कि जयन्ती के सम्बन्ध की एक छोटी-से-छोटी बात को लेकर आजकल मैं जिस सन्देहात्मक परिणाम पर पहुँचता हूँ, वह अन्त में अकाट्य तथ्य के बतौर प्रमाणित हो जाती है! इस जागरूकता का कारण खोजने में भी मुझे कुछ देर न लगी। जयन्ती की प्रत्येक बात,

उसका प्रत्येक व्यवहार मुझे प्रारम्भ से ही एक गहन रहस्यमयी कुहेलिका के आवरण से ढका हुआ मालूम होता था। उसकी एक बात से दूसरी बात का कोई सामंजस्य मुझे नहीं दिखायी देता था। चलना-फिरना, उठना-बैठना, हँसना-रोना, सोना-जागना सभी बातें मुझे भेदभरी मालूम होती थीं। मुझे ऐसा जान पड़ता था कि लगातार सौ वर्ष तक उसके साथ रहने पर भी उसका चरित्र मेरे लिये रहस्यमय ही रह जायगा। जहाँ एक उलझन सुलझाता था वहाँ फौरन दूसरी उलझन अपने असंख्य तानों-बानों के जटिल जंजाल से मेरे सामने आ खड़ी होती थी। इसीलिए आत्मरक्षा की एक सहज बुद्धि शायद मुझे असाधारण और अस्वाभाविक रूप से सचेत और जागरूक बना रही थी।

•••

पहले दिन कैलाश के प्रति जयन्ती के व्यवहार में मुझे एक तरह की अस्वाभाविकता-सी दिखायी दी थी। पर दो-एक दिन बाद ही उसके व्यवहार में सहज स्वाभाविकता आ गयी। वह अब भी अधिक बातें नहीं करती थी, पर जो बात उससे पूछी जाती, उसका उत्तर संक्षेप में सहज रूप से दे देती थी। कैलाश कभी अपने विभिन्न स्थानों के भ्रमण के सम्बन्ध में तरह-तरह के किस्से सुनाता, कभी अपनी विस्तृत परिचित मण्डली के विशेष-विशेष व्यक्तियों का चरित्र-चित्रण करता। देश के जिन प्रसिद्ध नेताओं से उसकी घनिष्ठता थी उनके व्यक्तिगत जीवन के सम्बन्ध में बड़ी दिलचस्प बातें बताता, अपने वैचित्र्यमय जीवन-चक्र के अनुभवों का मनोरम वर्णन करता। जयन्ती तल्लीन होकर सुनती, यद्यपि वह कार्पेट बुनने के बहाने यह दिखाना चाहती कि वह अपने काम में व्यस्त है, किसी की जीवन-कथा से उसे कोई दिलचस्पी नहीं। पर कैलाश जब मुझसे बातें करता, तो जयन्ती बीच-बीच में कार्पेट से अपनी नजर हटाकर विस्मय-उत्सुक दृष्टि से कैलाश की ओर देखती। उस एक झलक से मुझे पता चल जाता कि वह कैलाश के किस्सों के प्रति कम-से-कम उदासीन नहीं है। कैलाश भी शायद यह बात जानता था, इसी कारण वह इतने उल्लास और उत्साह के साथ मुझे अपने जीवन के किस्से सुनाता था।

दो दिन की बदली के बाद एक दिन प्रातःकाल आकाश निर्मल होकर निखर गया था। बड़ी ठण्डी हवा चल रही थी। कैलाश ने छत पर धूप खाने का प्रस्ताव किया। छत पर जाकर दरी के ऊपर एक बड़ा कालीन बिछवाकर हम दोनों बैठ गये। जयन्ती के पास कोई काम नहीं था। वह भी छत के एक कोने में एक छोटा-सा आसन बिछाकर

हम लोगों की ओर पीठ करके (आज यह नया ढंग उसने अख्तियार किया!) कार्पेट बुन रही थी। धूप बड़ी मीठी मालूम होती थी, पर बीच-बीच में बर्फानी हवा के झोंके सिहरन पैदा कर रहे थे। कैलाश ने कहा—"यह हवा मुझे काश्मीर की याद दिला रही है। मई के अन्त में मैं अपने दो मित्रों के साथ श्रीनगर से गुलमर्ग होता हुआ खिलनमर्ग पहुँचा। बर्फ के ऊपर से घोड़ों को ले जाकर जब हम लोग चोटी पर पहुँचे, तो धूप की तेजी की वजह से पसीने के मारे बुरा हाल था। पर थोड़ी ही देर में बादल घिर आये और ऐसी ठण्डी हवा चलने लगी कि जाड़े से कँपकँपी मालूम होने लगी। देखते-देखते बर्फ गिरने लगी। छोटे-छोटे सफेद कणों की ऐसी बौछार हम पर हुई कि मालूम होता था जैसे स्वर्ग की कोई देवी हम लोगों पर सफेद फूलों की वर्षा कर रही हो। मेरा ओवरकोट भी सफेद हो गया। हम लोग चिट्टी-सी चादर के समान बिछी हुई बर्फ के ऊपर काफी देर तक बच्चों की तरह उछलते-कूदते रहे। बड़ा मजा आया, भाई! हमारी मण्डली में एक कवि जी भी थे। वह बहुत अच्छा गाना गाते थे। उनका एक गाना मुझे बड़ा अच्छा लगा। गाना उनका नहीं था, टैगोर का था। वह भैरवी में उसे गाते थे। उसका अर्थ भी उन्होंने मुझे समझाया था।"

यह कहकर वह गुनगुनाने लगा, पीछे स्पष्ट स्वर में गाने लगा—

'ओगो काङ्ल! आमारे काङाल कोरेछो,
आरो कि तोमर चाई!
ओगो भिखारी! आमार भिखारी! चोलेछो
कि कातर गान गाहि?'

मैं यद्यपि बँगला नहीं जानता था, तथापि इसका एक अस्पष्ट अर्थ मेरी समझ में आ गया। पर आश्चर्य मुझे जिस बात पर हुआ, वह था कैलाश का अत्यन्त मधुर, सुललित और उन्मादक कण्ठस्वर! संसार का कोई भी व्यक्ति उस आश्चर्यजनक कण्ठस्वर को सुनकर उदासीन रह सके, इस बात की कल्पना भी मैं नहीं कर सकता। मुझे इसके पहले स्वप्न में भी खयाल नहीं था कि वह इतना अच्छा गा सकता है। छुटपन में जब उससे मेरी घनिष्ठता थी, तो मुझे इतना अवश्य मालूम था कि गाने-बजाने की ओर उसकी रुचि है। पर इस कला में वह इस हद तक कमाल हासिल कर चुका है, इसकी खबर मुझे नहीं थी।

कुछ देर तक गाकर उसने कहा कि हारमोनियम और तबला मँगाया जाय। मैंने कहा—"हारमोनियम मैं मँगा सकता हूँ, पर तबला बेकार इसलिए है कि कोई बजाने-वाला नहीं है।"

"क्यों, क्या तुम नहीं बजाते?"

"कभी-कभी बजा लेता हूँ, पर वास्तव में बजाना नहीं जानता।"

"अच्छा, जयन्ती बहुत अच्छा बजा लेती है, मुझे मालूम है। वही बजावेगी। क्यों, जयन्ती!"

जयन्ती ने एक बार पीछे को मुड़कर हम लोगों की ओर देखा, और फिर मुँह फेर लिया। कार्पेट बुनते हुए धीमी आवाज में अत्यन्त उदासीनता का भाव दिखाकर बोली—"मैं तबला-वबला कुछ नहीं बजाऊँगी।"

इस संक्षिप्त उत्तर के बाद कैलाश को उससे दूसरी बार आग्रह करने का साहस न हुआ। उसने मुझसे कहा—"अच्छा, तबला रहने दो, हारमोनियम ही मँगाओ।"

मैंने मैकू को पुकारकर हारमोनियम मँगाया। कैलाश कुछ देर तक उस पर अपनी लम्बी, पतली और तीखी उँगलियाँ फेरता हुआ कलाबाजी दिखाता रहा। इसके बाद भैरवी राग बजाकर खाँसकर गला साफ करके गाने लगा—

अकेली ना जइयो राधे, जमुना के तीर!

वही गाना जिसे जयन्ती ने उस दिन नाव में गाया था! ठीक वही राग, वही लोच, वही अलाप, वही उन्मादन! वह आँखें आधी बन्द करके तन्मय होकर गा रहा था। उसके मुख के भाव में इस समय मैंने एक ऐसा अपूर्व परिवर्तन देखा कि मेरे आश्चर्य की सीमा न रही। साधारणतः उसके चेहरे से एक आवारागर्दी का, मेहरापन का-सा भाव व्यक्त हुआ करता था, पर इस समय एक ऐसे सुन्दर सौष्ठव की स्निग्धता उसमें छा गयी थी कि मैं देखता ही रह गया। वह क्यों अपने प्रति स्त्रियों के आकर्षित होने की डींग हाँका करता है, इसका एक सुस्पष्ट कारण मेरे आगे परिस्फुट हो गया।

जयन्ती कार्पेट बुनना छोड़कर, पीछे को मुड़कर विह्वल दृष्टि से कैलाश की ओर देख रही थी। उसकी सजल-उज्ज्वल आँखों में एक उन्माद समा गया था, पर साथ ही एक अज्ञात भयजनित चंचलता भी उनमें झलक रही थी। वह एक बार मेरी ओर देखकर अकस्मात् उठ खड़ी हुई। मुझे ऐसा जान पड़ा जैसे उसका सारा शरीर काँप रहा है, और वह चक्कर खाकर गिरना ही चाहती है। मैं दौड़कर उसके पास गया और उसका हाथ पकड़कर धीरे से बोला—"जयन्ती, क्या तबीयत खराब हो रही है?"

उसने हाथ छुड़ाकर कहा—"नहीं, नहीं, आप जाकर बैठिये। मुझे कुछ नहीं हुआ है। मैं जरा एक काम से नीचे जाती हूँ।" कहकर दीवार का सहारा पकड़कर वह धक्के खाती हुई-सी नीचे चली गयी।

मेरे मन को तसल्ली नहीं हुई, और मैं भी चुपचाप उसके पीछे-पीछे नीचे गया। नीचे जाकर जयन्ती पलँग पर लेट गयी। मैंने कमरे में प्रवेश करके कहा—"जयन्ती, क्या तुम्हें चक्कर आ रहा है?"

वह हड़बड़ाती हुई उठ बैठी और घबराहट का भाव जताती हुई कहने लगी—"आप यहाँ आ गये! नहीं, नहीं, आप ऊपर जाइये, वह अकेले बैठे होंगे।"

मैंने कहा—"मैं तुम्हें ऐसी हालत में नहीं छोड़ सकता।"

वह अत्यन्त करुण स्वर में बोली—"आपके पैरों पड़ती हूँ, आप कुछ समय के लिए मुझे अकेली छोड़ दीजिये। इस समय आप जाइये!"

मैंने मन-ही-मन कहा—"यह बात है!" और वहाँ से चला गया। मुझे याद आया कि जिस दिन जयन्ती ने वह गीत गाया था उस दिन प्रारम्भ से ही एक अस्वाभाविक

उल्लास उसमें समाया हुआ था। इसी आसाधारण भावोन्माद की प्रतिक्रिया के फलस्वरूप बाद में उसे 'फिट' आया था, यद्यपि उस 'फिट' का प्रत्यक्ष कारण कुछ दूसरा ही था। कैलाश ने स्वयं यह बात स्वीकार की थी कि वह जयन्ती को गाना सिखाया करता था। इसलिए आज की घटना से यह तो स्पष्ट था कि कैलाश ने ही जयन्ती को वह गाना, जिसे उसने नाव में गाया था, सिखाया है। और यह भी मुझे निश्चित मालूम होने लगा कि इस गाने से जयन्ती के जीवन की एक महत्त्वपूर्ण घटना सम्बन्धित है। पर वह घटना क्या है? किस तरह की है? उसका आभास किस उपाय से मिल सकता है? इन्हीं चिन्ताओं में मग्न होकर मैं ऊपर छत पर पहुँचा। कैलाश गाना छोड़कर एक गत बजा रहा था। उसने शायद जयन्ती के मनोभाव के तूफानी परिवर्तन पर लक्ष्य नहीं किया। मैंने सोचा, चलो, अच्छा ही हुआ।

•••

प्रायः दो घण्टे बाद जयन्ती की तबीयत ठीक हो गयी और वह उठ बैठी। जब हम लोग भोजन कर चुके तो कैलाश ने कैरम-बोर्ड टेबिल पर रखकर मुझसे प्रस्ताव किया कि कैरम खेला जाय। मुझे जरा भी इच्छा नहीं थी। मेरा जी सुबह से ही उचाट हो गया था, और मैं चाहता था कि घण्टा-दो-घण्टा कहीं एकान्त में बैठ पाऊँ, और किसी तरह अपने मन का भार हलका करूँ। पर कैलाश जब से आया था, तब से भौतिक छाया की तरह मेरे पीछे लगा हुआ था, और एक अनिष्टकारी ग्रह की तरह मेरी भाग्य-परिधि के चारों ओर मँडरा रहा था। एक क्षण भी उससे पिण्ड छुड़ाने का कोई उपाय नहीं था। मैंने भी मन मारकर इस बिडम्बना के प्रति अपने को समर्पित कर रखा था, और बिना लेशमात्र विरोध के मैं चुपचाप उसके प्रत्येक प्रस्ताव का कार्यरूप से समर्थन करता जाता था। यद्यपि इस समय कैरम खेलना मुझे फाँसी देने की सजा से कुछ कम नहीं था, तथापि मैंने इनकार नहीं किया, और खेलने बैठ गया। जयन्ती अपना अधबुना कार्पेट लेकर दूसरे कमरे में चली गयी।

चाय पीने के बाद प्रायः 5 बजे के समय कैलाश ने 'बोटिंग' की इच्छा प्रकट की। यद्यपि हवा चल रही थी, और जाड़ा पड़ रहा था, फिर भी उसके उत्साह में तनिक भी कमी नहीं आ रही थी। मैंने कहा—"जैसी तुम्हारी इच्छा!" उसने पूछा—"क्या जयन्ती नहीं चलेगी?"

मैंने कहा—"मैं कह नहीं सकता! उससे पूछ सकते हो।"

जयन्ती बगलवाले कमरे में बैठी थी। कैलाश ने बेधड़क उसके पास जाकर कहा—"जयन्ती, हम लोग 'बोटिंग' का इरादा कर रहे हैं। क्या तुम नहीं चलोगी?"

मैं बाहर बरामदे में खड़ा था। वहीं से मैंने जयन्ती को कहते सुना—"मेरी तबीयत ठीक नहीं है, तुम—आप—लोग जाइये।"

कैलाश ने फिर दुबारा कहकर उसे राजी करना चाहा, पर वह तैयार न हुई।

ओवरकोट पहनकर मैं कैलाश के साथ चला। मेरे चित्त में घोर अशान्ति थी। उस समय यदि कोई व्यक्ति मेरा सर्वस्व लेकर भी कैलाश को मेरे यहाँ से उसी दम चले जाने के लिए राजी कर सकता, तो मैं खुशी से सम्मत हो जाता। पर ऐसा होना नहीं था। उसके कारण मुझे एक मिनट के लिए भी चैन नहीं मिल रहा था, यद्यपि मेरे प्राण अवकाश के लिए छटपटा रहे थे। पर पत्थर पर सिर पटकने पर भी इसका कोई उपाय नहीं हो सकता था। और मजा यह कि मेरे मन की इस तूफानी परिस्थिति को पैदा करने का मूल कारण भी वही था, और वही मुझे उस पर एकान्त में विचार करने का अवसर नहीं देता था।

पर उसे मेरे मन की हालत की कुछ भी खबर नहीं थी। वह बड़ा प्रसन्न था। यहाँ आने पर दो ही दिन में उसका स्वास्थ्य अच्छा हो गया था, और चेहरा सुर्ख बन गया था। नाव में बैठते ही उसने कहा—"क्या बतावें, यार, इस समय एक बोतल ब्राण्डी न हुई! मेरे पास बक्स में रखी है। जब से यहाँ आया हूँ, तब से पी ही नहीं, तुम कहो तो मैं दौड़कर ले आऊँ?"

ऐसी घृणा मेरे सर्वाङ्ग में व्याप्त हो गयी, जैसी पहले कभी उसके प्रति मैंने अनुभव नहीं की थी। क्रोध से काँपने के कारण मैंने उसकी बात का कोई उत्तर नहीं दिया। केवल एक बार अग्नि-दृष्टि से उसे देखकर उसकी ओर से आँखें फेर लीं। मेरी दृष्टि का अर्थ शायद वह किसी अंश तक समझ गया, इसलिए सहमकर रह गया, और फिर इस विषय में कुछ न बोला। शिमले में सेसिल होटल में मैंने जब उसे शराब पीते देखा था, तो न जाने क्यों, उस समय यह बात मुझे विशेष अप्रिय नहीं मालूम हुई थी, पर आज दूसरी बात थी। आज मैं विवाहित था और पत्नी के साथ रहता था। गृहस्थ-परिवार के बीच में रहकर कोई व्यक्ति शराब पीने का प्रस्ताव करे, यह बात मुझे अत्यन्त अस्वाभाविक और घृणित मालूम हुई। माना कि वह नाव में पीना चाहता है, जयन्ती के पास बैठकर नहीं, पर लौटकर हमें घर तो जाना ही पड़ेगा। एक शराबी को अपने साथ लेकर मैं उस घर में प्रवेश करूँ जहाँ मेरी पत्नी रहती है! असम्भव है!

मुझे सोच-सोचकर ऐसा गुस्सा आ रहा था कि यदि उस समय कैलाश सचमुच अपने पास बोतल लिये होता, तो मैं उसी बोतल को उसके सिर पर पटक देता। पर अकस्मात् मेरा माथा ठनका। कैलाश के सिर पर बोतल पटकने की कल्पना करते ही जैसे किसी अज्ञात शक्ति ने मेरे सिर पर जोर से किसी भारी चीज से आघात किया। मुझे फिर एक बार याद आया कि जयन्ती को कैलाश गाना सिखाता रहा है। मैंने सोचा—"आज वह मेरी स्त्री बनी हुई है, इसलिए मैं उसकी इज्जत का इतना खयाल

रखता हूँ, कि जिस घर में वह रहती है, उस घर में किसी शराबी को पाँव रखने देना नहीं चाहता। पर मेरे विवाह के पहले जब कैलाश उसे गाना सिखाता होगा, तो कितने ही दिन शराब पीकर उसके एकदम निकट आकर बैठा होगा, और—और—" मेरा सिर भिन्नाने लगा। इतने में सुनता क्या हूँ कि कैलाश खम्माच राग अलापता हुआ गाने लगा है—

पनघट मुरलिया बाजे, सखी!
स्तिमित युवतिगन,
ठाढ़ी अचेतन,
पुलकित सब तन।
पनघट मुरलिया बाजे!

उसकी तान और अलाप सारे वायुमण्डल को चीरती हुई ऊपर को उठ रही थी। साथ ही मेरे हृदय को भी एक-एक तीर की तरह अत्यन्त निर्मम निष्ठुरता के साथ छिन्न-भिन्न कर रही थी। वह इतना अच्छा गा रहा था कि जी चाहता था, उसी दम उसका गला घोंट डालूँ। दुष्ट! नीच! घृणित पापी! इसलिए तुम बार-बार मेरे कानों में यह मन्त्र भरा था कि मैं जयन्ती से विवाह कर लूँ! मुझसे तुमने अपने गीत का यह मारण मन्त्र, यह ब्रह्मास्त्र छिपाया, और साथ ही यह बात भी छिपायी कि जयन्ती से तुम्हारी इस हद तक घनिष्ठता रही है, और तुमने उसे गाना सिखाया है! यदि मुझे यह बात पहले मालूम होती, तो—खैर!

मेरे सिर में दर्द होने लगा था। मैं जिस समय नाव में बैठा था, तब से घर लौटने तक एक शब्द भी कैलाश से न बोला। उसके प्रश्नों के उत्तर में 'हाँ' या 'ना' कहकर प्रत्येक बात को टालता रहा। पर इससे कैलाश के उत्साह में तनिक भी अन्तर नहीं आया। वह कभी कोई गीत गुनगुनाता था, कभी नाववाले से बातें करता था!

•••

चार दिन तक मेरे घर की परिस्थिति साधारण रही, यद्यपि एक गुरु गम्भीर वातावरण की अनुभूति से मेरा हृदय भाराक्रान्त हो रहा था। मुझे ऐसा अनुभव हो रहा था कि एक किसी भी शक्ति से न हट सकनेवाले पत्थर का बोझ मेरी छाती पर पड़ा हुआ है। जयन्ती अपने कार्पेट बुनने के काम में एकान्त मन से लगी हुई दिखायी देती थी, और किसी से विशेष कुछ बोलती-चालती न थी। मुझे अज्ञात कारण से ऐसा जान पड़ता था कि उसके भीतर कहने-सुनने की बहुत-सी बातें रह-रहकर आलोड़ित हो रही हैं,

पर वह पूरी चेष्टा से उन्हें दबाती जाती है। घर के सब काम-काज वह नियमित रूप से करती जाती थी, और चाय भी हम लोगों को निश्चित समयों पर पिलाती जाती थी, पर इधर मेवों के अभाव पर मैं विशेष रूप से लक्ष्य कर रहा था। उस दिन कैलाश का गाना सुनकर वह अपनी जिस विकलता को मुझसे छिपा नहीं सकी, सम्भवतः अब उसी की प्रतिक्रिया उसके भीतर चल रही थी। कारण कुछ भी हो, उसकी निपट नीरवता ने मेरी वज्रविदग्ध गम्भीरता के साथ एक रूप में मिलित होकर एक ऐसी भयावह निस्तब्ध शान्ति का वातावरण उत्पन्न कर दिया था जो किसी प्रलयंकर तूफान की पूर्वसूचना देकर मुझे रह-रहकर शंकित कर रहा था। पर कैलाश इस मृत्यु-मौन परिस्थिति से भी हतोत्साह न हुआ, और उसने अपने अकारण उल्लास और हास-परिहास का क्रम जारी रखा, जो मुझे उस विशेष अवसर की स्तब्धता के बीच भौतिक अट्टहास की तरह आतंकोत्पादक लगता था।

पाँचवें दिन एक विशेष घटना घटी, जो अत्यन्त साधारण होने पर भी घोर महत्त्वपूर्ण सिद्ध हुई। मैं प्रात-काल प्रायः आठ बजे के समय नीचे गुसलखाने में नहाने गया हुआ था। नहा-धोकर धोती बदलकर मैं ऊपर गया। इत्तफाक से उस दिन मैं चप्पल पहनना भूल गया और नंगे ही पाँव ऊपर चला आया। अपने कमरे के दरवाजे पर पहुँचते ही मैंने भीतर कैलाश और जयन्ती को एक-दूसरे के अत्यन्त निकट खड़े होकर कानाफूसी करते हुए देखा। वे अपनी बातों में ऐसे मग्न थे कि उन्होंने मेरे आने की आहट न सुनी। यह अप्रत्याशित दृश्य देखकर मैं वज्र-विमूढ़ रह गया। मेरी पीठ की रीढ़ से होकर कनखजूरे के रेंगने की-सी सुरसुरी दौड़ने लगी, हृदय बड़े वेग से धड़कने लगा, पाँवों में एक विचित्र ऐंठन-सी मालूम होने लगी। हाँ, वह दृश्य अप्रत्याशित था! कैलाश जब से आया था तब से जयन्ती एक दिन भी उससे घनिष्ठतापूर्वक नहीं बोली थी, और उसके पास बैठती भी थी, तो मुँह फेर लेती थी। इधर चार दिन से तो वह कतई बोली ही नहीं थी। और आज मैंने अचानक गुपचुप में दोनों को कानाफूसी करते पाया! जयन्ती के मुख पर नववधू के प्रथम प्रेमानुभव की-सी लज्जा की एक हलकी-सी रक्तिम आभा झलक उठी थी, और कैलाश अपने स्वभाव के प्रतिकूल गम्भीरता के साथ बात कर रहा था। पूरे एक मिनट तक मैं दरवाजे की आड़ में एक विभ्रान्त वेदना की मर्मान्तक अनुभूति से चेतनातीत अवस्था में खड़ा रहा और एक प्रेतलोक के-से स्वप्न की तरह वह अविश्वसनीय दृश्य मेरे अन्तश्चेतन को कुटिल काँटेदार स्प्रिंग की तरह जकड़े रहा। एक मिनट बाद दोनों ने चकित होकर मेरी ओर देखा। मैं कह नहीं सकता कि उस समय मेरे मुख से कैसा भाव व्यक्त हो रहा था। पर वह भाव अवश्य ही असाधारण रहा होगा, इसका अनुभव मैं इस बात से कर सकता हूँ कि जयन्ती ठिठककर ऐसी भयभीत दृष्टि से मेरी ओर देखती रह गयी, जैसे अकस्मात् कोई प्रेतात्मा उसके सामने आकर खड़ी हो गयी हो। कैलाश भीत तो नहीं दिखायी देता था, पर वह सिटपिटा अवश्य गया था। मेरे भीतर इतने दिनों से दबा हुआ तूफान अकस्मात् फूट पड़ा और उसने मेरे चैतन्य को जड़ से हिलाकर अस्त-व्यस्त कर दिया। मैंने भीतर जाकर चुपचाप

कैलाश का हाथ वज्र की-सी दृढ़ता से पकड़कर बायें हाथ की तर्जनी से उसे दरवाजे का रास्ता दिखाते हुए कम्पित कण्ठ से गर्जित स्वर में कहा—"जा—ओ!"

उसने हकलाते हुए कहा—"पर—पर तुम गलत समझे हो—मैं—"

"जा—ओ!—मैंने घोर गर्जन के स्वर में फिर कहा, और दोनों हाथों से उसे पकड़कर ऐसा जबर्दस्त धक्का देकर दरवाजे की ओर ढकेला कि वह औंधे मुँह होकर बरामदे में गिरा। शायद उसको कुछ चोट भी आयी। जयन्ती "ओः।" कहकर चीख उठी और धड़ाम से जमीन पर गिर पड़ी। उसकी आँखों की पुतलियाँ ऊपर को घूम गयीं। उसके हाथ-पाँव छटपटाने लगे और मुँह से गों-गों की आवाज निकलने लगी। उसे 'फिट' आ गया था। कैलाश अपने को सँभालकर उठ खड़ा हुआ। आकस्मिकता के कारण उसमें जो घबराहट आ गयी थी, वह दूर हो गयी थी। उसने स्थिर दृष्टि से मेरी ओर देखकर दृढ़ निश्चित और गम्भीर स्वर में कहा—"देखो नन्दकिशोर, तुम्हारा बर्ताव इस समय मेरे साथ जैसा रहा है उसके लिए तुम जीवन भर पछताओगे।" यह कहकर वह चला गया। मैं जयन्ती को लेकर बैठ गया। चिल्लाकर मैकू को पुकारा। पंखे से हवा करते हुए उसके सिर पर पानी छपछपाने लगा, यद्यपि उस समय काफी जाड़ा पड़ रहा था। प्रायः बीस मिनट बाद उसे होश आया। होश आते ही उसने मेरी ओर से मुँह फेर लिया और वहीं फर्श पर लेटी रही।

मैंने कहा—"चलो, पलँग पर लेट जाओ।" उसने कुछ भी उत्तर न दिया। उस परिस्थिति में उससे अधिक कुछ कहना उचित न समझकर मैं उसे वहीं छोड़कर मैकू से उसकी खबर लेते रहने के लिए कहकर भीतर से कमरा बन्द करके एक खाली चारपाई पर लेट गया। एक बार इच्छा हुई कि उठकर स्वयं जाकर किसी डॉक्टर या वैद्य को बुला लाऊँ, फिर सोचा कि किसी नौकर को भेज दूँ; पर दोनों में से एक काम भी मैंने नहीं किया, और लेटा ही रहा। लेटे-ही-लेटे पूरे पाँच घण्टे हो गये। इस बीच नौकर ने दो-एक बार आकर किवाड़ पर धक्के दिये, और भोजन के लिए कहा, पर मैंने दोनों बार से डाँट दिया। न नींद ही आती थी, न कुछ सोच ही पाता था। ऐसा मालूम होता था जैसे सारे सिर का रक्त प्रत्येक शिरा में सूखकर जम जाने के कारण अकड़ गया है। प्रायः डेढ़ बजे के करीब मैं उठा और किवाड़ खोलकर बाहर निकला। अपने कमरे की ओर कनखियों से झाँका। जयन्ती फर्श पर से उठकर पलँग पर लेटी हुई थी। मैं सीधा चला गया। मैकू से मालूम हुआ कि कैलाश अपना बोरिया-बँधना उठाकर चम्पत हो गया है। मैं निरुद्देश्य भ्रमण के लिए निकल पड़ा। चलते-चलते नदी के किनारे पहुँचा और किनारे-ही-किनारे चलता चला। मेरे पाँवों के तलवों से लेकर सिर की चोटी तक आग के असंख्य कण जमा होकर अपनी ज्वलन्त सुरसुराहट से मुझे रह-रहकर दग्ध कर रहे थे। केवल दग्ध ही नहीं कर रहे थे, बल्कि अगणित सुइयों की तीखी नोकों की तरह मेरे सर्वाङ्ग में गड़ रहे थे। इच्छा होती थी कि या तो एक तेज चाकू से अपना सिर फाड़कर रक्त के प्रवाह के साथ सारी वेदना को बाहर निकाल डालूँ, या नदी के शीतल जल में फाँदकर मन की और शरीर की ज्वाला को शान्त करूँ। पर दोनों में एक

भी न करके सीधे चलता ही रहा। जी चाहता था कि अनन्त काल तक अनन्त देश तक चलता ही रहूँ। पर यह भी न कर सका और कुछ दूर और जाकर एक खेत के ऊपर चित लेट गया। माघ का महीना करीब आधा बीत चुका था। खेतों में चारों ओर सरसों फूली हुई थी। बनारस के छात्र-जीवन में प्रतिवर्ष खेतों में सरसों फूली हुई देखकर, बसन्त-श्री के आगमन की पूर्व-सूचना पाकर मन में एक अवर्णनीय उल्लास की पुलक-तरंगें हिल्लोलित होती रही हैं। पर इस बार उसके पीलेपन की पुंजित प्रभा आग की सहस्र लपटों की तरह मुझे चारों ओर से घेर रही थी। बहुत-कुछ सोचना चाहता था, पर कुछ नहीं सोच सका। एक जड़, अर्द्धचेतन अवस्था में शाम तक उसी हालत में लेटा ही रहा। अँधेरा होने लगा, मैं फिर भी नहीं उठा। उठने का इरादा करता था, पर पाँव ठिठककर रह जाते थे। आकाश में एक-एक करके तारे दिखायी देने लगे। अकस्मात् उस दिन की याद आयी, जब बनारस में शान्ति के स्निग्ध आँसू अपने पीछे छोड़कर मैं गंगा की सैकत-भूमि में बालू पर लेटकर तारों को एक-एक करके पहचानता हुआ एक अलौकिक पुलक के उन्माद-विधुर माधुर्य से विकल हो उठा था। उस अनुभूति में और आज की अनुभूति में ऐसा आमूल विरोध था कि मैं उसके स्मरण-मात्र से उत्कट पीड़ा के कारण कराह उठा और उस स्मृति को मैंने बलपूर्वक दबाकर अन्तस्तल की अतलता में डुबोना चाहा।

अचानक सियार कहीं पास ही से सम्मिलित स्वर में "हूः-हाः! हूः-हाः!" करके बोल उठे, जैसे अट्टहास करके कहना चाहते हों—"शान्ति की स्मृति को कब तक अन्तस्तल में डुबाये रहोगे? वह मृत्युपर्यन्त पल-भर के लिए कभी तुम्हें तिल-भर चैन नहीं लेने देगी। जितनी गहराई में उसे दबाओगे उतने ही प्रवेग से वह—मौका पाते ही—ऊपर को उछल उठेगी। उसकी अन्तरात्मा से निकला हुआ अभिशाप तुम्हें घुला-घुलाकर रुला-रुलाकर मारेगा और पागल करके छोड़ेगा। शान्ति को भूलकर, अपने भैया के षड्यन्त्र से कनौजियों की एक सुन्दरी लड़की को अपने कुल और धन के लौहजाल में जकड़कर उस पर भी तुम अपना दमन-चक्र चलाना चाहते थे! एक परवश लड़की का गर्व चूर करके अपने 'पुरुषोचित गौरव' की विजय-पताका फहराना चाहते थे! धिक्कार है तुम्हारे इस पौरुष पर कि उसका गर्व एक कण-मात्र भी तुम खर्व न कर सके! विजय उलटे उसी की रही। अब बेशर्मों की तरह रोने आये हो इस निर्जन में! रात्रि के इस काले अंचल में मुँह छिपाकर सान्त्वना पाना चाहते हो! कापुरुष! चुल्लू-भर पानी में डूब नहीं मरते।"

सियारों के अट्टहास के साथ कोई आकर यह मर्मवाणी मुझे सुनाकर अन्धकार में विलीन हो गया, और उसके साथ ही सियारों का बोलना भी समाप्त हो गया। कृष्णपक्ष की उस स्तब्ध-निर्जन रात में केवल गोमती अपने तरह अंचल में अपना मुँह ढाँपकर कल-कल छल-छल शब्द से रह-रहकर विकल, विह्वल क्रन्दन से बिलख रही थी। निखिल विश्व का भौतिक चक्र मेरा गला पकड़कर छाती जकड़कर मुझे दबा रहा था। केवल एकमात्र गोमती अपनी मर्मगत सहृदयता से मेरे प्रति संवेदना प्रकट कर रही थी।

मेरी आँखें सचमुच छलछला उठीं। मैंने मन-ही-मन गोमती को सम्बोधित करके कहा–"छुटपन से ही तुम्हारे रूप पर, तुम्हारे यौवन पर, तुम्हारे कलकल गुंजन पर मुग्ध रहा हूँ। मेरे बाल्य और किशोर जीवन की कितनी मधुर-स्मृतियाँ तुम्हारे साथ सम्बन्धित रही हैं! यौवन की प्रबल आँधी के चक्कर में पड़कर तुम्हें बिलकुल भूल गया था। आज नाना संघर्ष-विघर्षों के जटिल जाल से छिन्न-भिन्न होकर तुम्हारे तट पर आश्रय के लिए आया हूँ। तुमने अपने कल-क्रन्दन से मेरे प्रति संवेदना प्रकट करके मुझे जो सान्त्वना इस समय दी है, वह विश्व-ब्रह्माण्ड में मुझे और कहीं नहीं मिल सकती थी, यह मैं निश्चित रूप से जानता हूँ। क्या तुम आज अपने हृदय के अतल में मुझे परिपूर्ण रूप से आश्रय न दोगी?" यह सोचते ही मैं एकाएक उठ खड़ा हुआ और सचमुच मेरे भीतर यह तरंग उठी की गोमती के स्निग्ध शीतल जल में कूदकर सदा के लिए विश्राम लूँ, और अपने जीवन के कलंकों की प्रगाढ़ कालिमा को धोकर मिटा डालूँ। पर ऐसा होना नहीं था। यदि ऐसा कर पाता तो पाप का घड़ा लबालब भर जाने का परिपूर्ण दण्ड मेरे बदले दूसरा कौन पाता? इसलिए मैं रह गया।

•••

घर को लौटने की कतई इच्छा नहीं होती थी, पर जयन्ती के 'फिट' ने मेरी चरम विभ्रान्ति के भीतर एक दूसरा भ्रान्तिचक्र लाकर जोड़ दिया था। मैं जानता था कि मुझसे अलग रहने की इच्छा रखते हुए भी वह रात के समय बिना मेरे बहुत डरेगी, जिससे कोई दूसरी विकट व्याधि खड़ी हो सकती है। इसलिए अँधेरे में गिरता-पड़ता हुआ चला और बड़ी मुश्किल से घर पहुँच पाया।

जयन्ती कमरे में लालटेन जलाकर कम्बल से मुँह ढाँपकर लेटी हुई थी। मैंने जान-बूझकर खाँसा। उसने करवट बदली, पर मुँह नहीं खोला। मैं बगलवाले कमरे में चला गया। वहाँ पहले से ही एक पलँग पर बिस्तर बिछा हुआ था, और एक कम्बल भी पड़ा हुआ था। उसी पर जाकर लेट गया। खाँसी न आने पर भी बीच-बीच में जोर से खाँसता जाता था, ताकि जयन्ती अपने को अकेली समझकर डरे नहीं। बहुत देर तक नींद नहीं आयी। बीच में एक-आध घण्टे के लिए आँख लगी, पर फिर चिन्ता के कारण उचट गयी।

तीन-चार दिन तक जयन्ती के साथ मेरा किसी तरह का बोल-चाल नहीं रहा। मैं इच्छा न होने पर भी उसके पास जाता था, तो वह वहाँ से हटकर चली जाती थी, और यदि वह इच्छा न रहने पर भी मेरे पास से होकर जाती थी, तो मैं चल देता था। मैं

अपना अधिकांश समय बाहर ही बिताता था, और अपने को संसार में सबसे अधिक अन्याय-पीड़ित और अत्याचार-दलित जीव समझता हुआ, समस्त विश्व के प्रति एक निरतिशय अभिमान का भाव मन में पोषित किये हुए, गाँव की सीमा के बाहर दिनभर चक्कर लगाता रहता था।

चौथे दिन अमावस्या थी। हमारे मकान से प्रायः दो मील की दूरी पर माघी अमावस्या का मेला लगा करता था। घर के नौकर-चाकर छुट्टी माँगकर सुबह से ही गायब थे और मेले में सम्मिलित होने के लिए चले गये थे। मैं भी अकेले जयन्ती के साथ रहना असम्भव समझकर बाहर चला गया।

सुबह सात बजे का बाहर निकला हुआ मैं प्रायः एक बजे घर पहुँचा। घर पहुँचते ही मैंने देखा कि मकान की चिमनी से असाधारण रूप से धुआँ निकल रहा है। फिर भी मुझे यह असाधारणता साधारण-सी ही लगी। मैंने सोचा कि रसोइया कच्ची लकड़ियाँ जलाकर अपनी स्वाभाविक मूर्खता का परिचय दे रहा है। पाँच घण्टे तक एक मिनट के लिए भी कहीं बैठकर मैंने आराम नहीं किया था और इधर-उधर चक्कर ही लगाता रहा था। इसलिए थककर हाथ-पाँव फैलाकर पलँग पर लेटने के सिवा और किसी बात की चिन्ता मेरे मन में नहीं थी। बाहर के किवाड़ खाली फेर दिये गये थे; भीतर से बन्द नहीं थे। ऊपर जाकर मैंने देखा कि बीचवाला कमरा, जिसमें जयन्ती और मैं कुछ दिन पहले तक साथ ही रहते थे खाली है। जयन्ती वहाँ नहीं थी। नीचे किसी काम से गयी होगी, यह सोचकर बगलवाले कमरे में जाकर पलँग पर चारों-खाने चित लेट गया। तीन-चार दिन से उस कमरे से मेरा घनिष्ठ परिचय हो गया था, और वहाँ का फर्श, वहाँ की प्रत्येक दीवार मुझे युगों से परिचित-सी जान पड़ती थी।

प्रायः पाँच मिनट तक मैं शून्य भाव से लेटा रहा। न नींद आती थी, न उठने की इच्छा होती थी। अकस्मात् मेरा हृदय अकारण ही एक अज्ञात आशंका से धड़कने लगा! मैं तत्काल उठ खड़ा हुआ और सीधा नीचे जाकर उस कमरे की ओर चला जहाँ से धुआँ निकल रहा था। देखा कि कमरा भीतर से बन्द है। बह रसोई का कमरा था और रसोइया कभी भीतर से बन्द करके खाना नहीं बनाता था। मेरा कलेजा जैसे अपने स्थान से हटकर नीचे गिरना चाहता हो, ऐसा जान पड़ने लगा। मैंने जोरों से धक्का देकर किवाड़ खोलना चाहा। पर भीतर से चिटखनी लगी हुई थी, और किवाड़ नहीं खुला। मैंने परिपूर्ण शक्ति से लात और मुक्कों से उसे खोलने की चेष्टा की और 'जयन्ती!' 'महराज!' कहकर चिल्लाने लगा। पर न कोई उत्तर मिला और न किवाड़ ही खुला। मैंने फिर एक बार उन्मादग्रस्त व्यक्तियों की-सी अस्वाभाविक शक्ति से किवाड़ पर लात जमायी। पुरानी लकड़ी का दरवाजा अमानुषिक लात की चोट न सह सका और 'चरर-चूँ' करता हुआ खुल गया।

उसके खुलते ही जो हौलनाक दृश्य मैंने देखा उसकी कल्पनातीत विभीषिका का वर्णन मैं कैसे करूँ! जयन्ती चिमनी के नीचे, चूल्हे के ऊपर बैठी हुई थी, और उसका शरीर धाँय-धाँय जल रहा था। उसके मुँह से और मुँह के नीचे सारे शरीर से मांस, चर्बी

और हड्डी के जलने और गलने से चटखने का जो शब्द हो रहा था वह ऐसा आतंकप्रद था कि मुझे चक्कर आने लगा। तब तक मैंने जीवन में कभी श्मशान में किसी की चिता जलते हुए नहीं देखी थी। काशी के मणिकर्णिका घाट से होकर कभी जाना पड़ता था, तो मैं दूर ही से मुँह फेरकर या आँखें मूँदकर वहाँ से गुजरता था। तब मैं क्या जानता था कि एक दिन घर ही में मुझे श्मशान से भी सौ गुना भयावह दृश्य देखना पड़ेगा! जयन्ती के मुँह का रूप ऐसा वीभत्स और विकृत हो गया था कि त्रिपाठी जी की स्त्री ने उस दिन जिस लड़की के जिन्दा जल मरने की कथा वर्णित की थी, वह इस दृश्य के आगे अत्यन्त फीकी जँचती थी। मेरी आँखें पत्थर की तरह होकर शून्य भाव से, स्थिर दृष्टि से कुछ समय तक उस भौतिक काण्ड को स्तब्ध देखती रहीं। मुझे न आग बुझाने की हिम्मत पड़ती थी न बाहर जाकर किसी को पुकारने का साहस होता था। चन्द मिनटों तक उसी जड़ और विभ्रान्त अवस्था में मैं खड़ा रहा। इसके बाद जब चेतना लौट आयी, तो जी चाहता था कि चीख मारकर आकाश को चीर डालूँ, पृथ्वी को फाड़ डालूँ। पर मैं न चिल्लाया न बौराया। चुपचाप, अत्यन्त धैर्य के साथ बाहर गया और पास-पड़ोस के कुछ आदमियों को खबर देकर उनकी सहायता से आग बुझायी। इसके बाद फिर बड़ा लम्बा चक्र चला। पुलिस को खबर देनी पड़ी, रिपोर्ट लिखवानी पड़ी, तरह-तरह के व्यक्तियों की तरह-तरह की टीका-टिप्पणियाँ सुननी पड़ीं! और आपस में लोगों की जो कानाफूसी होने लगी, उसे न सुन सकने पर भी उसके व्यंग्यात्मक आक्षेपों की तीक्ष्णता का अनुभव मैं अपने मर्म में करने लगा। अन्त में श्मशान में जयन्ती के शरीर का शेष चिह्न भी भस्मीभूत कर दिया गया।

दूसरे दिन जब मैकू जयन्ती का बिस्तरा पलँग पर से हटा रहा था तो सिरहाने में गद्दे के नीचे दबा हुआ एक पत्र जयन्ती के हाथ का लिखा मिला। अत्यन्त विरस और सन्त्रस्त हृदय से मैंने वह पत्र खोलकर पढ़ा उसमें लिखा था—

"मेरा अन्तिम अभिवादन स्वीकार कीजिये। आखिर वही होने जा रहा है जो होना था। जिस दिन त्रिपाठी की स्त्री ने एक लड़की के जल मरने का किस्सा सुनाया था उसी दिन मेरे मन में अपने भविष्य के सम्बन्ध में एक अस्पष्ट आशंका जाग पड़ी थी। जो भावना मेरे भीतर दबी हुई थी, उस किस्से ने उसे उभाड़ दिया था; मेरे 'फिट' का यही कारण था। बाद में फिर मैं उस भावना को भरपूर शक्ति से दबाने में समर्थ हुई थी। पर अब वह फिर जाग पड़ी है; और ऐसे भयंकर रूप से जगी है कि संसार की कोई ताकत उसे रोक नहीं सकती। आपने एक बार कहा था कि 'मैं भाग्यवादी हो उठा हूँ।' मैं भी भाग्य के चरणों में तेरह वर्ष की उम्र से अपने को समर्पित किये बैठी हूँ। इसलिए जिस भयंकर निश्चय की तैयारी मैंने की है वह मुझे जरा भी आतंकित नहीं कर पाता। बल्कि सच पूछा जाय, तो आज एक अद्भुत उल्लास, एक अलौकिक आशा की अनुभूति मेरे प्राणों को हर्षित कर रही है। मुक्ति! जीवन में आज प्रथम बार मैंने मुक्ति की भावना का स्वाद पाया है। उफ़! बचपन से आज तक कैसी विचित्र उलझनों में मैं जकड़ी रही। और विवाह के बाद कैसे कठोर बन्धनों ने मेरी आत्मा को अत्यन्त

निष्ठुरता से बाँध लिया था! पर अब भय नहीं है। अब मैं मुक्त हूँ। विश्व की कोई शक्ति अब मुझे नहीं बाँध सकती!

''उस दिन कैलाशनाथ जी से (पहले 'कैलाश भैया' लिखा था, फिर 'भैया' काटकर उसके स्थान में 'नाथ जी' जोड़ दिया था) दो-चार मिनट एकान्त में मेरी जो बातें हुईं, उनसे स्पष्ट ही आपके मन में सन्देह हो गया था कि हम दोनों के पारस्परिक सम्बन्ध में कुछ रहस्य छिपा हुआ है। केवल सन्देह ही नहीं, आपके मन में निश्चय ही यह विश्वास जम गया था (आपके व्यवहार से यह बात स्पष्ट हो गयी थी) कि उनके साथ मेरा प्रेम का सम्बन्ध रहा है। आपका अनुमान बिलकुल ठीक था। उनसे मेरा प्रेम-सम्बन्ध अवश्य रहा है! यदि वह अपनी परिस्थितियों या अपने स्वभाव की दुर्बलता के कारण कतरा न गये होते तो मैं उनसे विवाह करके अपने को धन्य समझती! (जयन्ती का यह वाक्य पढ़ते समय मेरी छाती पर सौ गरम हथौड़ों की चोट एक साथ पड़ी।) उनसे मेरा सांसारिक सम्बन्ध रहा या नहीं, इस विषय में कुछ कहना मैं व्यर्थ समझती हूँ। क्योंकि मैं जानती हूँ कि आप अपने ही सन्देह के कारण इस बात को ग्रहण करेंगे। यदि मैं कहूँ कि मेरा उनसे केवल आध्यात्मिक सम्बन्ध ही रहा है, तो आप इस बात पर विश्वास नहीं करेंगे। इसलिए इस सम्बन्ध में कोई सफाई देना मैं व्यर्थ समझती हूँ पर आज सारे संसार के आगे यह बात स्पष्ट रूप से कहने में मुझे तनिक भी लज्जा नहीं मालूम होती कि मैं उन्हें चाहती थी। फिर भी आपसे विवाह होने पर मैंने अपने को आपके जीवन की सच्ची संगिनी बनाने का निश्चय कर लिया था। इस निश्चय को चरितार्थ करने में मैं कोई बात उठा न रखती और आपके सुख-दुःख की साझी बनकर अपने कर्त्तव्य का पालन सचाई से करती। पर आपके अन्तर में छिपी हुई भावनाओं का प्रतिबिम्ब मेरी अन्तरात्मा में प्रारम्भ से ही पड़ने लगा था। आपने वैवाहिक सुख और शान्ति के इरादे से मुझसे विवाह कभी नहीं किया, बल्कि अपने सामाजिक अधिकार के पूरे प्रयोग से मुझे कलुषित और दलित करके एक हिंसात्मक सुख प्राप्त करने का उद्देश्य आपका प्रारम्भ से ही रहा है। विवाह के पूर्व से ही आपके मन में, जान में या अनजान में, मेरे चरित्र के प्रति सन्देह और साथ ही एक अस्वाभाविक ईर्ष्या का भाव घर किये हुए था। सम्भव है, मैं आपके मन के भाव को गलत समझी होऊँ। पर मैं जैसा समझ पायी हूँ, उसे स्पष्ट बता जाना अपना कर्त्तव्य समझती हूँ। और यदि मेरी धारणा आपके मनोभाव के सम्बन्ध में ठीक रही है, तो मैं कहना चाहती हूँ कि मेरे प्रति इस उत्कट हिंसात्मक ईर्ष्या की आवश्यकता क्या थी? माना कि मेरे पूर्वप्रेम-सम्बन्ध का पता आपको पहले ही लग गया था, पर इससे क्या हुआ? क्या विवाह से पहले आपका प्रेम-सम्बन्ध किसी दूसरी स्त्री से नहीं रहा?

''पर अब ये सब बातें व्यर्थ हैं। मैं आज प्रसन्न हूँ। आपके प्रति मेरे मन में किसी प्रकार के द्वेषभाव का लेश भी इस समय वर्तमान नहीं है। भगवान् आपके चित्त को धैर्य और शान्ति दे, मैं आन्तरिक मन से यह कामना करती हूँ। हाँ, एक बात और है।

यदि इस जीवन में आप कभी शान्ति देवी से फिर एक बार मिल पावें, तो उनके चरणों पर मेरी श्रद्धांजलि अर्पित कर दीजियेगा, यह मेरी अन्तिम प्रार्थना है।–जयन्ती।''

पत्र पढ़ने के बाद घण्टों तक मुझे ऐसा अनुभव होता रहा जैसे पत्र का एक-एक शब्द मेरे सिर पर, मेरे हृदय पर, मेरी रीढ़ पर निरन्तर निष्ठुर निर्ममता के साथ चोट मारता चला जाता है। बाद में धीरे-धीरे एक भयावह शान्ति की जड़ता मेरे मन को और प्राणों को आच्छन्न करने लगी। जयन्ती के प्रति तनिक भी आक्रोश मेरे मन में नहीं रहा, बल्कि उसके शब्दों पर विश्वास करके मैं यह सोचने लगा कि मरकर उसे वास्तव में मुक्ति का आनन्द प्राप्त हुआ है, और यह सोचकर मेरे उत्तेजित और उन्मादग्रस्त चित्त को कुछ सान्त्वना-सी मिलने लगी। अन्त में मेरे प्रति उसने जो मंगल-कामना प्रकट की थी उसकी कल्पना से मेरे मन में एक व्याकुल वेदना का उच्छ्वास उमड़-उमड़कर मेरे जलते हुए प्राणों में एक तरलता का संचार कर रहा था। जयन्ती ने मेरे जीवन की सारी भूल, सारी भ्रान्ति को अपने शरीर के साथ ही जला दिया था। मैं आन्तरिक व्यथा से, सच्चे हृदय से मन-ही-मन कहने लगा–''जयन्ती, तुम जहाँ कहीं भी होओ, सच्ची मुक्ति और सच्चे आनन्द का उपभोग करती रहो!''

•••

इस सर्वनाशी घटना के बाद दस-पाँच दिन तक मुझ पर जैसी बीती उसका वर्णन न मैं कर ही सकता हूँ, न उसके व्यर्थ प्रयास द्वारा पाठकों का जी उकताना उचित समझता हूँ। केवल इतना ही कह देना पर्याप्त होगा कि सारा घर, सारा गाँव, सारा संसार मुझे श्मशान की तरह लग रहा था, और सारी पृथ्वी चिता की तरह धाँय-धाँय जलती हुई अपनी कराल ज्वालामुखी लपटों से समस्त आकाश को लपेटती हुई-सी जान पड़ती थी। प्रत्येक मनुष्य मुझे यमदूत की तरह लगता था। अपने चारों ओर मुझे एक ऐसे वीभत्स, सर्वग्रासी चक्र जाल का विस्तार दिखायी दे रहा था जो मुझे अपने शिकंजे से जकड़कर मेरे सारे शरीर के, सारी आत्मा के रस को सोख लेना चाहता था।

भैया और भाभी जी के पास जाने का मुझे साहस नहीं होता था, यद्यपि भैया का सान्त्वना का तार आ गया था और उन्होंने मुझे फौरन दिल्ली चले आने के लिए लिखा था। तब वह दिल्ली चले आये थे। एक जघन्य दुष्कर्म का भार अटल चट्टान की तरह मेरी छाती पर पड़ा हुआ था। मुझे ध्रुव विश्वास होने लगा था कि मैं हत्याकारी हूँ–जयन्ती की लोमहर्षक मृत्यु का मूल कारण मैं ही हूँ। इसलिए इतने बड़े नारकीय अपराध की ज्वलन्त विभीषिका को अपनी छाती पर ढोकर मैं उनके पास नहीं जाना

चाहता था। पर भैया यों ही छोड़नेवाले जीव नहीं थे। वह एक दिन स्वयं आकर मुझे अपने साथ ले गये।

भाभी जी से संक्षेप में मैंने सारा किस्सा कह सुनाया। वह ऐसी स्तम्भित रह गयीं कि सान्त्वना का कोई वाक्य उन्हें कहने को न मिला।

जब तक मैं गाँव में था तब तक दुर्घटना की विभीषिका ने मेरे मस्तिष्क को ऐसी विभ्रान्ति से आच्छन्न कर रखा था कि कुछ सोचना-समझना मेरे लिये असम्भव था। पर दिल्ली आते ही एक दुःसह भावना रह-रहकर मेरे हृदय को काठ के कीड़े की तरह कुतरने लगी। रह-रहकर यह भाव मुझे धर दबाता था कि मेरे कारण एक चलती-फिरती, जीवित और स्वस्थ मानवी के प्राणों की बलि हो गयी, तरुण जीवन के वेग से फड़कती हुई एक सुकुमार देह-लता को मैंने सूखे हुए काठ की तरह जलने के लिए विवश किया! दो दिन पहले तक जिसके प्राणों की धारा मेरे सामने से होकर प्रवाहित होती थी, उसकी गति एकदम रुद्ध हो गयी और वह सदा के लिए सूख गयी। मेरे ही कारण यह सब हुआ। मैं ऐसा भयंकर हत्यारा निकला! यह भाव इस समय लिखते हुए कुछ भी भयंकर नहीं मालूम हो रहा है, और न मैं उसका यथार्थ वर्णन ही कर पा रहा हूँ, पर उस समय वह एक ऐसे चमगादड़ की तरह मेरे सिर के चारों ओर मँडराने लगा, जो रात में कमरे में प्रवेश करके बाहर निकलने का पथ नहीं पाता और एक भौतिक भीति से लोमहर्षण उत्पन्न करके निरन्तर फड़फड़ाता रहता है। किसी तरह भी यह भावना मेरे मन से न हटती थी कि यदि जयन्ती से मेरा विवाह न हुआ होता तो वह कभी इस प्रकार आत्महत्या न करती। "मैं दुष्कर्मी हूँ! मैं खूनी हूँ। मैं हत्याकारी हूँ!" मेरा मन रह-रहकर इन शब्दों से मेरे छाती में और मेरे मस्तिष्क में मूँग दलने लगा। रात-रात भर मैं सिर के बालों को दोनों हाथों से पकड़कर औंधे मुँह बिस्तर पर लेटा रहता। एक पलक भी नींद न आती। ऐसा मालूम होता कि सिर की नसों के तार अब टूटने ही को हैं। मैंने सोचा कि घर के बद्ध वातावरण में रहकर मैं अवश्य ही पागल हो जाऊँगा। इसलिए मैंने भ्रमण करने का निश्चय किया। भाभी जी से किसी बहाने से रुपये लेकर मैं एक दिन दिल्ली छोड़कर चला गया।

तीर्थयात्रियों की एक गाड़ी लम्बे चक्कर के लिए जा रही थी। मुझे निरुद्देश्य तो भटकना ही था, इसलिए उसी का पूरा टिकट लेकर तीसरे दर्जे में जा बैठा। कुछ समय तक विभिन्न तीर्थस्थानों के दर्शन किये। इसके बाद जब गाड़ी पुरी में आकर ठहरी, तो मैं वहाँ उतरकर कुछ समय तक वहीं ठहरने के इरादे से रह गया। दो महीने तक वहीं रहा। समुद्र की उत्ताल तरंगमालाओं का विलोल दृश्य देखकर मेरे अपराधी मन की विक्षुब्ध व्यथा का भार बहुत-कुछ हलका हो गया। जब मैं ज्वार के समय समुद्र के किनारे नहाने को खड़ा होता तो मुझे ऐसा अनुभव होने लगता कि सारा सागर अपनी अतल वेदना को तरल तरंगों के रूप में चक्रित करके, मुझे आलिंगन करता हुआ, मेरे अन्तर की दारुण विह्वलता को अपनी अनन्त वेदना के साथ मिलित करके, उसमें विलीन कर देना चाहता है।

दो मास पुरी में रहकर कुछ शान्ति अवश्य मिली, पर फिर भी मेरे पापदग्ध हृदय की कालिमा अभी अच्छी तरह धुली नहीं थी। कुटिल अपराध का जो काँटा मेरे अन्तरतम प्रदेश में गड़ा हुआ था, वह टूट अवश्य गया था, पर उखड़ा नहीं था। गरमी के दिन आ गये थे। मैंने पुरी से एकदम काश्मीर जाने का निश्चय किया। भाभी जी की कृपा से रुपये-पैसे की तंगी का सामना मुझे नहीं करना पड़ा। आवश्यकता पड़ने पर मैं उन्हें लिख भेजता, वह बिना विलम्ब के रुपये भेज देतीं।

कश्मीर जाकर कुछ दिन श्रीनगर रहा। वहाँ से पहलगाम पहुँचा। मई का महीना अभी आधा भी बीतने नहीं पाया था। सीजन शुरू होने में अभी कुछ दिनों की देर थी। सर्दी काफी थी। जिस होटल में मैं ठहरा वहाँ से चारों ओर के ऊँचे-ऊँचे पहाड़ों का दृश्य देखता रहा। ताजा बर्फ पड़ी हुई थी और अपनी रजत-शुभ्र आभा से मेरे अन्तर की कलंक-कालिमा पर एक अपूर्व पवित्र शीतल प्रभा का निर्मल प्रतिबिम्ब डाल रही थी। सामने एक पहाड़ी नदी पत्थरों पर पछाड़ खाती हुई, फेनिलोच्छ्वास से फफकती हुई, विकल क्रन्दन से निरन्तर बहती चली जाती थी। रात की निस्तब्ध निर्जनता में उसका एक-तार में झंकृत, एक स्वर में तरंगित रोदन, मेरे प्राणों के अविरल क्रन्दन के समान-ताल में गुंजरित होता हुआ, निखिल विश्व की निःसीम व्याकुलता को न जाने किस अज्ञात परिपूर्णता की ओर बहाये जाता था! मैं उसके प्रवाह-स्वर में अपने मन की धारा को मिलित करके अपनी जड़ व्यथा को उस समय के लिए उसमें विसर्जन कर देता और आँखें मूँदकर चुपचाप लेटा रहता। दो-एक घण्टे के लिए कभी नींद आ जाती, कभी न आती।

पहलगाम में प्रायः दो महीने रहा। इसके बाद हरद्वार चला गया। वहाँ तपोवन के पास एक कुटिया में रहने लगा। वहाँ के स्निग्ध शान्त वातावरण में चित्त ऐसा रम गया कि दस महीने तक वहीं डटा रहा। वहीं एक बौद्ध संन्यासी से परिचय हो गया। ये बाबा बड़े मुक्त-स्वभाव और आनन्दी जीव थे। उनके साथ उन्हीं के खर्चे से मैं पाण्डिचेरी गया। वहाँ से मद्रास और मद्रास से रामेश्वर पहुँचा। वहाँ से सीधे उनके साथ सिंहल पहुँचा। कुछ महीने वहाँ रहा। बौद्ध बाबा वहीं डट गये और मुझे भी वहीं रहकर बौद्धधर्म के निगूढ़ तत्त्वों का गहन अध्ययन करके शान्ति लाभ करने का उपदेश देने लगे। पर मुझे भारत की चिरपरिचित मिट्टी बड़े वेग से अपनी ओर खींचने लगी थी।

सिंहल से लौटकर मैं मध्यप्रान्त पहुँचा। वहाँ नर्मदा के तीरवर्ती एकान्त स्थानों में दस-दस, पाँच-पाँच दिन के लिए निवास करता हुआ, विन्ध्य पर्वतश्रेणी के अंचल में जा पहुँचा। एक वर्ष तक वहाँ के मनोरम प्राकृतिक आश्रमों में भ्रमण करता रहा। इसके बाद चित्रकूट पहुँचा। कुछ महीने वहाँ बिताये। इस प्रकार प्रायः साढ़े पाँच वर्ष तक मेरा भ्रमण-चक्र चलता रहा। इस दीर्घकालीन यात्रा से चित्त को बहुत-कुछ शान्ति अवश्य प्राप्त हो गयी थी, पर फिर भी घातक अपराध की पापानुभूति वज्ररेखा की तरह मेरे मन पर पड़ी हुई थी, और किसी तरह मिटती न थी।

इसके बाद मैं कैसे और क्यों एक दिन लखनऊ पहुँच गया, यह स्वयं मैं नहीं जानता। वहाँ अमीनाबाद के पास एक होटल में ठहरा हुआ था। एक सप्ताह वहाँ रहते मुझे हो गया था। मेरा जी वहाँ तनिक भी नहीं लग रहा था, पर दीर्घ और कठिन भ्रमण से शरीर और मन इस कदर थकित हो गये थे कि वहाँ से कहीं जाने को पाँव नहीं उठते थे। और जाता भी तो कहाँ जाता!

उस दिन रविवार था। जाड़े का मौसम था। दोपहर के समय मैं अन्यमनस्क-भाव से एक ताँगे पर चढ़ बैठा और ताँगेवाले से बनारसी बाग चलने के लिए कहा। बनारसी बाग जाने की कोई खास इच्छा मेरे मन में नहीं थी, और न ताँगे पर चढ़ने के पहले मैंने वहाँ जाने का विचार ही किया था। पर कहीं जरूर जाना था। चूँकि पहले बनारसी बाग की कल्पना मन में उदित हुई, इसलिए वहीं चलने का इरादा कर लिया।

वहाँ पहुँचकर अनमने-भाव से विभिन्न पशुओं की दिन-चर्या देखते हुए मैंने दो-एक चक्कर लगाये। एक चक्कर और लगाऊँ या वापस चलूँ, यह सोच ही रहा था कि अकस्मात् अपने सामने कुछ दूर पर एक व्यक्ति को देखकर ठिठककर खड़ा रह गया। उस व्यक्ति को प्रथम दृष्टि से ही पहचानने में मुझे भूल नहीं होनी चाहिए थी, पर फिर भी क्षण काल के लिए मन में सन्देह हुआ। उसकी आकृति पूर्णतः बलदेव की-सी थी, पर इलाहाबाद में उसका मुख सूखा हुआ, आँखें धँसी हुई, गाल पिचके हुए, ठुड्डी की हड्डी लम्बी और नुकली देखी थी। आज उसके गाल भरे हुए थे। रक्त-मांस की वृद्धि के चिह्न सारे मुख पर स्पष्ट झलक रहे थे।

मुझे देखकर बलदेव भी कुछ देर तक विस्मित-सा खड़ा रहा। फिर धीरे-धीरे संकोच और झिझक के साथ मेरी ओर आगे बढ़ा। मैंने उस समय संकोच को तूल देना उचित न समझकर नमस्कारपूर्वक सहज भाव से पूछा–"तुम यहाँ कब से हो!"

उसने कहा–"मैं डेढ़ साल से यहीं हूँ।" उसकी आँखों से अभी तक संकोच का भाव नहीं गया था।

"यहाँ क्या करते हो?"

"एक अँगरेजी साप्ताहिकपत्र का सम्पादन करता हूँ।"

"कोई नया पत्र निकाला है क्या?"

"हाँ, कुछ मनचले साम्यवादी रईसजादों ने मिलकर 'The Future Word' नामक एक पत्र निकाला है।"

"तुम्हें वेतन क्या देते हैं?"

"अभी तो डेढ़ सौ देते हैं; जनवरी से दो सौ देने का वचन मिला है।"

"मुझे सुनकर बहुत खुशी हुई। यहाँ रहते कहाँ हो?"

"गोलागंज में रहता हूँ। आप यहाँ कब से हैं और कहाँ ठहरे हैं?"

"मुझे यहाँ आये प्रायः एक हफ्ता हो गया।–होटल में ठहरा हूँ।"

"मेरे डेरे पर चलिये। पर इसके पहले होटल से आपका सामान उठाते हुए चलें।"

उसके कण्ठ-स्वर में इस बार सहज भाव आ गया था, और संकोच का लेश नहीं रह गया था।

मैंने कहा—"अभी होटल से सामान उठाने की कोई जल्दी नहीं है। पर तुम्हारे डेरे पर मैं अवश्य चलना चाहता हूँ। चलो।"

बाहर आकर हम लोगों ने एक ताँगा पकड़ा और गोलागंज की ओर चल पड़े।

रास्ते में बलदेव ने पूछा—"इतने दिनों तक आप कहाँ रहे और क्या करते रहे?"

जिस दिन अन्तिम बार बलदेव मुझसे इलाहाबाद में मिला था उस दिन उसका जो रुख देखा था, आज का भाव उससे किसी तरह भी मेल नहीं खाता था। आज उसके एक-एक शब्द में मेरे प्रति सहज स्नेह का भाव व्यक्त होता था। मेरे प्रति उसके मनोभाव के इस आश्चर्यजनक परिवर्तन का कोई कारण मुझे दिखायी नहीं देता था। केवल इतना ही अनुमान मैं लगा पाया कि उसकी आर्थिक स्थिति पहले से काफी अच्छी हो जाने के कारण सम्भवतः उसके व्यवहार में स्निग्धता आ गयी है।

उसके प्रश्न को टालने के इरादे से मैंने कहा—"तुम्हारा पत्र कैसा चल रहा है?"

"काफी अच्छा चल रहा है। यूनिवर्सिटी के छात्रों में उसका अधिक प्रचार है। केवल इसी प्रान्त के नहीं, दूसरे प्रान्तों के नवयुवकों में भी उसकी माँग बढ़ती जाती है। मैं एक ऐसे मतवाद का प्रचार करना चाहता हूँ, जो कोरा सिद्धान्तवाद या आदर्शवाद न रहकर जीवन की वास्तविकता से सम्बन्ध रखता हो, और जो 'रेडिकेलिज़्म' का पोषक होने पर भी इतनी सदियों के अनुभव से विकास-प्राप्त 'कल्चर' को न ठुकराकर उसे युग की आवश्यकता के अनुसार नये रूप से नये प्रकाश में जनता के आगे रखने में समर्थ हो!"

मैंने व्यंग्यपूर्वक अव्यक्त मुस्कान के साथ कहा—"दुइ न होहिं इक संग भुआलू, हँसब ठठाइ फुलाउब गालू।"

बलदेव कुछ उत्तेजित होकर बोला—"आपका यह दृष्टान्त मेरी बात के सम्बन्ध में कतई लागू नहीं होता। आप शायद यह कहना चाहते हैं कि 'रेडिकेलिज़्म' से उस 'कल्चर' का कोई मेल नहीं हो सकता जो पूँजीवादी सभ्यता का सार है, जिसके निर्माण में जन-साधारण की मनोवृत्तियों ने कुछ भी भाग नहीं लिया है। मैं 'रेडिकेलिज़्म' का अर्थ दूसरे रूप में ग्रहण करता हूँ। मैं उसका यह अर्थ नहीं लेना चाहता कि जो विचार और आचार सदियों की सामन्ती और पूँजीवादी सभ्यता से पुष्ट होकर आज संसार में वर्तमान हैं, उन्हें जड़ से उखाड़कर फेंक दिया जाय। मैं 'रेडिकेलिज़्म' का अर्थ समझता हूँ 'ट्रेन्सवेल्यूएशन ऑफ आल वेल्यूज'—सदियों के अनुशीलन से 'कल्चर' के जो तत्त्व संसार में प्रतिष्ठित हो पाये हैं, उन सबको परिवर्तित परिसंस्कृत रूप में जन-साधारण के आगे रखना, ताकि वर्तमान युग से साधारण जनता की मनोवृत्तियों का जो नवीन विकास शीघ्र गति से भविष्य की ओर अग्रसर होता जाता है उसके साथ उन तत्त्वों का एक ऐसा रासायनिक सम्मिश्रण हो जाय जो युगों के प्राचीन संस्कृति तत्त्वों के बीजों की रक्षा पूरी तरह से करता हुआ नवीनता के साथ उनका चिर-सम्बन्ध स्थापित कर दे।"

बलदेव की इस बात में कहाँ तक संगति थी, मैं कह नहीं सकता; पर उसने ऐसे आन्तरिक विश्वास के साथ उसे मेरे सामने रखा कि मुझ पर उसका गहरा प्रभाव पड़ा। पर यह बात मेरी समझ में न आयी कि उसका यह सिद्धान्त कोरी प्रगतिशीलता के उपासक नवयुवक छात्रों में कैसे लोकप्रिय हो सकता है। मैंने इस सम्बन्ध में उससे प्रश्न किया, तो उसने उत्तर दिया–"आपका यह सन्देह निराधार नहीं है। हमारे नवयुवक एकबारगी इस सिद्धान्त की यथार्थता को ग्रहण करने के लिए तैयार नहीं हैं। इसीलिए मैं अभी उन्हीं के विश्वास के आधार पर चल रहा हूँ। मैं एकदम से उन्हें नाराज कर देना नहीं चाहता, क्योंकि मैं चाहता हूँ कि उन लोगों के बीच मेरे पत्र का अधिकाधिक प्रचार हो। पर मैं इस चेष्टा में हूँ कि धीरे-धीरे उन्हीं की युक्तियों का सहारा लेकर उन्हें अपने इस नये मतवाद की ओर प्रेरित करूँ। हमारे कुछ दार्शनिकों ने जिस प्रकार वेदों की ही युक्तियों का सहारा लेकर वेदों के विकृत अंशों को खण्डित किया है, मैं भी उसी नीति के अनुसार चलना चाहता हूँ।"

बलदेव की पार्थिव और नैतिक दूरदर्शिता देखकर मुझे आश्चर्य भी हुआ और हँसी भी आयी। इलाहाबाद में उसके स्वभाव में मुझे जो नव-युवकोचित अक्खड़पन दिखायी दिया था, इस बार उसमें बहुत परिवर्तन आ गया था। इधर छह वर्ष के जीवन के अनुभव से उसके स्वभाव में जैसी गम्भीरता आ गयी थी वैसी ही व्यवहार-कुशलता थी।

•••

डेरे पर पहुँचकर उसने अपने नौकर से दो आदमियों के लिए चाय बनाने के लिए कहा। इसके बाद एक टिन बढ़िया सिगरेट का मेरे सामने एक टेबिल पर रख दिया, और बोला–"लीजिये, पीजिये!" यह कहकर वह स्वयं एक सिगरेट निकालकर जलाकर पीने लगा। इस समय न जाने कैसे मुँह से धुआँ उड़ाने की इच्छा मेरे मन में भी उत्पन्न हो गयी। मैंने भी एक सिगरेट जलायी। पर बलदेव को भी मैंने पहले कभी पीते नहीं देखा था। मैंने पूछा–"तुम कैसे इस चीज के आदी हो गये?"

एक सकरुण मुस्कान की अस्पष्ट झलक उसके मुख पर दौड़ गयी। एक दम लगाकर उसने कहा–"मेरे एकाकी निःसंगी जीवन का यही एकमात्र सच्चा, सहृदय साथी है। सुख में, दुःख में, दिन-रात किसी भी समय यह मेरा साथ देने को तैयार रहता है। आवश्यकता ने मुझे इसे अपनाने के लिए बाध्य किया है।"

'तुम्हारी मौसी और बहन क्या यहाँ तुम्हारे साथ नहीं हैं?"

"मौसी की मृत्यु हो चुकी है, और बहन ने आत्महत्या कर ली है।" आश्चर्यजनक धैर्य के साथ उसने यह बात कही। पर मैं चौंक उठा। मैंने कहा—"आत्महत्या। यह तुम क्या कह रहे हो? बात क्या हुई?"

"मैं स्वयं नहीं जानता। एक दिन एकान्त में मौका पाकर कपड़ों में मिट्टी का तेल डालकर वह जल मरी।"

"कपड़ों में मिट्टी का तेल डालकर जल मरी!" मैं ऐसा वज्र-स्तम्भित रह गया कि केवल उसका वाक्य दुहराने के सिवा और कुछ कह न सका। पर मेरी यह विस्मित और भय-चकित अवस्था कुछ ही समय तक के लिए रही। उसके बाद मेरे मन में धीरे-धीरे जो भाव उत्पन्न होने लगा वह जितना ही आश्चर्यजनक है उतना ही अविश्वसनीय भी। इस घोर दुःखद संवाद से बलदेव के प्रति सहानुभूति जगने के बजाय मेरे हृदय को एक तरह की सान्त्वना-सी प्राप्त होने लगी। मैं सोचने लगा कि जयन्ती के जल मरने की घटना को मैं जैसा अस्वाभाविक, असाधारण और आतंकोत्पादक समझे बैठा था, वह वास्तव में वैसी नहीं है। जरा-जरा-सी बात पर जल मरना भारतीय नारी के लिए एक साधारण-सी बात है; और सम्भवतः उन्हें जलते-जलते मरते-मरते एक प्रकार का सुख प्राप्त होता है, जिसकी तुलना उस सुख से की जा सकती है जिसका अनुभव वीर पुरुषों को युद्धक्षेत्र में गोलियों की बौछार, तोपों के गर्जन और तलवारों की झन-झन के बीच में लड़ते-लड़ते, मरते-मरते होता है। जिस असह्य, तीक्ष्ण कण्टकित वेदना को मैं इतने वर्षों से दिन-रात भूलने की चेष्टा करते हुए भी न भूल पाया था, वह बलदेव की बहन की आत्महत्या की खबर सुनने पर समूल उखड़कर नष्ट हो गयी। जैसे कोई व्यक्ति बहुत दिनों तक बात की वेदना से छटपटाने के बाद एक दिन सुबह नींद से जगने पर अकस्मात् यह अनुभव करता है कि शरीर में कहीं भी वेदना का लेश नहीं रहा, उस समय उसे जो सन्तोष मिलता है, ठीक वैसा ही अनुभव मुझे होने लगा। मुक्ति! मुक्ति! जयन्ती के प्रति अमानुषिक अपराध की जिस अनुभूति से इतने दिनों तक मेरा मन पल-पल तिल-तिल करके दग्ध हो रहा था, उससे मैंने अकस्मात् त्राण पा लिया। मैंने मन-ही-मन कहा 'जयन्ती! मुझे अब पूरा विश्वास हो गया कि तुमने मरते हुए सचमुच सुख पाया है, और उस सुख के कारण मुझे आन्तरिक मन से क्षमा करते हुए तुमने प्राण विसर्जन किये हैं।' मेरी आँखों में आँसू छलक आये। जयन्ती की मृत्यु के बाद आज प्रथम बार मेरी भावुकता इस तरह उमड़ी थी। बलदेव ने स्वभावतः सोचा कि उसकी बहन की मृत्यु की दुर्घटना से मेरा शोक उमड़ चला है। बात एक तरह से सच भी थी। क्योंकि मैं एक बार जयन्ती का स्मरण करता था और फिर उसके जीवन की दुर्घटना का साम्य बलदेव की बहन के जल मरने की घटना से करने की चेष्टा करता था।

बलदेव ने शान्त किन्तु सकरुण कण्ठ से कहा—"मेरा यह विश्वास है कि वह अपने को मेरे जीवन के भार-स्वरूप समझने लगी थी। एक ओर वह मेरी दरिद्रावस्था की बात सोचती थी, दूसरी ओर विवाह की साधारण अवस्था पार करने के कारण समाज की जो

विष-दृष्टि उस पर लगी हुई थी, उसका अनुभव करती थी। मौसी के जीवन-काल तक वह किसी तरह धैर्य धारण किये थी। पर मौसी की मृत्यु होते ही उसने आत्मघात कर लिया।"

मैं सन्न होकर बहुत देर तक उसकी ओर मौनभाव से देखता रहा।

चाय आयी। बलदेव ने एक घूँट पीकर कहा—"शान्ति देवी का कुछ समाचार तुम्हें मिला?"

जिस समय से बनारसी बाग में मैंने बलदेव को देखा था, तभी से मेरे मन में शान्ति की स्मृति जगी हुई थी। पर दूसरे-दूसरे विषयों की चर्चा के बीच में वह स्मृति दब-सी गयी थी। जब बलदेव ने स्वयं उसकी चर्चा चलायी, तो मेरी बिखरी हुई चेतना एकत्रित होकर पूर्णतः उसकी ओर केन्द्रित हो गयी।

मैंने अत्यन्त उत्सुक और आशंकित दृष्टि से उसकी ओर देखकर धीरे से कहा—"मुझे तो कोई समाचार नहीं मिला! मिलता भी कैसे और कहाँ से!"

"इलाहाबाद से चले जाने के प्रायः आठ-दस महीने बाद उन्होंने एक पत्र मुझे भेजा था।" यह कहकर वह परीक्षक की तरह मेरे मन की प्रतिक्रिया का भाव ताड़ने के उद्देश्य से तीखी दृष्टि से मेरी ओर देखने लगा।

मैंने अधीर होकर पूछा—"कहाँ से उसने पत्र लिखा था? और—और—मैं क्या यह पूछ सकता हूँ कि पत्र में उसने क्या—पर नहीं, मैं केवल यह जानना चाहता हूँ कि वह कहाँ गयी, और इस समय कहाँ है? क्या तुम यह बता सकते हो?" यह जानकर कि शान्ति ने बलदेव को पत्र लिखा है, मेरे सिर पर बहुत दिनों बाद फिर एक बार निद्रित शैतान जाग उठा।

मेरी उतावली और घबराहट देखकर मेरे प्रति उसके मन में जैसे सचमुच दया उत्पन्न हो गयी हो, ऐसा भाव मैंने उसके मुख पर व्यक्त हुआ पाया। वह बोला—"देहरादून से उनका पत्र मेरे पास आया था। वहाँ तब एक आर्य कन्या-पाठशाला में वह अध्यापिका थीं। पर आजकल वह देहरादून में ही लड़कियों के एक हाईस्कूल में पढ़ाती हैं, मैं कुछ ही महीने पहले उनसे मिला था। इधर चार वर्षों के भीतर उन्होंने प्राइवेट तौर से इण्टरमीडिएट की परीक्षा पास करके आगरा यूनिवर्सिटी से बी.ए. की डिग्री भी प्राप्त-कर ली है। अब बी.टी. पास करने का विचार कर रही हैं।"

मैं एक-एक घूँट करके धीरे-धीरे चाय पीता हुआ, विस्मय-विमूढ़ होकर मौन बैठा रहा। कुछ समय बाद बलदेव ने स्नेहपूर्ण उलाहने के स्वर में कहा—"आपने ऐसे रत्न को ठुकरा दिया, मित्र, इससे बढ़कर दुर्भाग्य आपका और कुछ नहीं हो सकता।"

एक मार्मिक वेदना मेरी अन्तरात्मा को एक छोर से दूसरे छोर तक अत्यन्त निष्ठुरता के साथ मथित कर रही थी। पर मैं कुछ बोला नहीं। बलदेव कहता चला गया—"इस जीवन में बहुत-कुछ देखा, बहुत-कुछ सुना। बचपन से इस समय तक क्रूर-से-क्रूर, कठोर-से-कठोर अनुभवों का सामना करते हुए मैंने जिन्दगी बितायी है। कभी-कभी अपने जीवन की व्यर्थता के अनुभव से आत्महत्या की अदमनीय प्रवृत्ति भूत की तरह

मेरे सिर पर सवार हुई है। पर एक अनुभव मुझे ऐसा हुआ है, जिसके कारण मैं अपने सारे दुःखों, समस्त पीड़नों को भुलाकर अपना जीना सार्थक समझे बैठा हूँ। शान्ति देवी से मेरा परिचय होने के कारण मैं अपने को धन्य समझता हूँ। उनके समान तेजस्विनी और तपस्विनी नारी की सहृदयता प्राप्त करना कितने बड़े सौभाग्य की बात है, इसे आपके समान 'बूर्जुवा' मनोवृत्ति के लोग नहीं समझ सकते, जो जानकर या अनजान में; बल से या कौशल से किसी स्त्री पर पूर्ण अधिकार प्राप्त करके, अपने झूठे पुरुषत्व की विजय-पताका फहराकर अपने अहंभाव की पुष्टि करना चाहते हैं, और इस उद्देश्य में नाममात्र की भी बाधा पाने से बौखला उठते हैं।"

मैंने देखा कि बलदेव अपनी एकान्त-चिन्तना के फल से जयन्ती के दृष्टिकोण को अज्ञात में ग्रहण किये बैठा है, और मैं जयन्ती के संसर्ग में रहकर भी अन्त तक उसे हृदयंगम न कर पाया! इससे बड़ी ट्रेजेडी मेरे जीवन में और क्या हो सकती थी! मेरे सिर पर जो शैतान रुद्र-नृत्य करने लगा था, वह बलदेव का यह मार्मिक कथन सुनकर फिर सो गया, और मेरा अन्तर्देवता जाग्रत होकर मुझे मेरी हीनता और भ्रान्ति से परिचित कराके अत्यन्त लज्जित और संतप्त करने लगा। मैं अपराधी की तरह सिर नीचा किये रहा। बलदेव की ओर देखने का साहस मुझे नहीं होता था।

कुछ क्षण के लिए चुप रहकर, बलदेव ने कहा—"जिस दिन इलाहाबाद में मैं आप से अन्तिम बार मिला था, और शान्ति देवी का पत्र मैंने आपके हाथ में दिया था, उस समय मेरे मन में क्या भावना उठ रही थी, जानते हैं?"

इस बार मैंने अपना सिर उठकार तीव्र उत्सुकता के साथ बलदेव की ओर देखा। पर मुँह से मैं कुछ न बोला। बलदेव ने कहा—"रह-रहकर मेरे अशान्त हृदय में एक घोर हिंसात्मक प्रवृत्ति जोर मार रही थी। जी चाहता था कि आपका गला घोंटकर उसी दम जान से मार डालूँ। शान्ति देवी ने आपके सम्बन्ध में मुझसे एक शब्द भी नहीं कहा, पर जो आर्त्त और असहाय भाव मैंने उनकी आँखों में देखा, उससे यह समझने में मुझे कुछ भी देर न लगी कि वह अमानित होकर ठुकरायी गयी हैं। इसके अलावा आपकी बातों से, व्यवहार से और हाव-भाव से आपकी भीतरी प्रकृति का बहुत-कुछ परिचय मुझे पहले ही मिल चुका था। पहले से ही मुझे इस बात की आशंका थी कि शान्ति देवी को आप एक दिन अवश्य ठुकरावेंगे!"

चाय अभी प्याले में काफ़ी पड़ी हुई थी। मैंने पीना छोड़ दिया। जितनी पी चुका था वह ऊपर को उमड़-उमड़कर मेरी जबान को कुनैन से भी कड़वे किसी कालकूट विष के तिक्त-स्वाद का अनुभव करा रही थी। कुहनों को मेज पर टेककर दोनों हाथों से सिर थामकर मैं गर्दन झुकाये रहा।

बलदेव कहता गया—"उस दिन जब शान्ति देवी मेरे यहाँ आयीं तो मैंने हाथ जोड़कर उनसे प्रार्थना की कि वह मुझे अपना सगा भाई समझें और तब तक निस्संकोच मेरे यहाँ रहें जब तक उनका चित्त स्थिर नहीं हो जाता। पर उन्होंने बेहद घबराहट के साथ कहा—'नहीं, नहीं, मैं एक दिन भी, एक घड़ी भी इलाहाबाद में नहीं रह सकती।

मुझे अभी जाना होगा। पर मेरे पास एक पैसा भी नहीं है। सिर्फ सोने के ये दो कंगन मेरी माँ के दिये हुए मेरे पास हैं जिन्हें मैं इतने दिनों तक परम पुण्य स्मृति-चिह्न के रूप में बड़ी सावधानी से छिपाये हुए थी। क्या इन्हें कहीं बेचकर या गिरवी रखकर रुपयों का कुछ बन्दोबस्त नहीं किया जा सकता?' मैं दो मिनट तक सोचता रहा। इसके बाद मैंने कहा—'बहन जी आप मुझे कुछ देर की मोहलत दीजिये, मैं रुपयों का प्रबन्ध करके आता हूँ। यहीं पास ही, इसी गली में एक आदमी रहता है, जिससे मेरा घनिष्ठ परिचय है। कंगन की कोई जरूरत नहीं है। आप यहाँ बैठी रहें; मैं शीघ्र लौटकर आता हूँ।' उन्होंने कंगन ले जाने के लिए बहुत हठ किया, पर मैं किसी तरह राजी न हुआ। पास ही एक सूदखोर काबुली रहता था। उससे मौके-बे-मौके मैं रुपये उधार ले चुका था। उसके पास जाकर मैंने सौ रुपये कर्ज माँगे। चालीस फीसदी ब्याज तय करके उसने रुक्का लिखाकर बिना विलम्ब के मुझे रुपये दे दिये। मैंने सब रुपये शान्ति देवी को दिये। पर उन्होंने केवल पचास अपने पास रखे और बाकी मुझे लौटा दिये। रुपये लेकर अत्यन्त करुण स्वर से मुझे धन्यवाद देकर वह तत्काल आँखें पोंछती हुई उठ खड़ी हुईं। मैंने उन्हें स्टेशन तक पहुँचाने का प्रस्ताव किया। पर वह किसी तरह मेरे साथ चलने को राजी न हुईं। मौसी को प्रणाम करके और बहन के सिर पर हाथ रखकर शायद मन-ही-मन उसे आशीर्वाद देते हुए, दो बूँद आँसू उसके ऊपर गिराकर वह चलने लगीं। जाते हुए उन्होंने आपके लिए एक पत्र मेरे हाथ में दिया जो एक सादे लिफाफे में बन्द था। शायद वह पहले से ही उसे लिखकर अपने साथ लायी थीं। इसके बाद वह वायुवेग से चली गयीं। एक बार मेरे मन में यह इच्छा उत्पन्न हुई कि उनका पीछा करके इस बात का पता लगाऊँ कि वह किस गाड़ी से कहाँ जाती हैं, पर फिर यह सोचकर कि मेरी इस चेष्टा से उनके मन को बहुत चोट पहुँचेगी, मैं बहुत देर तक अपने मकान से बाहर न निकला। मैं भावमग्न होकर उस भग्न-हृदय, निखिल जगत् में निपट अकेली, तरुण तापसी के अन्तिम दर्शन का ध्यान करने लगा, जो एकदम असहाय और अनाश्रित होने पर भी, किसी की सहायता की लेशमात्र परवा न करके, केवल अपने मानी हृदय की तेजस्विता का सहारा पकड़कर, अज्ञात दिशा की अनन्त यात्रा के पथ पर चल पड़ी थी। मेरे भावुकता-रहित हृदय में प्रथम बार एक ऐसी टीस उठी जिसने विश्व-नारी के प्रति एक अवर्णनीय श्रद्धा की हिलोर से मुझे प्लावित कर दिया। मैं कृतार्थ हो गया, मेरे जीवन के सब अभावों की पूर्ति हो गयी! मेरा अविश्वासी नास्तिक मन नारी की अनन्तव्यापी महिमा का जयगान गा उठा। मेरा कठोर पौरुष पिघलकर उस विश्वजयी महिमा के प्रति अविरल धारा से पुलक-अंजलि प्रदान करने लगा। यही कारण है, मित्र, कि आज पूर्ण रूप से 'प्रगतिशील' बनने में मुझे हिमालय पर्वत की तरह अटल और अविचल बाधा का सामना करना पड़ रहा है। मैं क्या था, क्या होना चाहता था और क्या हो गया! कठोर मार्क्सवादी होने पर भी मैं आज प्रगति-पन्थियों का साथ ठीक तरह से नहीं दे पाता हूँ! भावुकता का एक उद्वेल प्रवाह मेरे शुष्क हृदय में एक बाढ़-सी लाकर मुझे बहाये लिये जाता है। मैं इतना दुर्बल हो

गया हूँ कि उस बाढ़ के वेग का प्रतिरोध नहीं कर पाता। पर इस दुर्बलता में कितनी अधिक सबलता, कैसी स्वास्थ्यप्रद अनुभूति छिपी है, यह मैं संसार को कैसे समझाऊँ!"

मैंने बीच में एक बार सिर उठाकर बलदेव की ओर देखा। उसकी आँखों से एक उद्दाम, अतीन्द्रिय, अलौकिक आवेग, एक मादक, मोहक, तीक्ष्ण भाव 'रेण्टगेन' किरणों की तरह मेरे मुख की अस्थि-मांसमयी स्थूलता को पार करके शून्य में विकीरित हो रहा था।

बलदेव की वाग्धारा से मुझे ऐसा मालूम हो रहा था कि दूर-दूर किसी रहस्यमय भौतिक स्वप्नलोक से वह मर्मच्छेदी वार्त्ता अदृश्य तड़ित्-तरंगों में प्रवाहित होकर आ रही है और रेडियो द्वारा उसका एक-एक शब्द मेरे कानों में प्राणान्तक वेदना से गूँज रहा है।

कुछ देर तक उस एकान्त कमरे में एक स्तब्ध नीरवता मस्तिष्क में भाँयँ-भाँयँ, सायँ-सायँ करती हुई मेरी शिराओं के रक्त-प्रवाह के ताल में बजती रही। बलदेव ने टिन से सिगरेट निकालकर जलायी, और दो-एक फूँकों के बाद अपना स्वर बदलकर शान्त और दृढ़ गम्भीरता के साथ वह बोला—"आपके दिये हुए दस-दस के नोट जो प्रारम्भ से ही मेरे कलेजे पर साँप की तरह लोट रहे थे। उस दिन की घटना से वह बेचैनी और बढ़ गयी; इसलिए काबुली के रुपयों से आपका कर्ज चुकाने के लिए मैं अधीर हो उठा। आपके डेरे पर आकर जब मैंने शान्ति देवी का पत्र देने के साथ ही आपके दो नोट वापस किये, तब मेरा कलेजा कुछ ठण्डा हुआ।"

इस बार मेरा कण्ठ फूटा। बलदेव की ओर न देखकर मैंने ग्लानि विजड़ित कण्ठ से कहा—"देखो बलदेव, तुम मुझे बुरी तरह लज्जित और संकुचित कर रहे हो। मैं अच्छी तरह महसूस करने लगा हूँ कि मैं कितना बड़ा अपराधी रहा हूँ। अपने पिछले बर्ताव के लिए मैं सच्चे हृदय से तुमसे क्षमा चाहता हूँ। तुम्हारे अलावा एक और व्यक्ति की क्षमा पाने के लिए मैं अधीर हूँ। मैं कह नहीं सकता कि मेरी यह मनोकामना सिद्ध होगी या नहीं। फिर भी—"

मेरी बात बीच ही में दबाकर बलदेव बोल उठा—"मुझसे क्षमा चाहकर आप मेरा परिहास कर रहे हैं, मित्र! पर हाँ, मैं आपसे प्रार्थना करूँगा कि आप एक बार शान्ति देवी के पास अवश्य जावें। उनसे एक बार अवश्य क्षमा माँगें। वह आपको क्षमा करें चाहे न करें, पर उनसे क्षमा चाहना ही आपके लिए परम सौभाग्य की बात होगी। अकपट मन से एक बार उनके चरणों पर गिड़गिड़ावें, आपकी दग्ध आत्मा का उद्धार तभी हो सकता है! वर्ना आपकी कोई गति नहीं है, आपके पापों का कोई प्रायश्चित्त नहीं है!"

मैंने मन-ही-मन बलदेव की सलाह को सिर-माथे रखा। पर एक बात मेरे मन में खटकने लगी। मैंने सोचा—उसने 'पाप' शब्द के साथ बहुवचन-बोधक चिह्न क्यों लगाया? क्या उसकी अज्ञात चेतना किसी रहस्यमय कारण से यह ताड़ गयी है कि मैंने शान्ति के अलावा एक और नारी के सर्वनाश के पाप से अपनी आत्मा को कलुषित किया है? इस अनुभूति से मेरा हृदय सिहर उठा।

कुछ देर बाद मैं उठ खड़ा हुआ। बलदेव ने कहा—"चलिये, मैं भी चलता हूँ। होटल से आपका समान लेते आवें।" यह कहकर वह भी खड़ा हो गया।

मैंने कहा—"सामान लाने की कोई जरूरत नहीं है, मैं आज ही चला जाना चाहता हूँ।"

"कहाँ?"

"देहरादून।"

"ऐसी जल्दी क्या है? एक-आध दिन ठहरिये।"

"नहीं, अब एक दिन की भी देर नहीं कर सकता।"

"अच्छा तो चलिये, मैं आपको स्टेशन तक पहुँचा आऊँगा?"

"चलो!" कहकर मैंने दरवाजे की ओर पाँव बढ़ाये, पर अकस्मात् ठहरकर मैंने कहा—"हाँ, एक बात है। तुम्हारे पास शान्ति का जो पहला पत्र आया था उसे एक बार क्या मुझे—"

बलदेव तत्काल बोल उठा—"केवल पहला नहीं, वह अन्तिम भी था। मैं अवश्य उसे आपको दिखा सकता हूँ।" यह कहकर वह व्यंग्य की एक हलकी-सी मुस्कान मुख पर झलकाकर भीतर चला गया। थोड़ी देर में लौटकर उसने एक पत्र मेरे हाथ में दिया। शान्ति के अक्षरों को देखने का सौभाग्य इससे पहले मुझे केवल एक ही बार हुआ था जब बलदेव ने उसके हाथ का लिखा एक छोटा-सा 'चिट' मुझे दिया था। उस समय मेरी मानसिक स्थिति उसकी लिखावट पर गौर करने की नहीं थी। आज मैंने ध्यान से देखा। मोती के-से छोटे, सुगोल और सुडौल अक्षरों में शिरोनामा लिखा हुआ था—"श्रीयुत् बलदेव प्रसाद जी मेहरोत्रा"—इन शब्दों को पढ़कर एक मधुर ईर्ष्याजनित वेदना की कसक से मेरा हृदय फड़क उठा। फटे हुए लिफाफे से पत्र निकालकर मैंने पढ़ा—

"प्रिय भाई बलदेव प्रसाद जी,

पत्र के साथ सौ-सौ रुपये के दो नोट 'इन्श्योर' करके भेज रही हूँ। अपने महाजन का (अथवा मित्र का—जिस किसी से भी आपने रुपये लिये हों) कर्ज चुकाने के बाद जो रुपये आपके पास बचें उनसे अपनी बहन के लिए मेरी तरफ से दो-एक साड़ियाँ खरीद लीजियेगा। आपकी बहन पर मेरा भी उतना ही अधिकार है जितना आपका। इसलिए इस अधिकार के प्रदर्शन के सुख से मुझे आप वंचित नहीं करना चाहेंगे, इसकी मुझे पूरी आशा है।

"आपने असमय में मेरी सहायता करके मुझ पर जो कृपा की है उसे मैं इस जन्म में नहीं भूल सकती। मैं यहाँ एक कन्या पाठशाला में पढ़ाने लगी हूँ।

आपकी बहन—शान्ति।"

ऊपर लिखा था "मुहल्ला झण्डा, देहरादून।" मैंने एक चोर की तरह पत्र पढ़कर, लिफाफे में डालकर उसे बलदेव को वापस कर दिया।

•••

शाम को देहरादून एक्सप्रेस जाती थी। बलदेव मुझे स्टेशन में पहुँचाने आया। गाड़ी आने पर जब मैं इण्टर के एक डिब्बे में बैठ गया, तो बलदेव ने मुझे बताया कि शान्ति ने कुछ समय से डेरा बदल दिया है, और वह अमुक स्थान में अपने स्कूल की अध्यापिकाओं के क्वार्टर में रहती हैं। उसने यह भी बताया कि यह सूचना उसके एक परिचित व्यक्ति से मिली है। वह व्यक्ति कौन है, यह उसने नहीं बताया। इंजिन ने सीटी दी। मैंने बलदेव की ओर हाथ जोड़े, उसने भी नमस्कार किया। उसके मुख के भाव से ऐसा जान पड़ा कि वह कोई एक विशेष बात मुझसे और कहना चाहता है, पर द्विविधा में पड़कर कह नहीं पाता। गाड़ी चल दी। फिर एक बार हम दोनों ने नमस्कार का आदान-प्रदान किया। बलदेव अन्यमनस्क-सा होकर चल दिया।

रास्ते-भर मेरे मस्तिष्क में तरह-तरह की कल्पनाएँ उदित होती रहीं और सिनेमा के फिल्म की तरह बड़े वेग से एक के बाद दूसरा और दूसरे के बाद तीसरा चित्र मेरी मानसिक आँखों के आगे उद्घाटित हो रहा था। पर कोई भी चित्र चन्द सेकेण्डों से अधिक समय तक स्थिर नहीं रह पाता था, और न किसी चित्र का कोई विशेष अर्थ ही मुझे प्रतीत होता था।

रात को ठीक तरह से गाड़ी में नींद नहीं आयी। दूसरे दिन देहरादून स्टेशन पर जब गाड़ी ठहरी, तो उतरते समय मेरा हृदय बरबस धड़कने लगा। इस हौलदिली का कोई प्रत्यक्ष कारण मुझे नहीं दिखायी देता था। बाहर आकर एक ताँगेवाले से किसी अच्छे होटल में ले चलने के लिए कहा। होटल में पहुँचकर शान्ति से मिलने का उत्साह अकारण ही जाता रहा। सोचा कि आज गाड़ी के सफर से थका हुआ हूँ, कल जाकर मिल लूँगा; जल्दी क्या है!

पर दूसरे दिन भी जाने का साहस न हुआ—यद्यपि मैंने कई बार जाने का इरादा किया। तीसरे दिन भी यही हाल हुआ, और चौथे दिन भी। मैं घबरा उठा। बावजूद मेरे जाने की इच्छा के, किसी अज्ञात शक्ति के दबाव से मैं ऐन मौके पर रुक जाता था। मैंने सोचा—"क्या मैं सचमुच शान्ति से नहीं मिल पाऊँगा? यदि इस बार उससे न मिल सका, तो फिर जीवन में कभी मिल सकने की सम्भावना नहीं है। पर मिलकर भी क्या होगा! वह मुझे भूलकर, जीवन में स्थिरता प्राप्त करके किसी निश्चित कार्यक्रम के अनुसार अपने दिन बिता रही है। उसके इस कार्यक्रम में बाधा डालना क्या उचित होगा? वह सुखी है, सन्तुष्ट है; जो भयंकर धक्का मेरे संसर्ग के कारण उसकी आत्मा को पहुँचा था उससे भी वह निश्चय ही इतने वर्षों के अन्तर से सँभल चुकी है। तब

फिर क्यों नाहक पुरानी स्मृति उभाड़कर उसे पीड़ित किया जाय? पर न मिलने से मेरे मन में जो धुकधुकी सब समय, सदा के लिए बनी रहेगी, उसका क्या उपाय होगा? नहीं, चाहे परिणाम कुछ भी हो, उससे अवश्य एक बार मुझे मिलना होगा।''

यह सोचकर मैंने जाने का निश्चय किया। होटल के नौकर से एक ताँगा लाने के लिए कहा। जब ताँगा आया, तो जिस कुर्सी पर बैठा था, उसने मुझे ऐसा जकड़ लिया कि मैं चेष्टा करने पर भी उठ न सका। मैं सिर धुनकर रह गया। ताँगेवाले को चार आने देकर लौटा दिया। कमरे का दरवाजा भीतर से बन्द करके मैं विविध प्रकार की चिन्ताओं में मग्न होकर फर्श की ओर शून्य दृष्टि से देखता हुआ चहलकदमी करने लगा। कभी देहरादून से वापस चले जाने की बात सोचता, कभी उसी दम शान्ति से मिलने का विचार करता, कभी अपने को धिक्कारता, कभी अकारण बलदेव पर आक्रोश करने लगता।

अपने मन की इस प्रकार की अनिश्चित और अव्यवस्थित दशा से मैं स्वयं भयभीत हो उठा था। एक और मुश्किल यह थी कि मैं होटल से बाहर नहीं निकल पाता था। जिस दिन देहरादून आया था, उस दिन से एक दिन के लिए भी अपने कमरे से बाहर नहीं निकला था। मेरा यह अद्भुत व्यवहार देखकर होटल का मैनेजर भी मेरे प्रति सन्दिग्ध हो उठा था। वह निश्चय ही सोचता होगा कि या तो मैं कोई राजनीतिक षड्यन्त्रकारी हूँ या किसी खून के मामले में फरार हूँ। कई बार वह विस्मय का भाव दिखाकर मुझसे पूछ चुका था—''बाबू जी, आप बाहर घूमने के लिए नहीं निकलते, बात क्या है? देहरादून आप क्या किसी खास काम से तशरीफ लाये हैं?'' मैं टालमटोल का उत्तर देकर उससे छुट्टी पाने की कोशिश करता। मेरे बाहर न निकलने का एक कारण यह था कि कहीं शान्ति ताँगे में जाती हुई मुझे रास्ते में न मिल जाय, इस बात का मुझे बड़ा भय था।

पाँचवें दिन अपनी सारी शक्ति लगाकर, प्रबल चेष्टा से समस्त द्विविधाओं को झाड़-फटकारकर मैं प्रायः चार बजे के समय शान्ति से मिलने के इरादे से निकल पड़ा। घोड़े की चाल से ताँगा ज्यों-ज्यों धक्के खाता था, मेरा हृदय भी त्यों-त्यों धड़क-धड़क उठता था। पर मैंने इस बात की परवा न की। बलदेव ने जो पता बताया था उसे मैंने ताँगेवाले को समझा दिया था। उसने यद्यपि यह नहीं सूचित किया कि वह ठीक तरह से नहीं समझा, तथापि बाद में स्पष्ट हो गया कि वह उस पते से कतई परिचित नहीं है। शायद वह नया आदमी था। बार-बार रास्ते में चलते हुए आदमियों से पता पूछना पड़ता था, जिससे मुझे न जाने क्यों, अत्यन्त लज्जा मालूम होती थी। फल यह हुआ कि जो कुछ थोड़ा-बहुत साहस बटोरकर मैं होटल से चला था, वह रास्ते में ही ठण्डा पड़ा गया। बड़ी मुश्किल से पता लगा।

ताँगावाले को फाटक के बाहर ही ठहराकर मैंने अनिश्चित पगों से फाटक के भीतर प्रवेश किया। बँगले के बाहर कहीं कोई आदमी नहीं दिखायी देता था, जिससे पूछकर इस बात का पता लगाता कि शान्ति उसी बँगले में रहती है या नहीं। फाटक के पास

ही एक स्थान पर खड़े होकर किसी व्यक्ति के बाहर निकलने का इन्तजार करने लगा। दाहिनी ओर कुछ दूरी पर एक कोने में एक हृष्ट-पुष्ट, सुडौल सुघर गाय खड़ी थी, और एक छोटा-सा सुन्दर लड़का, जिसकी उम्र छह साल से अधिक न होगी, बड़े प्रेम से उसे अपने हाथ से घास खिला रहा था। गाय भी सिर ऊपर को करके अर्द्ध-निमीलित आँखों से उस सुन्दर बालक के कोमल कर से प्राप्त तिनकों का स्वाद ले रही थी। यह दृश्य इतना अच्छा था कि मैं बहुत देर तक एकटक दृष्टि से उसी ओर देखता रहा। ऐसा सुन्दर लड़का मैंने अपने जीवन में पहले कभी नहीं देखा था। वह एक काले रंग का हाफपैण्ट और धुमैले रंग का शर्ट पहने था। पाँव में उसके चप्पल थे। लम्बा कद, गोरा रंग, दीर्घाकार भावपूर्ण आँखें, घने काले रंग की पतली-सी भौंहें, लम्बी, न बहुत उठी हुई, न बहुत दबी हुई नाक, पतले और रँगीले होंठ—सब मिलकर उसकी मुखाकृति में एक ऐसे सुघर-सौष्ठव का भाव झलका रहे थे कि जी चाहता था उसे पकड़कर उसका मुँह चूम लूँ और छाती से लगा लूँ।

"लल्लन!" तीखे कण्ठ से किसी को पुकारते हुए सुना गया, और आवाज के साथ ही एक लम्बे कद की, साँवले रंग की युवती महिला बँगले के बायीं तरफवाले कोने के कमरे से बाहर निकलकर उस ओर आयी; जहाँ वह प्यारा लड़का गाय को खिला रहा था। महिला ने मुझे न देखा, और वह दौड़ती हुई घबराहट के साथ बच्चे के पास जाकर बोली—"क्या कर रहा है शैतान? अभी जब गाय सींग से मार डाले, तो कैसा होगा? दुष्ट कहीं का! चल, इधर आ।" यह कहकर महिला ने उसका हाथ पकड़ लिया। बच्चे के सम्बन्ध में माता की इस तरह की आशंका स्वाभाविक समझकर, और साथ ही उसे अमूलक जानकर मैं मन-ही-मन मुस्कराने लगा। पर 'लल्लन' ने उसे माँ न कहकर, 'मौसी' कहकर पुकारा। एक अपूर्व स्निग्ध-मधुर हास मुख पर झलकाकर, एक बार गाय की ओर और एक बार महिला की ओर देखकर बोला—"मौसी, यह गाय मारती नहीं; यह बड़ी अच्छी है।"

"गाय तो जरूर अच्छी है, पर तू तो दुष्ट है!" कहकर महिला उसका हाथ पकड़कर भीतर ले जाने लगी। मैं साहस करके आगे बढ़ा, और महिला के पास आकर खड़ा हो गया। धीमे स्वर में मैंने कहा—"क्या आप कृपा करके यह बता सकेंगी कि शान्ति देवी कहाँ रहती हैं1"

मुझे देखकर महिला रुक गयी थी। वह बड़े आश्चर्य से मुझे देख रही थी। बालक भी अपनी भावपूर्ण आँखों की विस्मय उत्सुक दृष्टि से एकटक मेरी ओर देख रहा था। मेरे प्रश्न के उत्तर में महिला ने कहा—"यहीं रहती हैं। आप कहाँ से पधारे हैं।".

"मैं लखनऊ से आया हूँ।"

"आपका शुभ नाम?"

इस प्रश्न से मैं जरा चक्कर में पड़ा। मेरा नाम सुनकर शान्ति यदि मुझसे मिलने से इनकार कर दे, तब? मैंने कहा—"नाम बताने की कोई जरूरत नहीं है, आप कृपा करके उन्हें जरा एक मिनट के लिए बाहर भेज दें। वह मुझे पहचान लेंगी।"

महिला एक बार आश्चर्य से मुझे देखती थी, और फिर उसी आश्चर्य के भाव से बालक के मुख की ओर देखती थी। उस समय यह रहस्य मेरी समझ में न आया। एक बार और मुझे सिर से पाँव तक देखकर महिला बालक को लेकर भीतर चली गयी।

शान्ति के बाहर आने की प्रतीक्षा में मेरा हृदय धक-धक धड़क रहा था। अन्त में वह चरम क्षण आ ही पहुँचा। शान्ति कमरे के बाहर बरामदे में धीर-मन्थर गति से चली आयी। मैंने बरामदे के सामने की एक पुष्पलता की ओट से देखा। कैसा अपूर्व परिवर्तन मैंने उसके मुख पर पाया। एक स्निग्ध-गम्भीर; सौम्य-शान्त भाव से उसका मुखमण्डल महिमान्वित हो रहा था। बलदेव ने उसे तेजस्विनी तापसी बताया था। पर इस समय उसका तेज एक प्रशान्त तरलाभास के रूप में परिवर्तित होकर उसकी सकरुण आँखों में सरसता झलका रहा था, और एक शीतल पुनीत छाया का विस्तार कर रहा था। मुझे देखते ही उसके मुख का भाव बदल गया, और अवर्णनीय विस्मय की विभ्रान्ति से वह मुझे देखती रह गयी। कुछ क्षण बाद उसने दबी हुई जबान से, प्रायः फुसफुसाते हुए कहा—"तुम तुम—आप यहाँ कैसे आ गये!" उसका चेहरा एकदम स्याह हो गया था। एक अप्रत्याशित धक्का-सा उसे लगा था, जिससे सँभलने में वह अपने को असमर्थ पा रही थी।

जिस बात की आशंका मैंने की थी, वह प्रत्यक्ष रूप से मेरे आगे उपस्थित हो गयी। भयभीत भाव से मैंने कहा—"बड़ी मुश्किल से इतने दिनों बाद तुम्हारा पता लगा पाया। आज लखनऊ से आया हूँ।" क्या कहना चाहिए, मेरी कुछ समय में न आता था, इसलिए बिना समझे-बूझे जो मुख में आया वही बोल गया। शान्ति पूर्ववत् भ्रान्त दृष्टि से मुझे देख रही थी।

इतने में उसी सुन्दर लड़के ने अपनी मौसी के पास से आकर पीछे से शान्ति का अंचल पकड़कर कहा—"अम्माँ, यह कौन हैं?"

शान्ति जैसे दुःस्वप्न से चौंक उठी। उसने लौटकर देखा। "कौन, लल्लन? तुम्हारी मौसी कहाँ है, बेटा!"

"यह क्या खड़ी है!"

लल्लन की मौसी दरवाजे की आड़ पर खड़ी थी। उसकी ओर देखकर शान्ति ने कहा—"सुभद्रा, चाय तैयार करो! और देखो, विद्यावती जी को बाहर के कमरे में भेज देना।" इसके बाद मेरी ओर लौटकर उसने कहा—"चलिये, अन्दर चलकर बैठिये।" उसके मुख का भाव अभी तक काफी गम्भीर था, पर उसमें कुछ स्थिरता आ गयी थी।

मैं बेवकूफों की तरह उसके पीछे हो लिया। भीतर जाकर मैंने देखा, कमरा काफी बड़ा और चित्रों तथा पर्दों से अच्छी तरह सजाया हुआ था। फर्नीचर भी खासा अच्छा था। "आप बैठिये, मैं अभी आती हूँ," कहकर शान्ति लल्लन का हाथ पकड़कर भीतर चली गयी। उसका रंग-ढंग कुछ मेरी समझ ही में न आता था। उसका मुझे 'आप' कहकर सम्बोधित करना मेरे कलेजे में तीर की तरह गड़ रहा था। पर आश्चर्य की बात

यह थी कि उसका यह सम्बोधन अभूतपूर्व होने पर भी मुझे अस्वाभाविक नहीं लग रहा था। मेरा अन्तःकरण शायद इसके लिए पहले से ही तैयार था। फिर भी मैं स्तब्ध हो रहा था। प्रायः दस मिनट तक उस कमरे में मैं अकेला बैठा रहा।

अन्त में शान्ति आयी। पर अकेली नहीं आयी। उसके साथ एक चश्माधारी अधेड़ महिला भी थीं। मैं समझ गया कि शान्ति मुझे अकेले में बातें करने का अवसर नहीं देना चाहती है।

"आइये, विद्यावती जी, बैठिये!" कहकर उसने मखमली गद्देवाली एक कुर्सी अधेड़ महिला की ओर बढ़ा दी। चश्मे के भीतर से बड़े गौर से मुझे देखते हुए अधेड़ महिला धीरे से कुर्सी पर बैठ गयी। कमरे में अँधेरा होने लग गया था। शान्ति ने स्विच दबाकर बत्ती जला दी, और एक कुर्सी पकड़कर 'विद्यावती जी' की बगल में बैठ गयी।

विद्यावती जी ने अपने बड़े-बड़े, बाहर को निकले हुए दाँत अधिक स्पष्टता से प्रस्फुटित करते हुए मुझसे पूछा–"आप यहाँ कब आये हैं?"

उन्होंने यह नहीं पूछा कि "आप कौन हैं, कहाँ से आये हैं और क्यों आये हैं?" इससे स्पष्ट था कि शान्ति ने किसी-न-किसी रूप में मेरा परिचय उन्हें दे दिया था। मैंने सोचा–"चलो अच्छा ही हुआ! यदि वह अकस्मात् मुझी से मेरा परिचय पूछ बैठतीं, तो मैं क्या उत्तर देता!"

प्रकट में मैंने कहा–"मैं लखनऊ से आया हूँ।" कहते ही अपने उत्तर की मूर्खता पर लज्जित हो उठा। मुझे याद आया कि उन्होंने यह नहीं पूछा था कि मैं कहाँ से आया हूँ, बल्कि यह पूछा था कि मैं कब आया हूँ। विद्यावती जी वन्य वाराह की तरह अपने बहिर्गत दाँतों का एक बार फिर से पूर्ण प्रदर्शन करके मुस्कराने लगीं। मैंने कहा–"मुझे यहाँ आये दो-चार रोज हो गये हैं।"

"कहाँ ठहरे हैं?"

"एक होटल में।"

"यहाँ से कब वापस जायँगे?"

सीधा-सादा प्रश्न था! हेर-फेर का लेश भी नहीं था। पर मैं इस संकट में पड़ा कि इसका क्या उत्तर दिया जाय। शान्ति पर मुझे मन-ही-मन क्रोध आ रहा था। मेरे मन में यह विश्वास जम गया था कि जान-बूझकर मेरा अपमान करने के लिए वह इस विचित्र दन्तिनी महिला को मेरे पास ले आयी है। साथ ही मुझे यह सन्देह भी हो रहा था कि वह इस महिला को सिखा-पढ़ाकर लायी है।

मैंने शान्ति की ओर देखा। वह एक विचित्र मर्मभेदी दृष्टि से मुझे देख रही थी। क्या उस दृष्टि में वेदना थी? अभिमान था? घृणा थी? मैं ठीक तरह से कह नहीं सकता। शायद इन तीनों भावों का सम्मिश्रण था। पर उस दृष्टि से चाहे कुछ भी भाव व्यक्त होता हो, उसकी तीक्ष्णता मेरे अन्तर को चीरने लगी। मैं सहम गया और मैंने आँखें फिरा लीं।

विद्यावती जी की ओर मुँह करके उनके प्रश्न का उत्तर देते हुए मैंने कहा—"अभी निश्चित रूप से कुछ कह नहीं सकता कि यहाँ से कब वापस जाऊँगा। मुमकिन है, दो-चार दिन यहाँ और रहूँ, और यह भी मुमकिन है कि जल्दी ही चला जाऊँ।"

"जीजी, देखो इस दुष्ट लल्लन को! दोनों हाथों में मिट्टी लगा लाया है। कहता है, मैं बाग लगाऊँगा!" कहते हुए एक दूसरी महिला ने लल्लन के दोनों हाथ अपराधी की तरह पकड़कर प्रवेश किया।

शान्ति स्नेहपूर्वक मुस्कराने लगी। बोली—"देखो लल्लन, अगर तुम दुष्टता करोगे तो मैं सुभद्रा से कलवाली बात कह दूँगी।"

सचमुच लल्लन के दोनों हाथ मिट्टी से लथपथ थे। वह मुट्ठी बाँधे अपराधी की तरह खड़ा था। उसने कहा—"अम्माँ, मैंने कुछ दुष्टता नहीं की। मैं बाग लगा रहा था। बाग लगाना क्या बुरा होता है?"

शान्ति ने कहा—"बुरा नहीं होता; हम माली से कह देंगे, वह तुम्हारे लिये एक बहुत अच्छा बाग लगा देगा, अच्छा! जाओ हाथ धो आओ।"

विद्यावती जी ने नवागन्तुक महिला से कहा—"प्रेमा देवी, तुम्हीं जाकर इसके हाथ धो दो। जाओ लल्ला!"

इतने में सुभद्रा देवी ने भीतर के कमरे में प्रवेश किया, और उनके पीछे एक नौकर ट्रे में चाय और उसके साथ कुछ नाश्ते का सामान लेकर आया। लल्लन को देखकर सुभद्रा देवी ने डाँट के स्वर में कहा—"लल्लन! हाथ गन्दे क्यों हैं? इधर आओ।" लल्लन अपराधी की तरह सिर नीचा किये रहा। सुभद्रा देवी ने फिर झिड़ककर कहा—"मैं कहती हूँ, इधर आओ!" वह डरता हुआ धीरे-धीरे उनकी ओर जाने लगा। सुभद्रा देवी ने उसके दोनों हाथ पकड़कर आँखें दिखाते हुए कहा—"तुम फिर शैतानी से बाज नहीं आते! चलो, आज तुम्हें अँधेरे कमरे में बन्द कर दें।" यह कहकर उसे खींचकर भीतर ले जाने लगीं। लल्लन बिलबिलाने लगा। विद्यावती जी ने उठकर कहा—"आज इसे माफ कर दो, सुभद्रा देवी!" यह कहकर वह लल्लन और सुभद्रा के बीच में खड़ी होकर बीच-बचाव करने लगीं। बड़ी मुश्किल से विद्यावती जी सुभद्रा देवी को शान्त कर पायी और लल्लन को उसका हाथ स्वयं धुलाने ले गयी।

शान्ति स्नेहपूर्ण वेदना-भरी मुस्कान के साथ यह सब दृश्य देख रही थी। लल्लन के चले जाने पर सुभ्रदा देवी ने मुस्कराते हुए शान्ति के पास आकर कहा—"आजकल बड़ा दुष्ट हो गया है। अभी कुछ समय पहले गाय के पास खड़े होकर उसे अपने हाथ से घास खिला रहा था। जब वह सींगों से मार बैठती तो!"

इसके बाद मेरी ओर देखकर उन्होंने कहा—"चाय पी लीजिये, ठण्डी हो जायगी।"

नौकर मेरे सामने एक छोटा-सा टेबिल रखकर उस पर चाय का पूरा सामान और साथ ही कुछ खाद्य-पदार्थ रख गया था। लल्लन को लेकर जो छोटा-मोटा 'काण्ड' अभी हो गया था मैं उसी को देखने में व्यस्त था। केवल व्यस्त ही नहीं, विस्मित भी हो रहा था। मैं सोच रहा था कि यह लल्लन है कौन? इस अध्यापिकाश्रम में कोई पुरुष तो

मुझे नहीं दिखायी देता। कुटुम्ब सहित कोई महिला यहाँ रहती होगी, इसमें सन्देह है। इसके अलावा शान्ति को वह 'अम्माँ' कह रहा था, और सुभद्रा देवी को 'मौसी'। तब क्या शान्ति ने इसे गोद लिया है? सुभद्रा देवी उसे जिस तरह डाँट रही थीं, उससे तो यही जान पड़ता था कि उन्हीं का अधिकार उस पर अधिक है। यह सब कैसा रहस्य-जाल है। रह-रहकर एक अनिश्चित सन्देह मेरे मन में उत्पन्न हो रहा था।

सुभद्रा देवी भीतर जा रही थीं, पर शान्ति ने उन्हें टोककर कहा—"कहाँ जाती हो, कुछ देर बैठो!"

सुभद्रा देवी ने कहा—मैं जरा देख आती हूँ, लल्लन क्या कर रहा है। विद्यावती जी का कहना वह नहीं मानेगा।"

"अरे नहीं! विद्यावती जी को वह बहुत मानता है। तुम उसकी चिन्ता न करो। बैठो! हाँ, एक काम तो करो। उनके प्याले में चाय तुम्हीं डाल दो।"

सुभद्रा देवी कुछ संकोच के साथ मेरी टेबिल पर आकर खड़ी हो गयीं, और 'टी-पाट' से मेरे प्याले में चाय डालकर उसमें दूध डालकर, चम्मच से चीनी मिलाने लगीं।

मैंने कहा—"यहाँ प्याला तो मैं एक ही देख रहा हूँ। क्या आप लोग चाय नहीं पीयेंगी?"

सहज संकोच-भरी मधुर मुस्कान के साथ सुभद्रा देवी ने उत्तर दिया—"जी नहीं, हम लोग पी चुकी हैं।"

मुझे चाय पीने का उत्साह तनिक भी नहीं रह गया था। एक जड़ता-भरी उदासी का भार मेरी छाती को धीरे-धीरे दबाता जाता था। न मुझे कुछ खाने की रुचि रह गयी थी, न चाय पीने की। जी चाहता था कि चुपचाप उठकर चल दूँ। पर तैश में आकर चट से कोई काम कर बैठने का फल मैं जीवन में बहुत पा चुका था, इसलिए इस विरोधी प्रवृत्ति को मैंने बलपूर्वक दबाया, और दो-एक टुकड़े मिठाई के, और एक-आध टुकड़ा नमकीन का बड़ी ग्लानि के साथ किसी तरह मुँह में डालकर मैं जल्दी-जल्दी चाय गटकने लगा। एक-एक घूँट मुझे विषैला लग रहा था। किसी तरह प्याला खतम करके रूमाल से हाथ-मुँह पोंछकर मैं अत्यन्त संकुचित और अर्द्धमृत अवस्था में बैठा रहा।

शान्ति ने एक उत्कण्ठा का-सा भाव दिखाते हुए सुभद्रा देवी से कहा—"सुभद्रा, एक कप चाय और बना दो, इस 'टी-पाट' में तो चार प्याले भर जाते हैं। अभी तक एक ही प्याला लिया है।"

मैंने घबराकर कहा—"नहीं, अब बस कीजिये। मैं अधिक चाय नहीं पीता। इसके अलावा मैं होटल में पीकर आया था।"

शान्ति के गम्भीर मुख पर इस बार अकृत्रिम व्यथा के स्पष्ट चिह्न दिखायी दिये। मेरी अन्तरात्मा ने जाना कि वह मेरे मन की ग्लानि के भाव को ताड़ गयी है, और उसके कारण उसे काफी दुःख हो रहा है। इस जानकारी से मुझे अल्प सन्तोष प्राप्त हुआ।

सुभद्रा देवी ने उस सहज संकोच के भाव से कहा–"चाय अच्छी नहीं बनी होगी। जल्दी में बनायी थी।"

मैंने उनकी गलतफ़हमी दूर करने के इरादे से कहा–"चाय ऐसी अच्छी बनी थी, जैसी इधर कई दिनों से मैंने नहीं पी थी। पर अब अर्से से मैंने चाय पीना बहुत कम कर दिया है।" कहकर एक तिरछी नजर से मैंने शान्ति की ओर देखा। उसके मुख पर अमिश्रित व्यथा का चिह्न गाढ़-से-गाढ़तर होता चला जाता था। ऐसा मालूम होता था, जैसे वह अब रोना ही चाहती हो। मेरे अन्तिम कथन का लक्ष्य दरअसल उसी के प्रति था। इलाहाबाद में जिस दिन उसका चित्त ठिकाने रहता उस दिन वह चाय के प्याले-पर-प्याले मुझे पिलाती चली जाती, और स्वयं भी पीती थी। चाय की वह इतनी शौकीन थी कि बनारस में उसने उसके लिए खास तौर से स्टोव रख छोड़ा था। उसके इलाहाबाद से चले जाने के बाद दरअसल मैंने चाय पीना बहुत कम कर दिया था।

इतने में विद्यावती जी लल्लन को लेकर आयीं, मुँह-हाथ धोकर, साफ़ कपड़े बदलकर वह आया था। उसके बाल भी सँवारे हुए थे। उसकी सुन्दरता इस समय तपाये हुए सोने की तरह निखर गयी थी। शान्ति का मुँह उसे देखकर उल्लास से खिल उठा। सुभद्रा देवी भी उसका पिछला अपराध भूलकर हर्ष-गद्गद-सी हो उठीं। शान्ति ने कहा–"इधर आ जाओ, लल्ला, हमारी गोद में बैठो।" वह शान्त भाव से उसके पास चला गया। शान्ति ने उसकी पीठ पर, गालों पर लाड़ से हाथ फेरते हुए, पुचकारकर कहा–"हमारा लल्ला बड़ा राजा बेटा है। सबका कहना मानता है, किसी से नहीं झगड़ता, शैतानी नहीं करता।" सुभद्रा देवी ने हर्ष, प्रेम और गर्व को दबाने की वृथा चेष्टा करते हुए कृत्रिम व्यंग्य के साथ कहा–"आहा! बड़ा आया कहीं का राजा! घोर दुष्ट है! क्यों रे, है न तू दुष्ट!"

लल्लन यद्यपि शान्ति के पास खड़ा था, पर उसकी संकोच और अभिमान-भरी आँखें सुभद्रा की ओर लगी हुई थीं। वह शायद इस बात की प्रत्याशा कर रहा था कि उसकी मौसी उसे अबकी साफ-सुथरा देखकर अपनी पिछली डाँट के लिए पश्चात्ताप करेंगी। पर जब पश्चात्ताप के बदले उस पर उलटा व्यंग्य कसा जाने लगा, तो उसकी आँखों में, गालों में, होंठों के इर्द-गिर्द अभिमान का भाव अधिकाधिक फूलता हुआ दिखायी दिया। व्यंग्य के इस अपमान को न सहन करने के कारण उसने दबे हुए कण्ठ से कहा–"हम आज से तुम्हारे साथ नहीं सोयेंगे। हर्गिज नहीं सोयेंगे।"

सुभद्रा देवी ने प्रेम के गर्व से अधिक उल्लसित होकर कहा–"मेरे साथ नहीं सोयेगा, तो क्या अकेले सोयेगा?"

शान्ति ने उसकी पीठ थपथपाते हुए कहा–"कह दो लल्ला, कि हम अपनी अम्माँ के साथ सोयेंगे!"

लल्लन ने उसी की बात दुहराते हुए कहा–"हम अपनी अम्माँ के साथ सोयेंगे, छोटी मौसी के साथ सोयेंगे; तुम्हारे साथ नहीं सोयेंगे, नहीं सोयेंगे–कहते ही वह रो पड़ा। सुभद्रा ने तत्काल उठकर उसे पकड़कर अपनी गोद में बिठा लिया और स्नेह-विगलित

स्वर में कहा—"पागल कहीं का! मैं तो हँसी कर रही थी।!" सुभद्रा की गोद में जाते ही लल्लन का रहा-सहा अभिमान भी रोधमुक्त होकर फूट पड़ा और वह उसके अंचल में मुँह छिपाकर व्याकुल विह्वलता से फफक-फफककर, सिसक-सिसककर रोने लगा।

शान्ति की आँखें सुख और दुःख की मिश्रित वेदना के कारण भर-सी आयी थीं। सुभद्रा देवी लल्लन की पीठ थपथपाकर उसे पुचकारकर, चुमकारकर शान्त करने की चेष्टा कर रही थीं। भीतर के दरवाजे पर दो-एक महिलाएँ और आकर खड़ी हो गयी थीं। विद्यावती जी लल्लन की पीठ की ओर देखते हुए बोलीं—"मुझे आश्चर्य हो रहा था कि आज वह शान्ति देवी के साथ सोने के लिए कैसे तैयार हो गया? सुभद्रा देवी को छोड़कर वह कभी किसी के साथ सो ही नहीं सकता। मैं स्वयं आजमाकर देख चुकी हूँ।"

सुभद्रा देवी की ओर मैंने देखा। वह लल्लन के सिर के बाल सहला रही थीं, पर उनकी दृष्टि शून्य के किसी अनिश्चित, अनिर्दिष्ट स्थान पर गड़ी हुई थी। स्नेहजनित करुणा से और मातृ-वेदना के-से भाव के गर्व से उनकी आँखें छलछला आयी थीं।

मुझे ऐसा अनुभव हो रहा था कि शान्ति के उस रहस्यमय आश्रम में मैं एक अत्यन्त तुच्छ उपेक्षणीय प्राणी की अपेक्षा अधिक महत्त्व नहीं रखता हूँ, और सारे आश्रम का भार-केन्द्र है यह छह वर्ष का प्यारा बालक। उस बालक के प्रति मेरे मन में एक अदम्य ईर्ष्या और साथ ही एक उत्कट स्नेह का भाव उमड़-उमड़कर मुझे विक्षुब्ध कर रहा था।

अव्यक्त रूप से आहें भरता हुआ मैं काफी देर तक बैठा रहा। थोड़ी देर बाद लल्लन शान्त हो गया। सुभद्रा देवी उसे गोद में उठाकर भीतर ले गयीं। विद्यावती जी अपने विचित्र दन्तों को प्रदर्शित करके बैठी रहीं। शान्ति का मुख फिर से एक गम्भीर वेदना की छाया से ढक गया था। मैं इस बात की प्रतीक्षा कर रहा था कि विद्यावती जी हटें, तो शान्ति से दो-चार बातें करके इतने दिनों से भीतर दबी हुई वेदना का भार कुछ हलका करूँ। पर वह हटती नहीं थीं। असल बात यह थी कि शान्ति स्वयं नहीं चाहती थी कि वह हटें। मुझे वह मूर्तिमान् अभिशाप की तरह मालूम हो रही थीं। अपने जीवन में किसी नारी को देखकर मेरे मन में ऐसा क्रोध, ऐसी उत्कट घृणा कभी नहीं जगी, जैसे उन्हें देखकर उस समय उत्पन्न हो रही थी। कोई उपाय न देखकर मैं लाचार होकर उठ बैज और दोनों की ओर हाथ जोड़कर मैंने चलने की आज्ञा ली। शान्ति भी उठ खड़ी हुई। उसका मुख वेदना से अतिशय म्लान होने पर उसमें एक अत्यन्त दृढ़ और गम्भीर कठोरता की छाप भी वर्तमान थी।

मैं जब बरामदे से नीचे उतरा, तो शान्ति ने कुछ विचलित कण्ठ से कहा—"अभी तो आप कुछ दिन यहीं होंगे?"

मैंने हड़बड़ाकर उत्तर दिया—"नहीं,—हाँ, अभी शायद रहूँगा।" यह कहकर मैं सीधे फाटक की ओर चला गया। फाटक से बाहर निकलते ही अन्यमनस्क भाव से ताँगे पर बैठ गया। नशे की-सी हालत में झूमता हुआ, विस्मृत-सा होटल में पहुँचा।

●●●

बिना कुछ खाये ही मैं पलँग पर जाकर लेट गया। तरह-तरह की भावनाएँ मन में उदित होने लगीं। शान्ति की अनिर्वचनीय पुण्य-प्रभा से उज्ज्वल, प्रशान्त, तेजाभास से विभासित, तथापि सकरुण वेदना से म्लान मुखच्छवि मेरे मन से किसी तरह भी हटना नहीं चाहती थी। ऐसी अपूर्व सौन्दर्य-शोभा उसके चेहरे में मैंने पहले कभी नहीं देखी थी। पर रह-रहकर यह दुर्भावना स्प्रिंग के तीखे पंजे की तरह मेरे मस्तिष्क को जकड़ रही थी कि शान्ति के और मेरे बीच जो एक दुर्भेद्य वज्र-व्यवधान खड़ा हो गया है, उसे हटाना असम्भव नहीं तो दुःसाध्य अवश्य है। इतनी देर तक मैं उसके इतने निकट बैठा रहा, तथापि उसने अपने को मुझसे दूर रखा! मैं सोचने लगा कि मेरी वह शान्ति अब कहाँ है जिसे मैं अपने हृदय से भी अधिक निकट समझता था! केवल छह वर्ष के जीवन-चक्र की परिवर्तित गति से उसने इतनी बड़ी दुर्लंघ्य दीवार मेरे विरुद्ध खड़ी कर दी! सोचते-सोचते मैं बेबस विकल होकर छटपटाने लगा। मैंने अपने मन में कहा—"भगवान्! क्या किसी उपाय से यह सम्भव नहीं हो सकता कि मेरे विगत जीवन की सब दुःस्मृतियाँ और विकृतियाँ नये जीवन की अनुभूति के प्रवाह में बहकर अनन्त काल के अन्ध गर्भ में सदा के लिए विलीन हो जायँ, और शान्ति के साथ मैं नये रूप में, जीवन-संघर्ष से प्राप्त नये अनुभवों, नयी उमंगों और नयी वेदनाओं के साथ मिलकर उसे इस बात का प्रमाण देने का अवसर प्राप्त कर सकूँ कि जिन नये आदर्शों की ओर उसके जीवन की गति चली जा रही है; मेरे प्राणों की धारा का बहाव भी अब पूर्णरूप से उसी ओर उन्मुख हो रहा है?"

पर रह-रहकर कोई आवाज मेरे भीतर कह रही थी कि "अब ऐसा होना असम्भव है; लाख सिर पटकने पर भी तुम्हें अब अपने जीवन के महत्त्वपूर्ण परिवर्तन से शान्ति को परिचित कराने का अवसर नहीं मिल सकता! और यदि संयोग से ऐसा अवसर मिल भी जाय तो उसका कोई प्रभाव अब शान्ति पर नहीं पड़ सकता। जिन वज्र-नियमों के बन्धन से उसने अपने को घेर लिया है, उन्हें वह अब विश्व के किसी भी प्रलोभन से, किसी भी आकर्षण से, किसी भी मोहाकांक्षा से छिन्न नहीं करना चाहेगी, क्योंकि उन्हीं बन्धनों ने उसे मुक्ति का स्वाद चखा दिया है!"

उफ़! यह कल्पना, मेरे मर्म की यह अन्तर्दृष्टि कितनी भयंकर थी! उसे बलपूर्वक दबाकर मेरा मन बार-बार अपने-आपको ठगने की चेष्टा करता हुआ इस आशा-मरीचिका पर अपने को टिकाये रहने की चेष्टा करने लगा कि शान्ति फिर से मेरी ही होकर रहेगी। मुझे याद आया कि जब मैं बिदा होने लगा था तो शान्ति ने कहा था—"अभी

तो आप कुछ दिन यहीं होंगे!" उसके इस कथन में क्या यह संकेत छिपा हुआ नहीं था कि विगत जीवन की बिगड़ी हुई बातें फिर सुधर सकती हैं? उसका गुप्त आशय क्या यह जताने का नहीं था कि—"मेरी आज की बातों से और व्यवहार से निराश होने का कोई कारण नहीं है! यहाँ आते रहना, धीरे-धीरे सब ठीक हो जायगा।"

पर वह मुझे 'आप' कहकर सम्बोधित क्यों करती रही! यह उसकी कैसी निर्मम कठोरता थी! सोचते-सोचते मेरे सिर की नसों का रक्त इस तरह तरंगित हो उठा कि मुझे मालूम होने लगा जैसे हजारों कीड़े उन नसों के भीतर लपलप कर रहे हों। धीरे-धीरे रक्त का दबाव इतना बढ़ गया कि मुझे भय होने लगा, कहीं कोई नस फट न जाय।

मैंने चेष्टा की कि शान्ति के सम्बन्ध में कोई बात न सोचूँ। क्योंकि मेरे दिल की धड़कन बन्द हो जाय, किसी भी उपाय से मेरी मृत्यु हो जाय, यह मुझे मंजूर था, पर पागल होना मैं किसी तरह भी नहीं चाहता था। पर लाख चेष्टा करने पर भी मैं सोचने की क्रिया को स्थगित नहीं कर पाता था। लल्लन के प्यारे-प्यारे मुखड़े की स्मृति एक सुनहले दीपक की तरह जलकर मेरे मन के गहन अन्धकार को आलोकित कर रही थी। कौन हो तुम, प्यारे लड़के?—मैंने मन-ही-मन कहा—क्या शान्ति, वास्तव में तुम्हारी माँ है? क्या तुमने सचमुच उसकी कोख से जन्म लिया है? या यह भी माया-मरीचिका है? क्या यह भी उसी रहस्य का धूमिल जाल है जिससे शान्ति ने इधर अपने को आवृत कर लिया है?

सारी रात इसी तरह की चिन्ताओं में करवटें बदलते-बदलते बीती। सुबह को आँख लगी। नौ बजे उठा। उठकर नहा-धोकर खाना खाकर एक अखबार हाथ में लेकर पलँग पर लेट गया, और पढ़ते-पढ़ते सो गया। प्रायः ढाई बजे तक सोता रहा। उठकर हाथ-मुँह धोया। वक्त काटना दूभर हो रहा था। एक प्याला चाय मँगाकर कुछ समय उसमें बिताया। चाय से शरीर और मन में कुछ स्फूर्ति-सी आयी। पिछली रात मेरी चिन्ताओं ने भयावह रूप धारण करके अचल निराशा का जो वज्र-भार मेरी छाती पर रख दिया था, वह इस समय बहुत-कुछ हट गया था। मैंने निश्चय किया कि आज शान्ति के पास जाकर अपने मन का सारा हाल निस्संकोच कह सुनाऊँगा। उससे स्पष्ट रूप से यह प्रार्थना करूँगा कि कुछ समय वह मुझे अकेले में बातें करने के लिए दे। मेरे भीतर यह विश्वास अपनी मोहमाया विस्तारित करने लगा कि शान्ति के और मेरे बीच जो व्यवधान मुझे कल दिखायी दिया था, वह काल्पनिक था, जिसे मेरे भीरु मन ने प्रश्रय दिया था। यह आशा मेरे मन में एक सुन्दर मनोमोहक रंगीन वितान तानने लगी कि शान्ति अवश्य ही मेरी दयनीय परिस्थिति का सारा इतिहास सुनकर मेरे पिछले अपराध को क्षमा कर देगी।

होटल से बाहर निकलकर एक ताँगा किया और शान्ति के बँगले की ओर चल दिया। ताँगे का घोड़ा तेज था, इसलिए शीघ्र ही वह गन्तव्य स्थान पर आ पहुँचा। बँगले के फाटक पर पहुँचते ही मेरा सारा उत्साह फिर ठण्डा पड़ गया। दबे पाँव बरामदे में

आया। भीतर बहुत-सी महिलाओं के बोलने का शब्द सुनायी दे रहा था। कुछ देर बाद सुभद्रा देवी लल्लन का हाथ पकड़कर बरामदे में आयीं। मुझे देखते ही शान्त स्वर में बोलीं–"आइये, भीतर पधारिये।"

मैंने कहा–"मालूम होता है, इस समय शान्ति देवी व्यस्त हैं। फिर किसी समय आऊँगा।"

सुभद्रा देवी बोलीं–"तब तक आप दूसरे कमरे में बैठिये। बाहर से आयी हुई महिलाएँ अभी थोड़ी देर में चली जावेंगी।"

इतने में शान्ति स्वयं बाहर चली आयी। प्रशान्त गाम्भीर्य के साथ बोली–"ओः आप आये हैं! सुभद्रा, इन्हें तब तक बगलवाले कमरे में बिठाओ। मैं अभी आती हूँ।" यह कहकर वह फिर भीतर चली गयी। सुभद्रा देवी मुझे जिस कमरे में ले गयी, वह छोटा था, पर था साफ-सुथरा। मैं एक सोफा पर बैठ गया। लल्लन मुझे कौतूहल की दृष्टि से देख रहा था। मैंने उसे अपने पास बुलाया। वह कुछ सकुचाता हुआ चला आया। उसे अपनी गोद में बिठाकर मैंने उससे उसका पूरा नाम पूछा। उसने मेरे कोट के बटन में हाथ लगाते हुए कहा–"मेरा नाम किशोरकुमार वाजपेयी है।" मैं अकृत्रिम आश्चर्य से कुछ समय तक उसकी ओर देखता रह गया। इसके बाद मैंने सुभद्रा देवी की ओर देखा। वह एक कोने में एक कुर्सी के सहारे खड़ी थीं। उनके मुख पर एक रहस्यमय मुस्कान का आभास झलक रहा था। मैंने कम्पित कण्ठ से पूछा–"तुम्हें क्या अपने पिता का भी नाम मालूम है?"

लल्लन ने अत्यन्त शान्त और निश्चित स्वर में कहा–"हाँ।"

मैंने हड़बड़ाकर पूछा–"क्या नाम है?"

"नन्दकिशोर वाजपेयी!"

आनन्द की एक दुर्निवार तरंग और साथ ही एक अव्यक्त वेदना के आनन्दोच्छ्वास से मेरी आत्मा तलप्रदेश से ऊपर तक आलोड़ित हो उठी।

मैंने कुछ हकलाते हुए सुभद्रा देवी से पूछा–"यह क्या ठीक कहता है?"

सुभद्रा देवी ने सिर नीचे की ओर और आँखें कुछ ऊपर की ओर करके रहस्यमयी भाषा में कहा–"कम-से-कम मेरा तो यही खयाल है कि वह ठीक ही कहता है।"

मैंने अधीरता के साथ पूछा–"क्या आपको मेरा नाम मालूम है?"

"जी हाँ।"

"कैसे मालूम हुआ? मैंने तो कल किसी को नहीं बताया था?"

"दीदी ने बताया है।"

"तो क्या–तो क्या मुझे यह कहने का अधिकार है कि लल्लन मेरा ही–"

"जी हाँ," कहकर सुभद्रा तत्काल भीतर चली गयी।

सुभद्रा देवी के चले जाने पर मैंने लल्लन को जी-भरकर छाती से लगाया और उत्कट प्यार से उसका मुँह चूमता हुआ बोला—"लल्लन, मैं ही तुम्हारा पिता हूँ। मेरा ही नाम नन्दकिशोर वाजपेयी है, समझे!"

वह असीम विस्मय के साथ अपनी दो प्यारी-प्यारी रसीली और भावपूर्ण आँखों से एकटक मेरी ओर देखने लगा। मैं उसे गोद में लिये हुए कुछ समय के लिए अन्यमनस्क होकर एक निराले ही भावलोक में पहुँच गया, जहाँ हर्ष और विस्मयपूर्ण आनन्द की सम्मिलित वेदना के गद्‌गद प्रवाह की तरंगें एक-दूसरे के ऊपर टकराकर एक अपूर्व फेनिल हिल्लोल के उन्माद की सृष्टि कर रही थीं।

जब मेरे हृदय का भावोद्वेल कुछ शान्त हुआ, तो मैं सोचने लगा—"यह कैसी विचित्र अनुभूति है! जीवनदाता! मुझे बता दो कि मैं आनन्द की इस अधीरता और साथ ही एक अज्ञात भय की भ्रान्ति को कैसे सँभालूँ?"

विस्मय की जो अनुभूति मुझे विशेष अधिक रहस्यमय मालूम होती थी, वह यह थी कि शान्ति ने आश्रम-निवासिनी महिलाओं से मेरे साथ अपने सम्बन्ध की कोई बात नहीं छिपायी थी। सुभद्रा के कथन से यह बात स्पष्ट हो गयी थी। और इससे भी अधिक आश्चर्य मुझे इस बात पर हो रहा था कि आश्रम की महिलाओं ने सब-कुछ मालूम होने पर भी शान्ति के प्रति तनिक भी अश्रद्धा का भाव प्रदर्शित नहीं किया था। बल्कि मुझे तो यही अनुभव हुआ कि आश्रम-निवासिनियों की जैसी श्रद्धा उस पर है वैसी किसी दूसरे के प्रति नहीं है।

मैं इसी तरह के विचारों में मग्न था कि अकस्मात् शान्ति ने विद्यावती जी के साथ भीतर प्रवेश किया। विद्यावती जी की सूरत देखते ही मेरा सारा हृदय हिमप्रस्तर की तरह ठण्डा और कठिन बन गया।

शान्ति ने लल्लन की ओर देखकर कहा—"लल्लन, क्या सो गये हो, लल्ला!"

दरअसल लल्लन अपनी दोनों सुकुमार बाँहों से मुझे जकड़कर झूमने-सा लगा था। मौन स्नेह की एक अपूर्व धारा उसके रक्त-कणों में प्रवाहित होकर मेरी रगों में, सारे शरीर में एक मन्दोष्ण मादकता उत्पन्न कर रही थी। पहले ही कह चुका हूँ कि वह सोया नहीं था; केवल झूम रहा था। शान्ति का कण्ठस्वर सुनकर उसने आँखें खोलीं और लौटकर उसकी ओर देखा। एक सरस, मधुर मुस्कान से शान्ति ने उसकी उत्सुक दृष्टि का उत्तर दिया और सामने एक कुर्सी पर बैठ गयी। विद्यावती जी भी पासवाले कौच में विराजीं।

लज्जा-संकोच सब त्यागकर मैंने साहस करके कहा—"शान्ति, मैं तुम्हारे साथ अकेले में दो बातें करना चाहता हूँ।"

विद्यावती जी इस बार कुछ सिटपिटायीं। बोलीं—"मैं जाती हूँ, आप लोग बैठे रहें।" यह कहकर उठने लगीं। पर शान्ति ने उनका हाथ पकड़कर उन्हें फिर बिठा दिया, और कहा—"आप बैठिये, विद्यावती जी, मैं जरा भीतर देख आती हूँ कि चाय तैयार हुई या

नहीं।" यह कहकर वह उठ खड़ी हुई और भीतर चली गयी। मैं मर्माहत होकर अन्यमनस्क भाव से विद्यावती जी के दाँतों की ओर देखता रह गया।

थोड़ी देर बाद सुभद्रा देवी के साथ शान्ति चली आयी। सुभद्रा देवी के हाथ में चाय का एक ट्रे था, जिसमें एक प्लेट में फल और एक में मिष्टान्न भी रखा हुआ था।

शान्ति ने एक पेग-टेबिल मेरे सामने रख दिया और सुभद्रा देवी ने चाय का ट्रे उसी पर आहिस्ते से रखा। एक बार जी चाहा कि चाय पीने से स्पष्ट ही अस्वीकार कर दूँ। पर किसी अज्ञात कारण से अस्वीकार न कर सका।

लल्लन मेरी गोद से नीचे उतरकर सुभद्रा देवी के पास जाकर उनका अंचल पकड़कर खड़ा हो गया।

चाय पीने का काम मुझे ऐसा मालूम हो रहा था जैसे कोई घोर कष्टकर दण्ड मुझे भोगना पड़ रहा हो। किसी तरह यह अप्रिय कार्य समाप्त करके मैंने उससे छुट्टी पायी। शान्ति के व्यवहार से मैं परेशान था। मैंने निर्लज्ज बनकर उससे प्रार्थना की, फिर भी उसने उस पर तनिक भी ध्यान देना उचित न समझा! क्या वह यह सोचती है कि अकेले में मैं उसका कोई अनिष्ट कर बैठूँगा! क्या अब भी मेरे सम्बन्ध में उसकी धारणा वैसी ही बनी हुई है? मेरी दो बातें एकान्त में सुन लेती, तो ऐसा कौन-सा अन्धेर हो जाता!

चाय पीने के बाद प्रायः आधे घण्टे तक वहाँ और बैठा रहा। कुछ समय लल्लन के साथ उसके बाग के 'प्लान' के सम्बन्ध में बातें करके बिताया, कुछ समय शान्ति और सुभद्रा देवी के साथ लल्लन का वार्त्तालाप सुनकर काटा।

जब मैं चलने लगा तो शान्ति उठ खड़ी हुई। विद्यावती जी बैठी ही रहीं। शान्ति ने मेरी ओर संकेत करके लल्लन से कहा—"प्रणाम नहीं करते!" लल्लन ने एक सरस, स्निग्ध, सकरुण भाव मुँह में झलकाकर मेरी ओर हाथ जोड़कर कहा—"प्रणाम!"

मैंने कहा—"जीते रहो लल्ला?" यह कहकर बाहर चला आया।

•••

होटल आकर एक बार इच्छा हुई कि टिकट कटाकर देहरादून से चल दूँ। पर मन की तत्कालीन घोर अनिश्चित परिस्थिति में चले जाने को कदम भी नहीं बढ़ते थे। मैंने प्रण किया कि आज हो चाहे कल, परसों हो चाहे नरसों, पर मैं एक बार अवश्य ही शान्ति के आगे अपने हृदय को उन्मुक्त करूँगा। उससे एक बात भी नहीं छिपाऊँगा। जयन्ती से विवाह के पूर्व से लेकर उसकी मृत्यु तक का सारा किस्सा उसे सुनाकर अपने

मन का भार हलका करूँगा, और उसके (शान्ति के) प्रति जो अन्याय मैंने और भैया ने किया है उसके लिए बार-बार क्षमा चाहूँगा। इतने दिनों से मेरे भीतर जो क्रन्दन का वेग रुद्ध पड़ा है, वह एक बार मुक्त हो जायगा, तो पत्थर को भी अपनी भावुकता के प्रवाह में बहा ले जायगा, फिर शान्ति के सम्बन्ध में कहना ही क्या है!

तीसरे दिन मैं फिर शान्ति के यहाँ गया। आज उसके आश्रम का सारा वातावरण कुछ भाराक्रान्त-सा मालूम होता था। शान्ति के गम्भीर और प्रशान्त मुखमण्डल पर रह-रहकर एक अन्यमनस्क भाव की स्तब्ध, विभ्रान्त छाया अंकित होकर उसके चारों ओर एक रहस्यमय विषाद का संचार कर रही थी। लल्लन से वह बातें करती थी, पर उसका जी कुछ दूसरी ही ओर था। विद्यावती जी और दिनों की तरह आज भी सब समय उसी के पास बैठी हुई थीं। प्रायः घण्टे भर तक वहाँ रहकर आज भी हताश होकर मैं जब जाने लगा, तो शान्ति ने बरामदे तक मेरा साथ दिया, और अत्यन्त वेदना-क्लिष्ट और निरतिशय म्लान मुस्कान की ओट में अपने मन का असली भाव छिपाने की चेष्टा करते हुए, मेरे प्रति हाथ जोड़ते हुए "अच्छा" कहकर केवल दो अक्षरों द्वारा मेरा अभिवादन किया। पर इस एक शब्द में उसकी सारी मर्म-वेदना जैसे आलोड़ित होकर फूट पड़ी। जब से मैं देहरादून में आकर उससे मिला था तब से आज पहली बार उसने मेरी ओर हाथ जोड़े थे। एक अज्ञात आशंका लेकर मैं होटल को वापस चला गया।

इसके दूसरे दिन मैं शान्ति के पास नहीं गया। दिनभर होटल ही में पड़ा रहा। तीसरे दिन प्रायः चार बजे जब बँगले पहुँचा, तो चारों ओर मुझे एक अजीब सन्नाटा-सा मालूम होने लगा। इसमें सन्देह नहीं कि बँगले में शोर कभी नहीं मचा रहता था, पर आज के सन्नाटे में कुछ ऐसी निराली बात थी, जिसका मैं केवल अनुभव कर सकता हूँ, वर्णन नहीं कर सकता। बरामदे में पहुँचते ही विद्यावती जी भीतर से आती हुई दिखायी दीं। उनका वह नीरस, शुष्क, जले हुए काठ की तरह चेहरा और चूल्हे से बाहर निकली हुई लकड़ियों की तरह पीले दाँतों के दर्शन होते ही, न जाने क्यों मेरा हृदय आतंकित हो उठा, और किसी अमंगल सूचना की आशंका से मैं काँप उठा। मैं अन्धविश्वासी नहीं हूँ, पर मुझे पूरा विश्वास है कि जीवन में कुछ ऐसे अज्ञात क्षण आते हैं जब कट्टर-से-कट्टर बुद्धिवादी को भी अपनी अन्धप्रेरणा से प्रभावित होना पड़ता है। और आश्चर्य की बात यह है कि यह 'अन्धप्रेरणा' कभी धोखा नहीं देती।

विद्यावती जी को देखते ही मुझे ऐसा अनुभव हुआ जैसे प्रेत-लोक की कोई छाया, जो कुछ दिनों से मेरा अनिष्ट करने के फेर में थी, आज अपने निष्ठुर पैशाचिक कृत्य में सफलता प्राप्त करके शान्त हो गयी है। इस प्रकार की अर्थहीन ऊटपटाँग कल्पना क्यों मेरे मन में उदित हुई, मैं कह नहीं सकता, क्योंकि मेरे दूसरे मन को यह विश्वास था कि विद्यावती जी वास्तव में एक भद्र महिला हैं और वह कभी किसी का अनिष्ट नहीं कर सकतीं।

मैंने उनकी ओर हाथ जोड़कर 'नमस्ते' कहा। उन्होंने भी मेरा प्रत्यभिवादन किया, पर बोलीं कुछ नहीं; केवल एक विचित्र दृष्टि से, जो न क्रूर थी न कोमल, न स्थिर थी न अस्थिर, मुझे देखती रहीं। मैंने साहस करके पूछा—"शान्ति क्या भीतर ही है?"

उसी अनोखी दृष्टि से मेरी ओर देखते हुए विद्यावती जी बोलीं–"नहीं, वह यहाँ नहीं हैं।"

"स्कूल से तो शायद वापस आ गयी होंगी।"

"स्कूल जातीं कैसे, वह तो यहाँ हैं ही नहीं।"

"क्या शहर से बाहर चली गयीं? कब? कहाँ?"

"कल स्कूल गयी थीं, उसके बाद फिर बँगले में लौटकर नहीं आयीं। कहाँ गयीं, इसकी खबर किसी को नहीं है। आज अभी डाक से उनकी एक चिट्ठी सुभद्रा देवी के नाम आयी है। चिट्ठी पर देहरादून की ही छाप लगी है। मालूम होता है, जाने के पहले उन्होंने डाली होगी। चिट्ठी से भी पता नहीं लग सका कि वह कहाँ गयीं।"

मुझे ऐसा मालूम हुआ कि सारा बँगला उलटकर ऊपर को उठ गया है और मेरे सिर के चारों ओर चक्कर लगा रहा है। मेरा माथा इस तरह घूमने लगा था कि जान पड़ता था जैसे विद्यावती जी नीचे बरामदे पर नहीं, बल्कि ऊपर उलटी छत पर, पाँव ऊपर और सिर नीचे करके, स्थिर खड़ी हैं। मुझे आश्चर्य हो रहा था कि वह गिरती क्यों नहीं! चक्कर आने के कारण मैं गिरने ही को था, पर मैंने तत्काल खम्भे का सहारा पकड़ लिया। दोनों हाथों से खम्भे को पकड़कर उस पर अपना सिर छिपाकर विद्यावती जी की ओर पीठ करके मैं काफी देर तक खड़ा रहा। जब चक्कर का जोर कुछ कम हुआ, तो मैंने विद्यावती जी की ओर मुँह करके उनसे पूछा–"सुभद्रा देवी कहाँ है?"

विद्यावती जी अभी तक उसी अवस्था में स्थिर खड़ी थीं जिस अवस्था में मैंने उन्हें पहले देखा था। उन्होंने उत्तर दिया–"सुभद्रा जी पलँग पर लेटी हुई रो रही हैं।"

"और लल्लन?"

"वह भी उन्हीं के साथ लेटा हुआ है।"

मुझ में खड़े रहने की ताकत नहीं रह गयी थी। पाँव डिग रहे थे। वहीं जमीन पर ही बैठ गया।

विद्यावती जी ने अत्यन्त शान्त भाव से कहा–"चलिये, भीतर आराम से बैठिये, जमीन पर काहे को बैठते हैं!"

पर मैं उनकी बात अनसुनी करके चुपचाप वहीं बैठा रहा। मैं इस बात का इन्तजार कर रहा था कि सुभद्रा देवी कुछ स्थिर हों तो उनसे ठीक-ठीक बात मालूम करूँ। शान्ति ने पत्र में क्या लिखा है, यह जानने को मैं अधीर हो उठा, यद्यपि मैं यह भी जानता था कि ठीक बात जानने से भी अब कुछ लाभ नहीं है।

बहुत देर तक मैं उसी अवस्था में बैठा रहा। जब कुछ स्थिर हुआ, तो विद्यावती जी के पास जाकर मैंने कहा–"क्या सुभद्रा देवी से एक बार मेरी भेंट नहीं हो सकती?"

"मैं पूछकर आती हूँ।" कहकर वह भीतर चली गयीं। थोड़ी देर बाद लौटकर उन्होंने कहा–"चलिये, भीतर चले आइये।"

मैं अनमने भाव से, शंकित पगों से भीतर गया। सुभद्रा देवी पलँग पर से उठ बैठीं। उनकी पलकें अभी तक भीगी हुई थीं। मेरे कुछ कहने से पहले ही उन्होंने सादे लिफाफे

के भीतर बन्द एक पत्र मेरे हाथ में दिया। उसके बाहर मेरा नाम लिखा हुआ था। पत्र देते समय उन्होंने मेरी ओर ठीक तरह से देखा तक नहीं। बार-बार वह आँचल से अपनी आँखें पोंछ रही थीं।

मैंने कम्पित हाथों से पत्र खोलकर पढ़ा। शान्ति ने लिखा था—

"मैं जा रही हूँ। किसी से असन्तुष्ट होकर नहीं, बल्कि जीवन के रहे-सहे बन्धनों को छिन्न करके पूर्ण मुक्ति का स्वाद प्राप्त करने की इच्छा से। वर्षों से तुम्हारी प्रतीक्षा कर रही थी। मुझे पूरा विश्वास था कि इस जीवन में एक-न-एक बार फिर तुम्हारे दर्शन अवश्य होंगे। आज भगवान् ने वह अभिलाषा पूरी कर दी। बस, अब मुझे कुछ नहीं चाहिए। लल्लन तुम्हारा ही है। मेरा इलाहाबाद से चले जाने के प्रायः सात महीने बाद उसका जन्म हुआ। इलाहाबाद छोड़ने के कुछ समय पहले से ही मुझे उसके आगमन की सूचना का आभास मिल गया था। मैंने तब तुमसे नहीं कहा, इसके दो कारण थे, एक तो मेरा मूर्खतापूर्ण संकोच और दूसरे, तब तुम्हारे मन में मेरे सम्बन्ध में कुछ दूसरा ही सन्देह होने लगा था। इस बार तुम्हारे मुख का भाव देखते ही मैं स्पष्ट समझ गयी थी कि तुम अब अपने व्यर्थ के सन्देह की भ्रान्ति से परिचित हो गये हो। कुछ भी हो, लल्लन तुम्हारा ही है, इसका प्रमाण देने की आवश्यकता मुझे इसलिए नहीं है कि तुम दोनों की मुखाकृतियाँ देखकर कोई अनजान आदमी भी इस सम्बन्ध में सन्देह करने की मूर्खता नहीं कर सकता। सुभद्रा तुम्हें पहली बार देखते ही तत्काल तुम्हें पहचान गयी थी, उसने स्वयं वह बात मुझसे कही थी।

"तुम अवश्य ही मेरी निर्मोही प्रकृति के लिए मुझे कोसोगे। यह सोचकर तुम्हारे आश्चर्य का ठिकाना न रहेगा कि अपने प्यारे लल्लन को छोड़कर मैंने चले जाने का साहस कैसे किया। पर तुम्हारा आश्चर्य यह जानकर जाता रहेगा कि लल्लन को मैंने केवल गर्भ में धारण किया है, उसकी माँ सुभद्रा ही है। उसी ने उसके पैदा होने के समय से आज तक उसे पाला-पोसा है। इसलिए मैं उसके सम्बन्ध में पूर्ण रूप से निश्चिन्त हूँ। खासकर अब तो और भी अधिक निश्चिन्त होने का कारण मुझे प्राप्त हो गया है, क्योंकि मैं केवल सुभद्रा को ही नहीं, तुम्हें भी लल्लन को सौंपे जा रही हूँ।

"तुम्हारे मन में अवश्य ही यह प्रश्न उदित होगा कि जब मैं इतने वर्षों तक तुम्हारी प्रतीक्षा में रही, तो फिर तुम्हारे आने पर क्यों तुमको, लल्लन को, सुभद्रा को, सारे संसार को छोड़कर चली गयी? यह प्रश्न अवश्य बड़ा जटिल है, और मैं इसका कोई ठीक उत्तर नहीं दे सकती। मैं स्वयं नहीं जानती कि मैं क्यों जा रही हूँ, और कहाँ जाऊँगी। पर मेरे अन्तःकरण के एक अज्ञात कोने से रह-रहकर एक स्पष्ट वाणी उठकर मेरे कानों में कह रही है—'तुम्हें जाना ही होगा! समस्त झूठे और सच्चे बन्धनों को छिन्न करने का अवसर तुम्हारे लिये आ गया है। लेशमात्र द्विविधा के बिना ही तुम चल दो!" ठीक है, मैं अवश्य चल दूँगी, इस शुभ अवसर का पूरा लाभ उठाऊँगी! पर चलूँ कहाँ? अनन्त के इस अज्ञात रहस्यमय कोने में विधाता ने मेरे लिये कहाँ स्थान रच रखा है? यह मैं कैसे जानूँ। पर मुझे जाना ही होगा।

"मेरी खोज के फेर में भूलकर भी न पड़ना। इस जन्म में अब कोई भी शक्ति हम दोनों का मिलन नहीं करा सकती। तुम्हारी ममता के बन्धन को तोड़ने के लिए इस बार कितना कठोर प्रयत्न मुझे करना पड़ा है, यह कोई नहीं जान सकता। पर एक बार जहाँ बन्धन तोड़ दिया, फिर लाख चेष्टा करने पर भी उसे कोई जोड़ नहीं सकता। जोड़ने की चेष्टा ही नाशकारी सिद्ध होगी।

"मेरे साथ सम्बन्ध जोड़कर तुमने जीवन में केवल कष्ट ही पाया। पर मैं इसके लिए क्या कर सकती हूँ। सब होनहार थी। अच्छा, अब बिदा होती हूँ। मेरी भूल-चूक सब क्षमा करना!–शान्ति!"

पत्र पढ़ते समय पहले कुछ समय के लिए मेरे दुःख और क्षोभ का ठिकाना न रहा, पर बाद में अकस्मात् अपने-आप मेरे चित्त में स्थिरता आने लगी। धीरे-धीरे एक वैराग्य का-सा भाव मेरे मन में समा गया। मैं सोचने लगा कि ऐसा होना अनिवार्य था, संसार की कोई भी शक्ति शान्ति को बन्धनमुक्त होने से रोक नहीं सकती थी। जयन्ती के जल मरने की तरह ही इस घटना के पीछे भी मेरे भाग्य का अज्ञात षड्यन्त्र चल रहा था। यदि भाग्य का यह षड्यन्त्र न चलता होता, तो क्या शान्ति सब-कुछ छोड़कर जाने के पहले मुझे दो बातें एकान्त में करने का मौका न देती? मेरे मन में यह विश्वास किसी तरह हटना नहीं चाहता था कि यदि शान्ति मेरे वैवाहिक जीवन का करुण इतिहास एक बार अच्छी तरह से सुन पाती, तो अवश्य ही उसका नारी-हृदय मेरी घोर शोचनीय अवस्था का खयाल करके मुझे इस तरह एकदम निरुपाय असहाय अवस्था में अकेला छोड़ना न चाहता। पर चूँकि ऐसा होना नहीं था, इसलिए उसने मुझे कुछ कहने-सुनने का अवसर ही न दिया। ऐसी हालत में, एक अपरिहार्य घटना के कारण विचलित होकर पागल होना किसी प्रकार भी अच्छा नहीं है, यह कहकर मैं अपने मन को बार-बार समझाने लगा। मैं चिट्ठी पढ़ता जाता था और अपने मन को इस तरह समझाता जाता था। चिट्ठी पढ़ चुकने पर मैंने सुभद्रा देवी से कहा–"आपके पत्र में शान्ति ने क्या लिखा है, यह जानने की मुझे उत्सुकता नहीं है। आप चाहें तो मेरा यह पत्र पढ़ सकती हैं।" यह कहकर मैंने वह पत्र उनके सामने रख दिया। सुभद्रा देवी ने मेरा पत्र न उठाकर अपना पत्र चुपचाप मेरे आगे रख दिया। पर वास्तव में उसे पढ़ने की कोई उत्सुकता मुझे नहीं रह गयी थी। इतना मैं निश्चित जानता था कि सुभद्रा देवी के पत्र से भी शान्ति का पता प्राप्त नहीं हो सकता तब व्यर्थ क्यों दूसरे का पत्र पढ़ा जाय?

"इस समय आपका जी ठीक नहीं है, कल मैं एक बार फिर आऊँगा।" यह कहकर मैं चला गया।

होटल पहुँचने पर मैंने अपने-आप से प्रश्न किया–"मैंने सुभद्रा देवी से क्यों कहा कि मैं कल फिर एक बार आऊँगा? इस मूर्खता की क्या आवश्यकता थी? कल वहाँ जाकर क्या करूँगा? कड़वी स्मृति को मन में और ताजा करने के सिवा इससे और क्या लाभ होगा?"

पर तत्काल मुझे लल्लन की याद आयी। ठीक! लल्लन के विषय में बात करने के लिए ही मैंने कल फिर जाने को कहा है।

दूसरे दिन मैं यथासमय सुभद्रा देवी के पास पहुँचा। आज वह कल से कुछ स्थिर दिखायी दीं, यद्यपि उनका स्वाभाविक हँसमुख भाव गम्भीर विषाद की कालिमा से पुता हुआ था। एक कुर्सी पर बैठकर बिना किसी भूमिका के मैंने कहा—"मैं लल्लन को अपने साथ ले जाना चाहता हूँ।"

मेरी बात सुनते ही उनके मुख पर तत्काल एक ऐसी मुर्दनी छा गयी कि मैं घबरा उठा। उन्होंने शायद इस सम्भावना की कल्पना कतई नहीं की थी कि मैं इस तरह का प्रस्ताव उनके आगे रख सकता हूँ।

उनकी घबराहट काफी देर तक बनी रही, और एक शब्द भी उनके मुँह से न निकला। कुछ समय बाद जब वह सँभलीं, तो रुँधे हुए गले से बोलीं—"लल्लन पर आपका पूरा अधिकार है यह मैं जानती हूँ। कानून भी निश्चित ही इस सम्बन्ध में आपके ही पक्ष में होगा। पर मैं यह कैसे आपको समझाऊँ कि उस पर मेरा भी कुछ अधिकार है! चेष्टा करने पर भी मैं समझा नहीं पाऊँगी। फिर भी आपसे हाथ जोड़कर प्रार्थना करती हूँ कि लल्लन को मुझसे न छुड़ाइये। यह दुःख मैं नहीं सह सकूँगी। दीदी गयीं, अब क्या लल्लन भी—" वह अधिक न बोल सकीं, व्याकुल होकर रो पड़ीं।

मैं उठ खड़ा हुआ और धीरे से बोला—"मुझसे भूल हुई है, बहन जी, क्षमा कीजिये। लल्लन को आप ही अपने पास रखिये। मैं किसी निश्चित स्थान में गया, तो आपको अपना पता लिख भेजूँगा। समय-समय पर उसकी कुशल भेजते रहियेगा। और—"

इतने में लल्लन अपनी 'छोटी मौसी' के साथ वहाँ आ पहुँचा। कैसी सुन्दर सतेज और साथ ही सकरुण आभा उसके मुख पर वर्तमान थी; मैंने सोचा कि जिस शक्ति ने शान्ति को ऐसे प्यारे लड़के तक को त्यागकर चले जाने का साहस प्रदान किया वह कैसी प्रचण्ड और दुर्निवार रही होगी! इतना बड़ा बल कहाँ से शान्ति को मिल गया? मैंने मन-ही-मन कहा—"हे नारी! तुम्हारी सत्ता रहस्यमय है! प्रारम्भ में भी मैंने तुम्हारे हृदय को अविच्छेद्य रहस्य से परिपूर्ण पाया, और अन्त में वैसी ही धारणा मेरी बनी रह गयी। अन्त? पर तुम्हारा अन्त कहाँ है? तुम्हारी प्रवृत्ति सदा अज्ञात अनन्त में अपने को लीन करने की रही है। अन्त के साथ तुमने सदा परिहास किया है। जीवन की धूलि में तुम सदा लोटती रही हो, पर उस धूलि का एक कण भी कभी तुम्हारी आत्मा में अपना चिह्न नहीं छोड़ सका है। मृत्यु के अन्धकार में तुम बराबर कूदी हो, पर वह गहन अन्धकार अपने विकराल जबड़ों से कभी तुम्हें निगलने में समर्थ नहीं हुआ है। तुम अमर हो? तुम चिरन्तन हो। तुम धन्य हो!"

क्षण-काल के लिए अर्द्धरात्रि के रहस्यमय स्वप्नलोक की-सी विस्मृति ने मेरे मन को आच्छन्न कर लिया। कुछ देर बाद जब चैतन्य हुआ, तो मैंने देखा कि लल्लन अपनी मौसी के आँचल में लिपटकर धीरे से पूछ रहा था—"मौसी, क्यों रोती हो?" और शंकित दृष्टि से मेरी ओर देख रहा था।

"अच्छा लल्लन! अब हम जाते हैं। अच्छी तरह से रहना। मौसी को किसी भी बात के लिए परेशान न करना, अच्छा!" यह कहकर मैंने उसकी ठुड्डी पर सस्नेह हाथ लगाया। इसके बाद सुभद्रा देवी को ओर देखकर मैंने कहा—"बहन जी, जाता हूँ, नमस्ते! जो हुआ उसके लिए दुःख करना अब व्यर्थ है। शान्ति भी लल्लन को आप ही को सौंप गयी है, और मैं भी आप ही के हाथों उसे छोड़े जाता हूँ। भगवान् ने चाहा, तो फिर कभी आपके दर्शन करने आऊँगा। पर भविष्य की कौन कह सकता है! अच्छा नमस्ते? कृपा रखियेगा।"

सुभद्रा देवी ने आधी दृष्टि से मेरी ओर और आधी दृष्टि से लल्लन की ओर देखते हुए कहा—"नमस्ते!"

लल्लन कुछ भी ठीक तरह से न समझकर एक व्याकुल विभ्रान्ति की मार्मिक दृष्टि से मेरी ओर देख रहा था। मैं चला आया, पर उसकी वह दृष्टि मेरा पीछा करती रही।

•••

देहरादून छोड़ने के बाद से वैराग्य की फिर वही मोहिनी मेरे मन
फैलाने लगी जो वर्षों से जयन्ती की मृत्यु-दुर्घटना के समय से मुझे
के फेर में डाले हुए थी। अनुराग की माया से लोग मरीचिका
हैं, पर विराग की माया-मरीचिका उससे भी कितनी विकट होती
बहुत कम लोगों को होगा।

मैंने अपने अज्ञात में ही दाढ़ी रखना और बाल बढ़ान
अकस्मात् जब मुझे इस बात की चेतना हुई कि मेरी दा
काफी लम्बे हो गये हैं, तो बिना पूर्व सूचना के विद्
मन में भूत की तरह संवार हो गया। मैंने सहसा ज
वेष धारण कर लेने का निश्चय कर लिया। परि
ही चुका था, अब पूरा 'स्वामी' बन बैठा। पहले
धर्म ग्रहण किया यह न मैं बताना चाहता हूँ
इतना बता देना आवश्यक समझता हूँ कि
हो, पर जान-बूझकर मैंने संन्यास का ढों
से मैं जनता में शीघ्र ही कैसे प्रसिद्ध
इसलिए उसके वर्णन से पाठकों क

इस सम्बन्ध में आश्चर्यजनक और रोचक बात यह है कि मैं कानपुर में कपड़े की मिलों, बिहार और बंगाल में कोयले की खानों और कलकत्ते की जूट की मिलों के मजदूरों के बीच जाकर, उनका नेता बनकर, उनमें उनके पूँजीपति मालिकों के विरुद्ध असन्तोष का भाव फैलाकर, उन्हें भड़काने और हड़ताल करवाने के काम में बड़ी दिलचस्पी लेने लगा, और ट्रेड यूनियनों के संगठन-सम्बन्धी विषय में भाग लेने लगा। अकस्मात् 'कामरेडों' के प्रति मन में ऐसी जबर्दस्त सहानुभूति क्यों उमड़ आयी, मैं कह नहीं सकता। पर अपने नेतृत्व का निर्वाह मैं अपने मन की सारी शक्ति से करने लगा, और अपने जीवन की दुःखद घटनाओं को पिछली सभी स्मृतियों और संस्कारों को भूल-सा गया। नेतागिरी का एक जबर्दस्त नशा मुझ पर अपना प्रभाव डालने लगा, जो वैराग्य की एक अस्वाभाविक उद्दाम अनुभूति के साथ मिलकर एक उन्मत्त आवेग का संघूर्णन मेरे मन में उत्पन्न करने लगा। मेरे भाषणों में ऐसा जोश रहता था, ऐसी मार्मिक तीव्रता रहती थी कि मजदूर लोग उत्तेजित होकर मरने-मारने तक को तैयार हो जाते थे। इसमें सन्देह नहीं कि मैं उन्हें मानसिक हिंसा का व्यावहारिक रूप प्रदान करने का उत्साह प्रदान नहीं करता था, और जोश की चरम सीमा में उन्हें पहुँचाकर एकदम 'स्विच ऑफ' करके उन्हें ठण्डा कर देता था, पर अपनी शक्ति के प्रचण्ड आवेग की परीक्षा से मुझे केवल सन्तोष ही नहीं, अद्भुत हर्ष भी प्राप्त होता था।

कभी-कभी कुछ परछिद्रान्वेषियों को मैं अपने सम्बन्ध में यह 'रिमार्क' कसते सुनता [illegible]–"इन बाबा जी के फेर में न पड़ो। यह बाबा नहीं, पक्के चाचा हैं;" "यह नारि [illegible] घर सम्पति नासी, दाढ़ी बढ़ाय भये संन्यासियों में से हैं।" इस प्रकार की बातें [illegible]कर उस समय यदि किसी मजदूर के मन में मेरे सम्बन्ध में भले ही कुछ सन्देह [illegible]त हो जाता हो, पर मेरा व्याख्यान सुनते ही वह अवश्य ही फिर एक बार उन्मत्त [illegible]ता होगा, इसका मुझे पूरा विश्वास है।

[illegible] हालत में मेरा जेल जाना स्वाभाविक था। मैं उसके लिए बिलकुल तैयार था। [illegible] विश्वास है कि मेरी वैराग्य-धारा प्रारम्भ से ही मेरे अज्ञात में जेलोन्मुखी हो चली [illegible] जाने पर मुझे अपने अन्तर-रहस्य पर कुछ प्रकाश पड़ते दिखायी दिया। मुझे [illegible]पड़ा कि वैराग्य का सारा आडम्बर रचने और मजदूरों का झूठा नेतृत्व करने [illegible]त उद्देश्य ही यह था कि मैं जेल जाकर अपने को उस महान् आध्यात्मिक [illegible]र ग्रहण करने योग्य बना डालूँ जिसका अनुभव मेरे जीवन की विचित्र [illegible]ाति ने मुझे कराया है।

[illegible]ाजा होता है, तब वह विशेष पीड़ा नहीं पहुँचाता। पर पकने पर उसके [illegible]ठोर अनुभव होने लगता है। शान्ति के अज्ञात प्रस्थान की सूचना पाने [illegible]दना का अनुभव नहीं हुआ था। क्यों नहीं हुआ, इस बात से स्वयं मुझे [illegible]ा। पर जेल की काल-कोठरी में बन्द होते ही मुझे ऐसा जान पड़ा

कि वह घाव इतने दिनों तक अज्ञात में पक रहा था, और अब बड़े भयंकर रूप से दर्द करने लगा है।

एक साल जेल में बन्द रहा। अवधि समाप्त होने पर जब छूटकर बाहर निकला, तो इस अनुभूति से मैं अत्यन्त व्याकुल हो उठा कि मेरा प्रायश्चित्त अभी तक पूरा नहीं हुआ है। इस समय भी यही सोच रहा हूँ कि क्या मेरा प्रायश्चित्त इस जीवन में कभी पूरा हो सकेगा?

जेल से छूटने पर अपने संन्यास और नेतागिरी के ढोंग पर हँसी भी आयी और दुःख भी हुआ। मैंने दाढ़ी फिर घुटा ली है, और बाल कटवा डाले हैं, गेरुआ वस्त्र पहनना भी छोड़ दिया है। अब मैं न 'संन्यासी' हूँ न 'नेता'। लल्लन को देखने देहरादून गया था। मौसी के पास रहकर वह बड़ा सुखी है। वह न शान्ति के अभाव का अनुभव करता है, न मेरे।

पर मैं उन दोनों के अभाव का अनुभव कर रहा हूँ और सम्भवतः जीवन भर करता रहूँगा।

●